Für Heidi,
Florian, Nadine, Gwen
Basil, Daniela, Vanessa

Bibliografische Information der Deutschen Nationalbibliothek.
Die Deutsche Nationalbibliothek verzeichnet diese Publikation
in der Deutschen Nationalbibliografie; detaillierte bibliografische
Daten sind im Internet über http://dnb.dnb.de abrufbar.

1. Auflage

Satz: Leupindesign

TWENTYSIX - der Self-Publishing-Verlag
Eine Kooperation zwischen der Verlagsgruppe Random House
und BoD - Books on Demand

Herstellung und Verlag:
BoD - Books on Demand, Norderstedt

ISBN: 978-3-7407-6747-1

Das Buch

Rätselhafte Berichte in den Medien über die Ermordung von drei Wissenschaftler, erregen die Aufmerksamkeit von Charles Roberts, Special Agent der Geheimorganisation CISMA.

Als auch noch zwei merkwürdige Explosionen in einer abgelegenen Gegend von Argentinien registriert werden, tritt die CISMA in Aktion.

Zusammen mit seinen Teams, geht Charles Roberts der Sache auf den Grund und stösst auf ein Komplott, das die Menschheit auslöschen könnte.

Gelingt es der CISMA, den unbekannten Verschwörer daran zu hindern das Projekt „Genesis“ in die Tat umzusetzen?

Der Autor

Charles R. Leupin, geboren 1953 in Basel.
Arbeitete selbständig als Graphic- und Packaging-Designer.
Unter anderem, auch im Project-Mangement für nationale und internationale Grossunternehmen.
Lebt mit seiner Frau
in der Nähe von Zürich in der Schweiz.

Von Charles R. Leupin bereits erschienen:

AXOLOTL - Das GEN PROJEKT

CHARLES R. LEUPIN

AXOLOTL

DAS GENESIS KOMPLOTT

THRILLER

1

PROLOG

Viry-Chãtillon - Frankreich

Professor *Frederic Majol* ist im Begriff den Schlüssel in das Schloss seiner Haustüre zu stecken, als ein leises, undefinierbares Geräusch ihn kurz inne halten lässt. Nicht, dass er eine ängstliche Natur wäre. Nein, - im Gegenteil. Als ehemaliger Fremdenlegionär ist er mit heiklen Situationen immer bestens fertig geworden. Nach dem Ausscheiden aus der Legion hatte er ein Studium in Biologie an der renommierten Wissenschaftlichen Fakultät der Sorbonne aufgenommen und erfolgreich abgeschlossen. Im Laufe der Jahre hatte sich Majol in der Welt der Genetik einen weltweit anerkannten Ruf geschaffen.

Majol hörte das leise Geräusch in seinem Rücken und will sich gerade umdrehen um die Ursache zu erkunden. In dem Moment spürt er eine grosse kräftige Hand, die sich von hinten rechts unter sein Kinn legt. Majol will den Mund öffnen, um ab diesem Affront zu protestieren, als eine zweite Hand von links seinen Hinterkopf packt und mit einer blitzschnellen Bewegung den Hals des überraschten Professors um 90 Grad verdreht. Ein hässliches Knacken ist zu hören - mehr nicht.

Der Mann lässt den leblosen Körper des Professors langsam zu Boden gleiten. Fast zwei Meter gross, von kräftiger Statur, blickt der Hüne völlig emotionslos aus stahlblauen Augen auf den Leichnam zu seinen Füssen. Er streift sich die dünnen Gummihandschuhe ab, steckt sie in seine Jackentasche und streicht mit einer Hand über seine kurz geschorenen, blonden Haare. Er dreht sich um und verschwindet lautlos in der nebligen Dunkelheit der menschenleeren Anwohnerstrasse.

Im Bericht der örtlichen Gendarmerie wird vermerkt, dass sich die Polizei den Umstand über das Ableben von Professor Majol nicht erklären kann und somit von einem tragischen Unfall ausgeht.

LONDON - England

Eine kurze Meldung, in der renommierten Tages-Zeitung »Daily Mirror« wird von den meisten Lesern übersehen. Der kurze Bericht lautet:

»Professor Dr. Gerald Bolster - Opfer eines Verbrechens?«
Wie unser Korrespondent meldet, wurde gestern Abend der renommierte Atom- und Nuklear-Physiker Professor Dr. *Gerald Bolster* vor seiner Wohnungstüre tot aufgefunden. Ist der Professor Opfer eines Verbrechens? Wie gut informierte Kreise bestätigen, wurde Bolster mit gebrochenem Genick vor seiner Haustüre liegend tot aufgefunden. Die Polizei dementiert ein Verbrechen und geht davon aus, dass es sich um einen tragischen Unfall handelte. Der Professor war einer der massgeblichen Verfechter der Theorie, dass mit Hilfe eines Elementes mit der Bezeichnung »Hafnium 72« die Entwicklung einer »sauberen« Atombombe im Westentaschenformat möglich sei. Er wollte mit seiner Forschung beweisen, dass dieses unscheinbare Element eine ungeheure Sprengkraft entfalten kann.

MAILAND - Italien

Im Polizeibericht der Carabinieri Milano wird vermerkt: Zeugen haben beobachtet, wie in den späten Abendstunden auf dem Platz vor dem Mailänder Dom in der Nähe der Einkaufspassage »Vittorio Emanuele« eine männliche Person von einem grossen Mann angegriffen wurde. Wie die Polizei mitteilt, wurde dem Mann das Genick gebrochen. Bei dem

Opfer handelt es sich um den 52-jährigen Dottore *Massimo Feruccio.*

Feruccio war in Italien und Europa der führende Wissenschaftler für genetisch veränderte Embryonen. Die Polizei appelliert an die Mithilfe der Bevölkerung und beschreibt den Täter wie folgt:

Zwei Meter gross und muskulös gebaut. Kurze, blonde Haare und stahlblau leuchtende Augen. Der Mann trägt schwarze Kleidung und sei nach der Tat links am Dom vorbei gegangen und in der Via S. Raffaele verschwunden. Die Fahndung nach dem mutmasslichen Täter verlief bisher ergebnislos.

2

Washington D.C. - CISMA Zentrale

Es ist einer dieser wunderschönen Abende im April, die Washington D. C. seinen eigenen Zauber verleihen. Angenehm warm und trocken, die Luft klar und in der Abenddämmerung sieht man bis an den fernen Horizont.

Spät abends steht *Charles Roberts* am Fenster seines Büros in der Zentrale der CISMA[1]. Roberts ist ein grosser, athletischer Mann von 35 Jahren. Sein von der Sonne gebräuntes Gesicht mit den vielen kleinen Lachfältchen um die nussbraunen Augen, versprüht eine unbändige Dynamik und Entschlossenheit. Jetzt geniesst er den Anblick auf das langsam im Dunkel versinkende Panorama von Washington.

Er denkt gerade daran, dass ihn Sally heute Abend mit einem Candlelight Dinner überraschen will. Warum er das weiss und somit die Überraschung keine mehr ist, hat er der Indiskretion von seinem Freund *Marc Miller* zu verdanken.

Nach ihren Erlebnissen auf der Halbinsel Yucatán im vergangenen Jahr, hatte Marc das Angebot von Professor *Adrian Bowles*, Sallys Vater und Leiter des Greys Genetic Institute, angenommen. Jetzt arbeitet er, ebenso wie *Sally Bowles*, als persönlicher Assistent des Professors an der Auswertung der riesigen Datenmenge, die sie vom Avatar *Kukul Kan* erhalten hatten. Marc Miller ist mit seiner Frau Jessy und seiner Tochter Sarah Mae von Mahwah nach Fairfax in ein gemütliches Haus gezogen, um näher bei seinem Arbeitsort zu sein.

Sieben Monate zuvor hatte Charles Roberts, auf Anraten beziehungsweise den Befehl, von General *Clark C. Vanderbilt*, Sally Bowles und Marc Miller das Angebot unterbreitet, die

1 Counter Intelligence Secret Military Agency

zwei, als Teil des neu aufzustellenden *Team1* für die CISMA zu rekrutieren. Dies erfolgte in der Eigenschaft, als inoffizielle Mitarbeiter zur besonderen Verwendung. Somit konnten die zwei nach wie vor ihre Tätigkeit am »Greys« ausüben. Sally und Marc hatten mit Begeisterung zugesagt und können nun öfter direkt mit Roberts zusammen arbeiten. Sally aufgrund, dass sie und Charles seit einem Jahr ein Paar sind. Sie leben jetzt in seiner gemütlichen Loftwohnung zusammen. Und Marc Miller freute sich, wie er es in seiner saloppen Art nannte, auf weitere *»abgefahrene«* Aufgaben.

Was die beiden nicht ahnten, war die Tatsache der sechs Monate dauernden, knüppelharten Ausbildung im CISMA Boot-Camp und in Quantico. Dort wurde ihnen beigebracht mit den verschiedensten Waffen und Ausrüstungen im Schlaf umzugehen. Sie wurden im Nahkampf und verschiedenen Kampftechniken geschult. Nebst vielen anderen Dingen, die zum Wissen angehender Agenten gehört, auch im »Überleben« unter widrigsten Umständen. Mehr als einmal kam Sally am Wochenende völlig erschöpft nach Hause, sank Charles in die Arme und wollte alles hinschmeissen. Doch ihr Ehrgeiz und ein paar Sticheleien seitens Charles genügten, dass Sally nicht aufgab. Ebenso hatte sich Marc Miller durchgebissen und nach sechs Monaten Ausbildung konnten beide, als Klassenbeste des Lehrgangs, voller Stolz ihre Dienstmarken und ihre Waffen bei einer kleinen Zeremonie vom *»General«* in Empfang nehmen. Charles erinnerte sich mit einem Schmunzeln an den Abend nach der Zeremonie, als Sally ihm in ihrer Wohnung stolz wie Oskar den Ausweis mit der geprägten Marke unter die Nase hielt und verschwörerisch murmelte.

»Sieh her mein liebster Top Agent! Ab heute hast du eine Top-Top Agentin an deiner Seite! Also sei er auf der Hut, bevor er etwas Unbedachtes tut!«

Worauf er Sally unvermittelt mit seinen kräftigen Armen umfasste, sie heftig küsste und ohne Umschweife in Richtung

Schlafzimmer schob.

Von diesem Zeitpunkt an arbeitete Charles Roberts eng mit den beiden zusammen. Und das ist auch der Grund warum Charles von Sally geplanter Überraschung weiss. Bei seinem letzten Gespräch mit Marc Miller hatte sich dieser schlicht und einfach verplappert.

»Weisst du, dass Sally ein Candlelight Dinner anlässlich eures einjährigen Zusammenseins für dich organisiert?«

Hatte Marc voller Enthusiasmus erzählt und es im selben Moment bereut. *»Marc kann einfach seine Klappe nicht halten! Jetzt muss ich heute Abend den Anschein wahren und bei Sally den Überraschten spielen!«* Denkt Charles, als im selben Moment der Lautsprecher seines Flat Screen-Monitors anfängt aufdringlich zu piepsen. Er drehte sich um, blickt auf den Bildschirm und sieht das geöffnete Fenster, das den *News-Tracker* anzeigte. Nach den Ereignissen in Mexiko hatte Charles *Abel Mankowski* beauftragt ein spezielles Programm zu kreieren.

Abel Mankowski ist der IT- und Computer-Guru der CISMA. Abel ist mit seinen 26 Jahren ein wahres Genie, wenn es irgendetwas mit Nullen und Einsen zu tun hat. Schon mit 19 Jahren hatte er seinen Doktor in Computer Wissenschaften erlangt und weil ihm einfach darum war, noch den Doktor als Historiker absolviert.

Abel hat einen speziellen Algorithmus entwickelt, der alle Medienkanäle nach bestimmten Stichwörtern oder Sätzen durchsuchte. Als Charles Abel den Auftrag erteilte, antwortete dieser in seiner für ihn typischen Art.

> »Kein Problem, mein lieber Charles! *»Golem«* und ich sind, wie du weisst, ein unschlagbares Team! Und so eine Kleinigkeit erledigen wir quasi mit Links!«

Mit einem Schmunzeln denkt er an das kurze Intermezzo, das sich vor sechs Monaten auf der *»Kommandobrücke«* in der Computerzentrale im zehnten Stock abgespielt hatte.

Die wird von den Mitarbeitern der CISMA so genannt, weil in dem immer im Halbdunkel liegenden Raum an einer Wand unzählige flimmernde Bildschirme angebracht sind. Auf denen sind zum Teil Videostreams oder endlose Zahlenkolonnen zu sehen. In der Mitte des Raumes steht eine grosse, halbrunde Konsole auf der ebenfalls Monitore im Halbkreis angeordnet sind. Diese Displays sind transparent und das Ganze ähnelte der Kommandobrücke eines *Star Trek* Films.

Noch am selben Tag hatte sich Abel gemeldet und mit Stolz verkündet, dass sein *»GANT«* jetzt einsatzbereit sei. Auf Charles Frage, was denn in drei Teufels Namen *GANT* sei, hatte Abel nur trocken geantwortet.

»*Generic-Alert-News-Tracker*! *GANT* habe ich zusammen mit *Golem* entwickelt. Du bestimmst die Stichwörter oder Sätze nach denen der Algorithmus suchen soll. Also zum Beispiel: *Genetik, Genforschung-* und *Manipulation* oder sonst irgend einen Begriff und dann - Bingo! Zeigt er alle Meldungen, Berichte und Rapporte an, die am jeweiligen Tag zu diesen Stichwörtern veröffentlicht wurden!«

Charles setzte sich an seinen Schreibtisch und betrachtet auf seinem 21 Inch Monitor einen Moment lang das Pop-Up Fenster mit dem Text, - *»GANT hat 3 neue Meldungen 4U!«*

Er scrollte mit Hilfe des in die Tischplatte eingelassenen Touchpads das Fenster zu der Liste der drei neuen Nachrichten. Er klickte auf die Erste. Es ist der kurze Bericht der örtlichen Gendarmerie von Viry-Chãtillon. Mit einer Meldung über den tragischen Unfalltod eines Professor *Frederice Majol.*

Charles überfliegt die nächsten zwei Meldungen. Einen Zeitungsbericht aus England und den Polizeibericht der Mailänder Carabinieri. Als er zu Ende gelesen hatte, bleibt er einen Moment in Gedanken versunken sitzen. *»Das ist wirklich äusserst interessant! Innert einer Woche sterben drei Top Wissenschaftler. Einer wurde offensichtlich ermordet und die anderen zwei sollen angeblich verunglückt sein! Und zwei von* *denen sind auf dem Gebiet der Genetik tätig gewesen. Sehr merkwürdig!«*

Er tippt auf eine Taste seiner ultra flachen Tastatur und fast augenblicklich erscheint Abels mageres Gesicht in einem neuen Fenster auf dem Monitor. Wie üblich an einem seiner heissgeliebten Schokoriegel kauend, beginnt er mit vollen Backen zu nuscheln.

»Hallo, Charles. Alter Haudegen! Du hast sicher soeben die drei neuen Nachrichten gelesen? Irgendwie sehr seltsame Zufälle! Findest du nicht auch?«

»Hy, Abel! Ja, du hast vollkommen Recht. Irgendetwas sagt mir, dass da ein Zusammenhang besteht! Ich habe da so eine Vermutung und möchte dich um etwas bitten. Aber noch nicht offiziell! Auf keinen Fall den »General« informieren! Ich möchte zuerst Gewissheit haben!«

»Ehrensache, Charles! Kein Wort zum »Old-Man« und auch sonst, - zzht!«

Abel macht mit der Hand die Geste des Mundreissverschlusses. »Also, wie kann ich dir helfen?«

»Könntest du mir die möglichst lückenlosen Lebensläufe der drei Opfer erstellen. Ich muss gestehen, ich habe nur einen der drei Namen schon einmal gehört. Und zwar im Rahmen meines Studiums. Allerdings habe ich in den letzten Jahren von diesem weder etwas gehört, noch in der Fachpresse etwas gelesen!«

Abel schluckte den Rest seines Riegels, spülte mit dem obligaten Energydrink und erwidert.

»Wird erledigt, Charles! Wann möchtest du die Daten haben? Sofort?«

»Nein! Das hat Zeit bis morgen. Ich muss jetzt Feierabend machen, sonst kriege ich gehörigen Ärger mit Sally! Du weisst schon!«

»Hört, hört! Agent Roberts ist ganz schön unter der Fuchtel von Frau Doktor!«

Feixte Abel und kappte ohne Charles Reaktion abzuwarten die

Verbindung. Charles schmunzelte und schaltet den Computer in den Stand-By-Modus. Er blickt auf seine Breitling Armbanduhr und bemerkte, dass er sich schon verspätet hat. Eilig verlässt er sein Büro, sagte Hetty Thuring Bescheid, dass er Feierabend macht und begibt sich mit dem Aufzug ins Untergeschoss zu den Parkplätzen.

3

Washington D.C.

Auf der Fahrt durch den abendlichen Verkehr zu seiner Wohnung, die er jetzt mit Sally teilt, kommen ihm einige Gedanken. *»Die Methode mit der die drei Wissenschaftler ins Jenseits befördert wurden, kommt mir bekannt vor! Tod durch Genickbruch ist kein Zufall. Das trägt doch die Handschrift der Vandorp Klone*[1]*? Nur? Warum wurden die drei ermordet?«*

Kurz entschlossen betätigt er die Freisprechfunktion seines Smartphones und wählt die Nummer von Marc Miller. Nach dreimaligem Anklopfen meldet sich eine müde klingende Stimme.

»Miller, smart am Phone! Na, alter Junge! Hast du deine überraschende Überraschung genossen? Tut mir immer noch echt Leid, dass ich nicht meine Klappe halten konnte!«

Tönt es zerknirscht aus dem Lautsprecher. Charles weiss zwar, dass Marc ein echter Komiker sein kann, aber diesmal meinte er es offensichtlich ehrlich.

»Schon gut, Marc! Nein! Die Überraschung steht noch an. Ich bin unterwegs nach Hause. Ich ruf dich wegen einer anderen Sache an. Hör mir mal zu!«

Charles erzählte ihm in kurzen Worten was Abels News-Tracker heute Abend zu Tage gefördert hatte.

»Wow! Das tönt gar nicht gut! Da gondelt also ein ominöser »Genickbrecher« quer durch Europa und murkst einen Wissenschaftler nach dem anderen ab!«

»Das ist der Grund warum ich dich anrufe! Kennst du einen von den drei?«

Charles meint förmlich zu hören wie Marc überlegte, als

1 AXOLOTL Das GEN Projekt

dieser antwortet.

»Von Professor Majol habe ich schon gehört. Von den anderen zwei nicht! Hast du irgendeine Theorie was dahinter steckt?«

Charles musste scharf abbremsen, als vor ihm die Rücklichter eines Wagens jäh aufleuchten. Er unterdrückte einen Fluch und sagt zu Marc.

»Hör mal, Marc! Ich meine wir sollten uns morgen treffen. Ich komme mit Sally ins »Greys«. Adrian ist dann auch dabei. Also, ich breche jetzt ab, Ciao Marc!«

Er unterbricht die Verbindung und konzentrierte sich wieder auf den immer stärker werdenden Verkehr. Nach einer Viertelstunde hat er die Strasse im Quartier erreicht, wo er und Sally wohnen. Er parkte den Cadillac Escalade in der Tiefgarage auf seinem reservierten Platz und begibt sich zum Aufzug. Während die Kabine nach oben fährt, bereitet er sich darauf vor den Überraschten zu spielen. Aus seinen diversen Einsätzen, zum Teil auch Undercover, ist er es gewohnt auf jeweilige Situationen dementsprechend zu reagieren.

In der sechsten Etage angekommen, verlässt er den Aufzug und durchquert den Flur bis zu ihrer Wohnungstüre. Er holt einmal tief Luft, legt die Hand auf den Scanner und die Türe wird entriegelt. Als er in die Wohnung tritt, ist das Entree in eine diffuse Dunkelheit getaucht. Am Boden aufgereiht stehen kleine brennende Kerzen, die wie eine leuchtende Perlenkette in ihren Wohnraum führen.

»Sally Darling? Ich bin zuhause! Wo bist du?«

Fragte Charles in Richtung Wohnraum und bemerkte, dass seine Worte unbeholfen klingen. Er hängt das Jackett an die modernistische Garderobe aus gebogenen Chromstahlstangen und legte den Wagenschlüssel und das Smartphone in eine antike Silberschale auf der Rollkommode von Wogg Design. Er begibt sich zum Durchgang, der zu dem grossen Loft ähnlichen Wohnraum führt und bleibt an der Ecke stehen, als er Sallys

Stimme vernimmt.

»Charles, mein liebster Top-Agent unter den Top-Agenten!
Folge dem Licht und du wirst erkennen!«
Sally hatte die Worte im Tonfall eines okkulten Priesters aus einem ihrer Lieblings B-Movies gesprochen. Charles betritt den nur durch Kerzenlicht erhellten Wohnraum und bleibt erstaunt wie angewurzelt stehen. Auf der linken Seite befindet sich ihr Esstisch. Ein Einzelstück aus massivem Holz gefertigt und von schlichter moderner Eleganz. Jetzt ist dieser wunderschön mit einem weissem Tischtuch eingedeckt. Ein vierarmigen Kerzenleuchter aus Sterlingsilber ist mittig am linken Rand platziert. Eine ganze Batterie Silberbestecke ist akkurat neben den grossen runden, silbernen Platztellern ausgerichtet. Durch die vielen brennenden Kerzen erfüllt eine wohlige Wärme und ein angenehmer Duft den grossen Raum. Was Charles am meisten beeindruckte ist - Sally.

Sally Bowles ist eine ebenso charmante wie attraktive Frau von 32 Jahren. Sie arbeitet schon länger - zusammen mit ihrem Vater - an dem, von einem philanthropischen Milliardär finanzierten, privat geführten Forschungs-Institut für Genetik. Sally ist gross gewachsen und hatte die aschblonden Haare und blauen Augen von ihrer Mutter geerbt. Diese ist leider schon sehr früh durch einen Verkehrsunfall ums Leben gekommen. Sally ist eine lebenslustige junge Frau, die einen gesunden Humor hatte und manchmal zu äusserst skurrilen Spässen aufgelegt ist.

Jetzt steht sie neben dem gedeckten Tisch, eine Hand locker auf die rechte Hüfte gestützt. Das kleine schwarze Etuikleid aus feinster Seide betont ihre wohlgeformte Figur an den richtigen Stellen. Dazu trägt sie nur noch einen dezente Kette aus leicht rosafarbenen Salzwasserperlen, die ihren schlanken Hals umschmeicheln. Schwarze Strümpfe und ein paar dezente schwarze Ballerinas an den Füssen vervollständigen ihr Outfit.

Charles ist einfach nur geplättet und starrt Sally wie ein kleiner Schuljunge an.

»Na? Mein grosser Held? Hast du doch noch den Weg an den heimischen Herd gefunden? Und starre mich nicht so an, als wenn du noch nie eine Frau gesehen hättest! Komm endlich her und küss mich!«

Das lässt er sich nicht zweimal sagen. Er geht auf Sally zu, nimmt sie in die Arme und küsst sie leidenschaftlich. Sie erwidert seine Zärtlichkeit mit geniesserisch geschlossenen Augen und stösst Charles plötzlich von sich.

»Halt er ein, mein Freund! Ich krieg ja keine Luft mehr! Jetzt wird zuerst gegessen!«

Sally begibt sich in die hinter dem Esstisch gelegene offene Küche und fragt ihn, im Tonfall einer braven Hausfrau.

»Und wie war dein Tag? Viel Arbeit?«

Charles musste grinsen. Er kennt dieses Spielchen seit sie zusammen gezogen sind. Er setzt sich auf seinen angestammten Platz und erwähnt wie beiläufig.

»Och! Nichts Besonderes. Das Übliche eben! Papierkram, Verbrecher jagen und so! Ach! Und drei seltsame Morde untersuchen - normaler Alltag!«

Sally kommt mit zwei wunderbar mit feinsten Hors d'ouvres angerichteten Tellern und stellt sie auf die Platzteller. Dann giesst sie den eisgekühlten Weisswein in die Kristallgläser. Einen exzellenten Chardonnay von Zinfandel. Sie setzt sich ebenfalls, hebt ihr Glas und meint.

»Also ein ganz normaler Arbeitstag! Cheers, Darling! Auf unser erstes Jahr!«

Sie stossen an und Charles spricht einen Toast.

»Sally! Du bist das Beste, was mit passieren konnte! Ich bin glücklich, dass uns die seltsamen Umstände von vor einem Jahr wieder zusammen geführt haben! Damit du es weisst, - ich liebe dich! Und vielen Dank für die gelungene Überraschung!«

Sally hatte mit zusammengekniffenen Augen zugehört, sieht

ihn plötzlich verschmitzt an und prustet dann los.

»Du Schuft! Du Heuchler! Das mit der Liebe glaube ich dir ja! Ich dich nämlich auch! Aber das mit der Überraschung kannst du dir abschminken!«

Charles ist einen Moment perplex über Sally Reaktion und sieht sie verständnislos an.

»Hä! Was hast du denn und was meinst du?«

Stotterte er und sie schenkt ihm einen triumphierenden Blick.

»Du Superspion und bester aller Agenten! Meinst du, ich habe nicht bemerkt, dass meine Überraschung für dich keine Überraschung ist! Und dass du es weisst. Ich habe auch meine Verbindungen und *dunklen* Kanäle!«

Meinte sie mit einem Augenzwinkern.

»Mein Lieber! Ich bin schon darüber informiert, dass du schon weisst, dass ich dich mit einem Candlelight-Dinner zum ersten Jahrestag überraschen will! Und woher? Ganz einfach! Ein völlig zerknirschter Marc Miller hatte mich vorhin angerufen. Von Gewissensbissen geplagt - was bei ihm ja äusserst selten vorkommt - hat er zugegeben, dass er sich bei dir verplaudert hat!«

Sally prostet ihm noch einmal zu, nimmt einen grossen Schluck des köstlichen Chardonnay und fängt herzlich an zu lachen.

»Jetzt schau nicht so, wie ein begossener Pudel! Du kannst ja nichts dafür, dass Marc ein Plappermaul ist. Und ehrlich! Dein Toast hat mich wirklich berührt. Ich liebe dich nämlich auch! Eigentlich sollte ich sagen - immer noch! Wie damals auf dem Campus!«

Charles hatte seinerzeit zusammen mit Sally an der Stanford Universität studiert und ebenso wie sie, einen Abschluss als promovierter Doktor der Genetik und Gentechnik. Nebst dem hatten die beiden eine leidenschaftliche Affäre, die jedoch endete, als sich ihre beruflichen Wege trennten.

Er hat sich von Sallys Standpauke schnell erholt, steht auf, tritt zu ihr und geht vor ihr auf die Knie. Aus seiner Hosentasche holt er ein kleines, schwarzes Kästchen, klappt es auf und hält es Sally hin. Ein funkelnder Solitär wirft flackernde Reflexe auf Sallys Gesicht.

»Sally! Ich möchte dich hier und heute fragen! Willst du meine Frau werden?«

Jetzt ist sie an der Reihe sprachlos zu sein. Sie blickte auf den Diamanten, dann zu Charles und wieder auf den Einkaräter. In ihren Augen schimmerte plötzlich ein feuchter Glanz, als sie mit belegter Stimme und einem Kloss im Hals antwortet.

Ich! Ja! Ja natürlich will ich! Nichts mehr auf der Welt!«

Er nimmt den Ring aus der kleinen Box und streift ihn über ihren zitternden Finger. Er passt wie angegossen.

»Schön, nun ist das auch geklärt! Dann können wir ja endlich weiter dinieren!«

Scherzte Charles und erntet einen Knuff auf den Oberarm.

»Ich wollte dich überraschen, und was passiert? Dann kommst du daher und bist derjenige dem die Überraschung gelingt! Es ist immer das gleiche mit dir, Charles Roberts!«

Sie steht auf, hilft ihm auf die Beine, schlingt die Arme um seinen Hals und küsst ihn innig.

»So, jetzt wird gegessen!«

Sprach's und setzte sich wieder hin. Beide geniessen die Hors d'ouvres. Nachdem sie eine Weile schweigend gegessen hatten, stellt Sally ihm ein Frage.

»Du hast vorhin etwas von *drei* Morden erwähnt! Hast du das einfach erfunden?«

Charles nimmt einen Schluck Wein und berichtete über die seltsamen Nachrichten, die den mutmasslichen Unfalltod zweier und den Mord an einem Wissenschaftler meldeten.

»Hast du irgend eine Theorie, was dahinter steckt?«

Benutzte Sally fast die gleichen Worte, wie zuvor Marc Miller.

»Ich bin mir noch nicht sicher! Aber der *Modus Operandi* deckt sich mit dem Mord an Juan Perez[2]. Du kannst dich sicher erinnern? Er wurde von einem der Klone Vandorps umgebracht, indem man ihm das Genick gebrochen hatte!«

---

2 siehe AXOLOTL - Das GEN Projekt

Sally nickte verstehend und unterbricht ihn kurz.

»Du bist also der Meinung *Rick Vandorp* ist dafür verantwortlich, obwohl man nicht weiss ob er überhaupt noch lebt? Und wenn ja, *wo* hält er sich dann versteckt?«

»Das ist genau der Punkt, den ich abklären möchte. Ich habe auf dem Heimweg mit Marc telefoniert und vereinbart, dass wir uns morgen im »Greys« treffen. Bis dann sollte mir Abel auch die Daten zu den drei Opfern mitteilen können! Aber lass uns jetzt noch den Abend geniessen und ohne düstere Gedanken zu einem schönen Ende führen!«

Charles zwinkerte mit einem Auge. Sally hat sofort verstanden und strahlte ihn erwartungsvoll an.

4

Fairfax - Greys Genetic Institute

Nach einem starken Kaffee, sind Sally und Charles zeitig aufgebrochen und bewegen sich jetzt im morgendlichen Verkehr ziemlich langsam in Richtung Grey's Genetic Institute. Sie hatten noch einen gemütlichen Abend und eine sehr kurze Nacht verbracht. An diesem frühen Morgen sind beide glücklich, aber etwas in sich gekehrt. Sally betrachtete immer wieder den Solitär an ihrem rechten Ringfinger. Drehte die Hand mal nach links, dann nach rechts und nach oben. Dazwischen summte sie unterbewusst ein paar Takte aus dem berühmten Hochzeitsmarsch »Here comes the bride!«. Charles bemühte sich, sich durch das Gesumme nicht zu fest ablenken zu lassen und telefonierte währenddessen mit *Hetty Thuring*.

Hetty ist die gute Seele der CISMA. Sie ist schon seit der Gründung dabei. Sie versorgt, zusammen mit Abel Mankowski dem IT-Guru, die Agenten im Feld mit allen nötigen Informationen und Daten, die sie für ihre Arbeit benötigen. Auch mit Flugbuchungen, Ausrüstung und was man sonst noch im Einsatz braucht. Hetty ist 61 Jahre alt, sieht aber zehn Jahre jünger aus! Glücklich verheiratet, hat sie zwei erwachsene Kinder und einen Enkel! Nebst dem ist sie ein wandelndes Lexikon, immer zuvorkommend, freundlich und wird deshalb von allen in der CISMA *»Schatz«* genannt.

»Hetty, Schatz! Guten Morgen! Ich bin mit Sally auf dem Weg ins »Greys«! Könntest du den »General« informieren, dass ich heute Morgen nicht an der Stabssitzung teilnehmen kann!«

Er hörte Hetty kurz zu und erklärt.

»Ja! Es ist wirklich wichtig! Ich kann noch keine Details nennen, aber ich meine es handelt sich um eine heisse Spur! Wenn meine Vermutung stimmt, haben wir einen ersten Anhaltspunkt in der Angelegenheit *»Projekt Axolotl«*! Ja, du hast richtig gehört. Also bis heute Nachmittag!«

Er unterbricht die Verbindung und Sally schaut ihn von der Seite an.

»Ich kenne diesen Ausdruck, Mister Roberts! Was führst du im Schilde, Zukünftiger?«

»Sorry, Darling! Noch keinen Kommentar! Wir klären dies, sobald wir im »Greys« sind!«

Sie kannte ihn inzwischen gut genug, um zu wissen, dass es keinen Sinn hat weiter zu bohren. Also widmete sie sich wieder der Betrachtung ihres Diamanten.

»Sag mal! Du hast mir gestern einen Antrag gemacht! Übrigens - so richtig schön romantisch! Aber *wann*, denkst du, soll denn die Hochzeit stattfinden? Ich meine, wir sollten uns trotzdem genügend Zeit lassen und nichts überstürzen!«

Charles musste nicht lange überlegen.

»Am liebsten Gestern als Heute! Nein! Im Ernst! Ich bin auch deiner Meinung, wir lassen es ruhig angehen. Hauptsache ich habe eine Anzahlung geleistet und damit hast du kein Rückzugsrecht mehr!«

Sagte er mit todernster Miene und wirft einen Blick auf Sallys beringte Hand.

»Na, - wenigstens kaufst du die Katze nicht im Sack!«

Konterte Sally und Charles erwiderte, den Blick jetzt wieder auf die Strasse gerichtet und den Schildern zu Greys folgend.

»Touchés, Madame le Docteur!«

Er biegt in die Einfahrt des »GGI Greys Genetic Institute« in Fairfax ein und hält den Escalade vor der massiven Schranke aus hochfestem Stahl. Ein Security kommt aus dem Wachhaus, das komplett aus armiertem Beton besteht und eher einem Bunker gleicht. Charles lässt die Scheibe runter und zeigt dem Security Sallys Mitarbeiter Batch und den Ausweis der CISMA.

Der Security überprüft diese gewissenhaft und gibt ihm die Ausweise zurück. Er tippt mit dem Finger an seine Mütze, geht in das Wachhaus zurück und die Schranke versenkt sich langsam in den Boden. Charles stellt seinen Escalade auf den für Sally reservierten Parkplatz. Er stellt den Motor ab, drehte sich zu Sally und meint.

»Möchtest du besagten Antrag schon deinem Vater und Marc mitteilen? Oder wollen wir noch eine Weile hinter dem Berg halten?«

Sie strahlte ihn an, so wie eine frisch Verlobte eben strahlt und nickt energisch mit dem Kopf.

»Oh ja! Wenigstens Dad und Marc möchte ich es sagen!«

»Wenn Marc das zu hören bekommt, kannst du aber Gift darauf nehmen, dass es dann in Kürze halb Washington weiss!«

Meinte er nur trocken, zuckt mit den Schultern und gibt Sally einen Kuss auf die Wange. Er steigt aus dem SUV, geht zur Beifahrertüre und öffnet sie. Mit einer eleganten Bewegung reicht er Sally die rechte Hand und hilft ihr galant aus dem Fahrzeug.

»Bitte mir zu folgen, Gnädigste!«

Er bietet ihr seinen rechten Arm an und sie hakt sich unter. Sie betreten das Foyer des Instituts mit der grossen Empfangstheke, hinter der zwei Security Leute sitzen.

»Hallo Mitch! Hallo Burt! Ist mein Vater und Doktor Miller schon da?«

»Guten Morgen, Dr. Bowles! Dr. Roberts! Ja, ihr Vater ist schon da und erwartet sie in seinem Büro. Dr. Miller hat eben angerufen. Er steckt noch im Stau, sollte aber auch jeden Moment eintreffen!«

Sally dankte dem Security und passiert, gefolgt von Charles die elektronische Schranke. Sie gehen zu den Aufzügen und warten bis einer auf ihrem Level ankommt. Als sie die Kabine betreten haben, legt Sally ihren Batch auf eine kleine Konsole und der Aufzug bringt sie in den dritten Stock. Die Etage auf der sich Professor Adrian Bowles Büro und das Labor von den beiden befindet. Als sich die Aufzugstüren öffnen, erwartet sie schon Sallys Vater auf dem Korridor.

Professor Adrian Bowles ist mit seinen 58 Jahren immer noch ein sportlich erscheinender Mann. Mit seinem attraktiven Gesicht und der immer noch durchtrainierten Figur, hätte man ihn ebenso für einen Schauspieler, wie für einen erfolgreichen Investor halten können. Bowles ist jedoch weder das eine noch das andere. Er zählt zu den weltweit führenden Wissenschaftlern der Genetik und Genmechanik und ist Leiter des »Grey's Genetic Institute«.

Über seiner legeren Kleidung trägt er den typischen, weissen Labormantel. An seiner Brusttasche, die mit einer Hand voll Stiften gefüllt ist, prangt ein kleines Schild mit dem Logo des »Grey's« und seinem Titel und Namen. Als er Sally und Charles erblickt, hebt er freudig die Arme, macht einen Schritt auf seine Tochter zu und umarmt sie fest.

»Meine liebe Tochter! Ich freue mich ja so für euch! Herzliche Gratulation! Habt ihr schon einen Termin?«

Charles blickte irritiert von Adrian zu Sally, die jetzt neben ihrem Vater steht und über das ganze Gesicht grinst.

»Was meinen sie, Adrian? Ich verstehe nicht ganz?«

Adrian Bowles macht einen Schritt auf Charles zu, legt ihm die rechte Hand auf die Schulter und drückt sie kurz.

»Du kannst das förmliche »Sie« ab heute weglassen, mein lieber Schwiegersohn in spe!«

Charles wirft einen Blick zu Sally, die mit dem Daumen über ihre Wange streicht und lachend sagt.

»Ha! Die Retourkutsche ist geglückt! Ist mir doch noch eine Überraschung gelungen!«

»Aber *wann* hast du denn deinem Vater das gesagt? Wir sind doch die ganze Zeit zusammen gewesen?«

»Mein Lieber! Im Zeitalter der Smartphones gibt es so etwas wie Kurznachrichten. Oder kennt der Top-Agent die Erfindung der SMS, WhatsUp und Konsorten etwa nicht? Die paar Minuten, die du heute Morgen unter der Dusche gewesen bist, haben vollkommen gereicht, um Dad die Neuigkeit mitzuteilen. Und, Sorry! Ich konnte einfach nicht widerstehen!«

Charles winkt ab und muss lachen.

»Geschenkt, Darling! Jetzt sind wir überraschungsmässig also quitt! Weiss Marc denn auch schon Bescheid?«

»Nein! Ich wollte einfach, dass Dad es als Erster erfährt!«

»Also dann! Kommt ihr zwei. Ich habe uns schon frischen Kaffee und leckere Donuts auf mein Büro bringen lassen. Für Champagner ist es ja noch zu früh! Den gibt es später!«

Forderte Adrian die zwei auf und geht den Korridor voraus zu seinem Büro.

Das persönliche Büro von Professor Bowles ist sehr nüchtern und zweckmässig eingerichtet. Im Gegensatz zu dem gemeinsamen Labor, das Sally mit ihrem Vater teilt, ist dieser Raum fast leer. Ein Schreibtisch, eine Sitzgruppe, die obligaten Bildschirme. Einer auf dem Tisch und einer an der Wand. Weisse Wände, ein schöner dunkler Holzboden und ein grosses Fenster, das zur Parkseite weist. Sie setzten sich auf die Sitzgruppe. Auf dem Tisch steht eine grosse Kanne mit frisch gebrühtem Kaffee, der den ganzen Raum mit einem köstlichen Aroma erfüllt. In einer dezenten Schale stapelt sich ein Berg duftender Donuts. Adrian machte eine einladende Handbewegung und Sally und Charles bedienen sich. Adrian hatte in der Zwischenzeit drei Tasse mit dampfendem Kaffee gefüllt, nimmt seine und verkündet gut gelaunt.

»Hoch die Tassen! Auf das frisch verlobte Paar! Charles, es ist mir eine Ehre, dich als zukünftigen Ehemann meiner Tochter in unserer kleinen Familie begrüssen zu dürfen!«

Charles stösst mit seiner Tasse an und entgegnet.

»Adrian! Danke für ihre,...Äh, *deine* Worte! Es ist auch für mich eine Ehre, dass du einwilligst, mir die Hand deiner Tochter anzuvertrauen, obwohl ich offiziell noch gar nicht darum anhalten konnte!«

Sally blickte sichtlich amüsiert von Charles zu ihrem Vater und wieder zu Charles.

»Hört mal ihr zwei! Ihr habt jetzt genug »gelobhudelt«! Eigentlich kommen wir ja heute Morgen aus einem ernsten Grund zusammen! Sobald Marc eintrudelt, wird dir Charles erklären, um was es sich handelt!«

In dem Moment klopfte es an der Türe, sie schwingt auf und Marc Miller, etwas ausser Atem, tritt ein.

»Hallo, Leute! Sorry - heute ist mal wieder der Teufel los! Fast kein Durchkommen! Ich glaube ich komme inskünftig mit einem Helikopter! Ah, frischen Kaffee und Donuts! Das hilft dem armen Marc wieder auf die Beine!«

Er setzte sich dazu, schenkte sich einen Kaffee ein, schnappt einen Donut und beisst rein. Mit vollen Backen kauend blickt er in die Runde und verkündet.

»Hab ich irgend etwas verpasst? Warum grinst ihr alle wie eine Herde Honigkuchenpferde?«

Charles meinte todernst, während Sally demonstrativ mit ihrem Verlobungsring spielt.

»Nein! Eigentlich nicht! Ich habe gerade zu Adrian gesagt, dass wir mit dem ernsten Thema warten, bis der ehrenwerte Dr. Miller auftaucht!«

Marc blickte Charles mit zusammen gekniffenen Augenbrauen an, runzelte die Stirn und fragt forschend.

»Und was ist mit dem *»unernsten«* Thema? Gibt es da etwas, was ich wissen sollte?«

Sally hebt ihre Hand leicht an, drehte und wendete sie wie beiläufig. Jetzt sieht Marc das Funkeln an ihrer Hand. Ihm fällt der Kiefer runter und starrt die drei mit offenem Mund an. Er zeigte mit dem Finger auf den Ring, zu Sally, dann zu Charles und sagt nur drei Worte.

»Ist nicht wahr?«

Als sie mit dem Kopf nickt, springt Marc auf, umarmt sie und küsst sie heftig auf die Wange. Dann geht er zu Charles und wiederholt das Ganze. Bei Adrian kann er sich gerade noch zurückhalten, schüttelt ihm nur die Hand, setzt sich wieder und sagt etwas ausser Atem.

»Mann, Leute! Was für eine Überraschung! Charles, der alte Pirat, angelt sich doch tatsächlich die *Professorentochterbraut* des ehrwürdigen Adrian Bowles und schleppt sie in den Ehehafen! Gratuliere euch ganz herzlich! Echt cool!«

Er holte tief Luft und trinkt einen grossen Schluck Kaffee. Sally benützt die Redepause Marcs.

»Marc, mein Freund! Hör mit genau zu! Wenn du irgend wem weiter erzählst, dass wir heiraten wollen, reiss ich dir etwas ab, das du vielleicht noch brauchen wirst! Haben wir uns verstanden?«

Marc stellte seine Tasse auf das Tischchen, hebt beide Hände und sagt.

»Ist ja gut! Pfadfinder-Ehrenwort, keine Silbe zu niemand! Aber vielleicht Jessy?«

Fragt er hoffnungsvoll, seine Frau meinend, aber Sally schüttelt energisch den Kopf, worauf sich Marc an Charles richtet.

»Akzeptiert! Also! Was hast du für ein *ernstes* Thema?«

Der hatte während des Wortgeplänkels sein Smartphone gecheckt und erklärt nun.

»Sally! Abel hat mir gerade mitgeteilt, dass er jetzt einige PDF-Dateien an deine gesicherte Email-Adresse hier im Institut sendet. Können wir die Dateien auf dem grossen Monitor hier ansehen oder sollen wir in euer Labor?«

Sie überlegte kurz und meint.

»Wir könnten hier bleiben, aber im Labor ist der grössere Flat Screen und gemütlicher ist es auch noch!«

Sie weiss, dass ihr Vater auch lieber das gemeinsame, etwas chaotisch eingerichtete Labor bevorzugt. Das Büro, in dem sie sich befinden, benutzt Professor Bowles nur für repräsentative Zwecke. Also erheben sich alle. Jeder nimmt etwas in die Hand und sie begeben sich den Korridor entlang zum Labor.

Am Ende des Ganges befindet sich eine Türe, die mit einem Handlese-Scanner ausgerüstet ist. Adrian legt seine Hand auf die Glasfläche und der Zugang wird sofort gewährt. Sie treten in einen sehr grossen Raum, der zugleich als Labor, wie auch als Büro diente. Der rechte Teil ist, wie die anderen Labore, über und über mit technischen Geräten, Labortischen und Drehstühlen ausgestattet. Der linke Teil hat eine wohnlichere Atmosphäre. Eine grosse Sitzgruppe mit bequemen Sesseln und einer breiten Couch, ein Beistelltisch aus Glas und eine kleines Möbel mit eingebautem Kühlschrank. Dann gibt es noch einen grossen Schreibtisch, für zwei Personen dimensioniert und mit den üblichen Utensilien, wie Bildschirmen, Tastaturen und Büromaterialien ausgerüstet ist. Der eine Arbeitsplatz ist penibel aufgeräumt. Auf dem anderen stapelten sich Papiere, Dokumente, Mäppchen und Bücher zu kunstvoll aufgetürmten Gebilden. Man musste nicht lange raten, wessen Platz wem gehörte. Sie setzen sich auf die gemütliche Couch und in die, mit altertümlichem Stoff bezogenen Sessel, um eine gute Sicht auf den grossen Flat Screen an der Wand zu haben. Das Ganze erinnerte die vier an die Ereignisse vor einem Jahr, als sie sich hier versammelt hatten, um dem Geheimnis des *»Ewigen Lebens«* auf die Spur zu kommen. Sally holte einen Tablet Computer von ihrem Schreibtisch und öffnet die Verbindung vom Greys-Server zum Bildschirm. Dann ruft sie die Dateien ab, die Abel ihr gesendet hat. Ein Piepsen kündigt ein eingehendes Videogespräch an und prompt erscheint in einem separaten Fenster Abels markantes Gesicht auf dem Monitor.

»Hallo, Leute! Erinnert mich irgendwie an vergangenes Jahr! Hallo, Sally! Hast du die Dateien erhalten?«

Sally winkte Abel bestätigend zu und öffnete das erste Dokument. Abel, der in Echtzeit auf seinen Monitoren die selbe Bildschirm-Anordnung verfolgen kann, erklärt kurz.

»Die Datei beinhaltet den Lebenslauf von *Massimo Feruccio*, dem italienischen Professor, der vor dem Mailänder Dom ermordet wurde. Er ist das jüngste Opfer! Bezogen auf die Timeline!«

Sally scrollte schnell durch das Dokument, dann ruft sie die zweite Datei auf. Abel erklärte.

»Hier haben wir den Werdegang des britischen Wissenschaftlers Dr. *Gerald Bolster*. Er ist das Zweite oder mittlere Opfer und wurde vor seiner Wohnungstüre tot aufgefunden!«

Die dritte Datei erscheint auf dem Monitor.

»Das ist der CV von Professor *Frederic Majol*, dem Franzosen, der ebenfalls vor seiner Haustüre, mit gebrochenem Genick aufgefunden wurde. Er ist das *erste* Opfer!«

Abel machte eine kurze Pause, um einen Schokoriegel aus der Verpackung zu puhlen. Er beisst ein grosses Stück ab und fährt mit vollem Mund kauend fort.

»Was verbindet die drei? Richtig! Allen wurde das Genick gebrochen! Was zumindest sehr ungewöhnlich ist! Eine weitere Verbindung ist natürlich auch die Gemeinsamkeit, dass zwei von denen mit Gentechnik und Genmanipulation zu tun hatten! Bolster passt, als Nuklearphysiker, nicht ins Gesamtbild. Warum auch immer? So! Und nun bist du am Zug, Charles! Melde dich, wenn du etwas benötigst! Tschüss zusammen!«

Das Fenster verschwindet. Typisch Abel - kappte er einfach die Verbindung. Es herrscht einen Moment eine anhaltende Stille, als Charles sich räusperte und erklärt.

»Ich möchte Abels Ausführungen etwas genauer erklären. Die drei Lebensläufe der umgebrachten Wissenschaftler habe ich von ihm zusammen stellen lassen, damit wir uns ein Bild zu den drei Personen und den Umständen ihres Ablebens machen können. Die Meldungen über den Tod dieser drei habe ich gestern Abend erhalten. Aufgespürt von Abels genialen »News-Tracker«!«

Charles erklärte kurz die Funktion der App »GANT« und fährt dann fort.

»Was mich gestern an den Meldungen stutzig machte, ist die Tatsache, dass allen Opfern das Genick in einer Weise gebrochen wurde, die ich und Marc seiner Zeit auf Yucatán, beim Mord an unserem Agenten Juan Perez feststellen mussten. Ferner arbeiteten zwei von ihnen in der gleichen

Fachrichtung wie wir! Allerdings bin ich ja nicht mehr wirklich in eurem »Verein« involviert! Im Ernst! Ihr drei könntet etwas Licht in das Dunkel bringen! Sally, könntest du den CV von Frederic Majol einblenden?«

Sie studierten den Lebenslauf des Professors etwas genauer. Zuerst ist ein Foto von Majol zu sehen, dann Angaben zu seiner Person und anschliessend eine lückenlose Auflistung seines beruflichen, wie auch privaten Werdegangs. Abel hatte wirklich hervorragende Arbeit geleistet. Charles markierte eine Stelle auf der Liste.

»Seht ihr *das* da? Alle Stationen seiner Karriere sind penibel aufgezeichnet. Jedes Jahr, jeder Monat, aber hier klafft eine Lücke von über zwei Jahren! Adrian kennst du diesen Professor Majol eigentlich?«

Adrian Bowles muss nicht lange überlegen.

»Ich habe Majol ein oder zweimal an Kongressen für angewandte Genetik getroffen. Das ist aber schon einige Zeit her!«

»Und kennst du auch die anderen zwei, Bolster und Feruccio? Ich habe nämlich von diesen zwei noch nie etwas gehört oder gelesen!«

Adrian hebt erstaunt eine Augenbraue.

»Jetzt, wo du das sagst, Charles! Ich kenne Feruccio zwar dem Namen nach, aber du hast Recht! Jedoch eine Veröffentlichung habe ich von ihm noch nie gesehen! Oder habt ihr schon einmal etwas von diesem gelesen? Und diesen Gerald Bolster kenn ich gar nicht!«

Die Frage ist an Sally und Marc gerichtet, die nur verneinend die Köpfe schütteln.

»Zeig uns doch bitte noch die zwei anderen Lebensläufe, Sally!«

Zwei weitere Fenster mit den Daten öffnen sich und Charles markiert wieder je eine Stelle auf den Lebensläufen.

»Da! Und da! Und da! Fällt euch etwas auf?«

Die drei wussten im Moment nicht, auf was Charles hinaus will.

»Seht doch! Alle drei weisen eine Lücke von über *zwei* Jahren auf. Zuerst ist jede Station in ihrem Leben akkurat vermerkt. Dann von 2015 bis 2017! Nichts! Weder, wo sie waren, noch was sie in der Zeit gemacht haben! Und wenn Abels »Golem« nichts findet, findet keiner etwas! Und dann, Anfang 2018, tauchen alle drei plötzlich wieder auf!«

Charles lässt seine Ausführungen etwas wirken, nimmt einen Schluck seines inzwischen kalten Kaffees, blickte in die betretenen Mienen der drei und setzt noch einen drauf.

»Und wenn ich mir die Art und Weise anschaue, wie die drei ins Jenseits befördert wurden, kommt mir ein ganz spezieller Name in den Sinn!«

Die drei schauen gespannt auf Charles.

»*Rick Vandorp* und seine Klone! Nur! Das *warum* und *wieso* jetzt, bereitet mir noch Sorge!«

Marc blickte Charles mit grossen Augen an und keucht.

»Das ist jetzt aber nicht dein Ernst? Du meinst also, da steckt *Ricky Boy* dahinter? Das ist doch absurd. Der ist doch bestimmt nicht mehr am Leben?«

»Warum soll Vandorp *tot* sein, Marc? Man hat keine Leichen gefunden. Weder von ihm, noch von Samantha Wong oder von Adolf. Für mich scheint die Flucht mit seinem Stealth-U-Boot geglückt zu sein! Dafür spricht der Bericht, der damals in der Zeitung erschienen ist sowie auch die Aussagen des Augenzeugen! Also! Warum soll er *nicht* dahinter stecken?«

Marc muss den Argumenten zustimmen und meint.

»Also! Angenommen du hast Recht und Vandorp und seine Spiessgesellen leben noch irgendwo? Warum lässt er dann drei Wissenschaftler abmurksen? Das ergibt doch überhaupt keinen Sinn?«

»Genau das möchte ich heraus finden! Bevor ich die offizielle Genehmigung vom »General« einhole, wollte ich mit euch sprechen. Ihr kennt die Welt der Genetik inzwischen besser als ich. Vor allem, *wer* sich darin tummelt und wer zu den, sagen wir einmal, Extremisten ohne Skrupel und Ethik gehört!«

Adrian meldet sich zu Wort.

»Natürlich kennen wir so ziemlich alle wichtigen Forscher unserer Fakultät. Auch ein paar der extremen Wissenschaftler, die für ihre Ziele und Erfolge *VIELES*, jedoch nicht *ALLES* tun würden! Die drei von dir genannten Namen sind uns schon einmal begegnet, jedoch nicht in der Weise, wie die Medien beziehungsweise diese Berichte sie schildern. Als führende Köpfe in den genannten Bereichen! Und du hast Recht, Charles! Die letzten zwei Jahre haben wir rein gar nichts mehr von denen gehört oder gelesen. Mehr können wir aber auch nicht dazu beitragen. Oder wisst ihr noch etwas Wesentliches?«

Die Frage ist an Sally und Marc gerichtet, die jedoch verneinen.

»Danke, Adrian! Dann darf ich kurz zusammen fassen. Drei Wissenschaftler werden umgebracht. Und dass dem so ist, ist ziemlich sicher! Die Methode ist bei allen drei die gleiche! Alle drei sind für mehr als zwei Jahre von der Bildfläche verschwunden, tauchen wieder auf und werden nun innert kurzer Zeit tot aufgefunden! Um dem ganzen noch die Krone aufzusetzen, beschäftigten sich zwei davon in irgend einer Form mit Genmanipulation!«

Charles nimmt einen Schluck Kaffee und einen Bissen von seinem Donut und blickt dann in die Runde.

»Ich meine der nächste Schritt ist, zu untersuchen *was* die drei in den Jahren, die nicht nach vollziehbar sind, getrieben haben? Wo sie gewesen sind und ob sie irgend jemand gesehen hat? Ich werde heute Nachmittag mit dem »General« sprechen und darauf drängen, dass ich deren Wohnorte in Augenschein nehmen kann. Vielleicht findet sich dort ein Hinweis auf den Verbleib in den letzten Jahren? Irgend etwas findet sich nämlich immer!«

Marc hebt die Hand und fragt Charles, den Blick auf Sally gerichtet.

»Können wir, also Sally und ich, dich unterstützen? Sollen wir dich begleiten? Du weisst, dass uns Vaters Gulfstream nach wie vor zur Verfügung steht. Dad hat mir anvertraut, dass er nicht mehr ruhig schlafen kann, solange Vandorp nicht das Handwerk gelegt ist!«

Charles überlegt kurz und schüttelt den Kopf.

»Nein, Marc! Danke für das Angebot mich zu begleiten. Da es sich um eine Routineangelegenheit handelt, werde ich mit *Fred Mc Millan* die Wohnorte untersuchen. Ich komme aber gerne einmal später auf das Angebot mit eurem Jet zurück! Du weisst ja, die CISMA hat eine eigene Gulfstream! Und wenn wir offiziell unterwegs sind, ist dies sicher der bessere Weg. Aber eine Frage habe ich in dem Zusammenhang mit deinem Vater doch noch. Du hast erwähnt, dass er die *»Finca de Pueblo«* erwerben wollte? Hat das geklappt?«

Marc machte ein leicht enttäuschtes Gesicht wegen der Absage. Er hatte sich schon auf ein weiteres Abenteuer eingestellt. Antwortet dann auf Charles Frage.

»Ja! Tatsächlich hat es geklappt und Dad konnte die »Finca« kaufen! Die Behörden von Yucatán verlangten zwar, in Anbetracht der beträchtlichen Schäden des Anwesens, einen weit überhöhten Preis. Aber Dad meinte, es sei den Preis trotzdem wert!«

Charles stellt eine Zwischenfrage.

»Wäre, oder ist es möglich, dass wir die »Finca« demnächst besuchen und besichtigen könnten? Oder hat dein Vater schon mit den Aufräumungsarbeiten angefangen?«

»Nein! Der Kauf kam erst vor kurzem zustande! Also sollte alles noch genau in dem Zustand sein, wie nach der Sprengung vor einem Jahr!«

»Das ist gut und von Vorteil! Wenn wir die Überreste so untersuchen können, wie sie seit der Explosion sind, finden wir eventuell noch brauchbare Hinweise!«

Marc nickte und meint.

»Ich werde Dad über deinen Wunsch informieren. Es eilt eh nicht mit dem Wiederaufbau des Betriebs!«

»Dann verbleiben wir so! Ich werde mit Fred in England,

Frankreich und Italien auf Spurensuche gehen. Nach unserer Rückkehr besuchen wir dann die »Finca«! Eine Frage noch, Adrian! Wie sieht es eigentlich mit der Auswertung der Daten aus, die wir vom Avatar *Kukul Kan* erhalten haben? Sally hat mir noch nicht allzu viel darüber erzählt!«
Adrian blickt zu Sally, dann zu Marc und erklärt.

»Das ist meine Schuld, Charles! Ich habe Sally und Marc gebeten, noch niemandem, auch dir nicht, etwas über den Status Quo unserer Auswertung zu erzählen. Es ist einfach noch zu früh und zu komplex für eine genaue Analyse! Nur so viel. Es zeichnet sich eine bahnbrechende Sensation ab!«

»Danke für deine Ehrlichkeit, Adrian! Dann lassen wir dieses Thema vorerst ruhen!«

Die vier plaudern noch eine Weile über dies und das. Dann verabschiedet sich Charles von Sally, Adrian und Marc. Er begibt sich zu seinem Escalade und fährt auf direktem Weg in die Zentrale der CISMA.

5

Washington D.C. - CISMA Zentrale

Kurz nach Mittag fährt Charles Roberts in die unterirdische Parkgarage des CISMA Hochhauses und stellt den Cadillac Escalade auf seinen reservierten Parkplatz. Sally lästerte über den pechschwarzen SUV mit den getönten Scheiben von einer »Agentenschaukel« oder »Machoschlitten«. Lernte aber die Vorzüge des schweren, kraftstrotzenden Wagens in ihrer Ausbildung beim Fahrertraining in Quantico zu schätzen.

Roberts fährt mit dem Aufzug in die elfte Etage und betritt den Empfangsbereich von »General« Clark C. Vanderbilt‘s Büro. Er begrüsst Hetty Thuring, die »gute Seele« der CISMA und persönliche Assistentin des »Generals«. Charles erkundigt sich, wie die Stabssitzung verlaufen ist.

»Du hast nichts Wichtiges verpasst, Charles! Es ging in erster Linie um administrative Fragen, also nicht gerade die Themen, die dich brennend interessieren!«

Sie kennt ihn gut genug, um zu wissen, dass er sich viel lieber mit Ermittlungen im Feld beschäftigte. Charles beugte sich zu Hetty hinunter, während er in eine Tasche seines Jacketts greift. Mit einer fliessenden Bewegung hält er die geschlossene Hand dicht vor Hetty‘s Nase.

»Wenn du mir jetzt einen Termin beim General ermöglichst, öffne ich die Hand!

Hetty kennt Charles Neigung zu seltsamen Spässen und blickt ihm tief in die Augen. Dann meint sie mit verschwörerisch leiser Stimme.

»Special Agent, Roberts! Das was sie eben versuchen, nennt man Bestechung und wird laut Korruptionsgesetz mit mindestens zehn Jahren geahndet!«

Während Hetty zu ihm spricht, hatte sie schon auf die Taste der Gegensprechanlage gedrückt. Ein vorsintflutlich anmutendes Modell, das vermutlich noch aus den 90ern stammte.

»Sir! Ich habe hier vor mir Special Agent Roberts, der mir mit der Pistole auf der Brust droht, ihm einen Termin mit ihnen zu arrangieren!«

Meinte sie in ernstem Ton, als sich der General mit einem gebrummten *»Hetty! Was gibt's?«* gemeldet hatte.

»Er sagt es sei von äusserster Dringlichkeit und betrifft die Nationale Sicherheit!«

Dramatisierte Hetty Thuring mit einem an Charles gerichtetem Augenzwinkern.

»Soll reinkommen! Zehn Minuten! Danke, Hetty!«

Tönte es blechern aus dem kleinen Lautsprecher. Hetty unterbricht die Verbindung mit einem erneuten Tastendruck und sieht Charles mit einem breiten Lächeln und fordernden Augen an. Der hatte schon seine rechte Hand aufgeklappt. In seiner Handfläche kommt ein kleiner silberner Gegenstand zum Vorschein. Ein wunderbar modellierte kleine Eule.

»Ich wusste doch, dass auch Hetty Thuring der Bestechung nicht widerstehen kann. Danke dir!«

Sie blickte hocherfreut auf das kleine silberne Ding und nimmt es mit zwei sorgfältig manikürierten Fingern aus Charles Handfläche. Sie begutachtete den kleinen, kunstvoll gefertigten Miniaturvogel von allen Seiten.

»Na! Das ist doch keine Bestechung, sondern ein Austausch von Freundlichkeiten. Herzlichen Dank, mein lieber Special Agent! Bitte, du kennst den Weg in die Höhle des Löwen!«

Roberts weiss, dass sich Hetty wirklich über das kleine Präsent freut. Alle in der CISMA kennen Hetty's Leidenschaft, alles zu sammeln, was mit Eulen zu tun hatte. Darum bringen die Agenten, die im Aussendienst tätig sind, Hetty oft ein kleines »Eulenpräsent« mit.

Sie betrachtet noch immer fasziniert das kleine Ding und

deutet mit dem Kopf seitwärts nickend zu der mit Leder gepolsterten Türe von Vanderbilt‘s Büro. Charles klopft mit seinem angewinkelten Zeigefinger auf Hetty‘s Schreibtischplatte und flüstert.

»Man sieht sich, liebste Eulen-Hetty!«

Er geht auf die Türe zu, öffnet sie und betritt Vanderbilt‘s Büro. Dieser sitzt wie üblich an seinem grossen Schreibtisch und ist in das Studium irgend einer Akte vertieft. Roberts kennt das Ritual zur Genüge. Er bleibt, ohne ein Wort zu sagen, vor Vanderbilt‘s Schreibtisch stehen und blickt sich in dem ziemlich grossen Raum um.

Vanderbilt‘s Büro hatte durch einen Stilmix aus Mahagoni farbigen Möbelstücken, die einst auf Schiffen verwendet wurden, Ölgemälden mit Szenen von Seeschlachten und hypermodernen technischen Einrichtungen eine ganz besondere Atmosphäre. Ein Sammelsurium an Erinnerungsstücken seiner Laufbahn als Berufs Soldat ergänzte die Einrichtung, interessanter Weise ohne kitschig zu wirken.

Clark C. Vanderbilt, der »General«, wie ihn alle nennen, entstammt einer Familie, die der Tradition gemäss immer den ältesten Sohn zum Militär schickte. Er machte eine steile Karriere und wurde einer der jüngsten Viersterne Generäle der US Army. Er zeichnete sich in diversen Konflikten als geschickter Stratege und Denker aus.

Vanderbilt ist mit 56 Jahren aus dem aktiven Dienst ausgeschieden, als ihm vor acht Jahren vom Verteidigungsminister der Job, als Chef der CISMA angeboten wurde. Auch mit seinen 65 Jahren verkörperte Vanderbilt noch immer den kampferfahrenen Haudegen, ohne dabei überheblich zu wirken. Gross an Statur, durchtrainiert, mit silbergrauen Haaren und einem verwegenen Bartwuchs, der an Edward J. Smith den Kapitän der Titanic erinnerte, wirkt er auch im normalen Anzug befehlsgewohnt. Seine stahlblauen Augen konnten einen, wenn nötig, wie Speere durchbohren.

»Setzen sie sich Special Agent Roberts! Ich bin gleich bei ihnen!«

Grummelte der General ohne aufzusehen. Charles setzte sich in einen der Sessel und widmet sich weiterhin der Betrachtung des etwas skurril eingerichteten Büros.

»Also! Was ist von solcher Dringlichkeit, das es nicht bis zu unseren offiziellen Meetings warten kann?«

Stellte Vanderbilt die Frage, während er die Akte zusammen klappt und sorgfältig auf einen akkurat ausgerichteten Stapel legt. Dann verschränkt er die Hände unter dem Kinn und sieht Roberts, unter buschigen, grauen Augenbrauen, mit wachem Blick an. Roberts erwidert den Blick ohne mit der Wimper zu zucken und beginnt mit seiner Erklärung.

»Sir! Gestern Abend hat sich eine Entwicklung angebahnt, die womöglich eine heisse Spur zum Auffinden Rick Vandorps darstellt! Einerseits - auf Grund dreier Berichte, die ich von Abel Mankowski‘s App erhalten habe. Anderseits - nach Rücksprache mit Professor Bowles, Dr. Sally Bowles und Dr. Miller von heute Morgen, verdichtet sich die Gewissheit, dass Vandorp, Wong und der Klon Adolf noch am Leben sind!«

Vanderbilt hatte ruhig zugehört, ab und zu eine Blick auf seinen Flat Screen geworfen und meint.

»Ich habe die Berichte von GANT gelesen! Es ist durchaus im Bereich des Möglichen, dass sie Recht haben! Nur? Wie passt dieser Dr. Gerald Bolster, ein Atomphysiker mit schrägen Ideen bezüglich des Elements Hafnium72, in das Gesamtbild? Und wie gedenken sie weiter vorzugehen?«

Roberts überlegte eine Sekunde lang und spricht dann weiter.

»Sir! Wie Bolster ins Bild passt weiss ich noch nicht! Ebenso wenig, was Vandorp, sollte er noch leben, vorhat und wo er die Finger im Spiel hat. Dass dem so ist, davon bin ich allerdings inzwischen überzeugt!«

Der General nickt nachdenklich, aber zustimmend.

»Mit ihrer Erlaubnis, Sir! Würde ich, mit Fred MacMillan, die Wohnorte der drei getöteten Wissenschaftler in Augenschein nehmen? Vielleicht erhalten wir so irgend welche Hinweise, *warum* die drei umgebracht wurden? Ich möchte dies gerne auf offiziellem Weg machen und bräuchte dazu ihre Unterstützung bei den jeweiligen örtlichen Behörden in England, Frankreich und Italien!«

Roberts macht ein Kunstpause und fährt dann schnell fort.

»Wenn wir unsere Gulfstream einsetzen könnten, wäre dies natürlich von grossem Vorteil! Sobald Fred und ich neue Erkenntnisse haben, und ich erhoffe mir Einiges zu finden, würde ich mit dem kompletten Team1 nach Yucatán fliegen. Dort möchten wir die Überreste der zerstörten unterirdischen Anlage Vandorps genauer untersuchen. George S. Miller hat, wie sie sicher schon wissen, die Finca Vandorps endlich erwerben können!«

Vanderbilt kraulte kurz seinen grauen Bart und nickt.

»Ich weiss noch nicht genau warum, aber ich habe einfach das Gefühl, dass wir auf, beziehungsweise unter der Finca mehr Hinweise finden werden. Ich glaube die mexikanischen Behörden hatten bei ihren Untersuchungen zu wenig ans Tageslicht gefördert! Für die ist der Fall erledigt! Also sind die an uns gelieferten Informationen wenig bis gar nichts wert!«

Erläuterte Roberts weiter und blickt dann einen Moment überlegend aus dem Fenster. Vanderbilt räuspert sich vernehmlich und stellt Charles eine berechtigte Frage.

»Special Agent Roberts! Wir kennen uns seit der Gründung der CISMA und ich zu deren Direktor berufen wurde! Und ich kenne sie, als nüchtern denkenden Menschen, mit einem analytischen Sinn für die wesentlichen Zusammenhänge eines Falles!«

Der General geniesst nun die vollste Aufmerksamkeit von Roberts.

»Ich möchte nur sicher gehen, dass sie die Gelegenheit,

anlässlich dieser Todesfälle, nicht dazu benützen, auf Kosten der CISMA, einen persönlichen Rachefeldzug zu starten? Wir alle kennen die Vorfälle vom letzten Jahr. Wir wissen auch, *was* Vandorp vor allem ihrer Verlobten Sally Bowles, angetan hatte und welche skrupellosen Ziele er verfolgt. Aber wie erwähnt, wenn sie die Angelegenheit nicht aus professioneller Distanz betrachten können, muss ich sie von den Ermittlungen in Sachen Vandorp abziehen! Übrigens! Ich gratuliere zur Verlobung und bevorstehenden Hochzeit! Mit Dr. Bowles haben sie eine liebenswerte und ebenbürtige Partnerin gefunden!

Charles Roberts ist für einen Moment sprachlos. *»Woher weiss der »Alte« das schon wieder? Da hat doch jemand einfach nicht seine Klappe halten können!«* Vanderbilt sieht Roberts mit einem stechend, fragenden Blick an und erwartet eine Antwort.

»Nein, Sir! Beziehungsweise, ja, Sir! Nein, ich starte keinen *persönlichen* Rachefeldzug, obwohl Vandorp, unter anderem, unseren Agenten in Mérida, Juan Perez, von seinem Klon ermorden liess. Auch nicht weil er Dr. Bowles bei lebendigem Leib sezieren lassen wollte! Sie kennen die Geschichte, Sir! Und ja, Sir! Weil ich den Fall Vandorp und Genossen aus einer nüchternen Perspektive betrachte! Aber ich bin auf jeden Fall der Meinung, wenn Vandorp wider erwarten noch lebt und irgend eine neue Schweinerei ausheckt, darf er auf keinen Fall ungeschoren davon kommen. Und darf ich sie daran erinnern, dass er, Wong und Adolf ganz oben auf der Liste der »Most Wanted« stehen!«

Charles hatte die letzten Worte unbeabsichtigt etwas lauter und in drängendem Ton gesagt. Er erntete damit eine missbilligend, hoch gezogene Augenbraue des Generals. Dieser fängt verschmitzt an zu lächeln, was äusserst selten vorkommt, und sagt in ungewohnt väterlichem Tonfall.

»Danke, Roberts! Sie haben mich endgültig überzeugt. Sie haben natürlich auch Recht. Vandorp und seinen Genossen muss unter allen Umständen das Handwerk gelegt werden!

Finden sie schnellst möglich heraus, was es mit diesen drei Wissenschaftlern auf sich hat. Sie und ihr Team können sich auf mein vollste Rückendeckung verlassen. Aber halten sie mich jederzeit auf dem Laufenden. Und grüssen sie mir Dr. Bowles recht herzlich von mir. Danke!«

Dieses »Danke« ist das untrügliche Zeichen des Generals, dass das Gespräch beendet ist. Und man tat gut daran, dies zu beherzigen und keine weiteren Fragen zu stellen. Roberts steht auf und murmelt eine leises »Aye, aye, Sir!«, während sich Vanderbilt schon wieder in einen Aktenordner vertieft hat. Als Roberts die Türe leise hinter sich schliesst, blickt er geradewegs in Hetty's forschende Augenpaar. Sie hat immer noch die kleine Silbereule zwischen den Fingern, als sie verschwörerisch raunt.

»Und? Konntest du den »Old Man« von deiner Theorie überzeugen? Könnt ihr weiter ermitteln?«

Wie der General, so hat auch Hetty anscheinend die Gabe über alles immer bestens informiert zu sein. Wie das funktionierte bleibt für Charles ein Rätsel.

»So viele Fragen, Hetty Schatz! Aber doch ja, wir können weiter ermitteln. Würdest du bitte die Gulfstream für Morgen, sagen wir 10:00 Uhr, vorbereiten lassen? Fred und ich werden uns in London, in der Nähe von Paris und in Mailand umsehen. In dieser Reihenfolge. Kannst du uns auch, jeweils in der Nähe der Wohnorte dieser Wissenschaftler, ein Hotel reservieren. Ich danke dir schon jetzt, meine Beste aller »Vorzimmerdamen«!«

Charles zieht Hetty gerne mit dieser altbackenen Berufsbezeichnung auf und erntet jedes mal, ein nicht ernst gemeinten, Schmollmund. Hetty konterte darauf hin.

»Pass bloss auf! Wenn du unter Sallys Fuchtel stehst, ist Schluss mit lustig! Dann hast du nichts mehr zu lachen. Ich spreche aus Erfahrung. Frag meinen Besten aller Ehegatten! Also hau schon ab in deine Klause und bereite dich auf die bevorstehende Reise vor!«

Hetty grinste wie ein Honigkuchenpferd und blickt demonstrativ auf ihren Bildschirm. Charles wollte noch etwas erwidern, lässt es aber sein, zuckte mit den Schultern, geht in Richtung seines Büros und denkt. *»Hol's der Geier! Auch Hetty weiss anscheinend schon Bescheid! Wenn ich den Verräter erwische, kann er was erleben. Es ist garantiert Marc Miller, der natürlich halb Washington »stanta pede« mit der »sensationellen« Neuigkeit versorgt hat!«*

In seinem Büro angelangt, will Charles mit seinem Smartphone gerade die Verbindung zu Fred MacMillan aufbauen, als auf dem kleinen Display eine Meldung erscheint. *»Gratuliere zur Verlobung! Muss dich sprechen! Bei mir. Abel!«* Er schüttelt nur den Kopf über den neuen Mitwisser und stellt die Verbindung zu Fred her. Nach kurzem Anklopfen meldet sich die vertraute Stimme seine Teammitgliedes und engen Freundes.

»Hallo, Charles! Wie kann ich dir helfen. Soll ich vielleicht den Brautstrauss besorgen?«

Charles schluckt leer über diese Begrüssung, hatte sich aber sofort wieder im Griff und fragt Fred mit resignierter Stimme.

»Hallo, Fred! Ich nehme an, du hast die sensationelle Nachricht in der Washington Post gelesen? Und nein, den Brautstrauss besorgt Sally selber und überhaupt, damit du es weisst, es ist noch kein Termin bestimmt. Zufrieden?«

Am anderen Ende hört er das laute, fröhliche Lachen Freds.

»Nein, Buddy! Nicht die Zeitung. Email von Abel! Also mein Lieber, was gibt's?«

»Also nicht Marc! Sondern Abel ist die Klatschbase. Aber woher weiss der das so schnell?« Dachte Charles kurz und informiert dann Fred über den neuesten Stand der Dinge. Als er geendet hat, entsteht einen Moment eine längere Pause bis Fred antwortet.

»Gut! Dann fliegen wir also morgen mit der Gulf zuerst nach London? Ok! Ich werde die Informationen über die drei Mordopfer genau studieren. Wir treffen uns dann um

10:00 Uhr am Airport und ich bringe alle nötigen Dinge mit, die wir vor Ort eventuell gebrauchen können. Dann noch schönen Tag und grüss mir Sally!«

Fred kappte die Verbindung und Charles Display zeigt wieder den gewohnten Startbildschirm mit dem Logo der CISMA. Er überlegt sich kurz die nächsten Schritte und macht sich dann auf den Weg zu Abels »Kommandobrücke«.

6

Washington D.C.

Charles Roberts nimmt den Aufzug und fährt in die zehnte Etage. Als die Kabine stoppt, legt er seine Hand auf den Scanner und die Aufzugstüren öffnen sich. Da die zehnte Etage nicht nur die »Kommandobrücke« Abel Mankowskis beherbergt, sondern auch das Reich, sprich die Labors und Werkstätten, von Chefingenieur *Daryl Smith*, ist dieses Stockwerk besonders abgesichert.

Nach ein paar Schritten steht Charles vor der massiven Stahltüre, will soeben mit dem rechte Auge in das Objektiv des Iris-Scanner blicken und hält inne. Er zückt sein Smartphone und tippt eine kurze Nachricht. *»Abel! Ich komme! Mach dich auf was gefasst!«* Er wartet eine Minute und blickt dann in das Objektiv. Auf einem kleinen Bildschirm wird angezeigt, dass er die Berechtigung hat diesen Raum zu betreten.

Er presst lautlos die Türklinke nach unten und betritt auf leisen Sohlen den abgedunkelten Raum. Es herrscht eine stickige Atmosphäre. Eine Mischung warmer Luft aus unzähligen Kühlventilatoren, dem seltsam metallisch, säuerlichen Geruch von elektrischer Spannung und einer Unternote nach Schokolade und Gummibärchen. Charles sieht sich in dem mit Servern, Monitoren und sonstiger Elektronik voll gestopften Raum um und entdeckt, - niemand!

»Das kann doch nicht sein? Abel würde niemals freiwillig seine geliebte Kommandobrücke verlassen!« Überlegt Charles, blickte sich noch einmal in dem halbdunklen Raum um und schüttelt irritiert den Kopf. In dem Moment erscheint hinter der grossen Steuerkonsole langsam ein dünner, zusammen

schiebbarer Zeigestab, an dem oben ein nicht mehr ganz weisses Taschentuch befestigt ist. Der Stab und das Taschentuch beginnen hin und her zu wedeln. Dann erhebt sich Abel Mankowski langsam hinter der Konsole und steht ganz auf. Immer noch mit der »weissen Fahne« winkend, beginnt er etwas zerknirscht schnell zu reden.

»Hallo, Charles! Also es ist wirklich nicht so, wie du vielleicht denkst! Und du meinst doch nicht, dass du dich, auch wenn du Top top-Agent bist, unbemerkt in Abel's Reich schleichen kannst?«

Abel hatte die Fahne einfach fallen lassen, greift, zwischen zwei der transparenten Bildschirmen hindurch, zu einer halb vollen Box mit Schokoriegel. Er nimmt einen, entfernt den Wickel, beisst ein grosses Stück ab, während er grinsend auf einen der Monitore an der Wand zeigt. Auf dem Bildschirm läuft eine Endlosschleife. Sie zeigt die Türe zur »Kommandobrücke« und einen Teil des Korridors. Das Bild ist gestochen scharf. Charles Roberts erscheint und ist zu sehen, wie er vor dem Iris-Scanner stehen bleibt, sein Smartphone raus holt und etwas eintippt. Auf dem Monitor wird ein Fenster eingeblendet, auf dem der getippte Text von Charles zu lesen ist. Die eingeblendete Zeit springt zwei Minuten nach vorn und zeigt Charles wie er durch die Türe in den Raum tritt. Roberts blickt erstaunt auf den Monitor, dann zu Abel und wieder auf den Bildschirm.

»Aha! Der Herr IT-König lässt überwachen! Das kommt sicher von der Angst, erzürnte Heiratswillige könnten ihn heimlich meucheln, den Verräter und Whistle-Blower! Und der Herr könnte durchaus Recht haben!«

Meinte Charles, in gespielt gefährlich ernstem Tonfall, derweil sich ein breites Grinsen auf seinem Gesicht ausbreitet. Abel ist erschrocken hinter der Konsole hervor gekommen, streckte beide Handflächen in die Höhe und sagte mit weinerlicher Stimme.

»Ehrlich, Charles! Mea culpa! Es war nicht Absicht! Das musst du mir glauben?«

»Das sagen alle Schuldigen beim Verhör! *Das müssen sie mir einfach glauben*! Ha, ha!«,

feixte Charles.

»Doch, ehrlich! Ich kann dir das genau erklären. Hör mir bitte einfach zu. Auch einen Schokoriegel?«,

fragt Abel vermittelnd. Charles verneinte, macht ein grimmiges Gesicht und steckt seine rechte Hand unters Jackett, als wenn er seine Pistole ziehen will. Abel hebt abwehrend die Hände und stottert schnell weiter.

»Also, du weisst doch, dass ich für die Sicherheit aller Kommunikationsmittel der CISMA zuständig bin? Auf Weisung des »Generals«, darf nur mit unseren autorisierten Geräten kommuniziert werden. Darunter fallen auch alle Smartphones. So wie du eins, Sally und all die Anderen eines haben. Ich habe die strikte Order des »Generals« allen verdächtigen Aktivitäten, zum Beispiel auf den Smartphones, nachzugehen und bei Verdacht auf Infiltration sofort einzuschreiten!«

Abel holte tief Luft, schnappt sich eine Dose Energydrink und leert sie in einem Zug. Inzwischen haben sich die beiden hingesetzt und Abel erklärt schnell weiter.

»Also! »Golem« meldet heute morgen in der Früh - den Verstoss gegen die geltenden Regeln!«

Golem ist Abels Lieblingsspielzeug, ein von ihm selber entwickelter Supercomputer, der sämtliche existierenden Hochleistungs-Rechner in den Schatten stellte. Seine KI ist so ausgeklügelt, dass er jede noch so komplexe Berechnung in Bruchteilen von Sekunden löst. Die von Abel programmierten Apps, die er für die speziellen Belange der CISMA entwickelte, gehören zu den fortschrittlichsten ihrer Art.

»Nun! Golem meldet, dass von einem unserer Smartphones eine SMS an ein privates, das heisst nicht geschütztes Handy versendet wurde! Und rate mal, was ich festgestellt habe?«

Abel schaut Charles mit triumphierendem Blick an und beantwortet die Frage gleich selber.

»Die SMS wurde von Sallys CISMA Smartphone an Adrian Bowles gesendet. Tatzeit: 06:47 heute Morgen. Die Textnachricht lautete: *»Dad! Charles hat Antrag gemacht! Wir heiraten! :-)«* Ehrlich, Charles! Mich hat das echt vom Hocker gehauen!«

Er macht eine Atempause und will weiter sprechen, aber Charles kommt ihm zuvor.

»Schön und gut! Sally hat in ihrer Euphorie sicher nicht mehr an die Sicherheitsbestimmungen gedacht! Ok! Sie ist natürlich noch nicht vertraut mit dem Metier, aber das darf einer Agentin der CISMA nicht passieren! Das ist zwar keine Entschuldigung, aber ist das ein Grund die vermeintliche »Sensation« der ganzen Welt mitzuteilen?«

Abel blickte ihn völlig zerknirscht an und druckst leise.

»Tut mir echt Leid, Charles! Ich habe mich für euch einfach gefreut und konnte nicht widerstehen es den *engsten* Kollegen mitzuteilen!«

Roberts nickt.

»Und an wie *vielen* Kollegen und an *wen* hast du das schon raus posaunt?«

Abel schaute auf seine Hände, murmelte vor sich hin, zählt irgend etwas mit seinen Fingern ab. Dann schaut er unschuldig Charles in die Augen.

»So um die *acht* dürften es schon gewesen sein! Nein, warte! Mit dem »General« sind es neun!«

Er trägt, ob seinen Zählkünsten, eine triumphierende Miene zur Schau und ist wirklich stolz, dass er sich an alle Empfänger erinnerte. Charles ist kurz sprachlos und muss plötzlich lauthals lachen.

»Ist ja gut, Abel! Für dieses eine Mal bist du noch davon gekommen! Aber jetzt mal ernsthaft. Du hast mich ja nicht wegen Sallys Fauxpas und deiner Plaudereien zu dir gerufen?«

Man sieht es Abel deutlich an, dass er froh ist das Thema wechseln zu können. Er bedeutet Charles, dass er seine Aufmerksamkeit auf zwei der Monitore auf der Konsole zu richten. Dann tippt er ein paar Tasten seiner Tastatur und zeigt dann mit dem Finger auf den linken Bildschirm.

»Was du jetzt zu sehen bekommst, haben unsere Satelliten vor drei Tagen und gestern registriert, beziehungsweise aufgezeichnet! Die erste Aufzeichnung erfolgte über einer abgelegenen Gebirgsgegend etwa siebzig Kilometer Luftlinie Nordost von der Stadt *Bariloche* in Argentinien entfernt. Im weitem Umkreis ist dort kein Dorf, kein Haus, kein gar nichts zu finden!«

Gestochen scharf ist auf dem linken Bildschirm eine gebirgige Landschaft zu sehen. Einzelheiten sind bis zu einer Grösse eines Suppentellers zu erkennen. In der Mitte des Bilds ist eine dünne gelbe Linie in Form eines Quadrats auf eine steile Felswand gerichtet und zoomt jetzt den Ausschnitt näher. Oben rechts ist eine Datums- und Zeitangabe eingeblendet, die 04052018/07:39:47 anzeigt. Unten links sind die Koordinaten eingeblendet. Die steile Felswand ist von oben zu sehen. Diese endet auf einer kargen Ebene, die nur aus Felsen, Geröll und Erde zu bestehen scheint. Die Sekundenanzeige bewegt sich fortlaufend der vollen Minute zu, als Abel sagt.

»Achtung! Jetzt kommt's!«

Die Sekunden springen auf die 00 und die Minutenanzeige auf die 40. Plötzlich wölbt sich die Felswand, die im Zoombereich zu sehen ist, nach vorne. Es erinnert daran, wie ein Ballon aus Gestein aufgeblasen würde. Dann, als die Sekunden auf die 02 springt, platzt die Steinblase förmlich auseinander und dunkelgelbe bis rote Glutfontänen, ähnlich einem Strom aus Lava, schiessen aus der Felswand. Grosse Brocken glühendes Gestein werden in weitem Bogen heraus geschleudert. Eine weitere Sekunde danach poltern zig Tonnen der Felswand in einer alles zerstörenden Lawine ins Tal. Sie reisst weitere Gesteinsmassen mit sich und kommt schliesslich am Fuss des Berges zur Ruhe. Nur noch der grosse Staubschleier über dem Lawinenkegel und ein abklingendes Glühen in einem riesigen Loch in der Felswand zeugen von der Katastrophe, die keine vier

Sekunden gedauert hat. Abel betätigt einige Tasten und lässt die Aufzeichnung noch einmal in Slowmotion abspielen. Charles blickt entsetzt und fasziniert zugleich auf den Bildschirm. Während Abel das Bild der unmittelbaren Explosion einfrieren lässt, wendet er sich Charles zu und erklärt.

»Diese Detonation hatte die Sprengkraft von 1000 Tonnen TNT, also einer Kilotonne! Das Loch, das in den Fels gesprengt wurde, hat etwa einen Durchmesser von dreissig Meter und ist gut und gerne neun Meter tief. Das heisst es wurde eine Gesteinsmasse von circa 850 Kubikmeter zum Teil förmlich pulverisiert oder heraus gesprengt!«

Abel lässt seine Worte wirken und zeigt auf den rechten Monitor. Auf dem Ausschnitt des Satellitenbildes ist jetzt eine flache Fels- und Geröllebene zu sehen.

»Und jetzt pass auf, Charles! Hier siehst du den Ausschnitt einer gottverlassenen Gegend, die nicht weit von der ersten Explosionstelle entfernt ist. Auch dieses Gebiet ist öde und menschenleer! Beachte wieder den gelb umrandeten Bereich und die Zeitangabe!«

Die Gegend sieht unspektakulär aus. Ein paar kleine Gesteinsbrocken, da und dort ein grösserer Felsblock und eine spärliche, verdorrte Vegetation. Das Datum zeigt den 04082018. Die Uhr steht im Moment auf 11:59:47. Abel drückte eine Taste und die Zeitangabe beginnt zu laufen. Als die Sekunden wiederum auf 00 springen, erscheint diesmal, wie aus dem Nichts, ein alles überstrahlender, greller Lichtblitz. Ein Teil der Ebene wölbt sich hoch, dann steigt eine riesige Säule aus Gestein, Erdreich und glühenden Brocken pilzförmig in die Höhe und fällt nach zwei Sekunden in sich zusammen. Nachdem sich die Staubwolke verzogen hatte, sieht man jetzt einen Krater von fast fünfzig Meter Durchmesser. Auf dem Monitor erschient eine rote, dünne Linie, die sich langsam zu einem Rasterbild verdichtet, die den entstandenen Krater von der Seite im Querschnitt zeigt.

In Gelb werden einige Zahlen eingeblendet.

- Durchmesser: 510 cm / Tiefe: 1268 cm / Masse: 2033 m3 -

Charles Roberts hat es schlicht weg die Sprache verschlagen, Er starrt wie gebannt von dem einen zum anderen Monitor und wird erst durch Abels Stimme aus seiner Starre gerissen.

»Charles! Hallo wach! Ich weiss, als ich dies das erste Mal gesehen habe, hat es mich auch geschockt! Detonationen als Solches sind nichts Aussergewöhnliches! Solche registrieren unsere Sensoren und Kameras tagtäglich überall auf dem Globus!«

Charles hatte sich von seiner Schockstarre erholt und stellt eine Zwischenfrage.

»Eben darum! Warum zeigst du mir die zwei - zugegeben sehr imposanten - Explosionen?«

Abel kann sich ein Lächeln nicht verkneifen.

»Warum die zwei so interessant sind? Weil sie sich grundlegend von allen uns bekannten Formen von Detonationen, Explosionen oder Sprengungen unterscheiden! Das ist auch der Grund warum »Golem« es für richtig befunden hat darauf hinzuweisen!«

Roberts denkt, innerlich grinsend. *»Jetzt redet Abel von »Golem« schon, wie von einem selbständig denkenden Wesen! Das kann ja heiter werden!«* Abel fährt derweil unbeirrt fort.

»Du erinnerst dich, dass »GANT« nach bestimmten Begriffen und Mustern suchen sollte. Nun! Nachdem wir die drei Berichte gefunden hatten, habe ich »Golem« beauftragt, nach allen relevanten Vergleichsdaten Ausschau zu halten, die in irgend einer Form mit den drei toten Wissenschaftlern verknüpft sind. Was die Detonationen so interessant macht und warum sie eine Bezug zu den drei haben? Ganz einfach! Bei den Explosionen haben unsere Satelliten-Sensoren festgestellt, dass Signaturen bestimmter Isotope freigesetzt wurden! Die nur, und jetzt kommt‘s, im Element *Hafnium* vorkommen!«

Charles blickt Abel verständnislos an.

»*Hafnium*, mein Lieber? Klingelt da nichts bei dir? Der tote

Typ in London - Gerald Bolster? Atomphysiker - der gerne mit *Hafnium* hantierte?«

Abel schaut Charles forschend an, und jetzt fällt auch bei ihm der Groschen.

»Ja, natürlich! Der Typ wollte doch mit dem *Hafnium* irgend etwas beweisen!«

Abel nickte und ergänzt.

»Genau! Und was das Ganze interessant und erschreckend macht ist, dass dieser Gerald Bolster behauptet hatte, er habe das Experiment aus dem Jahre 1998 von *Carl B. Collins* - dem Physikprofessor aus Texas - nach vollzogen und es erfolgreich beendet haben will!«

Charles runzelte die Stirn und sieht ihn nicht verstehend an.

»Du behauptest also, dass Bolster das Experiment zur Schaffung einer nur Handgranaten kleinen, schmutzigen Nuklearbomde auf Basis des Elements *Hafnium* geschafft haben soll? Und du bist der Meinung, diese zwei Detonationen waren Tests zur Erprobung solcher Sprengkörper, Bomben, oder wie auch immer man die Dinger nennen will?«

»Richtig! Aber nicht das *Hafnium* ist entscheidend. Das ist eigentlich nur eine harmloses Metall aus der Titan-Reihe, dass dazu dient Stähle zu veredeln und zu härten. Es ist zwar ein äusserst seltenes Metall aus der Platinfamilie, aber nicht die Basis für Sprengstoffe! Vielmehr erkannten Atomphysiker das Potenzial von den *radioaktiven Isotopen* des Materials - zum Beispiel *Hafnium 178*! Dieses wird in Atomkraftwerken in Steuerstäben eingesetzt, um frei fliegende Neutronen einzufangen. Das Entscheidende jedoch, was die Physiker oder Waffenexperten elektrisierte, ist der hoch angeregte Zustand von Hafnium als sogenanntes »*Isomer*«! Ist das soweit verstanden?«

Charles nickte, obwohl er sich konzentrieren musste, um den doch sehr wissenschaftlichen Fachausdrücken folgen zu können. Als promoviertem Genetiker ist das Gebiet der Atomphysik nicht unbedingt seine Stärke.

»Nun! Solchen Isomeren sagt man die Eigenschaft zu, enorme Mengen von Energie zu speichern und - das ist das Wesentliche - auch wieder abzugeben! Und zwar in Form von hoch radioaktiver Gammastrahlung! Du kannst dir einen prall aufgeblasenen zugebundenen Ballon vorstellen, aus dem sehr langsam die Luft entweicht. *Hafnium 178* benötigt, um in den Zustand niedriger Energie zurückzufallen, über 31 Jahre! Die Frage stellt sich nun, lässt sich der energiereiche Gammablitz schnell und kontrolliert »triggern«, also auslösen - und was für Mittel sind dazu nötig?«

Abel holte etwas Luft und leerte noch eine Dose Energydrink.

»Und genau das soll Collins 1998 gelungen sein! Er liess sich eine Probe des sündhaft teuren Isomers *Hafnium 178m2*, unter strenger Geheimhaltung aus den legendären Laboratorien von Los Alamos, New Mexiko, schicken. Übrigens! Eine Unze Hafnium 178m2 kostet 28 Milliarden Dollar!«

Als Charles den Preis des Isomers hörte, schüttelt er ungläubig den Kopf. Abel grinst und fährt fort.

»In der Tat ein stolzer Preis! Also! Collins bestrahlt die Probe mit einem simplen Röntgengerät - bis der von ihm erwartete Effekt eintritt. Das *isomere Hafnium* soll auf einen Schlag seine gesamte Energie abgegeben haben! Und zwar 60-mal mehr, als es durch den tagelangen Beschuss mit Röntgenstrahlen aufgenommen hatte. Als er seine Arbeit 1999 veröffentlichte, war die Aufregung gross! Denn die Ergebnisse bedeuten womöglich - die nukleare *Superbombe* für jedermann ist jetzt im Bereich des Möglichen! Einzige Voraussetzung - die Erzeugung des Hafnium *Isomers*!«

Abel hatte in der Zwischenzeit eine Darstellung des Hafnium Atoms sowie ein Bild des dunkel silbern und mattglänzenden Metalls auf den linken Monitor geladen.

»Und jetzt kommt natürlich unsere sehr geliebte DARPA[1] ins Spiel. Die sind immer auf der Suche nach neuen Projekten für ihre Militärforschung. Zu verlockend ist den Militärs das

1 Defensive Advanced Research Projects Agency

Potenzial! Ein einziges Gramm des angeregten Hafniums könnte die Kraft von 50 Kilogramm TNT entfalten - wirkt also 50000-mal stärker als herkömmlicher Sprengstoff! Oder als Beispiel - 28 Gramm reichen, um 120 Tonnen Wasser zum Kochen zu bringen! Und das Ganze mit so geringem Ausgangsmaterial, dass es - à la James Bond - leicht in einen Kugelschreiber passen würde! Gezündet wird dann mit einem Laserpointer! Ein Zehn-Tonnen-Bombe würde auf die Grösse eines Golfballs schrumpfen!

Er tippt auf seiner Tastatur und ein Bild einer herkömmlichen Handgranate ist auf dem Monitor zu sehen.

»Solche Bomben könnten mit beliebigen Mengen Hafnium, selbst in kleinsten Dosierungen, gefüllt werden. Also eine Art nuklearer Handgranate! Hoch aggressive Gammastrahlung würde sogar massive Stahlwände durchdringen. Jedes Leben in der näheren Umgebung wird atomisiert! Von Vorteil wäre, um es mal so auszudrücken, dass der radioaktive Niederschlag weitaus geringer ist, als bei herkömmlichen Atomwaffen. Sicher gab es seinerzeit eine Menge Kritiker, die das Experiment als Quatsch bezeichneten. Allerdings sind zwischen dem Experiment von Collins zwanzig Jahre vergangen. Also wissen wir nicht in wie weit andere Forscher, wie zum Beispiel dieser Gerald Bolster, in der Verfeinerung der Vorgehensweise fortgeschritten sind!«

Charles sieht Abel skeptisch an.

»Und warum bist du dir sicher, dass es sich bei den Detonationen um solche Hafnium Sprengkörper handelte?«, hinterfragt er Abels Ausführungen.

»Wie ich eingangs erklärte, ist es, auf Grund der signifikanten Signaturen des radioaktiven Fallouts, praktisch 100%-ig sicher, dass es sich tatsächlich um Tests mit *Hafnium 178m2* handelt! Nur wer diese Tests durchgeführt hat, können wir nicht sagen!«

Charles hebt die rechte Hand, zeigt mit dem Finger auf die Monitore und meint mit leicht erregter Stimme.

»Für mich könnte das ein Indiz sein, dass eventuell Vandorp seine Finger im Spiel hat! Wenn das, ich nenne sie der Einfachheit halber so, wirklich *Hafniumbomben* gewesen sind und der ermordete Bolster irgendwie in Verbindung mit Vandorp stand, zähle ich eins und eins zusammen!«

Abel blickt etwas skeptisch über Charles Gedankengang, dann erhellt sich seine Miene.

»Jetzt ahne ich worauf du hinaus willst! Vandorp hatte vermutlich diesen Gerald Bolster schon in der Anlage unter seiner Finca als Mitarbeiter beschäftigt! Dieser hat, mit den damals fast unerschöpflichen Mitteln Vandorps, an der Vervollkommnung einer Hafnium-Waffe gearbeitet?«

Charles ergänzte.

»Genau! Aus irgend einem Grund, den wir nicht kennen, ist Bolster wieder in London aus der Versenkung aufgetaucht. Vielleicht wollte Bolster anfangen zu plaudern und Vandorp hat kalte Füsse bekommen! Oder Bolster hat Vandorp mit seinem Wissen erpresst. Was man bei einem Mann vom Kalibers eines Vandorp besser lassen sollte! Und der lässt ihn dann aus dem Weg räumen. Vielleicht ist der Sachverhalt bei den anderen zwei toten Wissenschaftler ähnlich?«

Abel nickte zustimmend und Charles fährt in seinen Überlegungen weiter.

»Es gibt da etwas, was mir Kopfzerbrechen bereitet! Was hat Vandorp, sofern er dahinter steckt, jetzt plötzlich mit hoch energetischen Elementen, mit kleinen Nuklear- oder Gammastrahlen-Sprengkörper und den Test in Argentinien zu tun? Noch vor einem Jahr konzentrierten sich seine Anstrengungen, seine Forschungen und Entwicklungen mit der Genetik und der Genmanipulation! Und jetzt soll er sich mit - im wahrsten sinne des Wortes - *hochbrisanten* Themen beschäftigen?

Abel gibt zu Bedenken.

»Das kann natürlich alles auch ein Zufall sein! Noch ist nicht bewiesen, dass Bolster etwas mit Vandorp zu schaffen hatte.

Es ist im Moment lediglich eine Theorie unsererseits, dass es so sein könnte!

Charles stimmt den Argumenten zu.

»Also ist nun dringend angesagt, Beweise für all die Vermutungen zu finden. Ich fange mit diesem Gerald Bolster an! Ich werde morgen mit Fred MacMillan nach Europa auf Spurensuche gehen. Hast du sonst noch solche Überraschungen auf Lager?«

Fragte er Abel und neigt den Kopf in Richtung Monitore.

»Nein! Ich glaube das ist fürs Erste doch genug, oder? Ausser, du denkst daran, dass die gewählten Orte dieser Tests vielleicht einen Hinweis auf den derzeitigen Aufenthaltsort Vandorps sein könnten?«

Charles erhebt sich von seinem Stuhl.

»Abel, danke für diese doch wichtigen Informationen! Informiere doch bitte den »General« über diese neu gewonnen Erkenntnisse! Und wenn noch irgend etwas Neues auftaucht, lass es mich umgehend wissen!«

Er zieht sein CISMA Smartphone aus der Tasche, hält es Abel unter die Nase und verabschiedet sich mit ironischem Klang in der Stimme.

»Ich bin immer und jederzeit auf diesem tollen Ding zu erreichen! Schreib mir doch mal eine SMS!«

Er tritt aus der Türe und lässt einen leicht irritierten Abel zurück.

7

Argentinien - Bariloche

Don *Rico Dopueblo* ist ein gern gesehener Gast im noblen Ristorante des Hotel »Kalakmul«. Das Personal und besonders der Chef de Service, sind jedes mal hoch erfreut, wenn Don Rico und seine Begleitung in ihrem Lokal speisen. Zumal natürlich auch immer äusserst grosszügige Trinkgelder anfallen. Solche Gäste, denen das Geld so locker in der Tasche sitzt, könnte man sich jeden Tag gefallen lassen.

Ignazio Vuegas, seines Zeichens Chef de Service, überschlägt sich förmlich, als er an diesem Abend die hoch geschätzten Gäste an den reservierten Tisch führt. Natürlich ist für Don Rico nur das Beste gut genug und der Tisch selbstverständlich an der besten Lage im Lokal. An einem der grossen Panoramafenster positioniert, hatte man einen herrlichen Ausblick auf das in der untergehenden Sonne silbern glitzernde Wasser des *Lago Nahuel Huapi.*

Und einige dezent platzierte und teuer aussehende Paravents sorgen für die nötige Privatsphäre der illusteren Gäste.

»Don Rico, Donã Feng! Es ist mir - wie immer - wieder eine Ehre, sie bei uns begrüssen zu dürfen!«,

flüsterte Ignazio mit zuckersüssem Tonfall, während er galant den Stuhl für die Dame zurecht rückt.

»Wünschen die Herrschaften zuvor den üblichen Aperitif? Oder darf ich Ihnen die Empfehlung des Tages vorschlagen?«

Ignazio, ein etwas schmierig wirkender Mann um die Vierzig, knetete dienstbeflissen die Hände, während er den gross gewachsenen, attraktiven Mann mit Kennerblick ansieht.

»Danke, Ignazio! Wir nehmen das Übliche!«,

erwiderte Don Rico, zeigt mit dem Finger auf die attraktive, asiatisch anmutende Frau und ergänzte.

»Für Madame Feng einen Kyr Royal, aber mit Jahrgangs Champagner und für mich den »Jouet Perrier«!«

»Sehr wohl, Don Rico! Ich bringe Ihnen sogleich die Speisekarte. Heute sehr zu empfehlen - absolut Fang frische Lachsforelle! Nach Ihrem Wunsch zubereitet!«

Ignazio verbeugte sich leicht, entfernte sich mit tänzelnden Schritten und beeilte sich die Bestellung zu erfüllen. Die asiatische Schönheit kicherte leise und meint zu ihrem Gegenüber.

»Immer das gleiche Ritual! Ignazio verschlingt dich mit seinen Blicken und mich beachtet er nur so weit, wie der Höflichkeit Genüge getan ist!«

Die Frau blickte mit ihren mandelförmigen Augen aus dem grossen Fenster über den See. Die spiegelglatte Oberfläche und die sich darin reflektierenden Lichter von Bariloche verleihen dem Anblick eine magische Atmosphäre. In einiger Entfernung noch schwach auszumachen, erkennt sie die Umrisse der dunklen Masse einer grossen Insel. Nur ein kaum sichtbarer, gelblicher Lichtpunkt ist am Übergang der Landmasse zum Wasser zu erkennen. Die Frau zeigte mit dem Finger auf die schemenhaften Umrisse und bemerkt.

»Rick! Wie weit sind wir mit unserem Vorhaben? Habt ihr schon bessere Resultate erreicht?«

Der Mann, in Gedanken versunken, schreckt auf, als er die Stimme seines Gegenüber vernimmt. Seine Augenbrauen ziehen sich zusammen, als er mit gefährlich leiser Stimme zischt.

»Wie oft habe ich dir schon gesagt, dass du mich in der Öffentlichkeit mit *Don Rico* ansprechen sollst! Geht das eigentlich niemals in deinen asiatischen Schädel!«

Miss Feng zuckte bei den Worten Don Ricos, wie unter Peitschenhieben zusammen.

»Wenn du dich nicht daran halten kannst, sehe ich mich gezwungen ein Exempel an dir statuieren zu müssen!«

Schnauzte Don Rico weiter und funkelte die Frau aus seinen

stechend blauen Augen an. *»Ich glaube Rick hat wieder einen psychotischen Schub! Jetzt spricht er wieder mit dem deutschen Akzent, den er jedes mal annimmt, wenn er seine Persönlichkeit wechselt! Ich muss wirklich aufpassen! In diesem Zustand ist er durchaus in der Lage seine Drohungen wahr zu machen!«* Denkt sich Samantha Wong und senkt ihren Kopf in einer gehorsamen Geste.

»Bitte entschuldigen sie, Don Rico! Es wird nicht wieder vorkommen!«

Sagte sie leise mit unterwürfiger Stimme und ergänzt.

»Kann ich ihnen nach dem Dinner, heute Abend vielleicht noch eine spezielle Freude bereiten?«

Don Rico winkt gnädig mit seiner linken Hand.

»Entschuldigung akzeptiert, Miss Feng! Ich werde auf ihren Vorschlag eventuell zurück kommen!«

Samantha Wong blickt kurz auf Vandorps linke Hand, an der der kleine Finger merkwürdig verkümmert wirkt und erinnerte sich. Es ist fast ein Jahr her, als sie beide in Begleitung ihres Bodyguards von der Halbinsel Yucatán aus ihre Flucht antraten. Nach ihrer Landung in Panama und einigen Umwegen. Zuerst nach Peru, dann nach Chile und über Misionés in Argentinien, sind sie schlussendlich in Bariloche[1] unter gekommen. Vor ihrer Flucht von seiner Yacht, hatte sich Rick Vandorp in einem Anfall von Persönlichkeitsstörung den kleinen Finger abgeschnitten. Kurz zuvor hatte er sich von seinem leitenden Wissenschaftler ein neu entwickeltes Serum spritzen lassen. Die Substanz, an der beim *Projekt »Axolotl«* gearbeitet wurde, sollte auf genetischer Ebene fantastische Eigenschaften auslösen. Unter anderem, sollte die angestrebte Genmanipulation, die komplette Regeneration von abgetrennten Gliedmassen oder geschädigten inneren Organe ermöglichen.

Des Weiteren erhofften sich die Wissenschaftler durch diese Substanz, die Kraft und Ausdauer zu steigern sowie das natürliche Altern zu verzögern, ja gar zu stoppen. *»Und dann hackt sich dieser Idiot den kleine Finger ab und wundert sich,*

1 Die Stadt Bariloche liegt in der Provinz Misiónes

dass dieser nicht mehr ganz regeneriert wird!«, erinnert sich Samantha Wong mit Schaudern an die dantesken Szenen, die sich auf Vandorps Megayacht abgespielt hatten. Die Substanz, die sich Vandorp von Dr. Gerlach, seinem Leiter der geheimen Forschungseinrichtung, hatte injizieren lassen, war die letzte, noch nicht erprobte, einer unvollendeten Versuchsreihe. Sie bewirkte jedoch bei Vandorp einen psychotischen Schub, der ihn glauben liess, mit Hilfe genmanipulierten, gezüchteten »Supersoldaten« ein *Viertes Reich* entstehen zu lassen. Irgendwie ist das Ganze dann aus dem Ruder gelaufen. Die unterirdische Forschungsstätte FEP-V9[2] seiner Finca in der Nähe des Städtchens Mani auf Yucatán, wurde auf seinen Befehl hin in die Luft gesprengt. Seit dieser Zeit wird Rick Vandorp immer wieder von solchen Attacken geplagt, bei denen er auch nicht zurück schreckt seine engsten Vertrauten des Verrats anzuklagen.

Hinzu kommt, dass sich sein kleiner Finger der linken Hand zwar in den ersten drei Wochen nach der Selbstverstümmelung erstaunlich gut regeneriert hatte. Doch dann kam es plötzlich zu Komplikationen, die das letzte Glied des Fingers unkontrolliert mutieren liess. Es blieb ihnen nichts anderes übrig, als diese Mutation am ersten distalen Gelenk zu amputieren. *»Das hatte soweit geholfen! Die Mutation war gestoppt, aber eine deutliche Veränderung in Ricks Verhalten ist geblieben!«* Kommt es Samantha Wong in den Sinn und sie beobachtete Vandorp aus den Augenwinkeln. Der sitzt im Moment ruhig da und schaut mit abwesendem Blick durch das Panoramafenster. Nur das beständige Klopfen mit seinem verstümmelten Finger auf die weisse Damast-Tischdecke verrät seine innere Unruhe und Anspannung. Samantha wollte Vandorp gerade ansprechen, als Ignazio mit einem silbernen Tablett in der linken Hand jonglierend, in der Rechten zwei Menuekarten haltend, mit wiegenden Schritten an ihren Tisch tritt. Gekonnt klemmt er

2 FEP = Forschungen - Erfindungen - Patente

sich die Menuekarten unter den linken Arm und serviert mit der rechten Hand die Aperitifs. Wie es sich gehört, stellt er zuerst den Kyr Royal vor Samantha Wong und anschliessend mit einem eleganten Schwung das Glas mit dem hellgelben, prickelnd perlenden Jouet Perrier vor Don Rico.

»Wohl bekomm's, die Herrschaften!«

Mit diesen Worten fischte er eine Menuekarte unter seinem Arm hervor, klappt sie mit einer Hand auf und hält sie Doña Feng hin. Mit einem leichten Kopfnicken nimmt sie die Karte entgegen, während der Chef de Service Don Rico die zweite Karte überreicht. Mit einem Bückling entfernt er sich diskret drei Schritte rückwärts gehend. Samantha muss innerlich schmunzeln, als sie die überschaubare Menuekarte überfliegt. Natürlich stehen auf den Karten für die Damenwelt keine Preise der Speisen. Die sind nur auf den für die Männerwelt bestimmten aufgeführt. Samantha weiss natürlich über die Preisgestaltung dieses Etablissements Bescheid. Kurz gesagt, hier zu Speisen ist extrem teuer.

Sie beobachtet Rick, der an seinem Glas nippte. Seit sie in Bariloche angekommen sind, hatte sich Vandorp die Haare schwarz gefärbt und sich einen Schnurrbart wachsen lassen. Ausserdem trägt er seit ihrer Ankunft in der Öffentlichkeit immer eine dunkle Sonnenbrille. *»Es ist erstaunlich, wie so Kleinigkeiten einen Menschen verändern können!«* Dachte Sammantha und strich sich unbewusst eine Strähne hinter ihr Ohr. Auch Samantha Wong hatte sich ihre Haare gefärbt. Ihr von Natur aus blauschwarzes Haar glänzte nun in einem attraktiven Mahagonirot und steht ihr ausgesprochen gut. Vandorp hebt plötzlich den Kopf, nimmt seine Sonnenbrille ab und blickt ihr gerade in die Augen.

»Wir werden nach dem Dinner nach Huemul fahren und dort übernachten! Ich will mich selber von den Fortschritten unseres Projektes überzeugen!«

Der Chef de Service hatte sich fast lautlos genähert und erkundigt sich mit leiser Stimme.

»Haben die werten Herrschaften schon eine Wahl getroffen?« Etwas unwirsch drehte Vandorp seine Kopf in die Richtung Ignazios und blafft in einem ungeduldigen Tonfall.

»Bringen sie Madame eine Sole meuniere mit Chantilly Kartoffeln und gerösteten Okrabohnen auf einem Fenchel-Merrettich-Schaum. Für mich ein Tournedo Rossini mit Kartoffel-Pastinaken-Kroketten. Das Fleisch medium rare! Und das Ganze so schnell wie möglich, wenn's recht ist!«

Ignazio verbeugt sich wortlos, dreht sich um und entschwindet schnell im Halbdunkel des vorderen Lokals. *»Typisch Rick! Bestellt für mich einfach ohne zu fragen. Immerhin erinnert er sich noch, dass ich einen frisch gefangenen Sole zu schätzen weiss!«* Überlegte Samantha und will ihn gerade wieder ansprechen. Vandorp hebt die rechte Hand und unterbindet ohne Umschweife ihren Versuch.

»Ich möchte jetzt gerne in aller Ruhe speisen! Und wenn ich Ruhe sage, meine ich Schweigen! Also schweig bitte!«

Samantha schluckt leer und bei Ricks harschen Worten kommen weitere Erinnerungen in ihr hoch. *»Es ist schon seltsam! So gerne und oft wir uns geliebt haben, so wenig schaut mich Rick in letzter Zeit an! Geschweige denn, dass er sich, im Gegensatz zu früher, für Sex interessiert! Eigentlich ist er nur noch getrieben von seinem unbändigen Durst nach Rache und Vergeltung!«*

Zwei Kellner, in langen schwarzen Schürzen und blendend weissen Hemden, erscheinen aus dem Hintergrund und nähern sich ihrem Tisch. Jeder ein mit einer silbernen Haube gedecktem Silbertablett in einer Hand balancierend. Sie stellen die Tabletts diskret von der rechten Seite vor die Gäste. Ignazio, der den Kellnern gefolgt ist, stellte sich dazwischen und auf sein Kopfnicken entfernen die Kellner die Silberhauben mit einem eleganten Schwung. Darunter kommen die wunderschön angerichteten Speisen auf weissen Porzellantellern zum Vorschein. Ignazio giesst eine kleine Menge des dunkelroten Weins in Don Ricos Glas.

«Bitte zu kosten, Don Rico! Ein auserlesener 1985er Malbec Shiraz aus dem Weingut der Mendozas!«

Vandorp nippt, lässt den Wein in seinem Mund rollen, schluckt und nickte dann zustimmend. Nachdem Ignazio ihre Gläser gefüllt hatte, nicht zu wenig und nicht zu voll, entfernt er sich und die beiden beginnen schweigend zu speisen. Ohne ein einziges Wort zu wechseln beenden sie ihr Dinner. Sie lehnen einen Nachtisch und einen Kaffee ab und Vandorp steht abrupt auf. Nur ein einziges Wort richtet er an Samantha.

»Komm!«

Dann durchqueren sie unter den interessierten Blicken der anderen Gäste das Lokal. Nachdem ihm Don Rico ein üppiges Trinkgeld zugesteckt hatte, verabschiedet sich Ignazio an der Eingangstüre mit übertriebener Höflichkeit von den *»gnädigen Herrschaften«*. Natürlich wird so guten, spendablen Gästen wie Don Rico Dopueblo keine schnöde Rechnung präsentiert. Diskret, jeweils am Monatsende, wird solchen Stammgästen eine Abrechnung zugesendet. Samantha Wong und Rick Vandorp treten in die, nur von einigen gelblich, leuchtenden Strassenlaternen erhellte, dunkle Nacht. Eine frische Brise weht vom Lago Nahuel Huapi zu ihnen hinüber und Samantha holte tief Luft.

Gegenüber am Strassenrand steht ein grosser schwarzer Range Rover. Der Fahrer ist durch die getönten Scheiben nicht zu erkennen, als sich die Beifahrertüre öffnet und die grosse, massige Gestalt Adolfs auf den Asphalt tritt. So gut dies bei seiner auffälligen Statur möglich ist, hatte auch er sich verändert. Er hatte sich die hellblonden Haare ebenfalls Schwarz eingefärbt und bis fast auf die Schultern wachsen lassen. Zudem unterstützt ein dunkler Bartwuchs mit Schnauzer sein anderes Aussehen. Heute Abend trägt Adolf seine Haare in einem kleinen Pferdeschwanz zusammen gebunden. Als Vandorp und Samantha näher kommen, strafft Adolf seine Schultern und schlägt, zum Glück lautlos, die Hacken zusammen.

»Alphonso! Lass das mit den Hacken und steh bequem!«, sagte Vandorp und schüttelt leicht den Kopf. Adolf entspannt sich ein bisschen und bemerkt.

»Don Rico, Sir! Wünschen sie nach Inalco-Haus zurück zu kehren?«

Vandorp winkt mit einer Hand ab und zeigt zuerst in Richtung der *Insla Huemul* und dann zum Hafen Bariloches, der keine zwei Minuten entfernt liegt.

»Wir fahren heute Abend mit der *»Axolotl3«* nach Huemul! Du kannst Diego anweisen, dass er nach Inalco zurück fahren soll! Die paar Meter zum Hafen gehen wir zu Fuss. Ist förderlich für die Verdauung!«

Adolf, in der Öffentlichkeit Alphonso genannt, geht um den Range Rover zur Fahrerseite, beugt sich zum offenen Fenster und murmelt einige Anweisungen. Der starke Motor des Range Rover erwacht mit einem sonoren Brummen zum Leben. Der SUV rollte an und entfernt sich fast lautlos.

Vandorp setzte sich gemässigten Schrittes in Bewegung. Samantha zwei Schritte hinter ihm. Adolf folgt den beiden in gebührendem Abstand. Seine Blicke richten sich nach allen Seiten sichernd auf die nähere Umgebung. Die Hand, wie zufällig, halb in seiner Jacke verborgen, ist er sofort bereit, bei auftretenden Gefahren einzuschreiten und seinen Herrn notfalls mit der Waffe zu schützen. Die nur spärlich erleuchtete Promenade, die zu dem kleinen Hafen von Bariloche führt, ist um diese Zeit wie ausgestorben.

Das Gebäude am Hafen, das am Tag zur Abfertigung der Touristen dient, die eine Bootsfahrt auf dem See gebucht haben, beherbergte auch den Nachtclub »*Puerto Rock*«. Der ist an diesem Abend geschlossen und somit herrscht eine fast körperlich spürbare Stille. Nach wenigen Metern haben sie ihr Ziel erreicht und begeben sich auf die rechte Seite des Gebäudes. Dort befinden sich die Anlegestellen für die privaten Boote. Nah am Gebäude ist eines der Ausflugsboote vertäut, das am Tag die Touristen über den Lago Nahuel Huapi befördert.

An dem ersten der zwei daneben liegenden Landungsstege, sind nur ein paar grössere und kleiner Motorjachten vertäut. Dazwischen ein Segelboot von beachtlicher Grösse.

Sicher können diese Boote nicht mit dem Kaliber von Schiff konkurrieren, das Vandorp noch vor einem Jahr besessen hatte. Die »Efrari2«, seine 95 Meter lange Megayacht, wurde von den mexikanischen Behörden konfisziert. Dies kurz nachdem Vandorp, Samantha und Adolf die Flucht mit ihrem Stealth-U-Boot, der »*Axolotl2*«, gelungen ist. Die drei bewegen sich auf den zweiten Landungssteg zu, an dem eine exquisite Yacht vor Anker liegt.

Bei der Yacht, die am Anleger vertäut ist, handelt es sich um eine Gulf Craft »*Majesty 56*«, die im Gegensatz zu seinen Lieblingsfarben Bordeauxrot und Hellbeige, in einem dunkelgrauen matten Farbton gehalten ist. Mit über 17 Metern Länge bietet die »Axolotl3« den Komfort, der den Aufenthalt auf See so angenehm wie möglich macht. Die Lounge ist in hellem Holz gestaltet und mit bequemen, zur Fahrtrichtung längs angeordneten, Sitzgelegenheiten aus feinstem Leder ausgestattet. Eine kleine Pantry befindet sich neben der hinteren Eingangstüre und im offenen Heckbereich ist eine Sitzbank mit einem kleinen Tisch installiert. Der innere Steuerstand auf der rechten Seite der Yacht ist mit allen nötigen nautischen Ausrüstungen versehen. Im Unterdeck befindet sich eine geräumige Eignersuite, zweckmässig elegant eingerichtet und geeignet auch die Nacht auf dem Schiff zu verbringen. Von Aussen gesehen vermittelt die elegant geschwungene Linie des Bootes Moderne und Dynamik. Mit seinen zwei 965 PS starken Motoren erreicht die »Axolotl3« eine Reisegeschwindigkeit von 55 km/h und eine Höchstgeschwindigkeit von nahezu 65 Kilometer in der Stunde.

Je näher sie dem Landesteg kommen, hören sie das leise Klatschen und Schwappen des Wassers. In den Duft frischen Seewassers mischt sich ein leichter Unterton von Schiffsdiesel, den Ausdünstungen von Kunststoff und nassem Tauwerk. Auf dem Landesteg vor der »Axolotl3« wartete schon ihr Bootsführer Maximilio auf seinen Diensther.

»Ich freue mich sie wieder auf der »Axolotl3« begrüssen zu dürfen, Don Rico! Und selbstverständlich auch sie, Doña Feng und Señor Alphonso!«,

begrüsst Maximilio die drei Ankömmlinge und reicht Doña Feng galant die Hand, um ihr an Bord zu helfen. Nachdem auch Don Rico und Alphonso zugestiegen sind, löst er die Haltetaue und begibt sich zu ihnen in die luxuriöse Lounge, die auch den unteren Steuerstand beherbergte.

Während es sich die drei auf den Couches bequem machen, startete Maximilio die zwei Motoren. Ein sattes Brummen ertönt und langsam steuert er die Yacht aus dem kleinen Hafen. Nachdem er die äussere Kaimauer umrundet hatte, nimmt er Kurs auf die Isla Huemul und steigert die Geschwindigkeit. Eine grossen Bugwelle erzeugend gleitet das Boot nun mit 25 Knoten über die glatte Oberfläche des Sees und hinterlässt ein lange phosphoreszierende Spur hinter sich.

8

Bariloche - Isla Huemul

Während der Fahrt, auf der von den Passagieren kein einziges Wort gesprochen wurde, ist nur das eintönige Dröhnen der Dieselmotoren zu hören. Nach zehn Minuten mit fünfundzwanzig Knoten von Bariloches Hafen über die fast schwarze Oberfläche des Lago Nahuel Huapi, schält sich die fast schwarze Masse der Isla Huemul aus der Dunkelheit. Nur der gelbliche Lichtpunkt deutet darauf hin, dass sich etwas darauf befindet. Das Ganze wirkte wie ein Bild der Toteninsel von Arnold Böcklin. Langsam nähert sich die »Axolotl3« dem Anlegesteg der Insel. Der Bootsführer drosselte die Motoren und nur noch eine schwach phosphoreszierende Heckwelle bildete sich auf der Wasseroberfläche.

Der zuvor nur undeutlich wahr zu nehmende gelbliche Lichtpunkt, kristallisierte sich zu einer Positionslaterne die am äussersten Ende des Steges auf einem dicken Holzpfahl thronte. Sanft steuert Maximilio die »Axolotl3« an das Ende des Landestegs, wo schon zwei Männer warten, um das Boot zu vertäuen. Beide haben eine muskulöse Statur, sind vollkommen in schwarze Kampfmonturen gekleidet und mit Maschinenpistolen bewaffnet. Vandorp und Samantha Wong treten aus der Kabine auf das hintere Deck. Als das Boot sicher vertäut ist, reicht einer der Männer Samantha die Hand und hilft ihr auf den Landesteg.

Vandorp schwingt sich mit einer geschmeidigen Bewegung auf den Steg und nickt den beiden Helfern kurz zu.

»Willkommen auf Huemul, Don Rico, Sir! Ich soll sie zu Dr.

Kammer führen! Wenn sie gestatten?«,
bemerkte der grössere der Männer und machte eine einladende Geste in Richtung der Insel.

»Danke, Felipe! Dann lassen sie uns Kammer nicht allzu lange warten!«,
entgegnete Rick Vandorp und bedeutete dem Mann voran zu gehen. Felipe führte die drei über den etwa fünfundzwanzig Meter langen Landesteg und kurz darauf betreten sie einen mit hellem feinen Kiesel belegten breiten Weg, der sich in der undurchdringliche Dunkelheit verliert.

Nach den ersten Schritten Felipes leuchten auf dem Weg unvermittelt etliche am Wegrand platzierte Leuchten auf. Von Bewegungs-Sensoren aktiviert, bilden sie eine Lichterkette, die sich hinter einem nahe gelegenen kleinen Hügel verliert.

Die kleinen Kieselsteinchen erzeugen leicht knirschende Geräusche unter den Schuhsohlen der vier Personen. Ansonsten ist kein Laut zu hören. Felipe führt die drei an einem hellblauen Schild vorbei, das mit Hinweisen versehen ist. Oben in einem Roten Feld steht *»Sector Rojo«*, unten sind sechs Ziele aufgeführt. Samantha Wong kann im Vorbeigehen gerade noch die Beschriftung *»Laboratorios Richter«* lesen. Von früheren Besuchen her weiss Samantha, dass auf der Insel noch sechs weitere Ruinen stehen, die ein gewisser Dr. Paul Richter, ab dem Jahr 1948, im Auftrag von Präsident Juan Perón, hatte errichten lassen. Richter war der führende Kopf hinter dem Atomprogramm, das Argentinien zum Laufen bringen wollte. Perón hatte damals Dr. Richter die gesamte Isla Huemul für seine Forschungen zur Verfügung gestellt. Mit einem Etat in Millionenhöhe liess Dr. Richter die für die verschiedenen Zwecke der Atomforschung nötigen Gebäude errichten. Richter konnte seine Versprechungen nicht halten und das Argentinische Atomprogramm wurde gestoppt. Die gesamten Einrichtungen auf Huemul wurden demontiert. In der Nähe Bariloches wurde ein neues Atom Forschungszentrum errichtet und die technischen Gerätschaften wieder verwendet.

Das *Centro Atomico Bariloche* zählt heute zu einer der führenden Forschungsstätten und geniesst weltweite Anerkennung. Heutzutage zeugen auf der Isla Huemul nur noch rudimentäre Ruinen von der ultra geheimen Tätigkeit Dr. Richters und seinen Helfern.

Vor fast einem Jahr hatte Rick Vandorp die Insel erworben, allerdings mit der Auflage der Öffentlichkeit nach wie vor die Ruinen des Dr. Richter zugänglich zu halten. Die Isla Huemul war - nebst der pittoresken Architektur Bariloches - ein beliebtes Ausflugsziel der zahlreichen Touristen aus dem In- und Ausland. Vandorp hatte anfangs der Auflage zugestimmt, unter der einzigen Bedingung, dass der Besuch unter der Woche nur in einem begrenzten Zeitraum gestattet ist und an den Wochenenden nach 15 Uhr kein Zutritt mehr gewährt wird. Nach erfolgtem Kauf und den entsprechenden Formalitäten, setzte Vandorp die Stadtvorderen unter Druck. Das Versprechen von Vandorp und die Aussicht auf Investitionen in Millionenhöhe in ihrer Gemeinde, überzeugte die Stadtväter von Bariloche. Sie stimmten der Schliessung der Insel zu. Seit dem ist der Besucherverkehr zur Isla Huemul verboten. Vandorp konnte nun ungestört seine Bauvorhaben auf der Insel realisieren. Und da ab und zu ein gut gefüllter Umschlag den Besitzer wechselte, nahm man es auf den zuständigen Behörden mit der Erteilung von Bewilligungen nicht so genau.

Also konnte Don Rico ungehindert auf der Insel seine Bauvorhaben voran treiben, ohne dass allzu viel Fragen gestellt wurden. Bei der Inspektion der noch vorhandenen Ruinen von Dr. Richters Einrichtungen, ist Vandorp durch Zufall auf ein gut getarntes Versteck gestossen. Darin befanden sich sämtliche Baupläne der Forschungsstätte. Nebst den Plänen für die noch als Ruinen vorhandenen bekannten Gebäude, befanden sich in den Unterlagen auch Pläne eines bisher unbekannten

Bauabschnitts der Anlagen Mit Hilfe der Angaben in den Plänen und nach intensiver Suche haben Vandorp, Samantha und Adolf den geheimnisvollen Abschnitt gefunden. Es handelte sich um eine grosse unterirdische Halle, die über eine Treppe zu erreichen ist. Vandorp erkannte, dass sich diese Halle in idealer Weise für sein zukünftiges Vorhaben eignen würde. Um den Eingang zu verbergen entschloss er sich darüber einen extravaganten Kuppelbau, wie er es nannte, - *Rückzugsort der Besinnung* - erstellen zu lassen. Der sollte auch Unterkünfte für seine Mitarbeiter beherbergen. Nachdem er sein Projekt den Stadtvätern von Bariloche vorgestellt hatte, war die Erteilung der Baubewilligung nur noch eine Formsache. Natürlich verschwieg er den wahren Zweck seines Kuppelbaus.

Er hatte es so organisiert, dass nur unverfängliche Baumaterialien für den aussergewöhnlichen Kuppelbau, auf die Insel geliefert werden. Alles von ortsansässigen Zulieferfirmen, die sich über die grosszügigen Bestellungen freuten, zumal der »liebe Don Rico« die Höhe der Rechnungsstellung nie in Frage stellte. Was die einheimischen Lieferanten nicht wussten. Das Unmengen an weiterem Baumaterial und Ausrüstung heimlich und des Nachts, von linientreuen Mitstreitern aus Misionés, per Trucks und speziellen Frachtbooten angeliefert wurde. Das Material ist dann unter strengster Geheimhaltung seitens der Spezialisten in der unterirdischen Anlage verbaut worden.

Der unterirdische Teil der Anlage ist über einen geheimen Zugang im Kuppelbau zu erreichen. Zudem existiert ein langer Fluchttunnel aus der Zeit Dr. Richters. Dieser Fluchttunnel von dreieinhalb Meter Breite und einer Höhe von drei Meter endet in einer kleine Bucht am Nordende der Insel. Der Ausgang zur Bucht ist durch ein gut getarntes Schwenktor gesichert. Von Dr. Richter ursprünglich als Zulieferstollen und Fluchtweg geplant, dient er jetzt Vandorps Mitarbeitern als willkommene Gelegenheit, konspiratives Material und Ausrüstung unbemerkt in die unterirdische Halle zu bringen. Ansonsten ist der gesamte Norden der Insel von wild wuchernder Vegetation überzogen.

Die Halle Richters hat eine runden Grundriss mit einem Durchmesser von 20 Metern und viereinhalb Metern Höhe. Ursprünglich wollte Richter darin eine grosse Gravitations-Zentrifuge von fünf Meter Durchmesser installieren. Da das gesamte Atomprogramm Richters durch die argentinische Regierung, auf Grund der aus dem Ruder gelaufenen Kosten gestoppt wurde, blieb die »Zentrifugenhalle« unvollendet. Warum Richter diesen Teil der Einrichtungen so sorgfältig tarnen liess, konnte Vandorp und seine Mitarbeiter nicht mehr nachvollziehen.

Jetzt hatten sich Dr. Gerd Kammer, der Leiter des Projekts *»Axolotl-V2.0«* und Dr. Erwin Schmied, Leiter des Projekts *»Genesis«* in der Halle eingerichtet. Zusammen mit einem Dutzend, absolut verschwiegener Mitarbeiter und einer Truppe schwerbewaffneter Söldner. Allesamt sind sie Anhänger von Vandorps Ideologie zur Errichtung eines *Vierten Reiches* unter dem Motto E-F-V-G. Sie sollen die geforderten Zielsetzungen Vandorps schnellstmöglich realisieren.

Vandorp, Samantha Wong und Adolf folgen Felipe, der sie zielstrebig zum Kuppelbau führt. Der Bau befindet sich hundert Meter hinter der Ruine des früheren Generator- und Reaktorhauses. Auf einer Grundfläche von fünfundzwanzig Metern im Durchmesser hat ein Architekt aus Bariloche, nach genauen Vorgaben Vandorps, einen modernen Zweckbau entworfen. Der Architekt ist ebenfalls ein Nachfahre einer der nach Bariloche emigrierten Nazigrössen und Vandorp kann sich auf dessen Verschwiegenheit verlassen. Zumal das Honorar mehr als grosszügig ausgefallen ist.

Rick Vandorp hatte genaue Vorstellungen, wie das Gebäude aussehen sollte. Der Rundbau ist in Form einer flachen umgedrehten, aus armiertem Beton gegossenen, Schüssel von neun Meter Höhe angelegt. Der Eingangsbereich ist von einer geschwungen Konstruktion überdeckt, die von oben nicht eingesehen werden kann. Die aus zierlichen Stahlprofilen erstellte, luftig wirkende Konstruktion ist mit speziellem, blickdichtem Glas bestückt, in denen sich die nähere Umgebung spiegelt. Das Dach des Gebäudes schmiegt sich, wie ein natürlicher Hügel in die Umgebung. Als Besonderheit hatte Vandorp das gesamte Dach mit Erde bedecken und mit Bäumen, Büschen und Pflanzen aus der Umgebung bepflanzen lassen. Dadurch fügt sich der Kuppelbau in die Umgebung ein und ist schon aus kurzer Distanz und aus der Luft nicht mehr als solcher zu erkennen.

Am, durch helle Strahler beleuchteten Eingangsbereich, werden die vier schon von Dr. *Gerd Kammer* erwartet. Dieser hat seine Hände auf dem Rücken verschränkt und steht, wie zum Appell gerufen, kerzengerade da. Gerd Kammer ist 51 Jahre alt und von schlanker Statur. Leicht ergrautes, gewelltes und sorgfältig frisiertes Haar umgibt sein markantes Gesicht, das von einer ausgeprägten Adlernase dominiert wird. Er hat nussbraune Augen, die er leicht zusammen gekniffen hat. Ein leicht herrischer Zug umspielte seinen Mund und zeugt von seiner Gewohnheit Befehle zu erteilen, die bedingungslos befolgt werden müssen. Kammer ist der Spross einer in Bariloche alteingesessenen Familie.

Sein Grossvater, ein glühender Anhänger der Nazi-Ideologie, war 1945 nach Misionés in Peru geflüchtet. Als ehemaliger Obersturmführer der SS hatte der sich, wie viele seiner Kameraden, aus den Pfründen der SS bereichert. Und somit ein erkleckliches Vermögen im Reisegepäck. In Misionés, einem Schmelztiegel für geflüchtete Nazigrössen, baute er sich ein florierendes Unternehmen auf. Das er dann dem Vater von Gerd Kammer übergab. Mit einem ausserordentlich hohen IQ ausgestattet, promovierte Gerd Kammer in kürzester Zeit zum Doktor der Genetik. Anschliessend studierte er noch Atomphysik und promovierte auch in dieser Fakultät mit »summa cum laude«. Schon in jungen Jahren erarbeitet er sich die anerkannte Reputation in beiden Bereichen und gehörte schon bald zur Elite seiner Fakultäten. Bis er von Rick Vandorp, durch Vermittlung eines Kameraden aus Misionés, »entdeckt« wurde.

»Don Rico, Doña Feng, Señor Alphonso! Ich heisse sie herzlich auf Huemul willkommen! Es freut mich, dass sie wieder einmal die Zeit gefunden haben, uns mit ihrem geschätzten Besuch zu beehren!«

Begrüsste Dr. Kammer die Ankommenden in dienstbeflissenem und einschmeichelndem Tonfall. Er hatte bei seiner Begrüssung die Hände nach vorne genommen und knetet diese jetzt in unterwürfiger Erwartungshaltung. Die Gruppe ist inzwischen bei Dr. Kammer angekommen. Vandorp ignorierte einfach Kammers rechte Hand, die ihm hingehalten wird und sagt in einem leicht gereizten Ton.

»Lassen sie das Gesülze, Kammer! Hier auf der Insel können sie uns mit unseren *richtigen* Namen ansprechen! Verstanden? Ich möchte, dass sie mich umgehend über den aktuellen Stand der Projekte »Axolotl-V2.0« und »Genesis« informieren. Und stehen sie nicht da, wie ein verkappter Soldat!«

Kammer zuckte unter den nicht gerade schmeichelhaften Worten seines Chefs leicht zusammen, bemühte sich sein Aufregung zu verbergen und nickte ergeben mit dem Kopf.

»Selbstverständlich Mr. Vandorp, Sir! Bitte mir zu folgen. Ich habe in den Laboratorien schon alles vorbereiten lassen. Wenn sie gestatten, Sir! Ich möchte ihnen zuerst im kleinen Konferenzraum einige Erläuterungen präsentieren! Dr. *Erwin Schmied* erwartet uns auch schon dort. Er wird ihnen, als Experte für Nuklear- und Atomphysik, den Stand des Projekts »Genesis« am Besten erklären können!«

Kammer blickte von schräg unten, mit fragenden Augen zu Rick Vandorp hoch, während die Gruppe durch die automatische Glasschiebetüre des Eingangs schreitet. Zwei Wachtposten, die auf beiden Seiten des Eingangs postiert sind, nicken kurz grüssend mit dem Kopf. Beide sind in schwarze Kampfmonturen gekleidet und tragen eine Maschinenpistole an einem Haken vor der Brust. Sie gehören zu Vandorps privater Söldnertruppe, die ein Dutzend kampferprobter Söldner umfasst.

»Ja, ja! Ist ja gut Kammer! Machen sie es so, wie sie es für richtig halten!«,

patzte Vandorp zu Kammer. Im Innern der Kuppel werden sie von einer freundlichen Atmosphäre empfangen. Ein, in hellem Holz gehaltenes, grosses Sideboard steht an der rechten Seite des Raumes an der Wand aus getäfeltem Holz. Auf der linken Seite ist eine breite massive Türe in die Täfelung eingelassen. Sie folgen Dr. Kammer zur Mitte des Eingangsbereiches. Dort befindet sich eine weitere grosse zweiteilige Türe mit Holzverkleidung.

Während sich Felipe wortlos verabschiedete, geht Dr. Kammer auf die Türe zu und wie von Geisterhand öffnet sich diese nach beiden Seiten. Alle Türen im Kuppelbau reagieren auf kleine Transponder, die der Mitarbeiter bequem in der Tasche tragen kann. Je nach Zugangsberechtigung des Mitarbeiters, öffnete sich die Türe zu dem ihm autorisierten Bereich. Als die Gruppe durch die Türöffnung tritt, kommen sie in einen Korridor von zehn Meter Länge, an dessen Ende sich eine identische Türe befindet. Die Wände sind mit akkurat vernutetem Täfer aus grauem Teakholz verkleidet. Die Decke ist mit indirekten Leuchten bestückt, die den Gang in ein halbdunkles Licht tauchen. Wider Erwarten öffnet sich die Türe an der gegenüberliegenden Seite nicht automatisch. Als sich alle vier Personen im Korridor befinden, schliesst sich hinter ihnen die Türe und Dr. Kammer bleibt in der Mitte des Korridors stehen. Er wartete bis sich die drei um ihn versammelt haben und vollführte dann mit seiner Hand eine winkende Geste vor der linke Wand. Eine Stecknadelkopf kleine Kameralinse, von blossem Auge kaum zu entdecken, erfasst die Geste Kammers. Es dauerte nur ein paar Sekunden, dann schwingt ein meterbreites Stück der Holzwand nach innen und gleitet nach rechts hinter die Wand. Aus der Öffnung dringt ein warmes, gelbliches Licht indirekter LED Leuchten in das Halbdunkel des Korridors. Hinter der verborgenen Öffnung befindet sich die oberste Plattform, die zu einer steil nach unten führenden Treppe gehört. Kammer tritt auf die Seite der Öffnung und macht eine einladende Handbewegung.

»Mr. Vandorp, Miss Wong, Herr Adolf! Bitte nach ihnen. Sie kennen ja den Weg!«

»Danke, Kammer! Natürlich kenne ich den Weg! Ich habe die Baumassnahmen ja selber überwacht!«,

antwortet Vandorp bewusst sarkastisch auf die doch etwas dümmliche Bemerkung Kammers. Dann tritt er auf die kleine Plattform und beginnt, gefolgt von den anderen, die Treppe nach unten zu steigen. Die Wände des Treppenabgangs sind aus grob verschaltem Beton gegossen worden und waren schon Bestandteil der verbogenen Anlage Dr. Richters. Durch die immer noch sichtbare Struktur der Schalbretter und den hellbeigen Anstrich, vermitteln sie einen modern wirkenden und zugleich abstrakten Eindruck. Nachdem sie die Treppe hinunter gestiegen sind, kommen sie in einen kleine Korridor, der etwa zehn Meter in nördliche Richtung führte und am Ende durch eine Stahltüre verschlossen ist. Vandorp eilt auf die Stahltüre zu, hebt kurz die linke Hand in die Richtung einer weiteren gut verborgenen Minikamera und die schwere Stahltüre schwingt geräuschlos nach innen auf.

9

Isla Huemul - FEP-X

Vandorp, plötzlich getrieben von einer unerklärlichen Euphorie, stürmt förmlich durch die Türöffnung. Dicht gefolgt von seinen Begleitern. Auf der anderen Seite erwartet den unvorbereiteten Besucher ein phantastischer Anblick. Eine grosse, runde Halle, zwanzig Meter im Durchmesser und viereinhalb Meter Höhe. Die Wände der Halle sind ebenfalls aus armiertem Beton gegossen worden und die Struktur der Schalbretter ist auch hier noch deutlich sichtbar. Der Boden, ehemals blanker Beton, hatte Vandorp mit grossen, quadratischen hellgrauen Fliesen auslegen lassen und erinnerte an einen Reinraum eines biologischen Labors der Sicherheitsstufe vier. Sechs im Kreis angeordnete Betonsäulen stützen die massive Decke. Die Decke ist von mehreren leuchtenden Bändern durchzogen, die ein helles, nicht zu grelles Licht spenden. Es ist noch zu erkennen, dass innerhalb der Säulen ein fast zehn Meter messender Platz für die ursprünglich geplante Zentrifuge vorhanden ist.

Von der Eingangstüre ausgehend führt ein drei Meter breiter, freier Bereich bis ans andere Ende der Halle. Dort befindet sich ein breites und hohes Stahltor, das zum Fluchttunnel führt. Auf der linken Seite des Durchgangs befinden sich etliche Arbeitsplätze, die jeweils über einen grossen Flatscreen Monitor und eine in den Tisch eingelassene Tastatur verfügen. Hinter den Computerplätzen sind vier grosse, massive Stahltische aufgestellt, auf denen jeweils identische, seltsam anmutende Maschinen stehen. Bei den Maschinen handelt es sich um die von Vandorps Technikern entwickelte Genmanipulations-

Maschine, der *VGC-2020*, die er vor fast einem Jahr der Öffentlichkeit vorgestellt hatte. Äusserlich betrachtet, sind die Maschinen vollkommen unspektakulär gestaltet. Ein, in hellgrauem Kunststoff verkleideter, quadratischer Block mit einigen digitalen Anzeigen und Tasten auf der Vorderseite. Rechts von dem Block befinden sich vier identische, runde Behälter, die neben einander aufgereiht sind. Jeder Behälter ist in einer anderen Farbe lackiert und in grossen Lettern mit den Buchstaben „A- C-G-T" gekennzeichnet. Hinter den Behältern ist eine verwirrende Anzahl mit Metallgewebe ummantelten Schläuchen und verschieden farbigen Kabeln zu sehen. Diese führen von und zu dem quadratischen Block.

Auf der rechten Seite des Durchgangs sind in gleicher Anordnung ebenfalls Computer Arbeitsplätze platziert. Dahinter ist ein, durch ein dicke Wand abgegrenzter Bereich sichtbar. In der Mitte der Wand befindet sich eine massiv wirkende und mit einem kleinen quadratischen Fenster versehene Stahltüre mit dicken Gummidichtungen - eine Sicherheitsschleuse. Links und rechts von dieser Sicherheitsschleuse sind breite Fenster in die Wände eingelassen, die einen ungehinderten Blick in die dahinter liegenden Labors bieten. Auf der Stahltüre und über den Fenstern prangen gross und unübersehbar die Symbole, dass hier mit spaltbarem Material gearbeitet wird. Ein eigenartiger Geruch liegt in der Luft. Eine Mischung aus Elektrizität und Chemikalien.

Vandorp ist in der Mitte des Durchgangs stehen geblieben, drehte sich zu dem heran eilenden Dr. Kammer um und fragt ihn auf Deutsch mit einer seltsam schnarrenden Stimme.

»Also, Kammer! Wie weit sind sie mit der Substanz aus der Serie »*Axo-V2.0-18*«? Soweit ich angeordnet hatte, sollten sie die Daten aus den von den Server der »Finca do Pueblo« transferierten Protokollen überprüfen und die von Professor Bowles eingeschleusten Bugs beheben?«

Vandorp hatte im Lauf seiner Worte seine Stimme gefährlich, bis fast zu einem Flüstern gesenkt. Kammer zuckte zusammen, hatte den Blick auf den Boden gerichtet, als wenn er die Fliesen zählen wollte und antwortet kleinlaut.

»Mr. Vandorp! Wir sind schon einige Schritte weiter, aber leider finden wir immer noch neue Bugs in der Programmierung der neuen DNA[1]-Sequenzen für »Axo-V2.0-18«!«

Vandorp blickt Kammer wutentbrannt, mit funkelnden Augen an und wollte eben etwas erwidern, als ihm Samantha Wong zuvor kommt.

»Mr. Vandorp, ich bitte sie! Dr. Kammer und seine Leute tun was sie können! Aber sie müssen bedenken, dass dieser verdammte Professor Bowles einen ziemlich beachtlichen Schaden in unseren Daten hinterlassen hat! Und das Risiko eine fehlerhafte Substanz zu produzieren und anzuwenden, könnte unsere Pläne empfindlich stören und das gesamte Projekt gefährden!«

Vandorp wendet sich Samantha zu und kann sich gerade noch beherrschen vor den anwesenden Mitarbeitern unbedachte Worte zu äussern.

»Sie haben Recht, Miss Wong! Ich bin in letzter Zeit einfach etwas zu ungeduldig. Haben sie denn wenigstens sonst etwas Erfreuliches mitzuteilen?«

Wendet sich Vandorp an Dr. Kammer. Dieser bemühte sich eifrig etwas Positives zum Besten geben zu können und kommt leicht ins Stottern.

»Sir, Mr. Vandorp, Sir! Dr. Schmied wird ihnen, wie versprochen, seine neuesten Ergebnisse erläutern. Bitte folgen sie mir in den kleinen Konferenzraum!«

Dr. Kammer geleitete die drei durch die Halle an das hintere Ende und biegt dann nach links ab. Dort befindet sich ein kleinerer, aus Stahlprofilen und Glas gebauter Annex. Im Innern des abgetrennten Raumes hat es einen Konferenztisch mit Platz für acht Personen. Auf dem Tisch sind einige Wasserflaschen und Gläser verteilt. An der einen Wand ist ein grosser Flat Screen-Monitor befestigt.

---

1 DNA = Desoxyribonucleinacid

Dr. Erwin Schmied sitzt an einem Ende des Tisches und hat einen Laptop-Computer vor sich stehen. Auf der rechten Seite daneben, einen Stapel Dokumente. Auf der linken Seite des Laptop liegen fünf identische, längliche Objekte, die wie handelsübliche Kugelschreiber aussehen. Total vertieft in seine Arbeit, bemerkte er erst dass jemand in den Raum gekommen ist, als er das Geräusch der sich schliessenden Türe hört. Er hebt seinen Kopf und als er Vandorp erblickte zuckt er kurz zusammen.

»Oh! Mr. Vandorp, Sir! Entschuldigen sie, ich habe nicht bemerkt, dass sie schon angekommen sind!«

Dr. Schmied ist ein etwas dicklicher Mann von 43 Jahren. Sein fast rundes Mondgesicht glänzt von kleinen Schweissperlen. Er hat eine Brille mit einem altertümlichen Gestell aus billigem, braunen Kunststoff und an Flaschenböden erinnernde, dicken Gläsern auf der Nase. Dadurch werden seine kleinen Schweinsäuglein unnatürlich vergrössert und verleihen ihm einen etwas grotesken Anblick. Er hat fast keine Haare mehr auf dem Kopf und die wenigen, die ihm noch geblieben sind, hat er sorgfältig mit Pomade über seine Glatze drapiert. Schmied steht schnell auf, kommt um den Tisch und begrüsst Vandorp mit unterwürfiger Geste. Erst jetzt wird gewahr, dass Dr. Schmied mit 160 Zentimeter von sehr kleiner Statur ist. Er schüttelt auch Samantha Wong die Hand, die sie aber, mit leicht verkniffener Miene, schnell wieder zurück zieht. Dr. Schmied hatte schweissige Hände und es schaudert Samantha jedes mal, wenn sie diesen kleinen, unsympathischen Mann sieht.

»Mr. Vandorp, Miss Wong! Bitte setzen sie sich! Ich habe soweit alles vorbereitet und bin von Stolz erfüllt, dass ich ihnen die neuesten Ergebnisse präsentieren darf!«

Als sich alle an den Konferenztisch gesetzt haben, geht Dr. Schmied wieder zu seinem Laptop und bleibt dort stehen.

»Ich werde ihnen jetzt einige Aufnahmen unserer letzten Test mit dem Isomer *Hafnium 178m2* zeigen! Wir haben die Tests an zwei verschiedenen Orten durchgeführt, um aufzuzeigen, wie sich die Detonationen bei unterschiedlichen Begebenheiten verhalten! Wir haben die Menge des *isomeren Hafnium 178* auf zwanzig Gramm beschränkt, was der Sprengkraft von 1000 Tonnen TNT entspricht!«

Dr. Schmied setzte sich jetzt auch und tippt einige Befehle in seinen Laptop. Der Monitor erwachte zum Leben und zeigt eine steile Felswand. Schmied erklärt.

»Der erste Test erfolgte an einer Felswand in einem kargen, menschenleeren Gebiet, etwa fünfzig Kilometer von Bariloche entfernt. Im Umkreis von circa fünfundzwanzig Kilometern, sind weder ein Dorf, ein Haus oder sonstige bewohnte Örtlichkeiten! Bitte richten sie jetzt ihren Blick auf die Mitte der Felswand!«

Auf der Videoaufzeichnung ist zu sehen, wie sich der Felsen jetzt plötzlich nach vorne wölbt. Wie ein Ballon bläht sich das Gestein auf, um dann, keine zwei Sekunden später, aufzuplatzen. Dunkelgelb-rote Glutfontänen schiessen aus einem riesigen Loch in der Felswand. Grosse Gesteinsbrocken, glühend wie Lava, werden in weitem Bogen an den Fuss des Abhangs geschleudert. Eine Sekunde später donnern zig Tonnen Fels in einer gewaltigen Staubwolke ins Tal. Dann ist der Spuk vorüber.

»Wie eingangs gesagt, hatte die von uns ausgelöste Explosion eine Sprengkraft von 1000 Tonnen TNT! Das entspricht einer Kilotonne Sprengstoff! Das entstandene Loch hat einen Durchmesser von 30 Meter und ist genau achteinhalb Meter tief! Bei der Detonation wurden 850 Kubikmeter Gestein heraus gesprengt und ein Grossteil davon förmlich pulverisiert!«

Dozierte Dr. Schmied jetzt mit der ruhigen und professionellen Stimme des engagierten Wissenschaftlers. Er tippte auf seinem Laptop ein paar Tasten und auf dem Monitor wechselt das Bild zu einer flachen Ebene. Völlig unspektakulär sind auf rötlichem Boden nur ein paar Gesteinsbrocken verstreut und eine spärliche Vegetation zu sehen.

»Den zweiten Test haben wir nicht weit entfernt von der

ersten Sprengung vorgenommen! Es handelt sich um eine öde Gegend, die vollkommen flach, in etwa einer asphaltierten oder betonierten Fläche entspricht. Bitte beachten sie wiederum den mittleren Bereich!«

Ein paar Sekunden lang ist nur die Ebene zu sehen. Dann erscheint, wie aus dem Nichts, ein greller blendender Lichtblitz. Die Ebene wölbt sich hoch, wie eine umgekehrte Suppenschüssel. Eine riesige Säule aus Erdreich, durchmischt mit Gestein und rotglühenden Brocken, steigt in die Höhe und formt sich zu einer Pilz-förmigen Wolke, ähnlich einer kleinen Atombomben Explosion. Zwei Sekunden später ist die Wolke in sich zusammen gefallen. In dem sich verziehenden Staub wird jetzt ein grosser Krater sichtbar. Dr. Schmied erklärt den Anwesenden, die vor Erstaunen kein Wort hervor brachten.

»Dieser Krater hat einen Durchmesser von über fünfzig Meter! Eine Tiefe von zwölfeinhalb Meter und sprengte gut und gerne zweitausend Kubikmeter Masse aus der Erde!«

Auf dem Monitor ist jetzt zu sehen, wie eine Kamera, von einer unsichtbaren Person getragen, langsam auf den Krater zufährt. Nach etwa zwei Minuten hatte die Person den Kraterrand erreicht. Das Objektiv schwenkt über den Kraterrand und zoomt den unteren Bereich des Kraters heran. Auf dem Boden des Kraters ist eine glasige, leicht schimmernde Substanz zu sehen. Dr. Schmied erklärt weiter:

»Das, was sie hier auf dem Grund des Kraters sehen, ist die Auswirkung der enormen Temperaturen, die im Moment der Detonation freigesetzt werden! Das Erdreich, der Sand und das Gestein sind geschmolzen! Unnötig zu erwähnen, dass unsere Beobachter mit Schutzanzügen gegen radioaktive sowie auch Gamma Strahlung ausgerüstet sind!«

Schmied machte eine kurze Pause, blickte auf seinen Laptop, murmelt etwas Unverständliches und wendet sich dann wieder an seine Zuhörer.

»Ich komme jetzt zu einem weiteren Punkt. Dank der hervorragenden Vorarbeit, die Dr. Gerald Bolster geleistet hat. Natürlich bedaure ich, dass er uns vorzeitig verlassen hat, um sich anderen Bereichen der Nuklearforschung zu zuwenden!«

Samantha Wong blickt auf das rundliche Gesicht von Dr. Schmied und denkt sich. *»Wenn du wüsstest, wie vorzeitig er uns verlassen hat. Man sollte sich einfach nicht mit Rick anlegen! Und vor allem nicht versuchen ihn zu erpressen!«*

»Also! Nachdem uns Dr. Bolster verlassen hatte, habe ich den Stand seiner Entwicklung weiter geführt, um das Energiepotenzial von *Hf 178m2*, gemäss ihren Wünschen, Mr. Vandorp, zu vervollkommnen! Und es ist mir gelungen, diese Energie nunmehr in solch verkleinerter Form auf das Optimum zu potenzieren!«

Schmied, jetzt ganz in seinem Element, blickte Vandorp direkt in die Augen, hebt einen der Stifte hoch und zeigt mit einem Finger darauf.

»Mr. Vandorp, Sir! Sie denken sicher, dass das, was ich hier in der Hand halte, ein Kugelschreiber ist?«

Er nimmt sich ein Bogen Papier, den er sich zurecht gelegt hatte, drückt hinten auf den Stift und kritzelt dann ein paar Zeichen und Striche auf das Blatt. Er reicht es über den Tisch weiter an Vandorp. Der blickt auf die Kritzelei, dann zu Schmied. Er reicht das Blatt wortlos an Samantha Wong weiter, die einen kurzen Blick darauf wirft und sich dann an Dr. Schmied richtet.

»Mit Verlaub, Dr. Schmied! Soll das ein Scherz sein? Das sind doch einfach ein paar Striche mit einem Kugelschreiber!«

Dr. Schmied erlaubte sich ein angedeutetes Lächeln.

»Durchaus, Miss Wong! Ich habe soeben mit diesem Stift ein paar Striche auf ein Blatt Papier gezeichnet! Also wird jeder der mich Schreiben oder Zeichnen sieht annehmen, sie eingeschlossen, dass es sich um einen normalen Stift handelt! Und so soll es auch sein!«

Vandorp wurde langsam ungeduldig und ärgerlich. Er zischt mit scharfem Ton.

»Dr. Schmied! Verschwenden sie nicht meine Zeit mit

unnützen Demonstrationen von Kugelschreibern! Auf *was* wollen sie eigentlich hinaus?«

»Entschuldigen sie, Sir! Nun! Unsere zwei Test Explosionen haben ihnen demonstriert, wie wirkungsvoll eine sehr kleine Menge des Isomers *Hf 178m2* sein kann! Ich nenne diesen neuen Sprengstoff übrigens *»Hafnyit«*! Nun! Wie ich eingangs schon erwähnte, kann mit kleinsten Mengen von »Hafnyit« ein verheerende Wirkung erzeugt werden!«

Schmied‘s Blick wanderte einen Moment wie abwesend über die Köpfe der vier Personen, dann blickt er auf den Stift in seiner Hand.

»Meine Dame, meine Herren! Was ich hier in der Hand halte ist nicht nur ein Kugelschreiber! Sondern auch ein effektives und äusserst gefährliches Tötungsmittel und entspricht genau den Vorgaben, die sie von mir verlangt haben, Sir!«

Er tippte wieder ein paar Tasten auf seinem Laptop und auf dem Monitor ist ein kahler Raum aus grauen Betonmauern sichtbar. Der Raum misst etwa fünf Meter im Quadrat und gehörte vermutlich zu einem der unterirdischen Bunker, die sie auf der Insel gefunden hatten. In der Mitte ist ein Stuhl und ein Tisch aus einfachem Holz platziert. Auf dem Stuhl sitzt ein Mann, dessen Hände und Füsse gefesselt sind. Sein Mund ist geknebelt. In der rechten Hand ist ein Stift geklemmt und die Hand scheint auf der Tischplatte fixiert zu sein. Das Ganze sieht aus, wie ein Mensch der gerade im Begriff ist etwas zu schreiben. Anscheinend ist der Mann sediert, denn er sitzt mit bis auf die Brust gesenktem Kopf vollkommen bewegungslos da. Oben in der rechten Ecke des Bildes ist eine digitale Uhr eingeblendet, die im Moment auf der Zehn steht. Dr. Schmied tippte noch ein Taste und die Uhr beginnt zu laufen.

»Meine Dame, meine Herren! Verfolgen sie bitte die kleine Demonstration, wie effektiv unser *»Kugelschreiber«* funktioniert! Passen sie genau auf was passiert, wenn die Uhr auf die *Null* springt!«

Auf der eingeblendeten Uhr bewegen sich die Sekunden, wie bei einem Countdown von der Zehn rückwärts laufend. Drei, zwei, eins, - die Ziffern springen auf die Null. In dem Moment wölbt sich die Hand des Mannes zu einer hell gelben Kugelform. Ein greller Lichtblitz leuchtet auf. Die vage Silhouette der sitzenden Person ist noch kurz zu sehen. Innert einem Wimpernschlag explodiert der Körper des Mannes in einer Wolke aus rötlichem Staub, kleinen Fetzchen und Splittern und ist kurz darauf komplett verschwunden. Als sich der Qualm, durch die Entlüftung abgesaugt, verzogen hatte, ist von dem Mann nichts mehr zu sehen. Der gesamte Raum ist mit kleinsten roten Bluttröpfchen gesprenkelt und da und dort ist noch ein kleines Fetzchen Haut oder Gewebe zu erahnen. Auch der Stuhl und der Tisch ist nur noch ein undefinierbares Häufchen Asche.

Vandorp, Samantha und Adolf blicken wie gebannt auf den Monitor. Dr. Kammer kennt das Video bereits und schaut dementsprechend gelangweilt in die Runde.

»Das, Mr. Vandorp, Sir, ist das Ergebnis, wenn wir einen unserer »Kugelschreiber« zur Detonation bringen! Wie sie vielleicht bemerkt haben, fand dieser Test in einem der aufgegebenen Bunker statt! Diese liess Dr. Richter seinerzeit für radioaktive Versuche hier auf der Insel erbauen! Mit extrem dicken armierten Betonwänden! Natürlich kann auf Grund der Verstrahlung dieser Raum nicht mehr benützt werden!«

Dr. Schmied hebt wieder einen der Stifte hoch und deutet mit seinem Finger auf das obere Ende.

»Wie ich ihnen demonstriert habe, funktioniert der Stift wie ein gewöhnlicher Kugelschreiber! Man drückt hier oben drauf und somit die Miene ausgefahren wird. Alles ganz normal! Nur! Wie bringen wir den Stift zum Detonieren? Wir haben zwei Möglichkeiten! Erstens - wir drücken in schneller Folge fünfmal nacheinander auf den Knopf. Nach fünf Sekunden wird gezündet!«

Schmied drückte fünfmal auf den Knopf. Samantha Wong

zieht instinktiv den Kopf ein.

»Sind sie bescheuert!«,

ruft sie laut, ohne nach zudenken. Und schon puffte eine kleine Rauchschwade durch kleine Bohrungen aus der Seite des Stifts. Schmied lächelte etwas verlegen, schwenkte den Stift hin und her und sagte:

»Entschuldigen sie den kleinen Scherz, Miss Wong! Natürlich ist dieser Demonstrations-Stift *nicht* mit echtem »Hafnyit« gefüllt! Ich kann ihnen versichern, sonst sähe es hier genau so aus wie auf unserem Video! Wo war ich stehen geblieben? Ach, ja! Also wir können die Stifte auslösen, in dem wir den Knopf benützen. Oder Zweitens - in dem der Stift per GPS-Signal ausgelöst wird, wie es im Beispiel unseres Test der Fall gewesen ist! Das Signal kann von einer stationären Einrichtung oder durch ein präpariertes Smartphone mit einer speziellen App erfolgen!«

Rick Vandorp, hatte den Erklärungen von Dr. Schmied bisher schweigend zugehört. Er hebt seine dunkle Brille von den Augen und legt sie langsam vor sich auf den Konferenztisch. Er fixierte Dr. Schmied mit etwas entrückt wirkendem Blick und meint.

»Sehr gute Arbeit, Dr. Schmied! Sie haben, im Gegensatz zu ihrem Vorgänger Gerald Bolster, verstanden um was es geht und was ich von ihnen erwartet habe! Mit ihrem »Hafnyit«, den »Kugelschreiber-Bomben« und mit den hoffentlich bald zu erwartenden positiven Resultaten von Dr. Kammer, sind wir nur noch einen Schritt von Operation »Genesis« entfernt!«

Er wendet sich Dr. Kammer zu und zeigt auf den Monitor.

»Dr. Kammer! Können sie uns etwas *Positives* zu ihrem Projekt berichten? Ich denke, es ist an der Zeit, dass sie mir nun verwertbare Resultate liefern! Ich habe es heute schon einmal gesagt - meine Geduld hat ihre Grenzen!«

Kammer ist bleich geworden, fasste sich aber schnell und beeilt sich um eine vernünftige Antwort.

»Mr. Vandorp, Sir! Wie ich bei ihrer Ankunft schon erwähnte, haben wir im Moment noch kleinere Probleme mit den von Professor Bowles eingeschleusten Bugs! Ich kann ihnen jedoch versichern, dass wir diese innert kürzester Frist beheben! Wenn sie gestatten, werde ich ihnen jetzt ebenfalls einige Bilder unseres derzeitigen Stands beim Projekt »Axolotl« vorführen!«

Vandorp nickte zustimmend und Dr. Kammer blickte kurz auf sein Tablet, das er vor sich liegen hatte. Dann tippt er einige Befehle und der Monitor erwachte erneut zum Leben.

10

Washington D.C.

Nachdem Roberts vom Zehnten wieder ins elfte Stockwerk gefahren ist, schaut er auf dem Weg zu seinem Büro noch schnell bei Hetty Thuring vorbei. Diese hatte in der Zwischenzeit alles gewissenhaft organisiert. Sie drückt ihm ein dünnes Mäppchen mit Unterlagen in die Hand.

»Charles, mein Lieber! Hier hast du alle nötigen Informationen für eure Ermittlungen in Europa! Hotelreservationen für London, Viry-Chãttilon und Mailand. Ferner die Daten der jeweilig zuständigen Behörden und deren Ansprechpartner. Die Adressen der drei Wissenschaftler und sonst noch ein paar nützliche Infos! Die Gulfstream steht morgen für euch bereit. Die Crew ist informiert und immer noch die selbe, die du schon kennst! Ich wünsch dir und Fred guten Flug und viel Erfolg. Und kommt ja heil zurück!«

Charles nimmt das Mäppchen in Empfang und ist immer wieder erstaunt, wie schnell Hetty solche Dinge organisiert. Er ist aber auch immer wieder amüsiert, dass sie sich standhaft weigert solche Information und Unterlagen in digitaler Form zu übermitteln. *»Papier kann man nicht hacken, mein Lieber! Und Papier kann man im Notfall verbrennen!«* Pflegte Hetty dann immer zu argumentieren. Und Charles musste sich eingestehen, dass sie eigentlich Recht hatte.

»Hetty, Schatz! Vielen Dank für die Fürsorge! Ich werde darauf achten, dass wir mit möglichst wenig Blessuren zurück kommen! Ich wünsch dir noch einen schönen Abend!«

Er tippte sich grüssend mit dem rechten Zeigefinger oberhalb des rechten Auges an die Stirn und begibt sich in sein Büro, um die wichtigsten Dinge einzupacken. Dann geht er ohne Umwege in die Tiefgarage. Als er kurz darauf die Ausfahrt hinauf fährt, muss er kurz anhalten, um sich in eine Lücke des Verkehrs einzufädeln. Er bemerkte den unscheinbaren, etwas betagten Chevrolet Blazer nicht, der links neben der Ausfahrt auf einem Parkfeld wartete. Als er nach rechts abbiegt, drängt sich der Blazer rücksichtslos in den zähflüssigen Abendverkehr. Erbostes Hupen ist die Reaktion verärgerter Autofahrer. Charles hörte das auch, schenkt dem jedoch keine Beachtung. Das gehört in Washington zum normalen Alltag. Nach einer langweiligen, sehr langsamen Fährt durch die nächtlichen Strassen Washingtons erreicht Charles ihren Wohnblock. Er steuert seine SUV in die zur Tiefgarage führenden Einfahrt. Öffnet mit der Fernbedienung das stählerne Rolltor und fährt zu seinem reservierten Parkfeld.

Gleich daneben steht ein schwarzer VW »New Beetle«. Sallys ganzer Stolz! Er steigt aus dem Wagen, wirft einen Blick auf den Beetle und muss schmunzeln. Er kann sich noch genau erinnern, als sich Sally den Wagen kaufte. Sie hatte sich das *»Käferchen«*, wie sie ihn zu nennen pflegte, als »Belohnung« zur bestandenen Prüfung als Agentin der CISMA selber geschenkt. An jenem Tag, als sie ihren Beetle beim Händler abholen durfte, war sie komplett von der Rolle und freute sich wie ein kleines Kind auf Weihnachten. Charles schüttelte schmunzelnd den Kopf und begibt sich zum Aufzug. In der sechsten Etage angekommen durchquert er den in angenehm gedämpftes Licht getauchten Korridor zu ihrer Wohnungstüre. Er tritt in das Entree und ruft, ihrem täglichen Ritual folgend.

»Sally, Darling! Ich bin zuhause! Wo bist du?«

Er schnüffelt kurz durch die Nase, als er den blumig, frischen Duft riecht. Immer wieder die Luft einsaugend, folgt er dem in der Wohnung duftendem Aroma von Rosen und bleibt vor der halb geöffneten Badezimmertüre stehen. Gedämpftes Plätschern von Wasser und eine leise, undefinierbare Melange von melodiösen Tönen dringt aus dem Türspalt an seine

Ohren. Ganz vorsichtig öffnet Charles die Türe und tritt in das Badezimmer. Der Anblick, der sich ihm bietet, fasziniert ihn jedes mal aufs Neue. In der grossen Badewanne liegt - ihr Körper teilweise von winzigen, schillernden Schaumbläschen bedeckt - Sally.

Ihren Kopf auf ein bequemes, wasserfestes Kissen gebettet, in den Ohren ein Paar drahtlose Kopfhörer aus denen die leisen Töne eines Stückes von Pink Floyd dudelt. Über ihre Augen hatte Sally ein kleines Frotteetuch gelegt. Sie summt die Melodie aus dem Kopfhörer mit und jedes mal, wenn sie Luft holte, blitzen ihre Brustwarzen aus der schaumig, weissen Landschaft. Charles geniesst noch einige Augenblicke die herrliche Aussicht. Er tritt dann näher an die Wanne und berührte sanft Sallys Schulter. Allerdings hatte er nicht daran gedacht, dass sie ihn weder hören noch sehen konnte und dementsprechend heftig ist ihre Reaktion.

In einer einzigen fliessenden Bewegung schnellt ihr linker Arm aus dem Wasser und packt Charles am Handgelenk. Während sie seinen Arm nach links reisst und den »Angreifer« aus dem Gleichgewicht bringt, hebt Sally blitzartig den rechten Arm und legt die Hand um seinen Nacken. Mit einem Ruck zieht sie ihn mit dem Kopf nach unten. Er stolpert, verliert komplett das Gleichgewicht und landet kopfüber mit seinem Gesicht mitten im Wasser zwischen ihren Schenkeln. Sally schliesst ihr Beine sofort und klemmt ihn so fest. Wasser und Schaum schwappt über den Wannenrand und spritzt an die Wände. Inzwischen hat Sally das Handtuch von ihren Augen geschüttelt. Sie blickt erstaunt auf das ihr bekannte Hinterhaupt des Mannes, der da zwischen ihren Schenkeln festklemmt. Sie packt ihn fest am Nacken und zieht Charles aus dem Wasser. Der prustet, spuckte Wasser und Schaum und sein Gesicht ist mit Badeschaumflocken verziert.

»Hol's der Geier, Charles! Bist du noch ganz dicht? Du kannst dich doch nicht einfach an eine wehrlose, nackte Frau anschleichen, die nichts ahnend in der Wanne sitzt!«, schimpfte Sally mit einem amüsierten Unterton in der Stimme. Charles hatte sich inzwischen auf den Wannenrand gesetzt, wischt sich Wasser und Schaum aus den Augen und entgegnet.

»*Wehrlos*? Habe ich gerade noch gehört! Du bist ja selbst splitterfasernackt noch Waffenschein-pflichtig! Mein lieber Schwan! Deine Ausbildung hat sich wirklich ausgezahlt. Echt, Darling! Ich hatte keine Chance und du hättest mich locker ertränken können! Aber welch süsser Tod! Zwischen den Schenkeln einer bildschönen, nackten Frau!«

Sally setzte sich auf und verpasst Charles einen Stoss vor die Brust. Der kippt nach hinten und landet mitten in der grossen Wanne. Sally schaut ihn belustigt an und erkundigt sich, wie wenn nichts wäre.

»Na, mein Bester? Wie war dein Tag? Irgend etwas Neues an der Front?«

Bevor Charles ihr antwortet, zieht er sie zu sich, umfasst ihren Oberkörper und küsst sie leidenschaftlich.

»Das hat Zeit bis später, aber das nicht!«

Er steht auf, steigt aus der Wanne, hebt Sally auf seinen Armen hoch und stapft, eine nasse Spur hinter sich lassend, in Richtung Schlafzimmer.

Später, mitten in der Nacht, stützt sich Sally auf ihren linken Arm und betrachtet Charles eine Weile von der Seite. Er liegt entspannt auf dem Rücken, den Kopf auf ein Kissen gebettet, die Augen geschlossen. Nur ein kleines Leselämpchen auf Sallys Nachttisch spendete etwas Licht. Die Lampe wirft verzerrte Schattenbilder von Sallys Silhouette an die gegenüber liegende Wand.

»Charles! Du hast versprochen mich über den neuesten Stand der Dinge zu informieren! Deine Hauptspeise hast du ja jetzt gehabt! Ich hätte jetzt gerne den Nachtisch in Form von Infos! Denk dran - wir sind jetzt ein Team!«,

klagt sie, mit leicht gurrender Stimme, in seine Richtung. Charles öffnet die Augen, dreht sich zu seiner Verlobten und beginnt ihr zu erzählen, was sich alles am Nachmittag zugetragen hatte. Als er geendet hat, ist es für einen Moment still.

»Wow! Das sind aber ziemlich beängstigende Informationen. Ich meine vor allem dieses *Hafnium* Zeugs! Wenn Abel mit seiner Vermutung Recht hat, bereitet Vandorp irgend eine ziemlich üble Sache vor!«

Sally schüttelte den Kopf, legt dann den Arm auf Charles Brust und ihre Wange auf seiner Schulter. Sie sieht ihn von schräg unten an und entgegnet:

»Versprich mir Eines! Dass du und Fred vorsichtig seid, wenn ihr euch in Europa rumtreibt! Ich weiss, was du jetzt sagen willst!«

Sie legt zwei Finger auf seine Lippen. Ein Zeichen, dass er nichts sagen soll und kommt ihm zuvor.

»Ich pass schon auf! Wie immer! Passiert schon nichts! Und so weiter, bla, bla, bla!«

Dann küsst sie ihn leidenschaftlich. Als er seine Arme um ihre Hüften legen will, drehte sich Sally auf den Rücken. Sie verschränkt die Arme über ihren Brüsten und murmelt, demonstrativ gähnend.

»Und jetzt wird geschlafen, mein Lieber! Genug der Nascherei für heute! Es ist schon spät und du hast morgen einen anstrengenden Tag vor dir. Schlaf gut, Schatz!«

Sie dreht sich auf die Seite, knipst das Licht aus und lässt einen enttäuschten Charles in der Dunkelheit liegen.

11

Argentinien - Inalco Haus

Rick Vandorp und Samantha Wong sitzen in ihrem Arbeitsraum im Inalco Haus, den sie sich als vorläufige Schaltzentrale eingerichtet haben, an einem grossen Schreibtisch, der mit mehreren Flat Screen-Monitoren bestückt ist. Auf dem Bildschirm, vor dem Vandorp sitzt, ist eine Videoverbindung angemeldet. Im Bildausschnitt ist ein Mann mittleren Alters zu sehen. Er hat kurz geschnittene, ergraute Haare und eine auffällige rötliche Narbe, die vom linken Kinn über die Wange, bis fast zum Auge reicht. Vandorp fixiert den Mann mit scharfem Blick und erkundigt sich.

»Henrique! Wie steht es bei dir in Washington? Hast du die Zielpersonen nach wie vor unter Beobachtung?«

Henrique muss nicht lange überlegen und antwortet mit den knappen Sätzen, die einen ehemaligen Soldaten auszeichnen.

»Ja, Sir! Mr. Vandorp, Sir! Alle drei Personen haben wir unter Beobachtung!«

»Gut so, Henrique! Irgend welche besonderen Vorkommnisse? Verdächtige Aktionen?«

»Nein, Sir! Bis jetzt nicht! Ich werde ihnen sofort rapportieren, wenn sich etwas Verdächtiges abzeichnet, Sir!«

»Danke! Bleib am Ball und berichte umgehend! Over!«

Vandorp unterbricht die Übertragung und blickt in Gedanken versunken, einen Moment auf den dunklen Flat Screen.

Henrique Velasquez, 43 Jahre alt, hatte Rick Vandorp kurz nach dessen Flucht aus Mexiko bei seinem Zwischenhalt im argentinischen Misiónes kennen gelernt. Er ist der Enkel des im Jahr 1945 geflohenen SS-Obersturmführers Kurt Meyer, der sich in Misiónes nieder gelassen hatte. Dieser änderte schon bald seinen Namen in Corrado Velasquez. Das bereitete keine Schwierigkeiten, denn einerseits ist der Ort Misiónes eine Hochburg geflüchteter Nazigrössen und anderseits ist mit genügend hohen finanziellen Gefälligkeiten so ziemlich alles zu haben. Auch Pässe mit neuen Namen. Henrique Velasquez ist in der ruchbaren Umgebung unverbesserlicher Anhänger des Dritten Reiches und der Ideologie der NSDAP aufgewachsen. Nach einer militärischen Ausbildung, als Mitglied einer Elite-Einheit in der Armee Argentiniens, wurde er auf Grund von einigen Fällen der Insubordination unehrenhaft entlassen. Schnell findet er seine neue Berufung in einer gefürchteten Söldnertruppe, wo er sich mit seiner besonderen Skrupellosigkeit einen Namen machte. Nach diversen Einsätzen in afrikanischen Despoten-Staaten, im Jemen, dem Irak und in Syrien, hatte Henrique genug Vermögen angehäuft. Vor allem durch den Verkauf von Raubkunst aus Syrien und dem Irak auf dem Antiquitäten Schwarzmarkt.

Er zog sich aus dem Söldnergeschäft zurück. Velasquez geniesst eine Zeitlang das Nichtstun. Reist in der Welt herum, hat einen enormen Verschleiss an schönen, jungen Frauen und verjubelt einen Grossteil seines Vermögens in Spielkasinos. Dann kam bei ihm der Punkt, an dem ihn dieses unstete Jet-Set-Leben zu langweilen beginnt. Er lässt sich wieder in Misiónes nieder. Er entschliesst sich, gegen entsprechend hohe Bezahlung, Aufträge zur Eliminierung unliebsamer Widersacher seiner Auftraggeber anzunehmen. Da er diese Aufträge ohne Skrupel, minutiös plant und ohne Spuren zu hinterlassen erledigt, schafft er sich auch als Auftrags-Killer einen zweifelhaften Ruf.

Eines Tages, als er von einem Auftrag zurück nach Misiónes kommt, lernt er, anlässlich einer Versammlung zu Ehren des Geburtstages des *»Führers«*, Rick Vandorp kennen.

Nach einer Nacht ununterbrochener Diskussion über Vandorps Pläne und die Errichtung einer Vierten Reiches, kommen die beiden zur Einsicht, die selben Ziele zu verfolgen.

Im Laufe der Zeit hatte sich zwischen Vandorp und Velasquez ein Vertrauensverhältnis aufgebaut, das auf ihre Gemeinsamkeiten und Ansichten fusste. Henrique gehörte jetzt zu den wenigen Personen, denen Vandorp restlos vertraute. Das führte dazu, dass Samantha Wong diese Entwicklung mit Argwohn betrachtete. Sie merkte schon bald, dass nicht mehr sie, sondern Velasquez, die Nummer Zwei für Vandorp darstellte.

Was ihr extrem zu Denken gibt ist, dass sie sich jetzt nicht mehr sicher sein kann, ob sie Vandorp nun bei geringsten Fehlern einfach eliminieren lässt. Sie weiss, dass sie einfach zuviel über seine vergangenen und zukünftigen Pläne wusste. Und in seinem immer noch labilen Zustand, der auf die unsägliche Injektion mit der noch nicht ausgetesteten Substanz zurück zu führen ist, kann man nie sicher sein in Ungnade zu fallen.

Oder man entspricht nicht seinen Vorstellungen der Rassenreinheits-Theorie und ist in seinen Augen ein *»Untermensch«*! Und »Untermenschen« sollen von der »Weltbühne« verschwinden, wie Vandorp während seiner endlosen Monologe, immer zu sagen pflegte. Und schon mehr als einmal ist es in den letzten Monaten vorgekommen, dass er Samantha Wong aufs Übelste, als »asiatischen Affen« oder »Schlitzaugengeschmeiss« beschimpft hat. Dies geschieht zwar meistens nur, wenn er seine »Deutsche Phase« hat, wie Sam es nannte. Aber in letzter Zeit kommt dies eben auch in seinen »normalen« Phasen vor, was sie zunehmend beunruhigend findet. Er bezieht sie zwar immer noch in seinen Planungen ein, überträgt ihr wichtige Aufgaben. Häufiger vertraut er jedoch Henrique Velasquez. Von dem er einmal in einer seinen schwachen Stunden sagte, - *»Wenn ich einen Sohn hätte, so sollte er sein wie Henrique!«* Was Samantha ausserordentlich gekränkt hatte, zumal Vandorp auch immer weniger auf ihre Verführungskünste reagierte und sie nur noch selten ungezügelten, wilden Sex hatten.

Vandorp engagierte Henrique Velasquez vom Fleck weg. Hauptaufgabe, nebst dem Eliminieren unbequemer Zeitgenossen Vandorps, ist die Überwachung von Charles Roberts, Sally Bowles und Marc Miller. Rick Vandorp wollte vor allem in Erfahrung bringen, ob ihm Roberts auf der Spur ist. Aus diesem Grund entsandte er Velasquez, mit einem üppig ausgestatteten Budget, nach Washington. Dieser scharte eine kleine, loyale Truppe, ausgesuchter Söldner um sich und überwachte nun, praktisch rund um die Uhr, die drei Zielpersonen.

Ein Leichtes war es zu ermitteln, wo Roberts, Bowles und Miller wohnen. Sehr schnell hatten sie heraus gefunden, dass Sally Bowles und Charles Roberts jetzt ein Paar sind und zusammen in Roberts Wohnung leben. Da Sally Bowles nach wie vor im Greys Institute, zusammen mit ihrem Vater arbeitet, war es für die Agenten Velasquez' kein Problem dies heraus zu finden. Da Marc Miller in der Zwischenzeit auch am Greys engagiert ist, wussten sie, dass er mit seiner Familie von Mahwah nach Fairfax, in die Nähe von Adrian Bowles Adresse, gezogen ist.

Da Velasquez' Truppe die drei ständig beobachteten, erfahren sie auch die Adresse, zu der Roberts tagtäglich mit seinem Wagen fährt. Sie wissen jetzt, dass an besagter Adresse ein nüchternes Hochhaus steht, jedoch nicht, um welche Organisation es sich dabei handelt. In der Lobby des Gebäudes sind einige Firmen aufgeführt, die hier ihre Büros haben. Aber ausser Anwälten, Handels- und IT-Gesellschaften, weist nichts auf eine geheime Regierungsstelle hin.

Vandorp schreckte aus seine Gedanken auf, hebt den Kopf und sieht Samantha Wong von der Seite an. Diese ist gerade damit beschäftigt erhebliche Geldströme, über mehrere undurchsichtige Kanäle zu verschleiern.

»Sam! Du hast zugehört! In D.C. herrscht noch immer Ruhe. Nach wie vor absolvieren die drei ihre tägliche Routinearbeit. Was ist deine Meinung? Verbergen die drei etwas, was wir nicht wissen?«

Samantha hält in ihrer Arbeit inne, drehte sich mit ihrem Ledersessel zu Vandorp und sieht ihn mit ihren graugrünen, mandelförmigen Augen an.

»Wenn du mich so fragst, bin ich der Meinung, dass Roberts, Bowles und Miller, beziehungsweise die CISMA, nie aufgehört haben nach uns zu suchen!«

Samantha kommt gerade in den Sinn, wie sie heraus gefunden haben, bei welcher geheimen Organisation Charles Roberts tätig ist. Mit einem an und für sich simplen Trick. In dem ein Anrufer bei der offiziellen CIA-Zweigstelle in D.C. vorgab, brisante Informationen in Bezug auf den Verbleib Rick Vandorps für Special Agent Charles Roberts zu haben.

Natürlich gibt die CIA nicht einfach den Namen der CISMA preis. Da es sich um eine geheime Organisation handelt, wusste die CIA lediglich, dass sie existiert, aber weder *wer* dort arbeitet, noch *wo* sie sich in D.C. befindet.

Auf Grund, dass Vandorp, Wong und Adolf auf der Liste der »Most Wanted« stehen und diese auch international zur Fahndung ausgeschrieben sind, hatte kurz zuvor »General« Clark C. Vanderbilt ausnahmsweise die relevanten Behörden, wie das FBI, die CIA und die Home Guard autorisiert, sämtliche Informationen oder Spuren die auf Rick Vandorp hinweisen unverzüglich an Charles Roberts weiter zu leiten. Dazu wurde eine unverfängliche Anlaufstelle eingerichtet, an die sich die Informanten wenden können.

Durch einen unnötigen Zufall hatte sich der junge Mann, der solche Anrufe entgegen nahm, aus Dummheit oder mangelnder Erfahrung, mit - *»Anschluss von Charles Roberts, Special Agent der CISMA. Myers am Apparat! Wie kann ich ihnen helfen?«* - gemeldet.

Jetzt wussten Vandorp und Samantha zumindest, wie die Organisation heisst.

«Allerdings bin ich überzeugt, dass die bisher nicht die geringste Ahnung, eine Idee oder Spur haben, *wo* wir uns befinden. Ausser, dass sie auf Grund dieses unsäglichen Zeitungsartikel von damals vermuten können, dass wir in Panama gelandet sind!«

Vandorp brummte leise mit geschlossenem Mund und sagt.

»Hm hm! Ich hoffe du hast Recht! Wir befinden uns jetzt in einer Phase, in der wir der Lösung des Problems beim Projekt »Axolotl« entscheidend näher kommen. Noch wichtiger ist, dass Dr. Kammer kurz vor dem Abschluss seiner Versuchsreihe steht!«

Samantha steht auf, geht zu Vandorp, setzte sich mit ihrem Schoss auf seine Beine. Sie nimmt mit beiden Händen sanft seinen Kopf bei den Wangen und blickt ihm lange in die Augen.

»Du siehst übermüdet aus, Rick! Ich denke für heute haben wir genug gearbeitet. Ich finde ein bisschen Entspannung würde uns beiden gut tun!«

Während sie dies sagte, bewegte sie langsam ihr Becken auf seinen Beinen vor und zurück. Sie bemerkt, dass Rick in seiner Lende reagierte. Wortlos steht sie auf, fasste Vandorp bei den Händen und zieht ihn in Richtung Schlafzimmer.

12

Washington D.C.

Nach einer kurzen Nacht sind Sally und Charles frühzeitig aufgestanden. Während sie ein kleines Frühstück vorbereitete, packte Charles noch die letzten Sachen in seinen Rollkoffer. Nach einer schnellen Tasse Kaffee und einem Toast mit Orangen-Marmelade, fahren sie mit dem Aufzug in die Tiefgarage. Charles verstaut seine Rollkoffer im Escalade. Dann küsste er Sally kurz und blickt ihr in die Augen.

»Sally, Darling! Pass auf dich auf und bestell Adrian und Marc meine Grüsse!«

»Ich glaube ich bin es, die dir sagen sollte - pass auf dich auf! Also! Pass gefälligst auf dich auf! Melde dich einmal, wenn ihr in Europa gelandet seid!«

Beide steigen sie in ihre Fahrzeuge. Charles lässt Sallys Beetle den Vortritt und sie rauscht mit quietschenden Reifen die Rampe zur Ausfahrt hoch. Er folgt ihr weniger zügig und sieht noch kurz, wie das Heck des Beetle um die Ecke verschwindet. Oben an der Ausfahrt muss er kurz anhalten, weil ein dunkel grauer Toyota Landcruiser mit hohem Tempo vorbei fährt. *»Mann! Der hat es aber eilig! Leute gibt‘s!«* Denkt er und sieht dem Toyota nach, der gefährlich nahe an Sallys Heck klebt. Aus rein professioneller Angewohnheit, merkt er sich das Kennzeichen des Landcruiser und spricht die Nummer des Kennzeichens auf die automatische Diktierfunktion seines Bordcomputers. Dann fädelt er sich in der anderen Richtung in den Verkehr ein. In Gedanken sich auf die kommenden Tage vorbereitend, bemerkt er den älteren Chevy Blazer nich,t der ihm in gebührendem Abstand folgte.

Nach einer halben Stunde hatte Charles das Parkhaus am Terminal für Privat-Flugzeuge erreicht. Er stellt den Escalade auf ein Feld für Langzeit-Parker und begibt sich in den Bereich für abgehende Flüge. Er zeigt dem Beamten am Kontrollschalter seinen Dienstausweis und kann ohne Schwierigkeiten passieren. In der mondän eingerichteten Lounge erwartet ihn schon ein scheinbar gut gelaunter Fred MacMillan.

»Guten Morgen, Charles! Alles in Ordnung? Du hast dich hoffentlich von Sally gebührend verabschiedet?«

Meinte Fred lachend mit einem anzüglichen Augenzwinkern. Charles verzieht sein Gesicht zu einer Grimasse, knufft Fred mit der Faust freundschaftlich auf den linken Oberarm und entgegnet nur trocken.

»Schön dich zu sehen, Fred! Lass uns zum Flugzeug gehen und Richtung Europa verschwinden!«

MacMillan nickt, schnappt sich den Griff seines Rollkoffers der neben ihm steht und meint.

»Vamonos! Zeigen wir den Europäern, zu was zwei Top-Agenten fähig sind und gehen der Sache auf den Grund!«

Durch den markierten Ausgang betreten sie den dunkel grauen Asphalt und sehen keine fünfzig Meter entfernt den CISMA Jet. Die Einstiegstreppe ist ausgefahren und daneben steht *Valerie Bishop*, ihre Flugbegleiterin. Ausserdem ist »Val«, wie sie alle nennen, ebenfalls ausgebildete Agentin und besitzt die Piloten-Lizenz für diverse Flugzeugtypen.

»Hallo, Val! Wie geht es dir an diesem schönen Morgen und dem wunderbaren Flugwetter?«,

begrüsste Fred die junge, attraktive Frau.

»Hy, Fred! Hy, Charles! Danke der Nachfrage! Alles Bestens! Die »Gulf« ist voll aufgetankt, eure »Spezialkoffer« sind verstaut und wir können los! Aber mit deinem schönen Flugwetter kannst du einpacken! Über dem Atlantik wird ziemlich ruppiges Wetter gemeldet. Aber keine Angst, ABC ist schon mit viel Schlimmerem fertig geworden!«,

entgegnete Valerie mit einem charmanten Lächeln. Mit ABC

meinte sie ihren Piloten, *Angus B. Cormick,* von der Crew nur kurz ABC genannt. Sein Co-Pilot ist auf dem heutigen Flug Ex-Master-Sergeant *Jim Henson.* Seines Zeichens Ex-Marine mit Fluglizenz. Val macht eine einladende Handbewegung in Richtung Einstieg der Gulfstream G650.

»Darf ich bitten, die Herrschaften! Ab geht's nach »Old Europe«! Und bitte gleich anschnallen. Wir starten sofort!«

Charles und Fred, gefolgt von Valerie, steigen die kurze Treppe hoch und betreten das geräumige Innere des Flugzeugs. Bishop verschliesst gewissenhaft die Drucktüre, während die beiden sich auf den bequemen Ledersessel niederlassen und sich anschnallen. Die zwei Rolls-Royce Triebwerke, bisher im Leerlauf, lassen ein tiefes Brummen hören, als die Tourenzahl erhöht wird und der Jet sich langsam in Bewegung setzt.

Nach der Startfreigabe löste der Pilot die Bremsen, gibt vollen Schub und hebt kurz darauf von der Startbahn ab. Nach kurzem Steigflug hat die Gulfstream die Reisehöhe von 10'000 Meter erreicht. Kapitän Cormick meldete sich über die Bordsprechanlage.

»Hallo, Agents! Wir haben unsere Reisehöhe erreicht. Sie beträgt 10'000 Meter oder rund 30'000 Feet! Wir haben sehr kräftigen Rückenwind, was uns momentan eine Geschwindigkeit von 950 km/h erlaubt. Das Wetter ist sonnig und ruhig. Erst mitten über dem Atlantik kann es etwas stürmisch werden! Unsere Reisezeit dauert voraussichtlich etwa sieben Stunden. Das heisst, wir landen in London, City Airport um 21:25 Uhr MEZ. Ich wünsche einen angenehmen Flug. Und wenn ihr irgend einen Wunsch oder Anliegen habt - nicht verzagen, Valerie fragen!«

Ein kurzes Knacken und der Lautsprecher verstummt. Charles und Fred haben sich an einen der zwei vorhandenen Tische gesetzt. Während Fred in den mitgebrachten Dokumenten blätterte, berichtete Charles von den neuen Erkenntnissen, die er von Abel erhalten hatte. Val servierte den beiden einen Drink und einen kleinen Snack. Dann zieht sie sich diskret in den hinteren Bereich der Kabine zurück.

Nach zwei Stunden ruhigem Flug, Charles und Fred diskutieren gerade, wie sie weiter vorgehen wollen, wird das Flugzeug von einem mächtigen Schlag geschüttelt. Die Papiere, leeren Teller und Gläser werden vom Tisch quer durch die Kabine gefegt. Valerie schwankte nach vorne zu den beiden und fordert sie auf sich anzuschnallen. Im Lautsprecher knackt es und Angus meldet sich mit fröhlicher Stimme.

»Hallo Agents! Wie ihr sicher bemerkt habt, fliegen wir jetzt direkt durch eine leicht stürmische Wetterfront! Aber keine Sorge, es handelt sich eigentlich nur um ein kleines Lüftchen! Wir werden in zehn Minuten wieder eine ruhige Wetterlage erreichen! Over!«

Charles und Fred schauen sich mit gerunzelter Stirn an.

»Wenn das ein laues »Lüftchen« ist, was bezeichnet Angus dann als Sturm?«,

bemerkte Fred skeptisch und hält sich mit beiden Händen an den Armlehnen seines Sessels fest, als ein weiterer Schlag die Gulfstream heftig durchschüttelt. Tatsächlich ist der Spuk nach zehn Minuten vorüber und die zwei können sich wieder ihrer Planung widmen.

»Hallo Agents! Hier spricht wieder einmal euer beliebter Pilot! Wir werden in zehn Minuten auf dem City Airport in London landen. Schnallt euch an und bestellt keine Drinks mehr. Ha, ha! Übrigens! Das Wetter in London ist trocken und es herrschte eine angenehme Temperatur von 17 Grad Celsius!«

13

London - City Airport

Angus B. Cormick, landete die Gulfstream sanft wie eine Feder auf der Landebahn des Londoner City Airports. Die Maschine wurde von einem Lotsenfahrzeug sofort in einen abgesperrten Bereich des Airports und dort in einen Hangar geleitet. Die Rolltore schliessen sich hinter dem Jet und grelles Neonlicht flammte auf. Fred blickte Charles etwas verwundert an, ruft Val zu sich und erkundigt sich.

»Sag mal, Val! Was hat das zu bedeuten? Warum werden wir in einem Hangar abgeschottet?«

Valerie zuckte nur mit der Schulter und antwortet verhalten.

»Sorry, Fred! Ich kann euch leider nichts Genaueres sagen! Anordnung vom »General«! Nur soviel! Es hat alles seine Richtigkeit!«

Die Turbinen des Jets verstummen und für eine Minute herrscht bedrückende Stille. Die Verbindungstüre zum Cockpit öffnet sich und ein sichtlich gut gelaunter Angus erscheint, die Türöffnung mit seiner massigen Gestalt ausfüllend.

»Agents! Happy Landing! Und was für ein Empfang. Ein ganzer Hangar nur für meine treue »Betty«!«

Charles erinnert sich in dem Moment, dass Angus den CISMA Jet liebevoll »Betty« nannte - warum auch immer.

»Hast du eine Ahnung, was das zu bedeuten hat, Angus?«

Erkundigt sich Charles und erntet ein breites Grinsen.

»Entschuldigung, Charles! Ich habe vergessen zu sagen, dass die Anweisung vom »General« kommt! Ihr zwei werdet von einem Angehörigen einer Spezial-Einheit des MI6 persönlich in Empfang genommen! Der »General« meinte, ihr könntet ein bisschen Unterstützung seitens der »Tommys« ganz gut gebrauchen!«

Während Angus mit den beiden spricht, hatte Bishop bereits die Drucktüre geöffnet und die integrierte Treppe ausgefahren.

»Bitte die Herren auszusteigen! Um euer Gepäck kümmern wir uns. Zur Information! Hetty hat uns angewiesen, hier auf euch zu warten! Sobald ihr in London fertig seid, gibst du mir eine Nachricht! Wir sind keine Minute vom Hangar weg in einer Unterkunft untergebracht und jederzeit startklar! Das nächste Ziel ist ja dann wohl Paris?«,

sagte Valerie zu den beiden. Charles nickte nur und Fred antwortet an Angus gerichtet.

»Danke fürs hier her Kutschieren, Angus! Ja, nächste Etappe ist dann Paris! Ich hoffe, dass wir spätestens übermorgen weiter fliegen können! Also, man sieht sich!«

Charles und Fred steigen die Treppe runter und erblicken einen Mann, der stocksteif da steht.

Schätzungsweise 34 Jahre alt, hat der Mann die schlaksige Figur eines typischen Engländers. Leicht rötliche Haare und eine eher blasse Hautfarbe mit einigen Sommersprossen und leicht geröteten Wangen. Er ist in einen tadellosen, dreiteiligen Anzug aus dunkelblauem Stoff mit dezenten Streifen gekleidet. Die teuer aussehenden Schuhe, könnten auf Mass gefertigt sein. Irgendwie vollkommen unpassend, hängt über seinem angewinkelten linken Arm ein Regenschirm. Mit aus Erfahrung geschultem Blick checkt Charles den Mann kurz und lässt sich durch die äussere Erscheinung nicht täuschen. *»Den Typen, darf man nicht unterschätzen! Unter dieser biederen Schale steckt ein knallharter Kerl! Ich schätze ehemaliger SAS, oder so! Und der teure Anzug kann die Ausbuchtung der Pistole unter seiner linken Achsel nicht ganz verbergen. Vermutlich eine Browning High-Power!«* Denkt Charles, während er mit ausgestreckter Hand auf den Mann zugeht.

»Special-Agent Charles Roberts und Special-Agent Fred MacMillan, beide von der CISMA!«

Der Mann ergreift Charles Rechte, schüttelt sie mit stahlhartem Griff und stellt sich vor.

»Commander *Patrik Fitzpatrik* vom Special Branch des MI6, kurz *KI6* genannt! Und bevor sie fragen. Den Vornamen haben mir meine Eltern in der Meinung gegeben, dass dies ein witziges Wortspiel sei! Also, nennen mich alle nur »Patrik«! Willkommen in London. Ein Wagen steht bereit, der uns in ihr Hotel bringt!«

Fred hatte Fitzpatrik auch die Hand gereicht und meint mit einem Schmunzeln.

»Ich finde den britischen Humor echt komisch. Entschuldigen sie, Commander! Ich spreche sicher auch im Namen von Special-Agent Roberts, wenn ich den Vorschlag anbringe! Sie fahren uns ins Hotel und anschliessend gehen wir etwas Essen! Einerseits habe ich mächtigen Hunger und anderseits können wir in Ruhe besprechen, wie wir die Sache ab morgen angehen wollen!«

Commander Fitzpatrik lächelte, nickte bejahend und deutet mit der rechten Hand zu einer Türe in der hinteren Hangarwand.

»Gute Idee, Special-Agent MacMillan! Bitte folgen sie mir. Der Wagen steht quasi gleich um die Ecke!«

Nach einer Stunde Fahrt durch den erstaunlich ruhigen und disziplinierten Abendverkehr, kommen sie an ihrem Hotel an.

14

London - Hotel Savoy

Die schwarze Daimler-Limousine hält direkt vor dem überdachten Eingang des am Strand No 5 gelegenen Fünf-Sterne Hotels »Savoy«. *»Offensichtlich dachte Hetty, wir haben es verdient etwas nobler unterzukommen!«* Denkt sich Charles, als sie aus dem Wagen steigen.

»Alle Achtung! Da hat sich Hetty aber wieder einmal selbst übertroffen! Wie kommen wir zu der Ehre, in diesem »Luxusschuppen« nächtigen zu dürfen?«

Spricht Fred aus, was Charles dachte, als er an der Art-Deco Fassade des Eingangsbereichs langsam hoch blickt.

Fitzpatrik geleitete Charles und Fred zu der Rezeption, während direkt hinter ihnen ein Valet ihre zwei Rollkoffer mit führte. An der opulenten Theke der Rezeption, wandte sich der Commander ohne zu Zögern an die überaus elegante, wie attraktive Empfangs Chefin. Er bedeutete den beiden, sich einen Moment zu gedulden und spricht, in eindringlichem Flüsterton mit der Dame. Charles konnte beobachten, wie die Frau, abwechslungsweise zu ihm, dann zu Fred und wieder zu Fitzpatrik blickte. Nach einigen Minuten händigte die Dame Fitzpatrik einen Umschlag aus und lächelte ihn fast verschwörerisch an. Der Commander bedankte sich höflich und kommt dann mit federnden Schritten auf die beiden zu.

Als er bei Fred und Charles anhält, öffnet er den Umschlag und entnimmt ihm zwei kleine elegante Kartonmäppchen auf deren Frontseite in Goldschnitt das Logo des »Savoy« aufgeprägt ist.

»Special-Agents Roberts und MacMillan! Darf ich ihnen

die Schlüsselkarten für ihre Suite überreichen! Wie sie bemerkt haben dürften, ist Misses Hatton von mir dergestalt informiert worden, dass alle ihre Wünsche sofort erledigt oder ausgeführt werden! Diskretion ist garantiert, da ich ihr erklärt habe, dass sie zwei in geheimer diplomatischer Mission unterwegs wären!«

Fred blickte den Commander mit gerunzelter Stirn an und entgegnete:.

»Das ist nicht ihr Ernst, Commander? Wieso sind wir nicht als solche gemeldet, die wir wirklich sind? Das macht doch keinen Sinn?«

»Bitte, haben sie etwas Geduld, Special-Agent MacMillan! Ich werde ihnen das am Besten unter sechs Augen in ihrer Suite erklären! Wir, dass heisst der KI6, haben dafür unsere Gründe!«

Fred schnaubte etwas durch die Nase und meinte mit einem schelmischen Grinsen.

»Hören sie, Commander! Lassen wir doch dieses »Special-Agent«! Ist viel zu umständlich! Ich heisse ganz einfach nur »Fred«, und Special-Agent Roberts, heisst »Charles«, Ok?«

Er zeigte auf Charles und der nickte nur kurz, während sich Fitzpatriks steife Haltung etwas lockerte und er antwortet.

»Sehr gerne, Gentlemen! Dann bin ich für sie auch ganz einfach »Patrik«! Ich begleite sie jetzt auf ihre Suite!«

Er machte eine einladende Handbewegung ihm zu folgen und steuerte auf die Aufzüge zu. Charles und Fred haben ihre Rollkoffer gegen einen angemessenen Tipp beim Valet eingetauscht und betreten Patrik folgend den Aufzug.

In der fünften Etage folgen die drei den, in gediegenen goldenen Zahlen, an den Wänden des Korridors angebrachten Zimmernummern, bis sie vor der Türe zu ihrer Suite stehen.

»Please, nach ihnen, Sir Charles!«

Verbeugte sich Fred, den leicht affektierten Tonfall, eines britischen Eliteschul-Absolventen imitierend. Was Patrik, mit einer leicht hoch gezogenen Augenbraue quittierte und bei Charles ein Schmunzeln hervor ruft. Er öffnete die Türe mit seiner Key-Card und tritt, gefolgt von den zwei, die Suite.

Diese hat eine ansehnliche Grösse und besteht aus einem kombinierten Wohn- und Arbeitsbereich. Zwei Schlafräumen, die durch ein grosszügiges Badezimmer mit einander verbunden sind. Fred bleibt in der Mitte des Wohnbereichs stehen. Er betrachtete staunend die geschmackvolle in viktorianischem Stil gehaltene Möblierung, die durch einige Akzente moderner Dekorelemente ergänzt wird.

»Meiner Treu! So lässt's sich Reisen und Logieren! Kurz mit dem Privatjet hin düsen und dann in einer gebührenden Umgebung nächtigen!«

Charles überlegte ernsthaft, ob Fred eventuell bei Marc Miller einen Kurs in der Schule fürs »Sprücheklopfen« absolviert hatte. Er kennt seinen Partner zwar schon sehr lange, die humorige Seite legte Fred jedoch erst an den Tag, seit sie enger und im Team mit Marc zusammen arbeiteten.

»Entschuldigen sie bitte meinen Partner, Patrik! Er ist einfach nicht gewohnt seines Standes gemäss zu wohnen!«

Fitzpatrik winkte ab und erwiderte.

»Kein Problem, Charles! Ihr Amerikaner meint immer wir Briten seien trockene, humorlose Gesellen! Dabei sind wir doch die Weltmeister des absurden Humors. Denken sie doch nur an Monthy Phyton oder Little Britain! Da könnt ihr mit euren lauen Comedys nicht mithalten! Aber jetzt mal ernsthaft, Charles! Ich habe unten in der Lobby erwähnt, dass sie nicht als die gemeldet sind, die sie eigentlich sind! Bitte setzen wir uns doch und gönnen sie sich nach der langen Reise einen Drink!«

Fitzpatrik macht eine einladende Geste in Richtung Sitzgruppe.

»Fred, sie haben erwähnt, dass sie hungrig sind? Es ist schon spät und in den meisten Lokalen in der Umgebung gibt es, ausser kleinen Snacks, nichts mehr Vernünftiges zum Essen. Daher schlage ich vor, dass sie sich beim Room-Service etwas Leckeres bestellen!«

Fred war mehr als einverstanden, nimmt die Karte des

24-Stunden Room-Service zur Hand und hatte schnell etwas Passendes gefunden.

»Ein Steak, ein Königreich für ein Steak!«,

seufzte Fred, dem jetzt schon das Wasser im Mund zusammen läuft. Charles schliesst sich Freds Wahl an und Patrik gibt schnell die Bestellung über das Haustelefon durch. Dann geht er zu einer der Wände aus seidenmatt lackierter Mahagonitäfelung und öffnet zwei schmale Türflügel. Dahinter verborgen kommt eine gut bestückte Hausbar zum Vorschein.

»Was möchten sie gerne?«,

fragt er Charles und Fred, die sich gesetzt haben und Fitzpatrik erstaunt zuschauen.

»Ich glaube, da wir uns in England befinden, wäre für mich ein Single Malt das Richtige! Fred?«

Der nickte auf Charles Frage und ergänzt.

»Aber bitte, - pur! Höchstens ein Tröpfchen stilles Wasser zum Abrunden des Geschmacks. Wenn es keine Umstände macht!«

Fitzpatrik murmelte etwas wie *»Gute Wahl! Diese zwei Agents verstehen sich auf erlesene Getränke!«* Hantierte mit den Gläsern und goss grosszügig die bernsteinfarbenen Flüssigkeit ein. Wie es sich gehört, wenn man einen sündhaft teuren und exzellenten Single Malt aus der Distillery von Balmoral Castle geniessen will, servierte er Fred das stille Wasser separat in einem kleinen Glasfläschchen. Als alle ihr Glas in den Händen hielten, hebt Fitzpatrik seines und verkündet mit einem gewissen Pathos in der Stimme:

»Willkommen in London und im Vereinigten Königreich! Es freut mich eure Bekanntschaft zu machen und hoffe, ich kann ihnen bei ihren Ermittlungen behilflich sein. Also auf eine gute Zusammenarbeit!«

Die drei nehmen einen grosszügigen Schluck des aromatisch, duftenden Single Malt. Fred stösst die Luft aus und wird leicht rot um die Wangen.

»Wow, Patrik! Das ist vielleicht ein exzellentes Getränk! Kein

Vergleich zu unserem heimischen Feuerwasser. Der lauft ja runter wie Öl!«

»In Eichenfässern, die zuvor mit Sherry aus Portugal gefüllt waren, zehn Jahre gelagert! Dann, in ehemaligen Portwein Fässern aus der Royal Lochnagar Distillery, die zu Balmoral Castle gehört, weitere zehn Jahre gereift!«,

erklärte Fitzpatrik und fährt fort.

»Also, um auf die eigentliche Sache zurück zu kommen! Euer »General« Vanderbilt, hat sich mit unserem »Admiral-K«, wie Kersow, in Verbindung gesetzt. Unser »Admiral« leitet so etwas Ähnliches wie der »General« die CISMA. Wir sind zwar dem MI6 unterstellt, operieren jedoch eigenständig und wie ihr im *Geheimen*! Um eure Ermittlungen möglichst unter dem Deckel zu halten, ist euer »General« der Meinung, dass sie *inkognito* vorgehen sollen! Er äusserte sich der Gestalt, dass er befürchtet, sie werden - und er meinte vor allem sie, Charles - überwacht und beobachtet!«

Charles und Fred blicken Fitzpatrik erstaunt an.

»Ja, ich weiss über die ganze Geschichte mit diesem Rick Vandorp Bescheid! Der »General« hatte uns alle Berichte über die Vorkommnisse auf Yucatán vom letztem Jahr übermittelt. Und während sie im Flugzeug unterwegs waren, habe ich mich von eurem Abel Mankowski über den aktuellen Stand informieren lassen! Übrigens, ein liebenswerter Computer-Neard, dieser Abel! Und dann die Macke mit den Schokoriegel!«

Charles sog den aromatischen Duft des Single Malt ein, trinkt einen kleine Schluck und bemerkte ruhig:

»Dann sind sie also soweit im Bild, worum es sich handelt, Patrik? Ich bin zwar etwas erstaunt, dass der »General« unsere Operationen mit anderen Diensten abspricht! Wir agieren sonst eigentlich immer »unter dem Radar«, also im Geheimen! Die CISMA ist nur gegenüber dem Präsidenten Rechenschaft schuldig, aber wie gesagt, der »General« wird schon seine Gründe haben!«

Commander Fitzpatrik hatte vollkommen ruhig zugehört und stellt dann die Frage.

»Charles! Fred! Ich weiss, dass sie normalerweise verdeckt ermitteln oder Aufträge jeglicher Art ohne Aufsehen, im Geheimen erledigen! Glauben sie mir, ihr Boss hat in der Angelegenheit mit Voraussicht gehandelt. Nach Auswertung der Berichte, Daten und Fakten im Fall »Vandorp« sind wir beim KI6 zu dem gleichen Schluss gekommen, wie ihr bei der CISMA! In der Beurteilung der aktuellen Lage ist nicht auszuschliessen dass, Erstens - Rick Vandorp noch *lebt*! Zweitens - dass, wenn das der Fall ist, er sich nicht einfach geschlagen gibt! Und Drittens - dass die drei Todesfälle etwas *gemeinsam* haben! Und zu guter Letzt! Viertens - dass ich auch der Meinung bin! Vandorp steckt hinter allem! Habe ich in etwa Recht? Charles, Fred?«

Die zwei haben mit wachsender Achtung der analytischen Fähigkeiten Fitzpatriks zugehört. Charles überlegte kurz, dreht sein Glas in den Händen, betrachtete die ölige Flüssigkeit und blickt dann Fitzpatrik direkt in die Augen.

»Dann steht, meiner Meinung nach, einer guten Zusammenarbeit nichts mehr im Weg! Fred?«

Der nickte nur knapp, hebt sein Glas und erwidert.

»Cheers! Patrik! Sie gehören ab heute zu der Filiale London des CISMA! Wie wollen wir vorgehen, Charles? Hast du schon eine Idee?«

»In erster Linie, müssen wir uns in Gerald Bolsters Apartment umsehen! Und das mit der nötigen Sorgfalt und Genauigkeit. Jedes noch so kleine Detail könnte uns weiter helfen! Patrik? Haben sie eine Idee, wie wir in die Wohnung gelangen? Gilt die überhaupt als Tatort?«

Fitzpatrik muss nicht lange überlegen.

»Nein! Das Apartment gilt nicht als Tatort! Bolster wurde ja »vor« seiner Türe aufgefunden! Deshalb ist der »Tat- oder Unfallort« das Treppenhaus! Des Weiteren hat sich die KI6 die Wohnungsschlüssel bei der zuständigen Polizei

Dienststelle - District Canary Wharf - besorgt. Keine Angst, Charles! Die wissen nicht, dass ihr hier seid und wir haben denen auch ordentlich eingeheizt Stillschweigen zu bewahren! Eine Angelegenheit der nationalen Sicherheit!«

In dem Moment klopft es an der Türe. Fred ruft erfreut.

»Herein!«

Ein Kellner des Room-Service betritt die Suite. Einen grossen Servierwagen vor sich her schiebend. Diskret rollt er den Wagen zu dem kleinen Esstisch. Er deckt für zwei Personen ein und zeigt auf die grosse silberne Haube des Servierwagens.

»Ihre Order, Sir! Zweimal Steak vom Angus Beef mit Chips und frischer Salatbeilage! Wünsche wohl zu Speisen!«

Fred ist aufgestanden und drückt ihm einen Schein in die Hand. Der deutet eine Verbeugung an und zieht sich wieder diskret zurück. Charles wendet sich an Fitzpatrik.

»Also, kommen wir unbemerkt in das Apartment?«

Fitzpatrik nickte und erwidert.

»Dann, mein Vorschlag! Wir treffen uns morgen um 0900 unten in der Lobby. Wir nehmen im Covent Garden ein kleines Breakfast zu uns und fahren anschliessend zu Bolsters Apartment? Ihr geniesst jetzt eure Steaks. Einverstanden?«

Fred und Charles nicken, dann trinken sie ihren Single Malt aus und Fitzpatrik verabschiedet sich.

15

London - Canary Wharf

Am nächsten Morgen, pünktlich um neun Uhr, wartete Fitzpatrik schon in der Lobby des Savoy auf Charles und Fred. Auch heute ist Fitzpatrik tadellos aber eher leger gekleidet. Zu einer eleganten, ockerfarbenen Hose aus feinstem Cabardine, trägt er ein braunes Jackett aus bestem Tweed über einem dezent rosafarbenen Hemd. Seine schwarzen Mass-Schuhe hat er gegen ein Paar dunkelbraune Navyboots getauscht. Fred geht auf Fitzpatrik zu, deutet auf seinen linken Arm, unter dem die Morning Post klemmt und meint mit belustigt blitzenden Augen:

»Na, Patrik? Heute ohne Regenschirm? Jetzt werden die Verbrecher mit der Zeitung ausser Gefecht gesetzt?«

Der Commander zuckte nicht einmal mit der Wimper, als er mit einer blitzschnellen Bewegung seiner rechten Hand nach der Zeitung greift. Diese mit der gefaltete Schmalseite in einem Sekundenbruchteil auf Freds Hals zu schnellen lässt und sie nur einen Millimeter von seinem Kehlkopf entfernt stoppt. Dann meint er seelenruhig.

»Guten Morgen, Charles! Guten Morgen, Fred! Ich kann ihnen versichern! Wenn diese Zeitung mit der Wucht von fünfzig Kilo per Quadratzentimeter auf ihren Kehlkopf trifft sind sie sofort ausser Gefecht - wenn nicht gar tot! Aber auch eine Regenschirm kann eine praktische Waffe darstellen, wenn man denn weiss, wie damit umzugehen ist! Haben die Gentlemen Lust auf ein Frühstück?«

MacMillan steht immer noch wie zur Salzsäule erstarrt am selben Fleck und ist ziemlich blass um die Nase geworden.

Er schluckte einmal leer, räusperte sich und sagt mit leicht krächzender Stimme.

»Wow! Den Trick müssen sie mir beibringen, Commander Fitzpatrik! Auf den Schreck brauche ich jetzt aber dringend einen starken Kaffee, - am besten zwei!«

Charles hatte der kleinen Demonstration von Fitzpatriks Kampfkunst amüsiert zugeschaut und meint ruhig.

»Guten Morgen, Patrik! Vielleicht haben die zwei Gentlemen jetzt Zeit und Musse, sich um ernsthaftere Aufgaben zu kümmern? Dann lasst uns jetzt aufbrechen!«

Commander Fitzpatrik deutete nach draussen und sagt.

»Wir queren den Strand, dann die Southampton Street hoch und sind nach ein paar schritten am Covent Garden. Dort kenne ich ein nettes Lokal, wo wir Frühstücken können!«

Um diese Zeit herrschte der übliche Morgenverkehr auf dem Strand. Ein leichter Nieselregen machte der landläufigen Meinung vom Englischen Wetter alle Ehre. Fitzpatrik versicherte jedoch, dass spätestens in einer Stunde die Sonne wieder scheint. Was von den beiden Agents mit skeptisch hoch gezogenen Augenbrauen quittiert wurde.

Oben am Covent Garden, der alten Markthalle von Central London, angekommen, führte sie der Commander durch den mittleren Durchgang zum rückwärtigen Längstrakt. Er bleibt vor dem Eingang des *»Le Pain Quotidien«*, einem netten, kleinen Lokal stehen, öffnete einen Türflügel und macht eine einladende Geste.

»Bitte einzutreten, Gentlemen!«

Für einen normalen Werktag ist das Lokal um diese Zeit erstaunlich gut frequentiert. Offensichtlich ist der Commander in dem Lokal bestens bekannt, denn sie werden an ein für ihn reserviertes Tischchen geführt. Fast sofort wurde den drei ein für England eher ungewöhnliches Frühstück serviert. Keine weissen Bohnen, kein Fett triefender Bacon, Rühreier und solche Dinge. Nein, sie bekommen frische Brötchen, noch leicht warmes, frisch gebackenes Schwarzbrot, hausgemachte Marmelade und leicht gesalzene Butter. Die reizende und zuvorkommende Bedienung namens Sandy brachte ihnen die Getränke.

Für Fitzpatrik natürlich Schwarztee, einen ausgezeichneten Assam Fine Leaf von Drurys und für die beiden Agents, frisch aufgebrühten Kaffee aus ausgesuchten Arabica-Bohnen. Irgend wie konnten sich Charles und Fred noch nicht für Tee zum Frühstück, und im Allgemeinen, erwärmen. Ausser der Frage von Charles nach der Adresse von Bolsters Apartment, genossen die drei Männer schweigend ihr Frühstück. Nachdem sie fertig sind, begleicht Fitzpatrik die Rechnung und sie gehen in Richtung der St. Pauls Church of Covent Garden. Nicht zu verwechseln mit der berühmten St. Pauls Cathedral in der City of London. Er führte sie an der rechten Seite vorbei in die King Street. Wo erstaunlicher Weise schon ein schwarzer Range Rover auf die drei Männer wartete. *»Wann hat denn der Commander den Wagen gerufen? Er hat doch während der ganzen Zeit nicht telefoniert?«* Geht es Charles durch den Sinn, als sie in den Wagen steigen. Als wenn Fitzpatrik Gedanken lesen könnte, sagt er.

»Bevor sie fragen! Ich habe Alastair schon heute in der Früh angewiesen, hier auf uns zu warten! Major *Alastair McLoyd* ist seines Zeichens Ex-Angehöriger der SAS!«

Bevor sie los fuhren drehte sich McLoyd kurz zu den zwei Agents um und brummte so etwas wie.

»Aye, Sirs! Welcome in London!«

»Alastair, ist schottischer Abstammung und wie es sich für einen Highlander gehört nicht sehr gesprächig, aber absolut loyal! Und einer der besten Fahrer, die wir beim KI6 haben!«

Meinte der Commander entschuldigend, auf die muffelige Begrüssung seines Kollegen. McLoyd startete den Wagen und manövrierte ihn geschickt aus der Sackstrasse in Richtung Garrick Street.

Nach einer ereignislosen Fahrt durch den in London immer

herrschenden starken Verkehr, erreichen sie den Bezirk um die Canary Wharf. Über die Westferry Road kommend, biegt McLoyd auf den Westferry Circus ein. Er parkt den Wagen auf einer verbotenen Zone an der Ecke zur West India Road vor dem Gebäude des Columbus Courtyard. Die Adresse von Bolsters Apartment.

Dutzende neue, architektonisch zum Teil sehr extravagante, Büro- und Wohngebäude sind in den letzten Jahren hier hochgezogen worden. Und immer noch herrscht an verschiedenen Stellen rege Bautätigkeit. Mcloyd brummte ein undeutliches.

»Aye! Sind da, Sirs!«

»Danke, Alastair! Bitte warte hier auf uns!«,
sagte Fitzpatrik und dreht sich zu Charles und Fred um.

»Dann lassen sie uns der Sache auf den Grund gehen! Haben sie alles dabei, was sie für die Untersuchung brauchen oder kann ich aushelfen? Wir sind bestens ausgerüstet! Alles hinten im Kofferraum!«

Charles blickt zu Fred, der auf seine Umhängetasche klopft und den Kopf schüttelte.

»Nein! Aber danke, Patrik! Ist alles hier drin!«

Die drei steigen aus dem Wagen und die beiden Agents folgen Fitzpatrik, der auf den Haupteingang des Columbus Courtyard zusteuert. An der Pforte öffnet sich die zweiflügelige Glastür automatisch. Sie betreten die geräumige Lobby mit der Theke. Hinter der versieht ein älterer Herr seinen Dienst als Concierge. Der Commander geht zu dem Mann, dessen Schild an seinem Revers, ihn als *James Hunt* ausweist. Er zeigt seinen Dienstausweis, spricht leise mit ihm und der zeigte zu den zwei Aufzügen. Er sagte noch etwas, was Charles und Fred aus der Distanz nicht hören konnten. Fitzpatrik winkt den beiden und geht zu den Aufzügen. Sie fahren mit dem Lift in die sechste Etage und treten in den geräumigen Korridor. Fitzpatrik führt sie nach links und bleibt vor einer breiten Türe stehen. Sie ist in kleinen Messingzahlen mit »6A« gekennzeichnet.

Vor der Türe auf dem mit hellen Marmorfliesen belegten Boden des Korridors, sind immer noch die leicht verwischten Kreidelinien zu sehen. Die Stelle an der der tote Dr. Gerald Bolster aufgefunden wurde. An der Türe klebte ein Siegel der Metropolitan Police. Und das Siegel ist beschädigt!

Fitzpatrik hebt sein linke Hand, als Zeichen zu warten. Wie von Zauberhand hat er eine Browning High Power Pistole in seiner Rechten. Instinktiv haben Charles und Fred ebenfalls ihre Pistolen gezogen. Der Commander tippte mit dem linken Finger an die Türe, die geräuschlos aufschwingt. Er fixiert die beiden Agents, deutet dann mit zwei Fingern auf seine Augen und zeigt auf die halb geöffnete Türe. Charles und Fred haben verstanden, nicken stumm und postieren sich rechts von der Türe. Der Commander formte mit seinem Mund stumm die Worte - »Eins, zwei,...drei!« - und stösst bei drei, mit dem Fuss die Türe ganz auf. Er wartet zwei Sekunden, bückt sich leicht und stürmt in das Apartment. Charles folgte ihm unmittelbar, während Fred noch weitere fünf Sekunden wartete, bevor er mit der Pistole sichernd ebenfalls in die Wohnung tritt.

Die drei Agenten bleiben in dem grossen Entree stehen und sehen sich um. Sie blicken in einen grossen Wohnraum. Drei grosse Fenster bieten einen schönen Ausblick auf die Themse und den Fährterminal Canary Wharf. In einiger Entfernung ist im Morgendunst die City of London zu erkennen. Sie überzeugen sich vorsichtig, ob sich noch jemand im Apartment befindet! Es ist jedoch niemand hier, der sich versteckt hält.

»Nicht übel! Bolsters Wohnung ist nicht gerade von der billigen Sorte. Schaut euch einmal diese Aussicht an! Einfach fantastisch!«

Lässt sich Fred vernehmen, der zu den Fenstern getreten ist und Fitzpatrik ergänzte:

»Das ganze Apartment ist wirklich beeindruckend! Und die nicht gerade billige Einrichtung lässt erkennen, dass der Bewohner einen erlesenen, aber auch kostspieligen Geschmack hatte!«

»Genug der Bewunderung, Gentlemen! An die Arbeit!«, sagte Charles mit leichter Ungeduld.

»Wir gehen systematisch vor! Fred! Du übernimmst das Schlaf- und Badezimmer! Patrik! Sie bitte die Küche und den Wohnraum! Ich übernehme die restlichen Räume des Apartments!«

Nachdem sie sich noch einmal umgesehen hatten ist ihnen klar, dass der oder die Eindringlinge, entweder gestört wurden oder sie genau wussten was sie suchten und wo es zu finden war. Auf den ersten Blick ist nicht zu erkennen, dass sich jemand hier zu schaffen gemacht hatte. Keine Unordnung, keine heraus gezogenen Schubladen oder durchwühlte Regale. Die drei Männer haben sich hauchdünne, aber stabile weisse Latex-Handschuhe übergezogen und jeder hat eine kleine, leuchtstarke Stiftlampe in der Hand. So arbeiten sie sich mit System durch das Apartment. Nach zwei Stunden intensiver Durchsuchung, in der kein einziges Wort gefallen ist, kommen sie im Wohnbereich wieder zusammen. Sie legen die Dinge auf den grossen Eichenholz-Esstisch, der in der Nähe der offenen Küche platziert ist. Sie setzen sich auf die Stühle aus verchromten Stahlrohren mit den ledernen Sitz- und Rückenflächen.

Fred hatte ein, in einen Stoffbeutel eingeschlagenes, Bündel gefunden. Charles im Arbeitszimmer einige Prospekte und ein kleines Notizbuch. Fitzpatrik seinerseits ist in einem ziemlich cleveren Versteck im Bücherregal auf eine kaum Fingernagel grosse Micro-SD-Card gestossen.

»Diesen Packen habe ich sehr gut versteckt unter einer verborgenen Klappe in der Seitenwand von einem der Einbauschränke gefunden!«,

erklärte Fred, tippte auf das Bündel und beginnt den kleinen Stapel Papiere aus dem Stoffbeutel zu holen. Er teilte die Dokumente auf und gibt Patrik und Charles je einen Teil. Die drei durchforsten die Papiere nach irgend einem brauchbaren Hinweis.

»Ich habe hier etwas! Könnte ein erster Hinweis sein?«
Es ist Fitzpatrik, der sich als Erster meldete und einen Blatt Papier in die Mitte des Tisches legte. Es handelte sich um eine Kopie eines E-Tickets für einen Flug von Mérida in Mexiko nach Argentinien - Destination - Aeropuerto Internacional de Bariloche Tte. Luis Candelaria. Ausgestellt auf den Namen Gerald Bolster und einem Datum vor fast genau einem Jahr.

»Was wollte denn Bolster in Argentinien? Und ausgerechnet Bariloche? Das ist die Frage? Ich habe hier auch etwas gefunden!«

Charles legte ein weiteres Papier in die Mitte. Es handelt sich um einen kleineren, gefalteten Prospekt mit einer stilisierten Landkarte. In ähnlicher Form wurden diese überall auf der Welt an Touristen verteilt. Der Prospekt stammte aus Bariloche. Einem beliebten Touristenort am Südende des Lago Nahuel Huapi gelegen, hat die Stadt im Sommer wie auch im Winter einen regen Zustrom an Besuchern. Ebenfalls berühmt, oder besser gesagt berüchtigt, ist Bariloche für seine Vergangenheit als Zufluchtsort ehemaliger Nazi-Grössen kurz nach dem Zweiten Weltkrieg. Bekannt ist Bariloche aber auch durch einen Dr. Richard Richter, der im Auftrag von Juan Perón das argentinische Atomprogramm entwickeln und durchführen sollte. Charles hatte den Prospekt aufgefaltet und tippt auf die stilisierte Landkarte im Inneren.

»Wenn ich dieses Flugticket sehe, macht das schon Sinn! Nicht, dass der Prospekt als solches etwas Besonderes ist! Die werden dort, vermutlich zu Tausenden an die Touristen verteilt! Was die Karte interessant macht ist das da, und das hier!«

Er zeigte auf zwei Stellen. Beide hatten eine Markierung in Form eines Kreis mit einem Kreuz, welche offensichtlich handschriftlich mit Kugelschreiber eingezeichnet wurden. Die eine Markierung ist mit einer *Eins* und die andere mit einer

Zwei versehen. Auf einer unbedruckten Stelle am unteren Rand des Prospektes steht:

⊗1 = RVhide und ⊗2 = FEP-X

Der Marker mit der Eins ist an der Stelle eingezeichnet, wo sich laut Ausdruck ein Ort namens *»Inalco-House«* befindet. Der Marker mit der Zwei ist nordöstlich von Bariloche auf einer anscheinend ziemlich grossen Insel namens *Huemul* angebracht.

»Wenn ihr mich fragt, ist dieser Prospekt und das E-Ticket ein deutlicher Beweis, *wo* sich Bolster das letzte Jahr über aufgehalten hat! Nämlich - hier in *Bariloche*! Ich bin zu hundert Prozent überzeugt, dass er an diesen Orten für Rick Vandorp arbeitete. An *was* können wir im Moment nur vermuten. Jedoch sicher nichts Gutes!«

Fitzpatrik stellt Charles eine berechtigte Frage.

»Warum sind sie so überzeugt, dass Bolster für Vandorp gearbeitet hat? Er war doch eigentlich Atomphysiker und nicht Genetiker!«

Charles deutet auf eine der Eintragungen.

»Ganz einfach, Patrik! Hier - die Initialen RV! Und hier - direkt auf der Insel - das Kürzel FEP-X! Es gab und gibt auf der ganzen Welt nur einen Menschen, der dieses Kürzel verwendet - Rick Vandorp, alias Richard Vondorf! FEP bedeutet *Forschung* - *Entwicklung* - *Patente* und wurde von der SS in der Zeit des Zweiten Weltkriegs benützt! Schon sein Grossvater und sein Vater benutzten dieses Kürzel, um ihre Forschungseinrichtungen zu benennen. Zuerst sein Grossvater - *Eberhard Von Gehlendorf* - mit FEP-VIII in Niederschlesien. Dann sein Vater - *Franz Von Gehlendorf* - mit FEP-V9 auf Yucatán und jetzt FEP-X auf dieser Insel Huemul in Argentinien! Es müsste schon ein seltsamer Zufall sein, wenn das Tourismusbüro von Bariloche dieser Insel besagtes Kürzel zugeordnet hätte!«, erklärte Charles Fitzpatrik die Zusammenhänge zwischen den verschiedenen Orten. Fitzpatrik zeigt auf die Mitte des Tisches.

»Wenn ich sie also richtig verstehe, Charles! Sind sie der Meinung, dass sich Rick Vandorp, Samantha Wong und dieser Adolf in der Gegend um Bariloche versteckt halten? Und wenn ich sie richtig interpretiere, hat er sich dort wieder eine Forschungseinrichtung aufgebaut?«

»Ich bin nicht nur der Meinung, Commander! Ich bin sogar der Überzeugung, dass dem so ist! Sehen sie die Initialen: - *RVhide*! Ich vermute damit meinte Bolster Rick Vandorps Versteck! Und dann hier - die Kennung *FEP-X* auf der Insel Huemul! Damit ist ganz sicher eine Anlage gemeint, was auch immer Vandorp dort ausbrütet?«

Charles macht eine Pause, steht auf, holt sich ein Glas Wasser aus der Küche und setzt sich wieder.

»Und eines dürfen wir nicht ausser Acht lassen! Die zwei Explosionen, oder Sprengungen, mit *»Hafnyit«*! Ich nenne das Zeug mal so, da wir nicht wissen, wie so etwas heissen könnte. Also! Diese zwei Detonationen sind nur etwa sechzig Kilometer von Bariloche entfernt gezündet worden. Das ist in meinen Augen kein Zufall!«

Fitzpatrik und Fred überlegen kurz, blicken auf den Prospekt mit der Landkarte. Dann deutete der Commander auf das kleine, schwarze Kunststoffplättchen mit den winzigen goldenen Kontaktlinien. Es ist die Micro-SD-Karte, die er im Bücherregal gefunden hatte.

»Wir müssen auch heraus finden, was für Daten sich auf dieser Speicherkarte befinden! Lassen sie mich dies kurz überprüfen!«

Er nimmt sein Smartphone aus der Jackentasche, öffnet die Abdeckung des Kartenslots und entfernt die darin befindliche Micro-SD. Vorsichtig schiebt er die gefundene in den Schlitz und schliesst die Abdeckung wieder. Ein kurzer Piepston zeigt an, dass die Karte als neues Laufwerk erkannt wurde. Nachdem Fitzpatrik das neue Laufwerk geöffnet hat, ist dort ein Ordner mit der Bezeichnung *»Haf172-V0.2«* aufgeführt. Er tippt auf das Icon. »Enter Password« - leuchtet ein kleines Fenster auf.

»Natürlich Passwort-geschützt! Schade! Und vermutlich ist die Datei auch noch verschlüsselt?«,

murmelte Fitzpatrik und blickt die zwei Agenten fragend an.

»Was nun? Eine Idee, Gentlemen?«

Charles nickte und erklärt dem Commander.

»Es gibt auf dieser Welt keine Datei, die unser IT-Crack Abel Mankowski und sein *»Golem«* nicht öffnen oder entschlüsseln könnte! Senden Sie doch bitte den Ordner an diese Adresse! Ich nehme an, ihr Smartphone besitzt auch eine 128byt Verschlüsselung?«

Fitzpatrik bejahte und Charles hielt ihm sein Handy hin, auf dessen Display er die gesicherte Email-Adresse Abels aufgerufen hatte. Dann wählte er die Direktnummer Abels, der den Anruf fast augenblicklich annimmt.

»Charles, mein lieber Top-Agent! Du bist in London, wie ich sehe! Wie kann ich dir helfen?«

»Hy, Abel! Ich frage mich jetzt nicht, warum du siehst, dass wir in London sind! Ich fasse mich kurz! Commander Patrik Fitzpatrik, unser Kontakt von KI6 hier in London, hat dir einen Datei-Ordner gesendet! Er ist Passwort-geschützt und vermutlich verschlüsselt. Sieh zu, ob du diesen möglichst schnell knacken kannst und sende uns dann dessen Inhalt!«

»Die Email ist soeben eingetrudelt, Charles! Und du weisst ja, - ich und mein »Golem« sind ein unschlagbares Team! Bis bald!«

Abel hatte, wie üblich die Verbindung einfach gekappt. Charles blickte noch eine Sekunde auf das Display und schüttelte schmunzelnd den Kopf.

»Abel hat den Ordner erhalten! Und so wie ich ihn kenne, wird er diesen innert kurzer Zeit knacken!«

Fitzpatrik blickte Charles fragend an und bemerkt.

»Wer zum Teufel ist denn *»Golem«*, Charles?«

»Das ist eine lange Geschichte, Patrik! Aber in Kürze. »Golem«

ist der von Abel selbst konstruierte Super-Computer, der alle anderen in den Schatten stellt. »Golem« löst praktisch jedes Problem innert kürzester Zeit! Also werden wir sicher bald erfahren, was sich auf dieser Micro-SD versteckte!«

Die drei Männer konnten aus den anderen Sachen aus Bolsters Apartment keine weiteren Erkenntnisse gewinnen. Daher beschliessen sie vorläufig zurück ins Savoy zu fahren und dort auf Abels Bericht zu warten, ob er, beziehungsweise sein »Golem« den Ordner knacken konnte. Sie fahren mit dem Fahrstuhl in die Lobby und Fitzpatrik geht direkt zu Mr. Hunt. Der sitzt noch immer hinter seinem Tresen und blättert in einer Zeitung. Der Mann ist anscheinend schwerhörig. Er hatte den Commander nicht kommen hören. Er hebt erst etwas verwirrt den Kopf, als der mit der flachen Hand auf den Tresen klopft.

»Entschuldigen sie, Sir! Ich habe die Gentlemen nicht kommen gehört! Sie müssen wissen, ich höre leider nicht mehr allzu gut! Ein Überbleibsel aus meiner aktiven Dienstzeit bei der Army!«,

entschuldigt sich Mr. Hunt und Fitzpatrik brummte für sich.

»Das haben wir bemerkt!«

Dann sagt er sehr höflich zu dem älteren Herrn.

»Das tut mir Leid, Mr. Hunt! Nun! Ich bräuchte trotzdem ihre Unterstützung! Ist vor - sagen wir mal zweieinhalb Stunden - jemand den sie hier noch nie gesehen haben aus einem der Aufzüge gekommen?«

Mr. Hunt überlegte eine Weile angestrengt, schüttelte dann den Kopf und erklärt.

»Nein, Sir! Leider kann ich mich nicht erinnern in den letzten Stunden, ausser ihnen, also ich meine sie drei Gentlemen, überhaupt jemand gesehen zu haben! Dieser Teil des Columbus Courtyard ist ein Wohnhaus und wird eigentlich nur von Geschäftsleuten bewohnt. Und die sind um diese Zeit ausser Haus!«

Fred, der in fünf Meter Abstand zum Empfangstresen neben Charles steht, hatte eine Idee. Er geht zu Fitzpatrik und flüstert ihm ins Ohr. Der fordert den Mann auf, er solle bitte für die nächsten paar Minuten in seiner Zeitung lesen. Verwirrt befolgt Mr. Hunt die Bitte Fitzpatriks und blickte in seine Zeitung. Ohne dass der Concierge ihn sehen kann, geht Fred zu den Aufzügen. Drückt auf die Aufwärts-Taste und die Türe öffnet sich mit dem für Fahrstühle typischen Geräusch. Fred betritt den Fahrstuhl nicht und wartete. Da niemand eingetreten ist, schliesst sich die Türe wieder automatisch. Jetzt vernehmen die Männer das kurze Signal - ein leises »Ping«. Anschliessend geht Fred in normalen Schritttempo zur Eingangstüre und verlässt das Gebäude. Er kehrt sofort um und kommt wieder in die Lobby. Er bleibt bei Charles stehen und sagt in normaler Lautstärke.

»Habt ihr gesehen? Man kann hier unbemerkt ein- und ausgehen! Der gute Mann hört wenig, bis gar nichts!«

Fitzpatrik klopfte wieder auf den Tresen. Mr. Hunt hebt seinen Kopf und sieht den Commander fragend an.

»Mr. Hunt! Haben sie hier im Gebäude auch eine Videoüberwachung? Speziell hier von der Lobby?«,

fragt Fitzpatrik etwas lauter als nötig. Hunt nickte eifrig mit dem Kopf und bittet Fitzpatrik hinter den Tresen. Charles und Fred kommen näher und gesellen sich zu den zwei Männern hinter dem Tresen. Im Empfangstresen sind vier Monitore eingebaut. Jeder zeigte die verschiedenen Zugänge zum Columbus Courtyard. Von Interesse für die drei Agenten ist nur der eine, der die Empfangshalle zeigte.

»Mr. Hunt! Zeigen sie uns bitte die Aufzeichnung der Lobby zu dem Zeitpunkt, als wir hier eintrafen. Also ab 10:15 Uhr!«

Erfreut den wichtigen Gentlemen behilflich zu sein, tippte Mr. Hunt auf ein paar Tasten. Kurz darauf startete die Aufnahme mit Zeitstempel 10:15 Uhr und die Männer können sich selber auf dem Bildschirm beobachten, wie sie die Eingangshalle betreten und Fitzpatrik zum Empfangstresen tritt.

»Bitte etwas vorspulen! Bis dort, als wir in den Fahrstuhl treten!«

Mr. Hunt tat, wie ihm geheissen und die menschenleere Lobby ist zu sehen. Eine Minute nach dem die Agenten im Aufzug verschwunden sind, erscheint eine dunkle Gestalt aus der Türe die zum Treppenhaus führte. Dass es sich um einen Mann handelt, können sie an seiner untersetzten bulligen Statur erkennen. Der Mann blickte vorsichtig in die Richtung, wo Mr. Hunt hinter seinem Tresen sitzt. Er drehte den Kopf und blickt aus Zufall direkt in das Objektiv der Überwachungskamera. Einen Augenblick später schlendert der Unbekannte seelenruhig durch die Empfangshalle und verschwindet durch die Eingangstüre und somit aus dem Aufnahmewinkel der Kamera.

»Da haben wir ja unseren Eindringling, der gerne fremde Wohnungen besichtigt! Und wie ich demonstriert habe, konnte der Unbekannte unbemerkt das Gebäude verlassen!«,

bemerkte MacMillan mit einem Seitenblick auf Mr. Hunt, der sichtlich zusammen geschrumpft ist.

»Tut mir Leid, Gentlemen! Ich habe diesen Herrn wirklich nicht bemerkt! Weder beim Reinkommen, noch beim Rausgehen! Mein Fehler!«

»Schon gut, Mr. Hunt! Das kann jedem passieren! Und selbst wenn sie ihn bemerkt hätten, konnten sie ja nicht ahnen, dass er in ein Apartment einbrechen wollte!«,

beruhigte Fitzpatrik, den unglücklich wirkenden Mr. Hunt.

»Sie können uns aber helfen, indem sie mir eine Kopie der Aufzeichnung von diesem Unbekannten machen!«

Der Commander reichte Mr. Hunt einen kleinen USB-Stick. Der nimmt den Stick und kopiert die kurze Sequenz, dann gibt er ihn wieder dem Commander.

»Danke Mr. Hunt! Sie haben uns wirklich sehr geholfen! Wünsche ihnen noch einen schönen Tag!«

Charles und Fred verabschieden sich ebenfalls, dann verlassen sie den Columbus Courtyard und lassen einen sichtlich erleichterten Mr. Hunt zurück. Schnell gehen die drei zu dem immer noch in der Verbotszone stehenden Range Rover und steigen ein.

»Alastair, mein Bester? Eine Frage? Hast du, kurz nachdem wir das Gebäude betreten haben, einen Mann aus dem Gebäude kommen sehen? Etwas untersetzt, bullig gebaut, schwarze Kleidung? Etwa zwei bis drei Minuten nach uns?«, erkundigt sich Fitzpatrik. McLoyd muss nicht lange nachdenken.

»Jetzt wo du das sagst, Patrik! Stimmt! Ein Mann nach deiner Beschreibung ist tatsächlich an unserem Wagen vorbei gelaufen. Ganz normal, ohne Hast! Sein Gesicht konnte ich nicht erkennen, denn er hatte ein ziemlich grosses Smartphone am Ohr kleben! In der linken Hand hatte er eine normale Einkaufstüte aus Papier. Anscheinend gut gefüllt!«

»Macht nichts, Alastair! Wir haben eine Aufzeichnung von dem Individuum, auf der er sein Antlitz förmlich zur Schau stellt! Natürlich ohne zu wissen, dass er durch die verborgene Überwachungskamera gefilmt wird. Lasst uns mal sehen was wir haben!«

Fitzpatrik zieht den USB-Stick aus seiner Tasche und steckt ihn in einen Anschluss in der Mittelkonsole. Auf dem, in der Mitte des Armaturenbrett eingebauten, grossen Bildschirms erscheint sofort die Meldung: - »Neuer USB-Datenträger erkannt«. Anschliessend das Icon einer WMV-Datei mit der Kennung »untitled«. Auf zwei in den Rückenlehnen der Vordersitze eingebauten kleinen Bildschirmen können Charles und Fred die selbe Darstellung mitverfolgen. Fitzpatrik hatte sein Smartphone hervor geholt, ein Bluetooth Verbindung zum Bordcomputer hergestellt und sich gleichzeitig mit dem Server von KI6 verlinkt. Jetzt lässt er die kurze Video-Sequenz laufen, stoppt an der Stelle, wo der Unbekannte direkt in die Kamera blickt und vergrössert den Bildausschnitt. Das Gesicht des Mannes ist jetzt deutlich zu erkennen. Ein nicht unsympathisches Allerweltsgesicht mit einem auffälligen Makel, einer offensichtlich gebrochenen ziemlich schiefen Nase.

»Dann wollen wir mal sehen, *wen* wir denn da vor uns haben?«,

sagte Fitzpatrik mehr zu sich selber und tippt ein paar Befehle auf seinem Display. Der Bildausschnitt wandert auf dem Bildschirm nach links. Grüne Punkte und Linien erscheinen auf dem Porträt und vermessen die typischen Merkmale der Physiognomie eines menschlichen Gesichts. Auf der rechten Bildhälfte erscheint ein neues Fenster und rasend schnell wird eine Datenbank durchsucht.

»Nicht übel, Patrik! Ich meine die Spielzeuge à la 007, die ihr da habt! Gibt's bei euch auch einen *Mr. Q*?«

Lässt sich Fred vernehmen und meinte es sogar ehrlich.

»Nein, Fred! Einen »Q« haben wir nicht! Aber einen cleveren Burschen - in etwa wie euer Daryl Smith! Und, ja! Die »Spielzeuge« sind hin und wieder auch noch sehr nützlich in unserem Job! Im Ernst! Ihr kennt ja die App zur Gesichtserkennung sicher auch? Also! Einen Moment noch Geduld und - voila! Da haben wir ja unseren unbekannten Eindringling!«

Das Programm hat angehalten, ein kurzes »Ping« ertönt und in der Mitte des Bildschirms steht in grünen Lettern - *100% Match*!. Der Bildschirm wird jetzt von einer Personendatei komplett ausgefüllt und zeigt das erkennungsdienstlich aufgenommene Foto des Mannes, der auf der Datei der Überwachungskamera zu sehen war. Fitzpatrik drehte sich halb zu Charles und Fred und erklärt den beiden.

»Schau, schau! Wen haben wir denn hier? Ein alter Bekannter, der es immer wieder schafft seine Akte um einige Straftaten zu vergrössern! Darf ich vorstellen, - *Roger Dutry!* Auch bekannt unter dem Spitznamen »Boxer«! Was man bei dieser Nase durchaus nachvollziehen kann!«

Fred erkundigt sich.

»Also ist euch der Knabe schon länger bekannt, Patrik? Und was hat er denn so auf dem Kerbholz?«

»Da weiss ich gar nicht womit ich anfangen soll, Fred! Aber seine Karriere reicht von Betrug und Erpressung, bis zum Einbruch! Ausserdem ist er vor allem in Verbindung mit einer Affäre um Raubkunst aufgefallen. Dazu muss ich erklären, dass er mehrfach im Zusammenhang mit einer Söldnertruppe namens *»Revenge«* genannt wurde. Er ist anscheinend längere Zeit mit dieser Truppe unterwegs gewesen. Diese eigentlich eher kriminelle Gruppe, hatte sich durch zahlreiche Verstrickungen bezüglich Raubkunst aus dem Nahen Osten, also Syrien, Irak undsoweiter einen Namen gemacht. Angeführt wurde »Revenge« von einem ganz üblen Kerl namens *Henrique Velasquez*! Einem Söldner, der sich später als Auftragskiller selbständig machte. So munkelt man auf jeden Fall! Doch beweisen konnte man ihm bisher nichts! Anscheinend lebt er heute in *Misionés* in Argentinien, wo er auch geboren und aufgewachsen ist!«

Charles merkte auf und unterbricht Fitzpatrik in seinen Erklärungen.

»Entschuldigen sie, dass ich sie unterbreche, Patrik! Sie sagen, dieser Velasquez kommt aus, beziehungsweise, lebt wieder in Misionés? Und dieser Dutry hat unter seinem Kommando, als Söldner gedient?«

Fitzpatrik nickte und Charles spricht weiter über seinen Gedankengang.

»Dann könnte doch dieser Velasquez und Dutry in Verbindung mit Vandorp stehen. Es ist doch kein Zufall, dass dieser Söldnerkommandant jetzt in Argentinien wohnt! Ich glaube wir sollten diesem Roger Dutry einen Besuch abstatten!«

Der Commander lässt Charles Worte einen Moment auf sich wirken und tippt dann auf das Display seines Smartphones. Auf dem Bildschirm erscheint - die Zeitangabe 10:15 oben links eingeblendet - eine sehr detaillierte Karte der Gegend, wo sie sich im Moment gerade aufhalten. Dann werden einige Punkte sichtbar, die mit Nummern markiert sind.

»Das sind sämtliche Mobiltelefone die zum Zeitpunkt, als Dutry das Gebäude verlässt, in der Nähe des Columbus Courtyard eingeloggt gewesen sind! Was uns interessiert ist diese Nummer hier!«

Fitzpatrik zeigt auf einen der Punkte, der sich genau zu dieser Uhrzeit an der Stelle vorbei bewegte, wo ihr Range Rover steht. Fitzpatrik tippte einige weitere Befehle auf seinem Smartphone und jetzt wechselten die Zahlen auf die aktuelle Zeit. Der Kartenausschnitt bewegte sich wie von Geisterhand über den Bildschirm und kommt in der Nähe des Piccadilly Circus im Soho zum Stehen. Der rote Punkt mit Dutrys Nummer bewegt sich nicht mehr.

»Aha! Seht ihr? Unser Freund ist hier in Chinatown in der Mitte der Gerrard Street gelandet!«

Er gibt noch weitere Befehle ein und neben dem roten Punkt öffnet sich ein kleines Fenster. *»Gerrard Street No 23 - Golden Phoenix - China Restaurant«* ist zu lesen und zeigt die Ansicht eines breiten Gebäudes, in dem sich eines der zahlreichen China Restaurants an der Gerrard Street befindet.

»Dann wollen wir doch dem verehrten Mr. Dutry einen Besuch abstatten. Alastair, darf ich bitten! Die nächste Station ist - *Chinatown*!«

16

Argentinien - Inalco Haus

Wie es scheint ist Rick Vandorp wieder ganz der alte charmante Unternehmer, bevor er sich die Substanz von Dr. Gerlach spritzen liess. Nach einer kurzen Nacht, in der sich Vandorp ausgiebig mit den körperlichen Vorzügen Samantha's beschäftigt hatte, sitzen beide an diesem sonnigen Morgen auf der Terrasse seines Anwesens - dem *Inalco Haus.* Er nennt es jetzt *»meine Villa Vondorf«.* Adolf hatte frisch gebrühten Kaffee und warme, köstlich duftende Croissants serviert und sich dann in seine Werkstatt zurückgezogen. Dort konnte er ungestört seiner Lieblingsbeschäftigung nachgehen. Der Pflege ihres umfangreichen Waffenarsenals und dem Erfinden von neuen Utensilien zum möglichst effektiven und unauffälligen Beseitigen unliebsamer Zeitgenossen.

»Danke, Rick! Es war eine wunderbare Nacht! Wieder ganz, wie in alten Zeiten! Nur wir zwei - du und ich!«,

sagte Samantha zu Vandorp mit einem freudigen Ausdruck in den Augen. *»Ich hoffe nur, dass diese »normale« Phase nicht nur vorüber gehend ist! Nicht, dass er wieder einen psychotischen Schub kriegt und seine Untermenschen-Theorien an mir auslässt!«* Denkt sich Samantha insgeheim und blickt Vandorp verstohlen von der Seite an. Der erweckt wirklich den Eindruck, als sei er wieder vollkommen der Alte. Er ist gerade im Begriff noch einen Schluck Kaffee zu trinken, als sein Smartphone mit einem brummenden Geräusch anfängt zu vibrieren. Er hatte es vor sich auf den Holztisch gelegt. Vandorp wirft einen Blick auf das Display, stellt schnell seine Tasse ab und nimmt den Anruf entgegen.

»Henrique, mein Freund! Was haben sie Schönes in dieser frühen Morgenstunde?«,

sagte Vandorp in aufgeräumter Stimmung. Samantha vernimmt nur ein undeutliches Gebrabbel, als ihm Velasquez etwas mitteilt.

»Warten sie bitte einen Moment! Lassen sie uns das über Videostream diskutieren. Wir gehen sofort in unsere Zentrale, dann kann Samantha auch gleich mithören! Ende!«

Und schon hatte Vandorp die Verbindung beendet. Unvermittelt blickt er zu Samantha. Sie kann jedoch den Ausdruck in seinen Augen und seine Stimmung nicht deuten, da er inzwischen fast immer die dunkle Sonnenbrille trägt. Sie erheben sich und gehen schnell in ihre provisorische »Kommandozentrale«. Dort setzen sie sich vor einen der grossen Bildschirme. Vandorp tippt ein paar Befehle auf der Tastatur. Augenblicklich öffnet sich ein grosses Fenster und das markante Gesicht Henriques erscheint. Der sitzt anscheinend vor einem Laptop und starrt direkt in die Kamera.

So, Henrique! Sie sehen! Samantha ist ebenfalls hier!«

Samantha beugte sich etwas näher, so dass die Kamera auch sie im Bildausschnitt erfasste.

»Hallo, Henrique!«

Begrüsst sie Velasquez etwas kurz angebunden und zieht sich dann sofort wieder aus dem Kamerabereich zurück. Velasquez, weiss, dass Samantha nicht unbedingt seine Freundin ist, bleibt aber unbeeindruckt.

»Auch Hallo, Samantha! Also, Rick! Es haben sich hier in Washington einige Entwicklungen betreffend der drei Zielpersonen abgezeichnet, über die ich sie informieren muss! Und dann benötige ich noch ihre weiteren Anweisungen!«

Er machte eine Pause, um seinen Worten mehr Gewicht zu verschaffen, sieht kurz auf ein vor ihm liegendes Dokument und berichtet:

»Sie wissen, dass wir Roberts, die Bowles und Miller praktisch rund um die Uhr und lückenlos beobachten! Nun, von Sally Bowles und Marc Miller gibt es nichts Besonderes zu berichten. Die gehen ihrer täglichen Arbeit nach! Etwas anders sieht es bei Roberts aus. Vorgestern Nachmittag war er in dem Bürogebäude, wo wir die Zentrale der CISMA vermuten! Später am Abend ist er nach Hause gefahren!«

Vandorps Miene verfinsterte sich leicht und er unterbricht Velasquez mit gereizter Stimme.

»Velasquez! Ich will von ihnen nicht wissen, ob die drei ihrer täglichen Arbeit nachgehen! Das interessiert mich nicht!«

Samantha kannte Vandorp gut genug, um zu wissen, dass er kurz vor einem Wutausbruch steht. Auch wenn es sich bei Velasquez, um einen neuen Vertrauten handelte, ist dieser nicht vor Ricks Zorn gefeit.

»Langsam, Rick, mein Freund! Ich wollte soeben auf den Punkt kommen! Gestern Morgen fährt Roberts zum Dulles International Airport, parkt seinen Wagen im Bereich für Privatflugzeuge und trifft dort seinen Partner - Fred MacMillan! Auch der - ein Special Agent der CISMA! Sie haben uns ja die Aufnahmen der Drohne gezeigt, die Adolf vor einem Jahr auf Millers Anwesen in Mahwah gemacht hatte. Auf der war MacMillan klar als Meisterschütze zu erkennen, der ihr Spielzeug vom Himmel geholt hatte!«

Vandorp hatte sich etwas beruhigt, brummt jedoch.

»Das war kein »Spielzeug«, Henrique! Sondern eine Zehn Tausend Dollar High-Tech Maschine!«

»Entschuldigen sie, Rick! Ich wollte nicht despektierlich klingen. Sollte ein Scherz sein! Also! Die beiden treffen sich dort in der VIP-Lounge, besteigen um 9:50 Uhr eine Gulfstream G650 und starten pünktlich zehn Uhr vom Flughafen. Und jetzt raten sie einmal, wo die hin geflogen sind?«

Velasquez kritzelte etwas auf einen Zettel und hebt diesen vor die Kamera. LONDON - steht auf dem Blatt und Velasquez berichtet weiter.

»Die zwei fliegen also nach London! Ankunft dort - etwa 21.30 Uhr. Wo sie gelandet sind, konnten wir nicht ausfindig machen, aber ich vermute auf dem City Airport! Und für mich steht ausser Frage, dass die sich an der Adresse des *ach* so unglücklich »verunfallten« Dr. Gerald Bolster umsehen wollen!«

Velasquez grinste hämisch über seinen letzten Satz, was ihn in Samantha's Augen noch unsympathischer erscheinen lässt.

»Wollen sie etwa damit andeuten, dass Roberts hinter unseren drei Wissenschaftler her ist, beziehungsweise er einen Verdacht hegt?«,

erkundigt sich Vandorp. Jetzt etwas nachdenklicher geworden.

»Ich vermute, dass dies leider der Fall ist! Darum habe ich einen meiner Kontakte in London aktiviert. Der hat sich umgehend in Bolsters Wohnung begeben und sich umgesehen, ob irgend etwas Verdächtiges zu finden wäre, das auf sie hinweist! Er hat mir bestätigt, dass er Einiges gefunden habe! Er hat diese kompromittierenden Dinge mitgenommen und sollte sie sofort vernichten!«

Velasquez druckste etwas herum und Vandorp bemerkte dies sofort.

»Was ist los? Da ist doch noch etwas?«

Velasquez, entgegen seiner sonst emotionslosen Art, antwortet etwas verlegen.

»Mein Kontakt hatte grosses Glück! Er ist fast Roberts, MacMillan und einem dritten Mann in die Arme gelaufen! Das heisst, er musste das Apartment fluchtartig verlassen! Konnte leider das Polizeisiegel nicht mehr gegen ein Unbeschädigtes ersetzen und hat die Türe unverschlossen hinterlassen!«

Vandorp holte tief Luft und Samantha erwartet schon, dass er lauthals los brüllt. Stattdessen sagte er äusserst gefasst und leise.

»Hauptsache die Hinweise auf uns und unsere Projekte sind vernichtet! Sie haben von einem dritten Mann gesprochen? Wer ist das?«

»Rick! Ich muss gestehen - wir haben keine Ahnung! Ich vermute jedoch, dass es sich um irgendeinen Regierungsbeamten oder

Officer von der Metropolitan Police handelt, der die beiden unterstützt! Mehr habe ich im Moment leider nicht mehr zu berichten! Haben sie noch spezielle Anweisungen bezüglich Roberts und MacMillan?«

Vandorp lässt sich eine Weile Zeit mit seiner Antwort, dann kommt ihm ein Gedanke.

»Wenn die zwei es auf sich nehmen extra von D.C. nach London zu fliegen, um den offiziell als Unfall deklarierten Tod eines Atomphysikers zu untersuchen? Beziehungsweise seine Wohnung in Augenschein zu nehmen, dann muss ich doch annehmen, dass sie sicher auch die Wohnadressen meiner zwei »ehemaligen« Mitarbeiter aufsuchen?«

Vandorps Miene hellt sich auf.

»Folgenden Befehl, Henrique! Beordern sie sofort je einen zuverlässigen Mann zu den Adressen in Paris und Mailand. Die sollen, wie in London, die Wohnungen nach Hinweisen auf unsere Projekte untersuchen! Anschliessend überlasse ich es ihren Männern, wie sie verräterische Indizien beseitigen! Am Besten, wenn gar nichts mehr zu finden wäre! Wenn sie verstehen was ich meine?«

»Ja, Sir! Ich könnte mir vorstellen, dass es immer wieder zu unglücklichen Unfällen mit der Haustechnik kommen kann!«, antwortete Velasquez in ruhigem Ton.

»Ich wusste, dass sie mich verstehen, Henrique! Ich erwarte umgehenden Bericht, sobald sie neue Erkenntnisse haben! Danke!«

Vandorp wartete Velasquez Antwort gar nicht erst ab und kappte die Verbindung. Er drehte sich langsam zu Samantha und betrachtet sie eine Weile stumm. Dann steht er auf, fasst ihre Hand, zieht sie auf die Füsse und flüstert ihr, mit einem lüsternen Glitzern in den Augen, ins Ohr.

»Ich glaube fast, ich brauche jetzt ein bisschen entspannende Morgengymnastik!«

17

London - Gerrard Street - Chinatown

Alastair steuerte den Range Rover in halsbrecherischem Tempo durch den dichten Verkehr. Er wählte den schnellsten Weg über Old Billingsgate, an der London Bridge vorbei, über Temple und bog nach einer viertel Stunde auf den Strand. Am Aldwych Theatre bog er nach links in die Drury Lane und gelangte über die Shaftesbury Avenue auf den Gerrard Place. Der schwarze Range Rover mit den getönten Scheiben fährt im Schritttempo die kurze Strasse entlang und nach vierzig Meter kommt die Einfahrt zum Q Park Chinatown in Sichtweite.

Hier ist auch das obere Ende des Londoner Soho, das seinem verruchten Ruf von Früher nicht mehr entspricht. Vereinzelt sind noch immer einige obskure Geschäfte mit einschlägiger Literatur, ausgefallenen Objekten der sexuellen Begierden oder Tattoo-Studios vorhanden. Auch die Etablissements, in denen sich mehr oder weniger attraktive Frauen vor gaffenden Männern langsam entkleiden, werben noch da und dort mit aufreizenden Reklameschildern. Aber grundsätzlich hat sich das Quartier zu einer multikulturellen Gegend entwickelt.
Alastair steuert den Wagen in die Einfahrt und fährt direkt auf ein speziell markiertes Parkfeld.

»Wir haben in allen für uns strategisch wichtig gelegenen Parkhäusern unsere reservierten Parkplätze! Das ist vor allem von Vorteil, die Wagen nicht einfach auffällig irgendwo hinzustellen!«,

erklärte Fitzpatrik, während er aus einem Fach der Mittelkonsole eine kleine Plastikbox fischte. Er öffnete sie und entnimmt ihr vier kleine fleischfarbene Ohrstöpsel.

»Ihr kennt diese kleinen nützlichen Dinger sicher? Wenn sie jetzt bitte ihre Smartphones zur Hand nehmen, werde ich die Verbindung von den Stöpseln zu euren Mobiles aufschalten!«

Er tippte auf dem Touchscreen im Armaturenbrett einige Befehle und sofort piepsten die Smartphones von Charles und Fred. Auf den kleinen Displays öffnete sich ein Fenster mit der Meldung: »Devices connected!«. Fred blickte auf sein Mobile, dann zum Commander und meinte sarkastisch.

»Unnötig zu erwähnen, dass sie natürlich unsere geheimen Geheim-Nummern kennen!«

»Das gehört selbstverständlich zu der gewissenhaften Vorbereitung einer verdeckten Operation! Aber im Ernst! Wir haben eure geheimen Nummern vom »General« persönlich erhalten! Er dachte sich wohl, das könnte von Nutzen sein!«

Fitzpatrik zuckte entschuldigend mit den Schultern, während er sich den Stöpsel ins rechte Ohr steckte. Charles, Fred und Alastair taten es ihm gleich. Die kleinen Kommunikationsgeräte sind jetzt fast nicht mehr sichtbar.

»Alastair! Bleib du in der Nähe des Parkings und beobachte den Zugang zur Gerrard Street! Wir werden jetzt unauffällig nach Roger Dutry Ausschau halten!«

Die vier Männer steigen aus dem Wagen und begeben sich zum Gerrard Place. Der Commander wirft einen Blick auf sein Smartphone und zeigte mit der Hand in die Gerrard Street.

»So wie es aussieht, hat sich Dutry seit der letzten Ortung nicht mehr von der Stelle bewegt. Offensichtlich befindet er sich hier in einem Lokal namens «Golden Phoenix«! Dann werden wir dem Herrn mal eine Überraschung bereiten!«

Mit zügigen Schritten geht Fitzpatrik die vierzig Meter über den Gerrard Place zum östlichen Anfang der Gerrard Street,. Dicht gefolgt von Charles und Fred. Charles kannte die Strasse von einem seiner letzten Besuche in London, ist aber immer wieder fasziniert über die fernöstlich wirkende Atmosphäre von

Chinatown. Quer über der Fussgängerzone sind unzählige Seile gespannt. An denen baumeln rote, mit goldenen chinesischen Lettern verzierte, runde Lampions. Links und rechts der Strasse löst ein China-Restaurant das andere ab und dazwischen verteilt sind Geschäfte, die asiatische Lebensmittel oder Souvenirs anbieten. Auch an diesem frühen Nachmittag herrscht schon ein reges Treiben. Vor allem Touristen aus aller Welt bevölkern die Gerrard Street. Die Alles und Jeden mit ihren Smartphones knipsen oder Selfies machten. Aber auch viele Menschen asiatischer Prägung gehen hier ihren täglichen Beschäftigungen nach.

Nach gut achzig Metern bleibt Fitzpatrik vor einem grösseren Gebäude stehen. Aus roten Ziegelsteinen erbaut und drei Stockwerke hoch, hat das chinesische Restaurant zwei Eingänge. Die sind in der Mitte durch eine breites Fenster getrennt. Links über dem schmaleren Eingang und rechts über dem breiten Haupteingang, je ein Schild mit dunkelrotem Hintergrund. Auf denen oben goldfarbene, chinesische Schriftzeichen und unten in geschwungenen Lettern der Schriftzug »Golden Phoenix« prangte. Zwei grosse in Stein gehauene Löwen bewachten zu beiden Seiten den Haupteingang. Fitzpatrik zeigt auf das Gebäude und bemerkte.

»Der Haupteingang mit den Löwen führt zum ebenerdigen Gastraum. Der schmalere Eingang links, der mit den zwei Steinlaternen, führt direkt in den ersten Stock. Dort befindet sich ebenfalls ein sehr grosser Speisesaal. Mein Vorschlag! Ich werde mich im oberen Bereich umsehen. Charles, sie checken das Erdgeschoss! Und Fred, wenn ich sie bitten darf, hier draussen die Eingänge im Auge zu behalten!«

Charles und Fred stimmten dem Vorschlag Fitzpatriks zu. Fred hebt kurz die Hand und stellte die berechtigte Frage.

»Mit Verlaub, Patrik! Wie gehen wir vor, wenn sich der Kerl tatsächlich in diesem Lokal aufhält? Wollen sie ihn festsetzen oder einfach nur weiter beschatten?«

Der Commander überlegte kurz und meint dann.

»Berechtigte Frage, Fred! Ich glaube, was uns am meisten interessiert ist doch, *welche* Dinge Dutry aus Bolsters Wohnung mitgenommen hat? Voraus gesetzt er hat diese Dinge noch bei sich! Des Weiteren interessiert uns auch, *wer* der Auftraggeber für diesen Einbruch ist? Obwohl wir uns denken können, um *wen* es sich handelt! Wenn er also diese Einkaufstüte noch bei sich hat, werden wir ihn festnehmen. Wenn nicht, beschatten wir ihn weiter!«

Die zwei Agents nicken zustimmend und Fitzpatrik und Charles begeben sich zu den Eingängen des »Golden Phoenix«. Während dessen sich Fred gegenüber vor dem Restaurant »Four Seasons« postiert. Charles betritt den Speiseraum im Erdgeschoss und sieht sich unauffällig um. Erstaunlicherweise sind auch um diese Zeit doch viele Tische besetzt. Die Gäste, eine bunte Mischung unterschiedlicher Ethnien, geniesst die aufgetragenen Speisen. Es herrschte ein undefinierbares Stimmengewirr, das einen ziemlichen Lärmpegel verursachte. Ein freundlich lächelnder Chinese im schwarzen Outfit eines Chef de Service strebt auf Charles zu und verbeugt sich kurz mit gesenktem Kopf.

»Mein Name ist Liu Efang! Wie kann ich Ihnen behilflich sein, Sir? Darf ich sie an einen freien Tisch führen?«

Charles blickte auf den kleinen Mann hinunter, lächelte freundlich und entgegnete.

»Danke, Mr. Efang! Nein! Ich suche einen Bekannten. Er sagte, dass wir uns hier um diese Zeit treffen sollen. Ich darf mich doch einen Moment umsehen? Vielleicht ist er schon eingetroffen!«

Liu Efang nickte eifrig, zeigte mit der linken Hand in den Gastraum.

»Kein Problem, Sir! Sehen sich ruhig um. Im ersten Stock haben wir auch noch einen grossen Speiseraum. Dort links hinten führt eine Treppe hoch!«

Charles bedankte sich und tritt ein paar Schritte in den Raum, um einen besseren Überblick zu haben.

»Patrik! Hier unten sehe ich unseren Freund nicht. Wie sieht es bei ihnen aus?«

Umgehend hörte er die leise Antwort in seinem Ohrstöpsel.

»Charles! Fred! Ich habe unsere Zielperson entdeckt. Sitzt hier oben an einem Zweiertisch bei den Fenstern. Ist gerade beschäftigt eine geröstete Ente zu verdrücken. Die Einkaufstasche hat er an seiner Seite auf den Boden gestellt. Ich werde dem Knaben jetzt einmal auf den Zahn fühlen! Bleiben sie auf achtsam, Fred! Ich habe das Objekt im Auge. Beziehen sie Position an der linken Eingangstüre!«

Er tritt zu dem Tischchen an dem Roger Dutry gerade genüsslich ein Stück seiner gerösteten Ente in ein Schälchen mit Sojasauce tunkte und im Begriff ist, sie an seinen Mund zu führen.

»Entschuldigen sie, Sir! Dürfte ich vielleicht ganz kurz einen Blick in ihre Einkaufstasche werfen?«

Dutry hält mitten in der Bewegung inne, den Mund halb geöffnet und starrte irritiert auf das kleine schwarze Ledermäppchen mit dem Dienstausweis, dass ihm Fitzpatrik vor die Nase hält. Er blickt von dem Ausweis hoch zu dem ihm unbekannten Mann, dann wieder auf den Ausweis. Die Essstäbchen mit dem Stück Ente immer noch auf der Höhe seiner Lippen. Womit der Commander nicht gerechnet hat, dass Dutry, trotz seines behäbigen Aussehens, blitzschnell reagierte. In einer einzigen fliessenden Bewegung lässt er die Stäbchen fallen, greift mit der rechten Hand die Tasche und kippt mit der Linken gleichzeitig das Tischchen in Richtung des Commanders. Er springt mit grossen Schritten an dem überrumpelten Agenten vorbei in Richtung der hinteren Treppe. Mit seinem Ellenbogen rempelt er einen der Kellner an, der soeben mit einem grossen Tablett voller Schalen aus der Küche kommt. Der kleine Mann wird zu Boden geworfen, sein Tablett segelt in hohem Bogen knapp über die Köpfe einiger Gäste und zerschellt mit lautem Scheppern hinten an der Wand. Bevor Fitzpatrik überhaupt reagieren konnte, hatte Dutry das entstehende Chaos ausgenützt und ist schon oben an der Treppe angelangt.

»Fred! Passen sie auf! Dutry kommt gerade die Treppe

hinunter!«

Fitzpatrik presste seinen rechten Zeigefinger auf das Ohr mit dem Stöpsel, um besser hören zu können. Vernimmt aber nur ein Poltern und Krachen. Er ist inzwischen oben an der Treppe angelangt und sieht sofort, warum MacMillan nicht geantwortet hatte. Mit schnellen Schritten eilt er die Treppe runter und kniet neben dem halb am Boden liegenden Mann nieder.

»Fred! Alles in Ordnung? Ich muss wohl nicht fragen, was passiert ist! Dutry?«

Fred setzte sich auf, reibt seinen Hinterkopf, schüttelte sich kurz und bemerkt schwer schnaufend.

»Ich glaube mich hat soeben eine Dampfwalze überrollt! Was war denn das? Kommt der Kerl wie ein wilder Stier die Treppe runter gestürmt und putzt mich einfach weg, als sei ich Luft!«

Fitzpatrik hilft Fred auf die Beine und bedeutet ihm einen Moment ruhig zu sein.

»Ja, ich habe verstanden! Richtung Leicester Square Station! Ok, wir kommen sofort hinter her! Wir gehen durch den Eingang am Hippodrome!«

Er macht Fred ein Zeichen ihm zu folgen, während er erklärte.

»Charles folgt Dutry! Er hat natürlich mit gehört was passiert ist und draussen vor dem Restaurant gewartet. Er meinte, es sei vielleicht interessant zu erfahren wo Dutry hin will! Geht es wieder, Fred?«

Der reibt sich noch immer den Kopf, nickte kurz und meint grinsend.

»Ja! Es geht! Ich bin dafür, wir schnappen uns den Kerl! Ist ja gemein gefährlich, so einen frei rum laufen zu lassen!«

Die beiden verlassen das Lokal durch den Seiteneingang, wenden sich nach links und haben nach 80 Metern die Wardour Street erreicht. Von dort sind es nur noch ein paar Schritte bis zum Eingang der Underground Station.

»Charles! Wo sind sie jetzt? Fred meint, wir sollten uns Dutry sofort schnappen! Ich schliesse mich dem an. Wir sollten uns schnellstens vergewissern, was der aus der Wohnung Bolsters geschafft hat!«

Die Antwort von Roberts kommt umgehend.

»Ich folge ihm jetzt zur Northern Line, Richtung Piccadilly! Melde mich bald wieder!«

»Passen sie aber auf, Charles! Mit diesem Kerl ist nicht zu spassen! Und wir wissen auch nicht, ob er bewaffnet ist!«

Hörte Roberts die Warnung von Fitzpatrik in seinem Ohrstöpsel, während er Dutry in angemessener Entfernung folgte. Immer darauf bedacht diesen nicht aus den Augen zu verlieren. Sie fahren auf der Rolltreppe immer tiefer in den Untergrund Londons. Charles sieht gerade noch, wie Dutry, jetzt in einem der Verbindungstunnels zu den Plattformen der Northern Line verschwindet. Unten angekommen, folgt ihm Charles und schreitet etwas schneller in der mit weissen Fliesen ausgekleideten Röhre. Er eilt an zahllosen Werbeplakaten vorbei, die links und rechts an den Wänden, um die Aufmerksamkeit der vorbei eilenden Menschen buhlen.

Der typische Geruch der Underground steigt Roberts in die Nase. Einer Mischung aus abgeriebenem Gummi und heissem, metallisch riechendem Bremsstaub der ein- und ausfahrenden Züge. Die in den engen Röhren herrschende Wärme erzeugte eine erdrückende Mischung aus menschlichem Schweiss, verschiedenen Parfüms und feucht muffig riechender Kleidung. Es ist eine ureigene Atmosphäre, die in dieser Form nur in der Untergrundbahn von London anzutreffen ist. Allenfalls noch ähnlich in der Metro von Paris. Roberts beschleunigte seine Schritte, darauf bedacht die Person der er folgte nicht aus den Augen zu verlieren und dass er nicht von ihr bemerkt wurde. Zum Glück herrscht auf dieser Linie zu jeder Tageszeit reger Personenverkehr. Die Verbindungsröhre ist von zahllosen eilig gehenden Menschen bevölkert, die ihren Anschluss erreichen wollten. Immer wieder ist durch die Lüftungsschächte das Rattern und Quietschen der ein- und ausfahrenden Züge zu hören. Charles hatte schon die Befürchtung, dass er zu spät kommt und Dutry in einem Zug entkommt. Als er aus dem Verbindungstunnel auf die Plattform Southbound tritt, stellt er beruhigt fest, dass der nächste Anschluss erst in zwei Minuten einfahren wird.

Er blickte nach links, dann nach rechts. Suchte in den wartenden Menschen seine Zielperson. Dann entdeckte er die unverkennbare Gestalt Dutrys am Ende der Plattform stehen. Halb verdeckt durch die wartenden Menschen.

»Patrik, Fred! Könnt ihr mich hören? Dutry steht am Ende der Plattform Southbound der Northern Line Richtung Piccadilly Circus! Er hat mich nicht bemerkt und fühlt sich offensichtlich unbeobachtet und sicher! Ich werde ihm jetzt die Tasche abnehmen!«,

murmelte Charles und nähert sich währenddessen unauffällig dem Ende der Plattform.

»Charles! Passen sie auf! Sie wissen nicht, wie Dutry reagieren wird! Und denken sie daran, der Mann war Profiboxer! Warten sie noch, wir sind in zwei Minuten bei ihnen!«

Hörte er die drängende Stimme Fitzpatriks in seinem Ohr. Inzwischen ist Charles dicht hinter den Rücken des ahnungslosen Mannes getreten.

»Mr. Roger Dutry? Ich habe eine Waffe auf ihren Rücken gerichtet und werde nicht zögern diese zu gebrauchen! Sie sind hiermit, im Namen der Britischen Regierung festgenommen! Halten sie ihre Tasche ganz langsam nach hinten! Und keine hastigen Bewegungen, wenn ich sie bitten darf!«,

flüsterte Charles dem Mann unauffällig zu und hoffte, dass dieser auf seinen Bluff herein fällt. Dutry im Moment komplett überrumpelt, wer ihn da plötzlich anspricht, tat wie ihm geheissen. Fast wie ein Automat schwingt er seinen rechten Arm langsam nach hinten. Charles greift mit seiner rechten Hand nach vorne und nimmt ihm die Tasche ab.

In dem Moment dreht sich Dutry blitzschnell um die eigene Achse. Er streckte den rechten Arm und rammt Charles damit in die linke Seite. Charles stolperte, macht einen Schritt nach hinten, verliert das Gleichgewicht und fällt auf den Rücken. Mit dem Kopf in Richtung der Gleise, bleibt er für einen Moment benommen liegen. Aus dem Tunnel wirbelnd spürt er den warmen Luftzug, der die Ankunft des nächsten Zuges ankündigt. Er blickt zu seinem Gegner und sieht, wie dieser wie ein wilder Stier auf ihn zu stürmt. Er erkennt sofort Dutrys Absicht ihn über die Plattformkante auf die Gleise zu stossen. Als der Mann ihn fast erreicht hatte, hebt er beide Beine und rammt Dutry die Füsse in die Schienbeine. Der Mann wird von den Füssen gerissen und stürzt nach vorne auf Charles zu.

Der hebt seine Arme, greift an die Jackenaufschläge Dutrys und schleudert den überraschten Mann über die Kante der Plattform. Der fällt in dem Moment auf die Gleise, als der Zug in die Station einfährt. Charles hatte sich blitzschnell zur Seite gedreht und sieht noch, wie der Körper Dutrys zuerst an die untere Frontseite des Steuerwagens kracht und dann unter dem Waggon verschwindet. Das Quietschen der Bremsen vermischte sich mit dem leisen Knacken brechender Knochen und dem ratschenden Geräusch zerfetzter Sehnen und Muskeln. Als die automatische Notbremsung greift, kommt der Zug abrupt zum Stehen und es herrscht für eine Sekunde Totenstille. Dann bricht ein Sturm von Schreien, Weinen und Schluchzen los. Einige der Wartenden zeigen entsetzt auf den Steuerwagen, andere haben sich die Hände vors Gesicht geschlagen. Die, die am nächsten bei Dutry und Charles standen, zeigen auf ihn. Stimmen werden lauter.

»Der da!« - »Er hat den Mann vor den Zug gestossen!« - »Holt die Polizei!« - »Nein! Der andere hat diesen Mann angegriffen! - Ich habe es ganz genau gesehen!«

In dem Moment erscheinen Fitzpatrik und Fred aus dem Tunnel, der mit »Way out« gekennzeichnet ist und eilen zu Roberts. Der hat sich wieder hoch gerappelt und versucht, mit abwehrenden Händen, die Menschen zu beschwichtigen.

»Was ist passiert, Charles? Sind sie ok? Wo ist Dutry?«

Lässt sich der Commander vernehmen und blickt sich auf dem Chaos der Plattform um. Er zückte gleichzeitig seinen Dienstausweis, zeigte diesen den am nächsten stehenden Personen und scheucht diese weg. Charles holt einmal tief Luft, zeigte auf den Steuerwagen und berichtet.

»Ich habe Dutry mit einem Trick die Tasche abgenommen, als er mich plötzlich angreift. Er wollte mich von der Plattform auf die Gleise stürzen. Ich konnte ihn im letzten Moment abwehren. Dabei ist er gerade vor den einfahrenden Zug gestürzt! Die Leute meinen jetzt, *ich* habe ihn von der Plattform gestossen. Ich bin mir aber sicher, dass die Aufzeichnungen der Videoüberwachung meine Version bestätigen werden!«

In der Zwischenzeit ist ein halbes Dutzend Security Beamte der Londoner Underground eingetroffen und forderte die Menge auf die Plattform durch die drei Ausgänge zu verlassen.

Ein grosser schlaksiger Mann mit hellrotem Haar in der Uniform der Underground Security tritt zu den drei Agenten und stellte sich sehr höflich vor.

»Mein Name ist William Bruce! Ich bin leitender Officer der Underground Security für die Bezirke Northern und Central Line. Einige Personen haben angegeben, dass sie, Sir, den Mann absichtlich vor den Zug gestossen hätten? Können sie das in dieser Form bestätigen?«

Dabei zeigte der Officer mit seinem Zeigefinger auf Charles, der sich jetzt wieder gefangen hatte und eine unschuldige Miene zur Schau stellte. Fitzpatrik zeigte dem Officer einen Ausweis und bemerkte in sachlichem, aber bestimmtem Tonfall.

»Officer Bruce! Wie sie sehen bin ich vom MI6 und befugt jegliche Auskunft zu verweigern, wenn es um die *nationale Sicherheit* geht! Nun! Soweit es für sie von Belang ist, werde ich ihnen trotzdem erklären, wie es zu dem tragischen Unfall gekommen ist!«

Er zeigte mit der Hand auf Charles und Fred.

»Diese zwei Gentlemen, deren Namen ich nicht nennen

werde - arbeiten mit mir, also mit der Britischen Regierung, zusammen an den Ermittlungen eines Tötungsdeliktes in das der *Verunfallte* verwickelt war!«

Dabei weist er auf den Steuerwagen, bei dem jetzt etliche Rettungskräfte bemüht sind die sterblichen Überreste Dutrys zu bergen.

»Ich garantiere ihnen, dass dieser Gentleman in reiner Notwehr gehandelt hat und nur die unglücklichen Umstände zu dem Todesfall geführt haben! Wenn sie sich die Aufzeichnungen der Überwachungskameras ansehen, werden sie meine Aussage bestätigt finden! Veranlassen sie, dass die sterblichen Überreste des Verunfallten in die Rechtsmedizin des *Scotland Yards* überführt werden! Die persönlichen Effekten des Toten sind sofort an diese Adresse zur Auswertung zu senden! Haben sie das soweit verstanden, Officer? Und jetzt entschuldigen sie uns bitte, wir haben noch anderes zu tun! Hier meine Karte, falls sie noch weitere Fragen haben!«

Er drückte dem verblüfften Officer Bruce eine Visitenkarte in die Hand. Wendet sich Charles und Fred zu und bedeutet ihnen mit einem Kopfnicken, dass sie hier fertig sind und nun gehen können. Die Einkaufstasche, die er während des Kampfes verloren hatte, hebt Charles vom Boden auf. Dann folgen die beiden Agenten Fitzpatrik, der auf die Öffnung des Ausgangs zustrebt. Während sie durch das Gewirr der Verbindungstunnels nach Draussen gehen, fragt Charles.

»Patrik! Meinen sie, dass dieser Vorfall noch ein Nachspiel haben wird? Und was ist, wenn Officer Bruce sich beim MI6 meldet?«

Fitzpatrik lächelte verschmitzt und sagte.

»Keine Sorge, Charles! Wenn er sich auf der angegebenen Nummer meldet, wird er mit dem KI6 verbunden! Meine Mitarbeiter wissen dann schon, wie sie dem begegnen müssen!«

18

London - High Holborn - Zentrale KI6

Fitzpatrik, Charles und Fred eilen aus der Leicester Square Station auf die Charing Cross Road. Auf dem Gehsteig wartete schon Alaistair im Range Rover. Der Commander hatte ihn noch auf dem Weg nach oben angerufen und ihm kurz geschildert, was vorgefallen war. Sie steigen in den Wagen und Fitzpatrik sagt nach hinten gewandt.

»Alastair wird uns jetzt in die Zentrale des KI6 bringen! Dort haben wir die besten Voraussetzungen, um die Fundstücke und Dokumente aus Bolsters Apartment zu analysieren!«

Alastair fädelt den Wagen in den Verkehr ein und bringt sie auf dem schnellsten Weg zur High Holborn Street. Zwischen einem viktorianischen Gebäude, das sich »*Cittie of Yorke*« nennt, und einem moderneren Bau, der im Moment leer steht, befindet sich ein eher unscheinbares Haus aus weissem Sandstein. Charles bemerkte die schmale Durchfahrt, die durch ein schmiedeeisernes Gitter versperrt ist. Alastair betätigt eine Taste an seinem Lenkrad und wie von Geisterhand öffnet sich das Gitter und gibt den Zugang frei. Er manövriert den Wagen durch die enge Durchfahrt und sie gelangen in einen rechteckigen Hof, der an allen Seiten von schlichten Backsteingebäuden eingefasst ist. In der Mitte, um eine längliche Grünfläche, sind etliche Parkplätze vorhanden. Er stellt den Rover auf ein reserviertes Parkfeld. Fitzpatrik führt die beiden durch ein Eingangsportal in eine hohe Halle, die eine gewisse Ähnlichkeit mit der Zentrale der CISMA in Washington aufweist. Nicht wegen der Bauweise, sondern weil in der Halle etliche Messingschilder verschiedenster Handelsfirmen und Anwaltskanzleien den

Eindruck eines Geschäftshauses vermitteln.

Nur dem geschulten Auge eines Agenten würden die gut getarnten Überwachungskameras auffallen. Oder, dass die zwei Männer hinter der Empfangstheke einen äusserst wachsamen Eindruck und unterschwellige Kampfbereitschaft vermitteln. Der Commander begrüsste die Wachleute und erklärt ihnen in knappen Worten, wer die Herrschaften aus den Staaten sind. Der eine Wachmann nickte kurz, notierte etwas und händigt Fitzpatrik zwei kleine Gegenstände aus. Der übergibt Charles und Fred je einen Kreditkarten grossen Badge.

»Diese Badges erlauben euch sich in unserer Zentrale mehr oder weniger frei zu bewegen! Nur zu einigen speziellen Bereichen haben sie keinen Zutritt! Bitte mir zu folgen!«

Er machte eine einladende Bewegung und geht auf den Aufzug zu. Mit seinem Badge öffnet er die Schiebetüren des Aufzugs und die drei Männer fahren in die zweite Etage. Alastair bleibt in der Lobby zurück, um einigen Papierkram zu erledigen. In der zweiten Etage angelangt, betreten sie einen grosszügig dimensionierten Korridor, von dem links und rechts etliche mit Iris-Scannern ausgerüstete Türen abgehen. Fitzpatrik erklärt den Agenten.

»Diese speziell gesicherten Türen gehören zu den Bereichen zu denen sie keinen Zutritt haben! Leicht zu erkennen an den Iris-Scannern. Was sich dahinter befindet unterliegt der strengsten Geheimhaltung!«

Patrik führte sie bis ans Ende des Korridors, legt seinen Badge auf ein kleines schwarzes Feld, das rechts neben der massiv aussehenden Türe angebracht ist. Mit einem leisen Klicken und dem Aufleuchten einer grünen LED erfolgte die Freigabe und die Türe öffnete sich automatisch. Er bittet Charles und Fred in den dahinter liegenden Raum. Als sie eintreten wird automatisch die Beleuchtung eingeschaltet. Der Raum entpuppt sich als geräumiges Konferenzzimmer. Die Wände sind aus edlem Mahagoniholz getäfelt. Die weisse Decke ist mit typisch viktorianischen Stuckaturen verziert An einer Seite befinden sich hohe Fenster, die von schweren blickdichten Samtvorhängen eingerahmt sind. In der Mitte steht ein grosser Konferenztisch, gesäumt von acht Stühlen. Alle im Regencystil gefertigt. An der Wand zu ihrer Linken ist ein grosser OLED Bildschirm der neuesten Generation montiert. An der rechten Wand hängt ein gleich grosses Ölgemälde, das eine Seeschlacht des 18ten Jahrhunderts darstellt. Abgesehen von einer kleinen Kommode, auf der Gläser und Wasserflaschen stehen, ist keine weitere Einrichtung zu sehen. Fitzpatrik tippte auf eine Taste neben der mit abgestepptem dunkelgrünem Leder gepolsterten Türe, die sich geräuschlos wieder schliesst. Er fordert Charles und Fred auf sich zu setzen. Die drei Männer nehmen an dem Konferenztisch Platz. Fred stellte die Einkaufstasche neben sich auf einen der Stühle und entnimmt den Inhalt. Er legt den ansehnlichen Stapel Papiere in die Mitte.

»Ich schlage vor wir gehen gleich vor, wie in Bolsters Apartment! Jeder nimmt sich einige der Dokumente und wir arbeiten uns systematisch durch die Papiere!«

Die beiden nicken zustimmend und Fred teilt die Dokumente in etwa gleich grosse Stapel. In der nächsten Stunde arbeiten sie sich schweigend durch die Unterlagen. Nur das Rascheln von Papier ist zu hören, ab und zu unterbrochen durch das blubbernde Eingiessen von Wasser in Gläser. Sie legen die Dokumente ohne Belang in die Mitte des Tisches. Nachdem jeder seine Stapel durch gearbeitet hatte, liegen nur noch wenige Blätter vor den Männern. Fitzpatrik ergreift als Erster das Wort.

»Gentlemen! Soweit ich das beurteilen kann, sind unter diesen Dokumenten - zumindest in meinem Stapel - nur wenige wirklich aufschlussreich!«

Er nimmt das oben liegende Dokument und tippt mit dem Zeigefinger darauf.

»Diese Notiz ist an und für sich interessant! Gerald Bolster hat hier eine relativ detaillierte Skizze einer Anlage gefertigt, die, so wie ich vermute, die Forschungseinrichtung für seine

Experimente mit *Hafnium 72* aufzeigt! Die Randnotizen sind zwar ziemlich kryptisch abgefasst, ich interpretiere diese jedoch als Kürzel für die Einrichtungen auf der Insel Huemul!«

Er legt das Blatt zur Seite und nimmt das nächste Dokument.

»Auf dieser Notiz beschreibt Bolster, wie er sich die Anreicherung des *Isotops Hf 178* und das daraus gewonnene *Isomer Hf 178m2* und dessen Anwendung als Sprengstoff sowie die Auslösung der Explosion vorstellt!«

Auf einer in den Text eingefügten Skizze ist ein längliches Objekt zu sehen, das an einen Schreibstift erinnert.

»Wie ich aus den Berechnungen hier an der Seite ablesen kann, handelt es sich um die angenommene Sprengkraft, die diese Objekte entwickeln könnten! Er rechnete, bei einer Menge von nur *einem* Gramm, mit dem Äquivalent von 50 Kilogramm TNT!«

Er lässt seine Worte wirken und konnte sich ein Lächeln nicht verkneifen, als er die ungläubigen Mienen von Charles und Fred bemerkt. Fred hebt seine Hand und meinte Kopf schüttelnd.

»Das würde bedeuten, dass im Umkreis von 30 bis 35 Metern alles und jedes pulverisiert wird?«

»Das ist richtig, Fred! Ganz zu schweigen von der dadurch freigesetzten Gammastrahlung!«,
ergänzte Fitzpatrik, dann nimmt er das letzte Blatt und zeigt es in die Runde.

»Auf diesem Dokument mit dem Datum *January 2017*, beschreibt Bolster, wie er den entscheidenden Durchbruch mit dem *Isomer Hf 178m2* erreicht hatte! Und zwar in Vandorps unterirdischen Anlage FEP-9 auf Yucatán! Mehr Neues konnte ich nicht finden, was wir nicht schon wissen oder vermuten!«

Er schiebt seine drei Blätter in die Mitte und nun zeigt Charles auf seine magere Ausbeute, die er vor sich liegen hatte.

»Das einzig Interessante das in meinem Stapel zu finden war, ist diese doch sehr detaillierte Skizze des *Komplex FEP-X*!

Wie wir vermuteten, bestätigt Bolster, dass sich dieser auf der Isla Huemul befindet! Offensichtlich hat Rick Vandorp einen unterirdischen Teil der alten Anlagen Dr. Richters entdeckt und diesen ausbauen lassen!«

Auf der Zeichnung, die Charles den beiden zeigt, ist eine runde Halle mit einem verborgenen Zugang und einem Fluchttunnel zur Nordküste dokumentiert. Die eingetragenen Massangaben vermittelten einen Eindruck über die beachtliche Dimension der Anlage. Charles deponierte das Blatt ebenfalls in der Mitte und sieht Fred auffordernd an. Der klopft mit der flachen Hand auf seinen Stapel und schüttelt nur leicht den Kopf.

»Leider habe ich nichts gefunden, das uns wirklich weiter hilft, beziehungsweise was wir nicht schon wissen! Das müsste sich schon ein Physiker oder Mathematiker zu Gemüte führen! Lauter Berechnungen und Formeln, aus denen auch der *geniale* Fred MacMillan nicht schlau wird!«

Für einen Moment schweigen die drei und blicken gedankenverloren auf die Dokumente in der Mitte des Tisches. Fitzpatrik löst die gespannte Atmosphäre indem er in seine Tasche greift und die Hand flach auf die Tischplatte legt. Als er sie zurück zieht, ist ein kleiner schwarzer Gegenstand sichtbar - der Flashspeicher aus Bolsters Versteck.

»Hier haben wir noch ein *Corpus Delicti*, das uns eventuell noch mehr Fakten liefern könnte? Vielleicht konnte euer Abel Mankowski in der Zwischenzeit schon die Verschlüsselung knacken? Was meinen sie, Charles?«

Der zeigte auf den grossen Monitor an der Wand.

»Können sie über diesen Bildschirm eine sichere Verbindung zur CISMA herstellen?«

»Kein Problem, Charles!«,

antwortete der Commander, zieht ein bisher verborgenes Schubfach unter dem Tisch hervor und entnimmt der Schublade eine flache Tastatur. Er tippt einige Befehle und der Bildschirm erwacht zum Leben. Zuerst wird ein Logo sichtbar. Eine stilisierte Kombination der Zeichen des KI6, darüber das

Wappen der Britischen Regierung. Nach drei kurzen Piepstönen, wechselt das Bild und das markante Gesicht Abel Mankowskis wird sichtbar.

»Ja, hallo Leute! Ich habe schon auf euren Anruf gewartet! Wie kann ich euch helfen? Keine Frage! Natürlich möchten die drei Musketiere wissen, wie es mit der Entschlüsselung der Daten vom ehrenwerten Dr. Bolster geklappt hat?«

Abel setzte ein zufriedenes Gesicht auf und verzichtete für einmal sich einen Schokoriegel in den Mund zu stopfen, bevor er weiter fährt.

»Also! Meiner Wenigkeit und *Golem* ist es natürlich ohne Problem und im Null-Komma-Nichts gelungen, die geradezu lächerliche Verschlüsselung zu knacken!«

Charles unterbricht seinen Redefluss.

»Abel! Bitte nicht abschweifen! Komm auf den Punkt!«

»Sorry, Charles! Also! Die Dateien enthalten so etwas Ähnliches, wie ein persönliches Tagebuch des guten Doktors! Er hat darin - in mehr oder weniger ausführlicher Form - die wichtigsten Ereignisse seiner letzten drei Jahre nieder geschrieben! Ich habe Golem darauf programmiert, die für uns wichtigen Einträge heraus zu filtern! Im Wesentlichen schildert er, wie er zur Lösung seiner Forschung bezüglich des Projektes *Hafnium 72* gekommen ist. Aber auch die Arbeiten seiner zwei Kollegen, den Genetikern *Majol* und *Ferruccio* beschreibt er. Wenn auch nur in sehr kurz abgefasster Form!«

Charles stellt ein Zwischenfrage.

»Kannst du uns die Daten zusenden? Und steht auch etwas über den Verbleib von Vandorp und seine Helfer darin?«

»Das ist äusserst interessant, Charles! Er bestätigt mit seinen Einträgen eindeutig, dass Vandorp, Samantha Wong und Adolf der Klon noch leben! Und auch, dass sich diese definitiv nach Argentinien, genauer an den *Lago Nahuel Huapi* abgesetzt haben! Des Weiteren geht daraus hervor, dass Vandorp eine *riesige* Schweinerei plant! Einerseits arbeitet er weiter am *Projekt Axolotl*, anderseits hat er irgend etwas Grosses unter dem Codenamen »*Genesis*« vor! Kein Wunder lässt er die drei Wissenschaftler um die Ecke bringen. Bei dem, was die über seine Pläne wissen! Ich sende euch jetzt die Daten! Schön geordnet nach Brisanz des Inhalts!«

Wie üblich, kappte Abel einfach die Verbindung und gleichzeitig erscheint ein Icon auf dem Monitor, das den Eingang einer Datei anzeigte. Nachdem Fitzpatrik den Ordner geöffnet hatte, sehen die drei Männer das erste von insgesamt elf PDF Dokumenten. Es handelte sich um akkurat angelegte Textdateien, die mit dem jeweiligen Datumseintrag versehen sind. Abel hatte schon alle relevanten und wichtigen Textpassagen markiert. Sie überfliegen die Dateien eine nach der anderen und lesen mit wachsendem Entsetzen, was Bolster über Vandorps Pläne zu Papier gebracht hatte. Nach dem letzten Dokument herrscht betretenes Schweigen.

19

London - Zentrale KI6

In dem Moment vibrierte Fitzpatriks Smartphone. Er nimmt es auf und hörte kurz zu, beendete das Gespräch und blickt zu Charles und Fred.

»Das war unser Leiter der Forensisch-Technischen Abteilung! Er hat die persönlichen Effekten von Roger Dutry erhalten und die Untersuchungen abgeschlossen. Er bittet uns zu ihm ins Labor zu kommen. Er meinte einige wichtige und interessante Hinweise gefunden zu haben!«

Die drei Männer erheben sich, verlassen das Konferenzzimmer und begeben sich zu einer der speziell gesicherten Türen. Nach Bestätigung durch den Iris-Scanners, dass Fitzpatrik autorisiert ist diesen Bereich zu betreten, entriegelt sich das Schloss mit hörbarem Klicken. Die drei Männer treten in den dahinter liegenden Raum. Charles und Fred sind sichtlich beeindruckt. Ähnlich der Abteilung von *Daryl Smith* in der CISMA ist die Forensisch-Technische Abteilung des KI6 in einem grossen Raum untergebracht. Auffällig ist nur, dass der Raum keine Fenster aufweist. An etlichen grossen Arbeitstischen sind Mitarbeiter am Werkeln. Futuristisch anmutende Geräte summen leise vor sich hin. Bildschirme beleuchten mit dem typisch eigenartig bläulichen Schein die Gesichter der davor arbeitenden Frauen und Männer. An einem der grossen Tische steht, den Rücken zu den drei Agenten gekehrt, ein hagerer Mann und ist scheinbar in die Betrachtung eines Gegenstandes vertieft. Fitzpatrik räusperte sich vernehmlich. Der Mann drehte sich um, immer noch die Stirn gerunzelt, die Augen leicht zusammen gekniffen.

Dann erhellt sich das Gesicht des Mannes und er kommt auf die drei Agenten zu. Mit einem breiten Lächeln streckt er Fitzpatrik die Hand hin.

„Patrik, mein lieber geheimer Geheimagent! Entschuldige! War gerade in ein kniffliges Problem vertieft. Aber es freut mich, dich wieder einmal in meinen Gefilden begrüssen zu können!“

Er schüttelte Patrik kurz und kräftig die Hand, wendet sich Charles und Fred zu und packt mit festem Griff Freds Hand.

»Und natürlich begrüsse ich auch gerne die zwei berühmten Kollegen aus den Staaten! Ihr Ruf eilt ihnen voraus und es ist mir eine Ehre sie kennen lernen zu dürfen! Ist es wohl!«

Während er immer noch Freds Hand festhält, richtete er sich an Charles.

»Diese Geschichte auf der Halbinsel Yucatán! Alle Achtung! Ein aussergewöhliches Abenteuer - ist es doch?«

Er lässt Freds Hand los, ergreift mit beiden sofort die Rechte von Charles und meinte.

»Oh! Entschuldigen sie! Wie unhöflich von mir! Ich bin *Peter MacGregor*. Leiter dieses seltsamen Etablissements - auch »Forensisch-Technisches Labor« genannt!«

Peter MacGregor ist von unbestimmbaren Alter. Er hat eine ausgeprägte Halbglatze und trägt sein ergrautes, fast schulterlanges Haar in einem wirren Kranz um seinen Hinterkopf. Ein wuschiger Schnurrbart zierte seine Oberlippe. Die etwas altmodische Brille mit den dicken Gläsern lässt seine lebhaften braunen Augen grösser erscheinen. 190 Zentimeter gross und sehr hager, ist MacGregor in einen weissen Laborkittel gehüllt, der ihm von seinen schmalen Schultern hängt und scheint eine Nummer zu gross zu sein. Fitzpatrik zeigte auf Peter MacGregor.

»Charles, Fred! Peter ist das britische Äquivalent zu eurem *Daryl Smith*! Es gibt kein Problem in der Technischen Forensik, dass *er* nicht lösen könnte! Also, Peter! Was hast du Schönes für uns!«

»Oh! Ja, ja! Bitte die Gentlemen mir zu folgen!«

Mit einer Handbewegung bedeutete er den drei Agents, ihn zu einem grossen Werktisch zu begleiten. Fein säuberlich sind etliche Gegenstände auf der hölzernen Tischplatte ausgerichtet. MacGregor wedelte mit der Hand über die Gegenstände und wendet sich an die drei Männer.

»Das! Gentlemen! Sind alle Effekten, die uns von der Underground Security geliefert wurden!«

Er machte eine Kunstpause, kneift die Augen zusammen und grinst auf den Stockzähnen.

»Diese gehörten, wie sie ja bereits wissen, dem leider unter so tragischen Umständen zu Tode gekommenen Mister Roger Dutry!"

Eine weitere Kunstpause.

»Nun! Wir haben - wie immer - jeden dieser Gegenstände gewissenhaft untersucht! Haben wir wohl?"

Fitzpatrik räusperte sich und unterbricht Peter, der MacGregors Eigenart zu vielen Kunstpausen kannte.

»Peter! Bitte komm auf den Punkt! Wir sind leider ein bisschen unter Zeitdruck! Hast du etwas Wissenswertes oder Relevantes für uns gefunden?«

Leicht verlegen antwortet MacGregor.

»Excuse me, nicht wahr? Also! Im Wesentlichen haben wir hier die üblichen Utensilien, die ein Mann heutzutage so mit sich rumschleppt! Eine Brieftasche, ein kleines Notizbuch, dann Zigaretten, ein Feuerzeug und ein Smartphone! Oder besser gesagt, was davon übrig ist!«

Er zeigt auf drei weitere Objekte auf dem Werktisch.

»Nicht unbedingt zur Standardausrüstung eines *normalen* rechtschaffenen Bürgers gehören wohl dieses Klappmesser, diese kleine - aber dennoch recht tödliche - Taschenpistole der Marke FN im Kaliber 6.25 mm und das dazu gehörende Ersatzmagazin!«

Mit einem verschwörerischen Ausdruck fährt er fort.

»Die Brieftasche enthält das Übliche - Kreditkarten, ID-Card,

Führerschein, einige Banknoten und ein paar uninteressante Quittungen!«

Wieder eine Kunstpause.

»Interessant ist jedoch diese kurze Notiz!«

Er nimmt einen kleinen transparenten Beweismittel-Beutel vom Werktisch. In dem steckte ein kleiner Fetzen Papier. MacGregor betrachtet den Beutel eine Weile von allen Seiten.

»Das, Gentlemen! Ist die Ecke, die aus einer Seite einer zwei Wochen alten Tageszeitung abgerissen wurde! Um genau zu sein - einer Ausgabe der „Daily News" - und zwar von der Sportseite oben rechts! Das Interessante daran ist der hastig an den Rand gekritzelte Namen - *Henrique Velasquez*!«

MacGregor reichte Fitzpatrik den Beutel, der ihn kurz betrachtete und ihn dann Charles übergibt. Fitzpatrik blickt MacGregor fragend an.

»Nun! Obwohl das Smartphone Dutrys bei der unfreiwilligen Begegnung mit der Underground massiv beschädigt wurde, konnten wir die darauf befindlichen Daten auslesen! Uns hat interessiert, inwiefern der Name auf dem Papierfetzchen im Kontext zu den Verbindungsdaten auf seinem Smartphone stehen könnte. Und, ja! Wir sind fündig geworden! Der Name - *Henrique Velasquez* - ist im Nummernverzeichnis aufgeführt! Und, ja! Es bestand ein reger Austausch von Telefonaten und Kurznachrichten!«

MacGregor zeigte auf den grossen Flachbildschirm, der am hinteren Rand des Werktisches steht. Er macht mit seinen Händen ein paar Gesten und auf dem Bildschirm erscheint ein Dokument mit einer Liste von Telefonnummern und Kurznachrichten. Er zeigt auf die Trümmer des Smartphones, dann auf den Monitor. Mit der Spitze seines rechten Zeigefingers deutet er auf eine Stelle in der Mitte des Bildschirms, an der, wie mit einem Laserpointer, ein roter Punkt aufleuchtete. Dann verschiebt er den Punkt zu einem der Dokumente, macht mit dem Daumen eine kurze tippende Bewegung auf seinen Zeigefinger, die an das Anklicken der Taste auf einer Maus erinnerte und das Dokument wanderte in den mittleren Bereich des grossen Bildschirms.

Staunend beobachten Charles und Fred, wie MacGregor wie von Zauberhand, die Elemente auf dem Monitor bediente, ohne dass er direkten Kontakt hat. Fred starrte MacGregor etwas irritiert an, dann blickte er zu Patrik und fragte.

»Patrik? Ist der liebe Peter etwa ein verkappter Zauberlehrer à la Harry Potters Dumbledore? Oder wie kann er dann diesen Bildschirm bedienen? Wir haben zwar auch solche Spielereien bei der CISMA. Jedoch funktionieren die nur wenn man den Bildschirm berührt oder mit einem Datenhandschuh bedient!«.

Patrik schmunzelte und erklärte.

»Sie haben Recht, Fred! Normalerweise funktionieren auch bei uns in „good old England" diese Dinge so wie bei euch. Aber Peter wäre nicht Peter, wenn ihm das nicht zu umständlich ist! Darum hat er sich einen Mikrochip - nicht grösser als ein Reiskorn - in die rechte Handfläche implantiert! Der wandelt die Bewegungen seiner Finger direkt in Befehle um und sendet diese drahtlos an den Monitor weiter leitet. So kann er das Ganze, sozusagen mit einem Fingerschnippen, steuern!«

Fred schaute konsterniert und bringt nur ein

»Aha! Was denn sonst!«

hervor.

Charles Roberts nickte anerkennend und meint trocken.

»Das sollte Peter unserem Abel und Daryl erzählen! Die werden sicher auch auf so was abfahren! Aber bitte, Peter! Erklären sie doch weiter!«

MacGregor richtet den roten Punkt auf den kurzen Austausch von Textnachrichten.

»Was wir hier sehen, beziehungsweise lesen, ist der Beginn eines kurzen Nachrichtenaustauschs zwischen Henrique Velasquez und Roger Dutry! Aber bitte Gentlemen! Lesen und staunen sie selbst! Nicht wahr!«, sagte Peter mit einem leisen Kichern. Die drei Agenten beginnen zu lesen, während MacGregor mit Handzeichen den Chat langsam nach unten scrollte.

HV an RD: „Auftrag! Dringend! Aptmt/Bolster!
Docs suchen und zerstören!"
RD an HV: „Ok! Verstanden! Was sonst?"
HV an RD: „Wiederhole! Dringend! Rapport wenn erledigt!"
RD an HV: „Verstanden! Wann Cash? Wo?"
HV an RD: „Bin in LDN! Treff - Leicester Square - 1700!
Over and out!"

Charles kommentierte als Erster.

»Also ist der Sachverhalt klar! Dieser Velasquez beauftragt Roger Dutry in Bolsters Apartment einzubrechen, um kompromittierende Dokumente zu suchen und diese anschliessend zu vernichten! Nur kommt Dutry nicht mehr dazu, da er sich zuerst eine Peking-Ente gönnen wollte und wir ihm somit in die Quere gekommen sind. Soweit, so klar!«

Charles blickte in die Runde und Fitzpatrik ergänzte.

»Für den Auftrag sollte Dutry von Velasquez bezahlt werden und ihn zu diesem Zweck irgendwo am Leicester Square treffen! Da nun Dutry nicht auftaucht - was wird Velasquez denken und tun?«

Fred hakt sofort nach.

»Er wird denken, dass etwas schief gegangen ist! Denn ich meine, Velasquez nimmt nicht an, dass Dutry auf die Bezahlung verzichtet! Aber er weiss nicht warum!«

MacGregor verschiebt das Dokument mit dem Chat nach aussen und vergrösserte das Protokoll der Aktivitäten auf Dutrys Smartphone.

»Fred hat Recht! Im Protokoll ersichtlich, gibt es nach 16:00 Uhr keine eingehenden Anrufe oder Textnachrichten mehr! Was nur logisch ist, da Mr. Dutry und sein Smartphone zu diesem Zeitpunkt das Zeitliche gesegnet haben!«

Charles wandte sich an Peter.

»Jetzt wissen wir zumindest *wer* Dutrys Auftraggeber ist. Und ich bin mir ziemlich sicher, dass hinter diesem Velasquez noch eine andere Person steht!«

Fred und Patrik sagen fast gleichzeitig.

»Rick Vandorp?“

Charles bestätigt seine These mit einem Nicken und fährt fort.

»Peter! Können sie Velasquez‘ Tele- oder Smartphone orten? Und haben sie eventuell schon Hintergrund-Informationen zu dem Typen?«

MacGregor muss nicht lange überlegen und meint verschmitzt.

»Natürlich habe ich schon gedacht, dass sie das fragen werden! Hab ich doch!«

Er schnippte mit seinen Fingern und auf dem Bildschirm erscheint eine fein säuberlich dargestellte Personalakte.

»Zu ihrer ersten Frage, Charles! Ja! Selbstverständlich können wir - trotz Verschlüsselung - das Smartphone von Velasquez orten! Wir sind ja schliesslich beim KI6! Zu ihrer zweiten Frage - voila! Die Vita von Mr. Henrique Velasquez! Auch genannt der „Schatten“!«

20

Argentinien - Inalco Haus

Vollkommen erschöpft lässt sich Samantha Wong in die Kissen fallen. Zu ihrer Linken liegt Rick Vandorp auf dem Rücken, schwer atmend und mit geschlossenen Augen. Nach über einer Stunde ausgiebiger, wie er es nannte, »Morgengymnastik«, in der sein unersättlicher Hunger nach Sex wieder zu erwachen schien, hatten sie sich zum dritten Mal vereinigt. Nun liegt Sam neben dem grossen Mann und betrachtete ihn von der Seite im dämmerigen Licht der zugezogenen Vorhänge. Ihre Blicke schweifen über sein schön geschnittenes Gesicht, das mit den gefärbten schwarzen Haaren und dem Bart so verändert aussieht. Sie erinnerte sich an den Mann, der sie vor Jahren, im wahrsten Sinne des Wortes, aus dem Sumpf des Lasters und der Drogen gezogen und das Leben gerettet hatte.

Damals vor 21 Jahren - man schreibt das Jahr 1999 - das grosse Ereignis der Jahrtausendwende steht vor der Tür, ist Samantha Wong nur noch ein Schatten ihrer selbst. Nachdem fünf Jahre zuvor ihre Eltern bei einem tragischen Brand ums Leben gekommen sind und die kleine Samantha nur durch extrem grosses Glück überlebte, war sie von einem Tag auf den anderen Vollwaise. Zunächst wurde Samantha in einem Waisenhaus ausserhalb Londons untergebracht. Dort gefiel es ihr eigentlich sehr gut. Die Kinder wurden von verständnisvollen Betreuern umsorgt und der Umgang mit den anderen Waisen war kameradschaftlich. Bis zu dem Tag, als ein neuer Heimleiter eingestellt wurde. Von da an war es mit der familiären Atmosphäre, die bis anhin unter den Betreuern und den Waisen geherrscht hatte, vorbei. Strenge diktatorische Regeln wurden eingeführt. Selbst das geringste Vergehen seitens der Heiminsassen wurde mit zum Teil altertümlich anmutenden drakonischen Strafen geahndet.

Und immer öfter geriet die junge Samantha aufgrund ihres selbstbewussten Wesens ins Visier des Heimleiters. Inzwischen vierzehn Jahren alt, ist sie zu einem jungen Teenager gereift, der immer mehr die beginnende Schönheit ihrer eurasischen Abstammung erahnen lässt. Und es entwickelte sich bei ihr die störrische Verhaltensweise pubertärer Jugendlicher. Mehr als einmal wurde sie in einen kleinen fensterlosen Raum, mehr einer Zelle gleichend, für mehrere Tage vollkommen isoliert. Ohne Licht, mit nur einer kargen Mahlzeit am Tag.

Und dann geschah es an einem dieser wiederholten Aufenthalte in der Isolation, als der neue Heimleiter in ihre Zelle kam.

Master Reverend *John Smythe*, so der Name des vierzig jährigen Mannes, ist von grob schlächtiger untersetzter Figur. Sein ungesund bleich wirkendes Gesicht mit den schwülstigen Lippen, dem scheinbar immer leicht lächelnden Mund und den kleinen Schweinsäuglein, war ein ausnehmend unsympathischer Zeitgenosse.

»Meine liebe kleine Samantha! Schon wieder mussten wir dich für deine Renitenz bestrafen! Ich kann dir einiges an Unbill ersparen, wenn du etwas nett zu mir bist!«,

sagte er in zuckersüssem Tonfall, während sich ein lüsterner Ausdruck in seinen kleinen Augen spiegelte. Er trat ganz nahe an die zierliche junge Frau und umfasste mit seinen fleischig dicken Finger ihre Schultern. Sie bemerkte an seinem Mundgeruch, dass er zuvor reichlich Alkohol konsumiert hatte.

»Du kennst doch Gottes Gebot, dass da heisst - *Liebe deinen Nächsten wie dich selbst!* Also zeige mir deine Liebe und ich erlöse dich von allen Strafen!«

Als Reverend Smythe versuchte Samantha zu küssen, wich sie ein wenig zurück, blickte zu ihm hoch und machte Anstalten seinem Begehren nachzugeben. Unvermittelt stösst sie den Reverend von sich und rammt dem überraschten Mann ihr rechtes Knie in den Schritt. Smythe lässt sofort ihre Schultern los und fasste, sich nach Luft ringend, mit den Händen zwischen die Beine. Samantha lehnte mit dem Rücken an der kahlen Zellenwand und schrie den verblüfften Heimleiter lautstark an.

»Nie! Niemals wieder wirst du versuchen mich anzufassen, du Schwein! Sonst bringe ich dich um!«

Reverend Smythe blickte Samantha mit gefährlich glitzernden Augen an, immer noch vorn über gebeugt und keuchte.

»Das wirst du büssen! Du kleines asiatisches Luder!«

Dann richtet er sich auf, hob die rechte Hand und verpasste ihr eine schallende Ohrfeige, die Samantha zu Boden stürzen liess. Smythe wollte sich schon in unbändiger Wut auf das am Boden liegende Mädchen stürzen, als die Türe aufgerissen wurde und einer der Betreuer in die Zelle stürmte.

»Master Reverend Smythe, Sir! Ich habe Lärm gehört! Was ist passiert? Kann ich ihnen behilflich sein?«

Irritiert blickte der Mann von Smythe auf Samantha und bemerkte ihre gerötete Wange. Der Reverend hält in seiner Bewegung inne, drehte sich um und schnauzte den Betreuer ärgerlich an.

»Henderson! Was erlauben sie sich, hier einfach so herein zu platzen? Ich habe ausdrücklich befohlen, dass ich ungestört mit der jungen Dame sprechen will, um sie auf den Pfad der Tugend zurück zu führen!«

Samantha wollte soeben etwas entgegnen, aber der Reverend schnitt ihr sofort das Wort ab.

»Du bist still! Ein unbedachtes Wort kann dir nur weiteren Ärger einbringen! Henderson! Sie haben nichts gesehen und nichts gehört. Haben wir uns verstanden? Und jetzt hauen sie ab oder haben sie nichts zu tun?«

Kleinlaut verlässt Henderson die Zelle und entfernte sich mit Kopfschütteln. Smythe wendet sich wieder Samantha zu. Mit jetzt wieder ganz ruhiger Stimme sagt er.

»Mein liebes kleines Mädchen! Es gibt noch ganz andere Wege deinen störrischen Charakter zu brechen! Heute Abend komme ich wieder!«

Der Reverend drehte sich um, geht aus der Zelle, verschliesst die Türe und lässt Samantha zurück, die über den Sinn seiner Worte grübelte.

Samantha Wong sitzt in vollkommener Dunkelheit mit angezogenen Beinen auf ihrer harten Pritsche. Die Arme um die Unterschenkel geschlungen, den Kopf auf ihren Knien. Ihr scheint, dass schon eine Ewigkeit vergangen ist, als sie das metallische Geräusch eines sich drehenden Schlüssels aus der Richtung der Zellentüre hörte. Sie hebt den Kopf und wird in dem Moment vom grellen Licht geblendet, das durch die Türöffnung dringt. Im Türrahmen erkennt sie sofort die unverwechselbare dunkle Silhouette von Reverend Smythe. *»Also ist es schon Abend und dieser Mistkerl ist gekommen um mich zu vergewaltigen!«* Denkt Samantha erschauernd, ist aber gewillt ihre Jungfräulichkeit so teuer wie möglich zu verteidigen. Doch der Reverend tritt nicht in die Zelle. Er bleibt im Türrahmen stehen und sagt in befehlendem Ton.

»Aufstehen und herkommen! Und komme ja nicht auf dumme Gedanken!«

Ein bläuliches Blitzen schoss für eine Sekunde aus Smythes rechter Hand und ein Knistern ist zu hören. Samantha erkannte, dass er einen Elektroschocker in der Hand hält. Zögernd steht sie auf und nähert sich der Zellentüre. Smythe dreht sich auf die Seite und lässt sie aus der Zelle in den hell erleuchtenden Gang treten. Kein Mensch ist zu sehen und es herrscht eine gespenstische Ruhe. Smythe presst ihr den Elektroschocker in die linke Seite und bedeutet ihr, sie solle nach rechts gehen. Samantha weiss, dass dieser Korridor nach draussen auf den ummauerten Hof des Waisenhauses führt. *»Was hat er bloss vor? Vielleicht kann ich ja auf dem Hof abhauen?«* Dachte sie sich, als sie ins Freie treten. Auf dem Hof parkte ein schwarzgrauer

Lieferwagen. Davor standen eine Frau und ein Mann, beides Asiaten. Der Reverend schubst Samantha zum Wagen und den beiden Personen, die sich als Chinesen entpuppen.

»Das ist das kleine Juwel, von dem ich euch erzählt habe! Eine aufblühende Rose - *unverbraucht*!«,

bemerkte Smythe mit einem anzüglichen Grinsen und zeigte auf Samantha. Die Frau und der Mann betrachteten sie von oben bis unten. Sie hatte noch ihre Heimkleidung an, die auf Grund der langen Isolation ziemlich schmutzig war.

»Deine Rose scheint mir aber etwas arg ramponiert! Zudem riecht sie ziemlich streng! Das hat natürlich einen Einfluss auf den Preis, mein Freund!«,

bemerkte die Frau ironisch.

»Frische Kleidung und ein Bad bewirken Wunder! Dann ist die Kleine wieder wie neu! Und der Preis ist wirklich angemessen und nicht verhandelbar! Immerhin ist sie *garantiert* noch Jungfrau!«,

sagte der Reverend in einem Ton, wie wenn sie über den Kauf eines Stück Viehs verhandelten. Der Chinese trat ganz nah zu Samantha, streicht mit der Hand über ihren linken Arm und befühlte ihre Muskeln. Dann greift er ihr mit beiden Händen an die kleinen Brüste. Samantha zuckte zusammen und wollte schon reagieren, als sie spürte wie sich der Druck von Smythes Elektroschocker verstärkte. Der Chinese drehte sich zu der Frau und meinte grinsend.

»Der ehrenwerte Reverend hat Recht! Die ist reif wie ein Äpfelchen, dass gepflückt werden will! Ehrenwerte *Li Fang*!«

Die Frau nickte nur kurz und der Chinese fischte ein grosses Bündel Banknoten aus seiner Jackentasche. Er gibt es Smythe, der es schnell in seiner Hosentasche verschwinden lässt.

»Es ist doch immer wieder angenehm mit ihnen Geschäfte zu machen, verehrte Li Fang! Dann wünsche ich viel Erfolg und Profit mit ihrer Neuerwerbung! Aber passen sie auf! Die kleine Samantha ist ein durchtriebenes Stück, das zuerst gebrochen werden muss!«

»Danke für den Hinweis Reverend! Sie wissen doch, wir haben da so unsere Methoden! Bis zum nächsten Mal!«

Der Reverend drehte sich um und verschwand grusslos im Gebäude. Samantha blickte um sich, ob sich eine Gelegenheit bot von hier zu fliehen. Der Chinese hatte jedoch plötzlich eine kleine Pistole in der einen und Handschellen in der anderen Hand. Er befahl Samantha sich umzudrehen. Befestigte die Handschellen hinter ihrem Rücken und schubste sie durch die offene Seitentüre in den Frachtraum des Lieferwagens. Kurz darauf setzte sich der Wagen in Bewegung und sie spürte im Halbdunkel des Laderaumes, wie sie über holperige Strassen durch die Nacht davon fuhren.

Seit Reverend Smythe Samantha an die Chinesin Li Fang verkauft hatte, ist über ein Jahr vergangen. Li Fang ist das Oberhaupt einer chinesischen Grossfamilie, die sich vor allem mit dem Handel von Drogen aller Art, der Hehlerei und der Prostitution beschäftigte. Das ganze Gebilde verbarg sich unter dem Deckmantel legaler Geschäfte. Zu denen gehörten diverse Restaurants und Lebensmittel-Läden im Londoner Chinatown und im angrenzenden Soho. Das *»Golden Dragon«* war eines dieser Etablissements, in denen die Kunden offiziell asiatische Köstlichkeiten geniessen konnten. In gut getarnten geheimen Räumen wurden jedoch auch die fleischlichen Gelüste zahlungskräftiger Männer befriedigt.

Bekannt ist das *»GD«*, wie es in Insiderkreisen auch genannt wurde, aber auch für den steten »Nachschub« an jungfräulichem »Material«. Dieses wurde dementsprechend zu Höchstpreisen angeboten. Und in diesem Etablissement ist Samantha Wong vor einem Jahr untergebracht worden. Durch Drogen willenlos und gefügig gemacht, erlebte sie ihren schlimmsten Alptraum. Schon in der ersten Woche wurde Samantha - zu einem exorbitant hohen Preis - an einen wohlhabenden »Gentleman« aus der britischen Oberschicht versteigert. Der ältere Mann raubte ihr noch in derselben Nacht rücksichtslos und brutal ihre Jungfräulichkeit.

Danach bewegte sich Samanthas Leben in einer steilen Spirale abwärts. Den Druck jeden Tage wildfremden Männern für die ausgefallensten Wünsche gefügig zu sein, übersteht sie nur mit dem immer stärkeren Konsum harter Drogen. Da sie für diesen Drogenkonsum zu bezahlen hatte, verfiel sie immer mehr in die Abhängigkeit und dem Wohlwollen der Familie Li Fangs. Nach drei Monaten war Samantha nur noch ein Schatten ihrer selbst. Aus der einst bildhübschen jungen Frau ist ein Drogen abhängiges menschliches Wrack geworden. Nun genügte sie den Ansprüchen der illusteren und verwöhnten Klientel des »DG« nicht mehr. Sie wurde in eines der billigsten Bordelle in Li Fangs Imperium abgeschoben, wo sie jeden Tag unzählige Freier der sozialen Unterschicht bedienen musste.

Nach weiteren drei Monaten war Samantha an einem Punkt angelangt, an dem sie nicht einmal mehr für ihren täglichen Bedarf an Drogen aufkommen konnte. Über Nacht wurde sie von der »Familie« auf die Strasse gestellt. Eigentlich konnte sie von Glück reden. Sie wusste, dass andere Leidensgenossinnen in der gleichen Situation vorzugsweise mit einem Betonkotz an den Füssen auf dem Grund der Themse landeten. Ab nun fristete sie ihr Dasein als obdachlose drogenabhängige Streunerin, die sich, mehr schlecht als recht, mit Kleinkriminalität über Wasser hielt. Kleinere Laden- und Taschendiebstähle gehörten für Samantha zum tägliche Kampf ums Überleben. Tagsüber streunte sie durch die belebten Strasse rund um den Covent Garden. Immer auf der Suche nach einem geeigneten Opfer für einen Taschendiebstahl. Nachts suchte sie sich einen Schlafplatz auf einem der wärmenden Lüftungsschächte der Underground. In den wärmeren Tagen nächtigte sie auf einem der Bänke in der Nähe der Charing Cross Station.

Sie erinnerte sich erstaunlicherweise noch ganz genau an diesen einen Tag. Sie hatte Hunger, ihr Magen knurrte und der beginnende Entzug lies ihren ausgemergelten Körper fast haltlos zittern. Sie musste unbedingt für etwas Bargeld sorgen, um sich den nächsten Schuss und etwas Essbares zu finanzieren.

Ihre überschaubare Habe in einem kleinen zerschlissenen Rucksack, schlurfte Samantha von der Charing Cross Station her kommend auf dem Strand in Richtung Aldwych. Auf der Höhe des Savoy Theatre sieht sie einen gross gewachsenen, attraktiven Mann in einem vermutlich sündhaft teuren Anzug auf sie zukommen. Der Mann hatte blonde Haare und stahlblaue Augen, die sie in diesem Moment direkt ansahen. Sie erkennt seine Verwunderung, die vermutlich auf ihre äussere Erscheinung zurück zu führen ist. Als sich ihre Wege kreuzen, rempelte Samantha den Mann, wie schon viele Male geübt, wie unabsichtlich an.

»Oh! Entschuldigen sie, Sir! Tut mir Leid, Sir!«,

murmelte Samantha kurz entschuldigend und geht weiter, während sie schnell die Brieftasche des Mannes in ihrer Hosentasche verschwinden lässt. Sie hatte sich kaum fünf Meter entfernt, als sie eine kräftige Hand auf ihrer rechten Schulter spürte und sie eine angenehme, sonore Stimme mit leicht amerikanischem Akzent freundlich sagen hört.

»Nicht so schnell, meine Liebe! Ich glaube sie haben soeben etwas gefunden das mir gehört! Habe ich Recht?«

Ertappt drehte sich Samantha um und beginnt am ganzen Körper zu zittern. Der Mann lächelte sie an und meinte ruhig.

»Ich glaube es wäre nur Rechtens, wenn sie einen Finderlohn erhalten würden! Meinen sie nicht auch?«

Samantha ist komplett irritiert, rechnete schon damit, dass der Bestohlene die Polizei rufen würde und jetzt faselte dieser etwas von Finderlohn. Mit zittrigen Fingern fischte sie die Brieftasche aus ihrer Hose und hält sie dem Mann hin. Plötzlich wird ihr schwarz vor Augen und sie beginnt zu schwanken. Der Mann kann sie gerade noch festhalten und verhindern, dass sie auf den Gehsteig nieder sinkt. Sie spürt die Kraft seiner starken Arme und hört, wie durch einen Nebel seine Worte.

»Nicht doch, kleine Lady! Ich habe das Gefühl, dass sie dringend etwas Kräftigendes brauchen? Schauen sie mich bitte an!«

Sie blickte hoch, direkt in seine blauen Augen, und spürte seit langer Zeit wieder, dass es jemand ehrlich mit ihr meint.

»Sorry, Sir! Ich wollte nicht...«

Ihre Stimme versagte und sie fängt wieder an zu zittern. Die vorbei eilenden Passanten schauen irritiert auf das seltsame Paar, das eng umschlungen mitten auf dem Gehsteig steht. Ein teuer gekleideter Gentleman und eine herunter gekommene zierliche junge Frau, ist selbst für die an Vieles gewöhnte Londoner ein seltsamer Anblick. Anscheinend schien dies den gut gekleideten Mann nicht zu kümmern, denn er strich immer wieder beruhigend über die Schultern der zitternden Frau.

»Kommen sie, kleine Lady! Auf der gegenüber liegenden Seite ist ein Steakhouse. Lassen sie uns dort etwas Essen und Trinken. Danach erzählen sie mir in aller Ruhe, wie es mit ihnen so weit kommen konnte!«

Samantha blickte noch einmal in die Augen des grossen Mannes und konnte immer noch keine unlauteren Absichten erkennen. Sie nickte nur wortlos und liess sich von ihm über die Strasse zu dem Steakhouse führen.

Sie nehmen an einem, in einer geschützten Ecke gelegenen, Tisch Platz. Die Bedienung brachte die Menuekarten und liess sich nichts anmerken, als sie das ungleiche Paar begrüsste. Samantha betrachtete die Menuekarte, wie ein Objekt aus einer anderen Welt. Es war schon so lange her, dass sie etwas Vernünftiges zu sich genommen hatte und die Abbildungen der Speisen liessen ihr das Wasser im Mund zusammen laufen. Zwischendurch riskiert sie verstohlen einen Blick auf ihren seltsamen Gönner. Der beobachtete sie ruhig und wirft ihr ein aufforderndes Lächeln zu.

»Nach was immer ihnen in der Sinn steht! Bestellen sie ruhig was sie möchten!«

»Ich weiss nicht, Sir! Könnten sie nicht einfach auch für mich etwas bestellen? Es ist schon so lange..«

Samantha stockte wieder mitten im Satz und der Mann

nickte verstehend. Als die Bedienung nach ihren Wünschen fragte, orderte er für beide ein grosses Shirloin Steak mit French Fries, einen Salat und zwei grosse Gläser 7Up. Samantha hielt unsicher den Kopf gesenkt, als der Mann sie ansprach.

»Darf ich mich vorstellen, kleine Lady! Mein Name ist *Rick Vandorp*! Dürfte ich vielleicht auch den ihren erfahren?«

Sie blickte schüchtern auf und flüsterte leise.

»Ich heisse Samantha Wong, Sir! Warum tun sie das? Ich wollte sie doch bestehlen, dass wissen sie doch?«

Vandorp stützte sein Kinn auf seine Hände, betrachtete eine Weile das Gesicht Samanthas und antwortete.

»Weil ich glaube, dass eine so junge Frau, wie sie, nicht ohne Grund in so eine prekäre Situation gerät! Dass sie sich genötigt sieht am helllichten Tag auf offener Strasse Leute zu bestehlen, um ihren Drogenkonsum zu finanzieren! Und weil ich auch glaube, dass sie es in ihrem noch jungen Leben verdienen eine bessere Zukunft vor Augen zu haben, als in der Gosse zu Grunde zu gehen!«

Er nahm einen Schluck seiner Limonade, die die Bedienung inzwischen gebracht hatte und beobachtete Samantha, die ihr Glas mit zittrigen Händen hielt und zur Hälfte leerte.

»Also, Samantha Wong! Wie konnte es mit ihnen soweit kommen?«

Sie trank noch den Rest ihrer Limonade in einem Zug und begann Vandorp zu erzählen, wie es zu ihrem jetzigen Zustand kam. Sie schilderte gerade, wie sie im »Golden Dragon« versteigert wurde, als ihnen ihr Essen serviert wird. Samantha stockte einen Moment und Vandorp bat sie doch zuerst zu zugreifen. Leicht amüsiert beobachtete er, wie sie anfing mit Heisshunger Stücke ihres Steaks und die French Fries in ihren Mund zu stopfen.

»Ich rate ihnen langsam zu essen, Samantha! Sonst wird ihnen schlecht!«

Sie nickte verstehend und bemühte sich nicht so schnell hinunter zu schlingen. Nachdem sie schweigend fertig gegessen hatten, bestellte Vandorp noch ein Limonade für Samantha und zwei grosse Tassen Kaffee. Dann berichtete sie weiter und wunderte sich, dass sie diesem, vor einer Stunde noch völlig fremden, Mann so freimütig ihr verkorkstes Leben beichtete. Allerdings spürte sie, dass es ihr gut tat einmal jemanden zu erzählen, wie ihr bisheriges Leben und vor allem die letzten anderthalb Jahre verlaufen sind. Ohne sie zu unterbrechen, hatte ihr Vandorp ruhig zugehört. Erst, als sie mit ihrer seltsamen vielleicht schicksalshaften Begegnung vor einer Stunde endete, stellte er ihr wieder eine Frage.

»Wenn ich das richtig verstanden habe, sind sie jetzt knapp siebzehn Jahre alt? Und seit über anderthalb Jahren Drogen abhängig?«

Samantha nickte nur, senkte den Blick und Vandorp hakte nach.

»Sie haben erzählt, dass dieser chinesische Clan sie mit Drogen gefügig gemacht hat? Welche?«

Samantha nestelte verlegen an ihrem linken Ärmel, schob ihn hoch und zeigte Vandorp die vernarbten Stellen in ihrer Armbeuge.

»Die haben mir zuerst Heroin in kleinen Dosen gespritzt, bis ich willenlos war! Dann hatten sie mich soweit, dass ich für den nächsten Schuss *alles* - und ich meine wirklich *alles* - tat, was sie von mir verlangten! Später kamen noch Koks, Amphetamine, Exstasy und so weiter dazu! Doch inzwischen kann ich mir gar nichts mehr leisten und bin seit zwei Wochen auf kaltem Entzug!«

Samantha hielt inne, betrachtete ihre Narben und meinte mit einem schiefen Lächeln.

»Und wenn es so weiter geht, werde ich die nächsten Wochen wohl kaum überleben!«

Vandorp hatte geduldig zugehört und erklärte der verdutzten Samantha.

»Zuerst werden wir ihr Äusseres auf Vordermann bringen! Anschliessend kommen sie mit mir nach Amerika! Dort sorgen wir dafür, dass sie in einer privaten Einrichtung ihr

Problem mit dem unsäglichen Heroin und den anderen Drogen in den Griff bekommen! Ich biete ihnen hiermit die Gelegenheit ihr *altes* Leben hinter sich zu lassen und eine *Neues* anzufangen! Ohne Verpflichtung ihrerseits! Haben wir einen Deal?«

Vandorp hielt ihr die Hand hin, sie ergriff sie mit Tränen in den Augen und schlug ein.

Samantha blickt auf den schlafenden Vandorp neben sich und erinnerte sich noch gut, wie sie trotz der anfänglichen Skepsis zusagte. Anschliessend ging Vandorp mit ihr neue Kleidung kaufen. Besuchte mit ihr einen Friseursalon und liess ihre verfilzten Haare behandeln. Dann führte er sie ins *Savoy Hotel*, wo er eine riesige Suite gemietet hatte.

Sie muss heute noch schmunzeln, wenn sie an die Mienen der Hotelangestellten dachte, als Vandorp mit ihr in der Lobby des Savoy erschien. Sie merkte schon sehr bald, dass er keineswegs irgend ein wohlhabender Niemand war. Sondern, trotz seines jungen Alters, einer der reichsten Unternehmer in den Staaten ist und jeder seiner Wünsche augenblicklich erfüllt wurde.

Nachdem sie sich in den Staaten in einer privaten Klinik, die Vandorp gehörte, einer intensiven Entziehungskur unterzogen hatte, lebte sie fortan mit ihm zusammen in seinem imposanten Stadthaus in New York. Obwohl sie zwischendurch an seinen hehren Absichten zweifelte, behandelte er Samantha wie seine Tochter. Vandorp war nie verheiratet. Er stellte für Samantha einen privaten Tutor ein, der ihr in den nächsten drei Jahren alles Wesentliche beibrachte, bis sie den Wissensstand einer Hochschul-Absolventin hatte.

Bei den verschiedensten gesellschaftlichen Anlässen stellte er sie - voller Stolz - als seine Ziehtochter vor und liess keine Gelegenheit aus, ihren hohen IQ hervor zu heben. Nebst dem erfüllte er ihr jeden Wunsch. Doch Samantha nutzte dies in keiner Weise aus und hatte nur ganz normale Wünsche, die junge Frauen von reichen Eltern in ihrem Alter eigentlich nicht haben.

So ist sie eine leidenschaftliche Anhängerin verschiedenster, asiatischer Kampfsportarten. Schon bald überflügelte sie ihre Lehrmeister, die Vandorp für sie engagiert hatte, bei Weitem. Und sie wurde für ihn selbst zur geduldigen Lehrerin.
Sie begleitete ihn auch auf seinen zahlreichen Geschäftsreisen. Als sie sich gerade in Mexiko befanden, erzählte er ihr eines Tages seine Familiengeschichte. Zuerst wunderte sie sich, warum er seinen Familiennamen geändert hatte. Je mehr er ihr die Hintergründe für sein Tun erklärte, umso faszinierender fand sie seine Vision, die Forschungen seines Grossvaters und Vaters fortzusetzen.

Und dann, es war kurz nach ihrem fünfundzwanzigsten Geburtstag. Er hatte gerade die Fertigstellung des neuen Vandorp Towers in Lower Manhattan gefeiert, bemerkte sie, dass sie sich haltlos in ihn verliebt hatte. Doch erst ein Jahr später, sie machten gerade einen Kurzurlaub auf seiner Jacht in der Karibik, gestand sie ihm ihre Liebe. Und überraschenderweise erwiderte er ihre Gefühle und sie verbrachten eine wunderbare erste Nacht zusammen.

Von da an, bezog er Samantha immer mehr in seine Projekte ein und sie wurde nicht nur seine Geliebte, sondern auch seine Vertraute. Allerdings zeigten sie sich in der Öffentlichkeit nie als Liebespaar. Er meinte, das könnte sich als Nachteil für seine Unternehmungen erweisen.

Obwohl sie im Laufe der Zeit von seinen zahlreichen Affären wusste, blieb Samantha stets seine erste Wahl. Nur in der letzten Zeit, seit sie sich im Inalco Haus vor dem Zugriff der Behörden versteckten, zeigten sich an Vandorp Züge, die sie an seiner Zuneigung zweifeln liess. Immer öfter kam es bei Vandorp zu Wutausbrüchen und Beschimpfungen über ihre asiatische und somit nicht *arische* Herkunft.

Sie beobachtete den schlafenden Mann an ihrer Seite und wieder kommt ihr in den Sinn, dass die Veränderung in seinem

Wesen mit der unsäglichen Injektion der genmanipulierten Substanz zusammen hängen muss. *»Ich muss mir ernsthaft überlegen, wie ich ihn von meiner uneingeschränkten Loyalität und Liebe überzeugen kann! Auch wenn er im Moment diesen Velasquez bevorzugt, bin ich überzeugt, dass dieser ein seltsames Spiel mit Rick betreibt! Ich glaube ich habe eine Idee, wie ich Rick überzeugen kann!«* Dachte Samantha und setzte ihre Gedanken sofort in die Tat um. Sie stupste ihn an. Er erwachte und brummte noch schlaftrunken.

»Was ist los, Sam? Warum weckst du mich?«

»Rick! Ich muss mit dir reden! Es ist äusserst wichtig! Hör mir bitte genau zu!«

Und während Samantha ihm in der nächsten Stunden ihre Pläne erläuterte, hörte Vandopr mit steigendem Interesse zu.

21

Argentinien - Inalco Haus

Samantha Wong sitzt im abgedunkelten Schlafzimmer der *Villa Vondorf* an ihrer Schminkkommode. Sie ist dabei sich für den bevorstehenden Tag etwas frisch zu machen. Rick Vandorp hatte ihr mitgeteilt, dass er heute mit Adolf zur Isla Huemul fahren wird, um die weiteren Schritte des *„Genesis"* Projekts mit Dr. Schmied zu besprechen. Warum er sie nicht mitnehmen wollte, ist ihr im Verborgenen geblieben.

Er hatte ihr angekündigt, dass sie vor seiner Abfahrt noch eine kurze Unterhaltung führen müssten. Samantha hatte keine Idee, was er mit ihr besprechen wollte. Sie dachte auch nicht weiter darüber nach, als plötzlich vehement die Schlafzimmertüre aufgerissen wird.

Im Türrahmen steht Vandorp und sieht sie, aus leicht geröteten Augen, einen Moment an. *»Oh je! Ich glaube Rick hat wieder einen seiner psychotischen Schübe!«* Dachte Samantha und steht auf. Sie geht einen Schritt auf ihn zu, als dieser den Mund halb öffnete und mit krächzender Stimme sagt.

»Ich habe dir gesagt, dass wir uns noch kurz *unterhalten* müssen!«

Samantha geht einen weiteren Schritt auf den grossen Mann zu und sollte sogleich erfahren, worum es im Wesentlichen bei dieser *»Unterhaltung«* ging. Ohne Vorwarnung schmetterte er der überraschten Frau die geballte Faust mitten ins Gesicht. Durch die Wucht des Schlages wurde sie quer durch das Zimmer katapultiert und rutschte an der gegenüber liegenden Wand benommen zu Boden. Mit der rechten Hand befühlte sie ihre Unterlippe, die einen tiefen Spalt aufweist. Das herunter tropfende Blut hinterlässt rote Fleckenmuster auf ihrer Bluse. Sie schüttelte ihren Kopf und blickt verständnislos zu Vandorp hoch. Der blickte sie mit wutverzerrtem Gesicht an und kommt langsam näher

»Du kleine, asiatische Hexe! Du östlicher Untermensch wagst es den *grossen* Rick Vandorp zu hintergehen!«

Er beugte sich über Samantha. Speichel tropfte aus seinen Mundwinkeln, als er sie an den Oberarmen packt. Er zerrte sie auf die Füsse und brüllt ihr, nur eine Handbreit entfernt, ins Gesicht.

»Meinst du etwa, mein lieber Freund Henrique und ich hätten nicht bemerkt, dass du einen Keil zwischen unsere wertvolle Verbundenheit und Freundschaft treiben willst?«

Samantha stotterte mit Blut verschmiertem Mund.

»Aber, Rick bitte! Was ist denn...?«

Sie konnte den Satz nicht vollenden. Ruckartig drehte Vandorp sie zur linken Seite und schleuderte den zierlichen Körper auf das breite Bett. Samantha ist so überrumpelt, dass sie keine Möglichkeit hat ihre Kenntnisse der Selbstverteidigung anzuwenden. Vandorp ist mit einem Satz zu der liegenden Frau gesprungen auf das Bett. Nun kniete er mit seinem vollen Gewicht auf ihren ausgebreiteten Oberarmen und erstickt so jede Gegenwehr im Keim. Dann prasseln unzählige Schläge mit der Faust und der flachen Hand auf Samanthas Kopf und Oberkörper. Als er von ihr ablässt, aufsteht und Richtung Türe geht, zischt er gefährlich leise.

»Wenn wir von Huemul zurück sind, werden wir uns in geeigneter Weise um dich kümmern! Bis dahin bleibst du hier im Zimmer!«

Bevor sie die Besinnung verliert und es Schwarz um sie herum wird, hörte sie noch, wie Vandorp die Türe hinter sich zuwirft und der Schlüssel im Schloss gedreht wird.

Samantha weiss nicht wie lange sie bewusstlos hier lag. Als sie aufwachte, ist ihr zuerst gar nicht klar, was überhaupt passiert ist.

Sie stützt sich auf ihre Ellenbogen und versucht ihren getrübten Blick zu fokussieren. Als sie leicht den Kopf schüttelte, um die Spinnweben in ihrem Hirn los zu werden, durchzuckt ein stechender Schmerz ihre Stirn und den Nasenrücken. Vorsichtig betastet sie mit einer Hand ihre Nase. *»Scheint nicht gebrochen zu sein! Was war denn überhaupt mit Rick los? Ich kann mich nur erinnern, dass er mich ohne Vorwarnung geschlagen hat!«* Gehen ihr die wirren Gedanken durch den Kopf. Als sie an sich hinunter blickt, erschrickt Samantha im ersten Moment. Die einstmals weisse Bluse ist von rotbraunen Flecken ihres Blutes gesprenkelt. Da, wo sich Vandorp darauf gekniet hatte, sind an ihren Oberarmen grosse rotblaue Hämatome sichtbar. Sie schiebt ihre Beine über die Bettkante und steht vorsichtig auf.

Mit wackeligen Schritten geht sie zu der Schminkkommode und betrachtet sich in dem an der Wand befestigten Spiegel. Sie erkennt sich im Moment selbst nicht. Die Nase und ihr Mund sind mit verkrustetem Blut verschmiert. Ihre Unterlippe ist eingerissen. Rund um beide Augen ist das Gewebe dick aufgeschwollen. Sie kann sich jetzt schon vorstellen, wie das in ein paar Tagen aussehen wird. Ihre Wangen sind durch die Ohrfeigen immer noch stark gerötet. An einer Stelle auf der linken Wange ist die Haut aufgeplatzt und hat eine feine getrocknete Blutspur hinterlassen. *»Ich hoffe nur, dass keine Narben zurück bleiben werden! Aber ich sollte diese Sauerei jetzt abwaschen und desinfizieren!«*

Samantha geht zur Schlafzimmertüre und will ins Badezimmer. Sie drückt die Klinke hinunter und erinnerte sich, dass Vandorp sie eingeschlossen hat. Jetzt kommen ihr wieder seine letzten Worte in den Sinn. *»Wir werden uns um dich kümmern! Sagte Rick. Das bedeutet doch, er will mich eliminieren!«* Ein leichter Anflug von Panik befällt Samamtha. Im ersten Moment denkt sie, dass sie vielleicht durch das Fenster steigen könnte. *»Das geht ja nicht! Die Fenster sind vergittert!«* Sie überlegt, wie sie sich aus dieser misslichen Lage befreien könnte. *»Aber ja doch!*

Daran habe ich fast nicht mehr gedacht!« Wieder ganz bei klarem Verstand, erinnert sie sich, dass sich ein Zweitschlüssel, an einem vermeintlich sicheren Versteck befinden muss. Sie geht zu einem der Nachttischchen, zieht die kleine Schublade ganz heraus, leert den spärlichen Inhalt auf den Boden und dreht sie um. Und da ist er - auf dem Schubladenboden ist der Zweitschlüssel mit einem Klebeband befestigt.

Samantha geht ins Badezimmer. Mit immer noch zitterigen Händen säubert sie die gröbsten Blutspuren aus ihren Gesicht. Dann desinfiziert sie die Wunden an ihrer Lippe und auf ihrer Wange. Als sie sich nach dieser Prozedur im Spiegel betrachtet, erschrickt sie aufs Neue. Um beide Augen haben sich schwarzbraune Ränder gebildet und das linke Auge ist soweit angeschwollen, dass sie kaum etwas sehen kann. Sie zieht die verschmutzte Bluse aus und betrachtet die Hämatome, die sich auf ihrem Brustkorb, auf dem Bauch und an den Armen abzeichnen. Vorsichtig befühlt sie mit einem Finger die farbigen Stellen und zuckt heftig zusammen.

Dann geht sie vom Badezimmer in ihren Ankleideraum und zieht sich eine frische Bluse über. *»Rick und Adolf werden frühestens in vier Stunden zurück sein! Bis dahin muss ich alles Nötige in die Wege geleitet haben!«* Schiesst es ihr durch den Kopf, als sie sich in Richtung der Kommunikations-Zentrale begibt. Im Raum angekommen, nimmt sie vor der Konsole Platz und betrachtet den Bildschirm. Auf dem sind die Übertragungen der verschiedenen Überwachungskameras zu sehen. Jede Kamera deckt einen Bereich entlang der Grenze des grossen Umschwungs der Villa Vondorf ab und kann per Joystick um 180 Grad geschwenkt werden. Die drei, gut im Unterholz verborgenen, hölzernen Wachtürme kann man mit separaten Webcams überwachen. Samantha tippte einige Befehle in die Tastatur und auf dem Bildschirm sieht sie ins Innere der Wachtürme. Alle drei Wachtürme sind mit einem von Vandorps Söldnern besetzt. Mit Genugtuung konstatiert sie, dass die drei Wachen auf ihrem Posten sind und sich die Langeweile mit unterschiedlichen Beschäftigungen vertreiben. »*Von denen habe ich im Moment nichts zu befürchten! Aber jetzt heisst es schnell handeln!*«

Samantha rollt mit ihrem Drehsessel zu einem der anderen Bildschirme und tippte dort wieder ein paar Befehle in die Tastatur. Sie vernimmt aus den kleinen Lautsprechern das auf- und abschwellende Piepen, als die Verbindung aufgebaut wird. Kurz darauf öffnete sich ein grosses Fenster in der Mitte und das erstaunte Gesicht von Sally Bowles wird sichtbar.

Erleichtert, dass es geklappt hat, beginnt Samantha Wong zu sprechen.

22

Fairfax - Grey‘s Genetic Institute

Im Labor, das sie mit ihrem Vater, Professor Adrian Bowles und Marc Miller teilt, sitzt Sally Bowles an ihrem Arbeitsplatz. Sie studierte gerade die neuesten Daten, die sich mit der Entschlüsselung einer komplexen Abfolge von DNA Sequenzen befasste. Ihr gegenüber, am gemeinsamen Arbeitstisch, hinter hohen Stapeln von Dokumenten und Computerausdrucken, brütete Adrian Bowles ebenfalls an einem anscheinend schwer zu lösenden Problem. An einem separaten Arbeitsplatz summt Marc Miller leise vergnügt vor sich hin und hackt ab und zu wie wild auf seiner Tastatur herum.

Sally hebt den Kopf. Ihr Monitor meldet sich mit einem Piepsen und zeigte an, dass eine Videoübertragung frei geschaltet wird. Sie wunderte sich, wer dies wohl sein könnte. Ihre Skype Adresse ist nur einem kleinen Kreis Eingeweihter bekannt. Als sie auf den Bildschirm blickt, erkennt sie das allzu vertraute Gesicht Samantha Wongs im Fenster. Sie ist kurz sprachlos und ihr fällt vor Erstaunen fast die Kinnlade runter. Wie die attraktive, asiatische Schönheit aus ihrer Erinnerung, sieht Samantha Wong im Moment nicht aus. Die Augen geschwollen und von schwarzbraunen Rändern gesäumt. Eine offensichtlich gespaltene Unterlippe und eine längere Wunde auf der linken Wange. Und ihre einstmals scharzen Haare sind nun mahagonirot gefärbt.
Dann vernimmt Sally die ersten Worte Samanthas.

»Dr. Bowles! Ich bin mir sicher, dass ich die letzte Person bin, die sie erwartet haben zu sehen! Aber bitte hören sie mir einfach einen Moment lang zu!«

Hörte Sally Samantha mit leicht bebender Stimme sagen.

»Einen Moment, Miss Wong! Ich will ihren Anruf auf unseren grossen Monitor umleiten, damit auch mein Vater und Dr. Miller mithören können!«

Eilig tippte Sally einen Befehl und der grosse Flat Screen über der Sitzgruppe zeigte nun ebenfalls das Fenster der Videoübertragung. Sie winkte ihrem Vater zu der, genauso erstaunt wie Marc Miller, zu der Sitzgruppe eilt. Samantha nickt kurz grüssend und sie bemerken, dass ihr schon diese kleine Bewegung offensichtlich Schmerzen bereitete.

»Professor Bowles, Dr., Miller! Wie ich schon sagte, haben sie sicher nicht erwartet, dass ich mich ausgerechnet mit ihnen in Verbindung setze! Lassen sie mich kurz erklären, denn die Zeit drängt und es ist sicher von höchstem Interesse, *was* ich ihnen mitzuteilen habe!«

Samantha holte kurz Luft, senkte den Blick und fährt dann stockend weiter.

»Nun! Die Umstände und Entwicklung der letzten Tage und Wochen haben mich zu diesem gewagten Schritt veranlasst. Dass Rick Vandorp, Adolf und ich noch am Leben sind, dürfte ihnen in der Zwischenzeit sicher klar geworden sein! Wie sie sehen können, hat es heute Morgen zwischen Vandorp und mir eine - wenn auch sehr einseitige - *Unterhaltung* gegeben, die mir die Augen geöffnet haben!«

Sally musste angesichts ihrer lädierten Augen, über Samantha Wongs letzte Bemerkung unwillkürlich schmunzeln. *»Diese Unterhaltung ist anscheinend förmlich ins Auge gegangen!«* Dachte sie mit einer gewissen Schadenfreude, als Samantha weiter fährt.

»Wie sie sicher von der CISMA erfahren haben, hat es drei Mordanschläge auf Wissenschaftler gegeben! Und wie sie sicher auch schon vermuten, kann ich bestätigen, dass Rick Vandorp die treibende Kraft dahinter ist! Aber ich kann ihnen versichern - das ist nur ein kleiner Vorgeschmack von dem, *was* er inskünftig vor hat!«

Wiederum holte Samantha Luft, sammelte sich und blickt jetzt gerade wegs in die Kameralinse.

»Warum ich mich an sie wende? Ich bin bereit ihnen sämtliche Details seiner Pläne auszuhändigen, um einen *globale Katastrophe* zu verhindern! Einzige Bedingung! Sie müssen mich innert der nächsten *vier* Stunden hier raus holen, nach Washington bringen und mir Straffreiheit zusichern!«

Marc Miller meldete sich zu Wort.

»Miss Wong! Warum meinen sie, sollten wir das tun? Und warum sollten wir ihnen glauben? Vor allem in Anbetracht dessen, was uns im Zusammenhang mit Rick Vandorp - und auch *ihnen* - widerfahren ist? Und ein vielleicht nicht zu unterschätzender Punkt - *wo* befinden sie sich eigentlich im Moment?«

Entgegen seiner sonst eher gemütlichen Art, hatte Marc die Worte sehr geschäftsmässig und in strengem Ton vorgetragen.

»Dr. Miller! Oder soll ich besser sagen - *Special Agent Miller*! Ich habe vollstes Verständnis für ihr Misstrauen und mir tut es sehr leid, was in der Vergangenheit zwischen uns vorgefallen ist! Aber glauben sie mir! Mit dieser Kontaktaufnahme ist mein Leben so gut wie verwirkt, sollte ich nicht in den nächsten vier Stunden von hier fliehen können! Und um ihre letzte Frage zu beantworten - ich befinde mich hier in *Argentinien*! Genauer gesagt, in einer Villa mit dem Namen *Inalco Haus* am *Lago Nahuel Huapi*! Das ist etwa 50 Kilometer von der Stadt *Bariloche* entfernt!«

Marc und Sally blickten sich überrascht an und Adrian Bowles schüttelte nur den Kopf.

»Wie kommen sie darauf mich *Special Agent* zu nennen, Miss Wong?«

Samantha erwiderte.

»Hören sie Dr. Miller! Genauso, wie die CISMA seit einem Jahr versucht unseren Aufenthaltsort in Erfahrung zu bringen, haben wir sie, Professor Bowles, Dr. Bowles und Special Agent Roberts überwachen lassen! Uns ist nicht entgangen, dass sie und Dr. Bowles von der CISMA rekrutiert wurden! Also liegt es auf der Hand, dass ich mich an *sie* wende!«

Marc Miller hatte sich von der ersten Überraschung erholt.

»Miss Wong! Ihnen ist sicher bewusst, dass sie immer noch auf der Liste der *»Most Wanted«* stehen? Des Weiteren sprechen wir von einem sehr kleinen Zeitfenster, um sie da raus zu holen! Warum muss das jetzt plötzlich so schnell gehen?«

Samantha überlegte nicht lange.

»Wie gesagt! Ich bin mir dessen bewusst! Im Gegenzug zu den Informationen, die sie von mir erhalten und die Vandorp zu Fall bringen können, verlange ich Straffreiheit und eine neue Identität in ihrem Zeugenschutzprogramm! Und warum es so schnell gehen muss? Ganz einfach! Wenn Vandorp und Adolf in etwa vier bis fünf Stunden hierher zurückkommen, wird er mich *umbringen*!«,

antwortete Samantha mit einem leicht gequälten Lächeln.

»O.k.! Miss Wong! Wir haben verstanden! Ich werde sehen was wir tun können. Haben sie eine Idee, *wo* wir sie unbemerkt und sicher abholen können? Am besten mit den genauen Koordinaten!«

»Einen Moment, Dr. Miller!«

Samantha blickte nach unten, dann zur Seite, wieder nach unten und spricht weiter.

»Von hier aus kann ich mit einem Boot zu einer abgelegenen Bucht fahren. Diese befindet sich etwa zehn Kilometer süd-westlich von hier! Ich sende ihnen sofort die Koordinaten!«

Eine Sekunde später erscheint in einem kleinen Fenster die geforderte Positionsangabe:

40°47‘27.6“S - 71°43‘49.0“W

»Danke, Miss Wong! Die Daten sind eingetroffen. Rufen sie

uns in einer Stunde wieder an! Bis dahin haben wir abgeklärt, wie wir sie da raus schaffen können!«

Samantha nickte und unterbricht die Verbindung. Marc blickt Sally an, die etwas aufgebracht zu ihm sagt.

»Marc! Ich glaube ich spinne! Das ist doch nicht dein Ernst, dass wir dieser Wong aus der Pedrouille helfen sollen? Hast du komplett vergessen, *was* alles vorgefallen ist?«

Marc hebt beschwichtigend eine Hand.

»Habe ich nicht vergessen, Sally! Aber wenn nur ein kleiner Funken Wahrheit hinter Wongs Aussagen steckt, ist es unsere verdammte Pflicht, als Special Agents der CISMA, diese Gelegenheit beim Schopf zu packen! Und zwar unvoreingenommen jeglicher persönlicher Ressentiments!«

Adrian Bowles, der bisher geschwiegen hatte und mit wachsendem Erstaunen dem Gespräch gefolgt ist, meldete sich zu Wort.

»Marc hat Recht, Sally! Das ist *die* Gelegenheit Vandorp eventuell das Handwerk zu legen! Zumindest hat Miss Wong ihren und Vandorps Aufenthaltsort bestätigt! Und wenn ihr bemerkt habt, in was für einem Zustand die Frau ist, müsst ihr einfach handeln. Ganz zu Schweigen, dass ihr als Agents der CISMA umgehend Bericht erstatten müsst!«

Sally verzieht resigniert ihr Gesicht, zuckte mit den Schultern und meint.

»Ja! Ihr habt ja beide Recht! Ich darf meine persönlichen Interessen nicht in den Vordergrund stellen! Also, lass uns anfangen, Marc! Holen wir die Wong da raus!«

Unverzüglich setzte sich Marc mit General Vanderbilt in Verbindung und schilderte ihm im Detail das Gespräch mit Samantha Wong. Gleichzeitig sandte Sally die Aufzeichnung des Videochats an die CISMA zum General und Abel Mankowski.

Während dessen sprach General Vanderbilt mit seinem Kollegen, dem Chef des argentinischen Geheimdienstes. Der verspricht seine voll umfängliche Unterstützung und setzte sofort zwei seiner besten und verschwiegensten Agenten in Bewegung. Die werden so schnell wie möglich mit einem Hubschrauber zu den angegebenen Koordinaten des Treffpunkts mit Samantha Wong fliegen. Anschliessend wählte der General Charles Roberts Geheimnummer.

Nach einer Stunde tätigte Samantha, wie geheissen, den zweiten Anruf und Marc informierte sie, dass ein Hubschrauber mit zivilem Kennzeichen sie am vereinbarten Treffpunkt abholen wird.

23

Argentinien - Lago Nahuel Huapi

Nachdem Samantha Wong den zweiten Anruf im Greys Institute beendet hatte, kopierte sie die wichtigsten Informationen und Dateien über Vandorps Pläne auf einen winzigen USB-Stick. Dann löschte sie sorgfältig alle verräterischen digitalen Spuren auf dem Server. Als sie sich vergewissert hatte, dass nichts Verdächtiges ihren Aufenthalt in der Zentrale verraten konnte, geht sie zurück zum Schlafzimmer. Sie räumt die Schublade des Nachttischchen wieder säuberlich auf und verschliesst dann die Türe von aussen. Sie geht in den Ankleideraum und zieht eine feste Jeans an, dann versteckt sie den USB-Stick in einem geheimen Fach an ihrem Gürtel. Eine wetterfeste Jacke und ein paar robuste Stiefel vervollständigen ihre Kleidung für die Flucht.

Vorsichtig schleicht Samantha vom Haupteingang der Villa Vondorf zum Anlegesteg am Seeufer. Der Platz, wo normalerweise die Majestic 56 vertäut liegt, ist jetzt verwaist. Auf der gegenüber liegenden Seite des Steges dümpelten ein kleineres Ruderboot und ein schnittiges Sportboot - eine *Sea Ray 270 SDX* mit nahezu 300 PS. Schnell genug um in einer knappen viertel Stunde den Treffpunkt zu erreichen.

Samantha steigt in die Sea Ray und löst die Haltetaue vom Steg. Dann startet sie den starken Dieselmotor, der blubbernd zu laufen beginnt. Mit dem Bootshaken stösst sie das Boot vom Steg ab und steuert geschickt das Boot rückwärts in tiefere Gewässer. Sie wendete und presst den Gashebel langsam nach vorne. Die Sea Ray nimmt schnell Fahrt auf und schlägt den

Kurs nach Süden ein. Kurz darauf prescht Samantha Wong mit Höchstgeschwindigkeit über die nur von leichten Wellen gekräuselte Oberfläche des Sees.

Ein Seufzer der Erleichterung entfährt Samantha und sie lässt den erfrischenden Fahrtwind über ihr geschundenes Gesicht streifen. Nach zehn Minuten und einem Blick auf den Kreiselkompass, ändert sie den Kurs Südwest in Richtung der einsamen Bucht. Nach einer weiteren Minute, sieht sie schon den aus weissen Kieselsteinen bestehenden Strandabschnitt der kleinen versteckten Bucht. Hinter dem schmalen Band aus Kieselsteinen erstreckt sich ein Fläche aus Wildgras von etwa fünfzig Metern im Geviert. Von Laub- und Nadelbäumen eingerahmt, mit einem dichten Dickicht aus Unterholz, ist die Bucht nur von der Seeseite einsehbar.

Samantha drosselte die Geschwindigkeit und lässt den Bug der Sea Ray auf den Kieselstrand auflaufen. Behände springt sie vom Boot, dann stemmt sie sich mit aller Kraft gegen den Bug und schiebt die Sea Ray auf den See zurück. Das Boot entfernt sich langsam vom Ufer und wird von der Strömung erfasst. Sie blickt um sich und entdeckt auf der linken Seite einen grossen Felsblock. Der ragt in unmittelbarer Nähe des Waldrandes, wie ein Monolith aus einer anderen Zeit, aus dem Wildgras empor. Wer sich dahinter verbarg, konnte weder von der Seeseite her, noch aus der Luft entdeckt werden. *»Das ist ein gutes Versteck!«* Denkt sie und ihre etwas zu schnelle Atmung beruhigte sich zusehends, während sie auf den Felsblock zugeht. Sie setzt sich hin, den Rücken an den Fels gelehnt und entspannt sich. Ein Blick auf ihre Uhr zeigt an, dass kaum zwei Stunden vergangen sind, seit sie sich mit Sally Bowles in Verbindung gesetzt hatte. *»Nun kann ich nur abwarten und hoffen, dass ich wie versprochen auch wirklich rechtzeitig abgeholt werde!«* Überlegte Samantha und legt ihren Hinterkopf auf das kühlende Gestein. Sie döste mit geschlossenen Augen vor sich hin und wäre beinahe eingeschlafen. Es kam ihr vor, als sei eine halbe Ewigkeit vergangen, als aus der Ferne ein schwaches Geräusch an ihr Ohr dringt. Sie öffnet die Augen und späht in den Himmel, dann lugt sie vorsichtig um den Felsen in Richtung Strand.

Auf dem See ist nichts Beunruhigendes zu erkennen. Das Geräusch wird lauter, kommt näher und jetzt erkennt sie das typische »Flap Flap« von Rotoren. Sie wirft einen kurzen Blick auf ihre Uhr. Eine halbe Stunde ist vergangen, seit sie mit geschlossenen Augen vor sich hin gedöst hatte und auf ihre Retter wartete. Plötzlich schwillt das Dröhnen der Rotoren schlagartig an und ein dunkler Schatten verdunkelt die Wildgrasfläche. Als Samantha nach oben blickt, die Hand schützend als Blendschutz über den Augen, erkennt sie die dunklen Umrisse eines Hubschraubers. Die Maschine senkte sich langsam auf die Mitte der offenen Fläche. Die Rotoren erzeugen einen wahren Orkan, der die hohen Wildgräser flach zu Boden drückte. Dann berührt das ausgefahrene Fahrgestell den Boden, die Rotorblätter drehen sich immer langsamer und kommen dann zum Stehen. Der Motor erstirbt und plötzlich herrscht eine unheimliche Stille.

Der Hubschrauber vom Typ *Augusta Westland AW 109* ist komplett schwarz lackiert und hatte, ausser einer zivilen Kennnummer, keinerlei weiteren Merkmale. Samantha kann hinter der leicht getönten Scheibe des Cockpits die schwachen Konturen des Piloten erkennen. Die restlichen Fenster der Passagierkabine sind so stark getönt, dass sie nicht sehen kann, ob sich noch weitere Personen und wie viele sich an Bord befinden. Unsicher wie sie reagieren soll, bleibt sie im Moment noch hinter ihrem schützenden Felsenversteck und ist so vor dem Blickfeld des Helikopters geschützt.

Es vergehen drei quälend lange Minuten, in denen überhaupt nichts passiert. Plötzlich ertönte eine laute, Befehls gewohnte Stimme aus einem verborgenen Aussenlautsprecher des Hubschraubers.

»Samantha Wong! Hier spricht Commandante *Miguel Ruiz* vom argentinischen Geheimdienst! Wir sind von der CISMA gebeten worden, sie an diesen Koordinaten abzuholen! Sollten sie vor Ort sein, geben sie sich zu erkennen und kommen mit erhobenen Armen zu unserem Hubschrauber!«

Samantha zögerte noch einen Moment, unsicher, ob es nicht vielleicht eine Falle Vandorps ist.

»Ich wiederhole, Samantha Wong! Wir kommen im Auftrag der CISMA und somit der Vereinigten Staaten! Geben sie sich zu erkennen! Wir warten noch fünf Minuten, dann werden wir wieder starten. Ob mit ihnen oder ohne sie!«

Samantha dachte *»Wenn ich nicht gehe bin ich verloren! Wenn es eine Falle ist ebenfalls! Aber er erwähnte die CISMA! Sei's drum, ich wollte es ja so! Risiko!«*

Langsam erhebt sie sich hinter ihrem Felsversteck, geht um den Block herum auf die Grasfläche und bleibt mit erhobenen Armen stehen. Die Einstiegstüre öffnet sich und zwei Männer klettern aus dem Hubschrauber. Beide in legerer Zivilkleidung, mit durchtrainiertem Körperbau und mit hässlich grossen, auf Samantha gerichteten, Pistolen in den Händen.

»Miss Wong! Ich bin Commandante Ruiz! Kommen sie jetzt bitte langsam näher! Und keine hektischen Bewegungen!«

Forderte der grössere der beide Männer sie auf. Angesichts der auf sie gerichteten Waffen, gehorchte sie der Aufforderung Ruiz'. Bei den zwei Agenten angekommen, tastete der Kleinere sie von oben bis unten sehr gründlich ab. Dann forderte Ruiz sie auf, ihre Hände vor den Bauch zu senken. Sein Partner legte ihr daraufhin ein paar Handschellen an. Samantha zuckte zusammen, da diese unbequeme Haltung ihre Hämatome an den Oberarmen schmerzen liess.

»Ist das wirklich nötig, Commandante Ruiz?«,

fragt sie leise.

»Sorry, Miss Wong! Anordnung von ganz oben! Nur solange, bis wir in unserer Aussenstelle angekommen sind!«

Dann forderte Ruiz sie auf in den Hubschrauber zu steigen, wobei ihr sein Partner behilflich ist. Die Einstiegstüre wurde geschlossen und Samantha auf einen der vier bequemen Ledersessel gesetzt. Trotz der Handschellen überkommt Samantha ein Gefühl der Erleichterung, als der Motor wieder gestartet wird, sich die Rotoren zu drehen beginnen und der Hubschrauber sanft abhebt und immer höher steigt.

24

Argentinien - Isla las Mellizas

In einer im Schatten liegenden Bucht am südwestlichen Ufer der *Isla las Mellizas*, rund 500 Meter vom Inalco Haus entfernt und durch die dunkelgraue Farbe bestens getarnt, liegt die „Axolotl3“ ruhig vor Anker.

An der nördlichen Spitze des kleinen Eilands beobachten seit geraumer Zeit zwei Augenpaare durch starke Ferngläser das Ufer vor dem Inalco Haus. Die beiden Männer kauern auf einem Felsvorsprung der in die *Bahia Istana* ragt. Durch die mannshohen Büsche am Rand der dicht bewaldeten kleinen Insel vor unliebsamen Blicken geschützt, können die zwei Beobachter unentdeckt das gegenüber liegende Ufer überwachen.

Schon seit fast zwei Stunden liegen Rick Vandorp und Adolf auf der Lauer, ohne dass sich auf Inalco Haus irgend etwas regte.

»Sir, Mr. Vandorp, Sir! Sind sie wirklich sicher, dass sich Miss Wong aus dem Staub machen will?«,
bemerkte Adolf, ohne sein Fernglas abzusetzen. Vandorp wirft ihm nur kurz einen Blick zu, ein schwaches Lächeln umspielte seine Lippen, als er antwortet.

»O, ja! Mein lieber Freund! Ich bin mir sogar 100%ig sicher!« Adolf nickte knapp. Er zweifelt natürlich nicht an der Meinung seines Schöpfers und Führers.

»Ja, Sir! Sehen sie nur! Sie hatten mit ihrer Eingebung recht!«, raunte er mit für seine sonst pragmatischen Natur fast schon aufgeregter Stimme. Vandorp hatte es auch bemerkt. Durch ihre Ferngläser zum Greifen nah, sehen sie, wie Samantha Wong aus der Türe des Inalco Hauses tritt. Sie sieht sich vorsichtig um und geht dann zielstrebig auf den Anlegersteg am Ufer zu.

»Sehr gut, kleine Sam! Haben wir dich erwischt!«, murmelte Vandorp. Adolf hatte sein Fernglas gesenkt und wendet sich zu seinem Boss.

»Sir? Bei allem Respekt, Sir! Sollten wir jetzt nicht eingreifen?« Vandorp, der weiterhin durch sein Glas beobachtete, erwidert nur knapp.

»Nein! Lass uns zusehen, *was* sie vorhat!«
Er beobachtete, wie Samantha in das Speedboot steigt, die Haltetaue löste und langsam vom Steg ablegte. Dann wendet sie die Sea Ray geschickt auf der Stelle und fährt zuerst langsam und dann immer schneller werdend in südwestlicher Richtung an der kleinen Insel vorbei. Kurz darauf ist das Boot aus dem Blickfeld der beiden Männer verschwunden. *»Sehr clever, kleine Sam! Wie du mit dem Boot umgehst! Sehr geschickt!«* Dachte Vandorp und wendet sich an Adolf.

»Es läuft alles nach Plan, Adolf! Lass uns zur „Axolotl3" gehen und endlich zur Isla Huemul fahren! Dr. Kammer und Dr. Schmied erwarten uns sicher schon *sehnsüchtig*! Auf der Fahrt dorthin werde ich noch unseren Freund Henrique kontaktieren. Ich habe eine besonderen Auftrag bezüglich Samantha Wong für ihn!«,

sagte Vandorp, klopfte Adolf auf die Schulter, dreht sich um und geht in Richtung zu ihrer Yacht, die rund hundert Meter entfernt ankerte. Adolf hob für einen Moment fragend eine Augenbraue, um sich dann verstehend einen Anflug eines Grinsen zu erlauben, während er seinem Herrn folgte.

Während der Fahrt zur Isla Huemul hat sich Rick Vandorp in der luxuriösen Lounge der Majestic 56 auf einem der Ledersessel nieder gelassen. Adolf steht vorne neben dem Steuermann, blickte über das in der Sonne silberfarben glitzernde Wasser des Lago Nahuel Huapi und wirft ab und zu einen Blick auf den Navigations-Bildschirm.

Vandorp hatte sich ein grosszügiges Quantum feinsten 20-jährigen Single Malt aus der Distillery von Oban eingeschenkt und sinnierte eine Weile still vor sich hin. »*Was hast du dir nur dabei gedacht, liebe Samantha? Denkst du wirklich das kann gutgehen? Wir werden sehen!*« Er schüttelte kurz den Kopf und greift zum Satellitentelefon, das vor ihm auf dem Mahagonitischchen liegt. Er tippte auf eine Kurzwahltaste, klappt die dicke Antenne auf und hebt das Gerät an sein Ohr. Kurze Piepstöne signalisieren den Verbindungsaufbau und fast augenblicklich meldete sich eine vertraute Stimme.

»Henrique am Apparat! Hallo, Rick! Was kann ich für dich tun?«

Vandorp gönnte sich den Anflug eines Lächelns, um dann ernst zu antworten.

»Henrique, wo bist du im Moment? Und lass mich erst ausreden! Ich habe eine besondere Aufgabe für dich! Wie ich vor einer viertel Stunde beobachten konnte, hat sich meine Befürchtung bewahrheitet! Samantha Wong ist aus Inalco Haus abgehauen!«

Vandorp lässt seine Worte einen Moment wirken.

»Frag jetzt nicht wie? Auf jeden Fall sind wir, also ich und Adolf, ziemlich sicher, dass sie sich auf die Gegenseite absetzen will! Und damit meine ich die CISMA und diesen unsäglichen Special Agent *Charles Roberts*!«

Vandorp trinkt einen Schluck, während Velasquez leicht aus der Fassung gebracht, was bei ihm selten vorkommt, fragte.

»Und *was* will sie damit bezwecken?«

Vandorp wiegt in einer missbilligenden Bewegung seinen Kopf und zischt in gefährlich leisem Tonfall.

»Ich habe gesagt du sollst zuhören und die Klappe halten, Velasquez! Also! Da Samantha mit der CISMA in Verbindung getreten ist - vermutlich über unser Netzwerk - wird sie sicher irgendwo abgeholt und nach Washington zur CISMA gebracht! Du wirst unverzüglich nach D.C. reisen, sie ausfindig machen und *eliminieren*! Hast du das verstanden?«

Die Stimme Velasquez‘ tönte jetzt etwas verrauscht, als er antwortet.

»Ja, Sir, Rick! Ich habe soweit alles kapiert! Ich bin im Moment noch in London! Und habe den Auftrag gemäss deinen Befehlen ausführen lassen! Ich könnte eine Jet chartern, um schnellstens nach D.C. zu fliegen? Ich wäre dann in neun bis zehn Stunden vor Ort. Ich vermute, dass Samantha, wie und womit auch immer, nicht schneller dort sein wird!«

Vandorps Augen funkelten kurz auf, als er versöhnlicher anfügt.

»Ja, gut! Mach das so, Henrique! Und gib mir sofort Bescheid, wenn der Auftrag erledigt ist! Ende!«

Ohne die Antwort Velasquez‘ abzuwarten, kappte Vandorp die Verbindung und legte das Telefon wieder auf den Tisch. *»Auch du wirst noch dein blaues Wunder erleben, mein „lieber“ Freund!«* Denkt er mit einem wölfischen Lächeln, dann ruft er nach vorne in den Steuerstand.

»Adolf! Sag auf der Insel Bescheid, wann wir eintreffen! Ich möchte dann unverzüglich mit Kammer und Schmied sprechen!«

Vandorp brauchte von Adolf keine Bestätigung. Er weiss, dass dieser immer gewissenhaft und ohne zu hinterfragen seine Befehle ausführt. Genüsslich wendet er sich wieder dem Rest seines Single Malt zu, während die Majestic mit hoher Geschwindigkeit zur Isla Huemul gleitet.

25

Argentinien - Isla Huemul - FEP-X

Kaum angekommen, eilte Rick Vandorp mit grossen Schritten, gefolgt von Adolf, vom Landesteg den Weg hinauf zum Kuppelbau. Er rauscht ohne zu Grüssen an den erstaunten schwer bewaffneten Wachposten vorbei und begibt sich sofort in die unterirdische Forschungseinrichtung. Unten an der durch zwei weitere Wachposten gesicherten schweren Eingangstüre erwartet sie schon Dr. Kammer und Dr. Schmied. Ohne auf die Begrüssung der beiden zu achten, sieht er die Männer auffordernd an und fragte.

»Wie weit sind sie mit der Entschlüsselung der Daten, Kammer? Haben sie das fehlende Glied gefunden? Warum hat die Substanz bei mir funktioniert und bei all den anderen Testpersonen nicht? Wann können wir endlich mit Operation „Axolotl" beginnen? Und sie, Dr. Schmied? Konnten sie jetzt endlich genügend „Hf178m2" für Operation „Genesis" produzieren?«

Wie aus der Pistole geschossen, hatte Vandorp die Fragen an die zwei Männer gerichtet. Dr. Kammer reagierte als Erster und beeilte sich zu berichten, denn er befürchtete wieder eine der berüchtigten Wutausbrüche Vandorps.

»Mr. Vandorp, Sir! Bei allem nötigen Respekt, Sir! Ja! Wir sind bei der Entschlüsselung erhebliche Schritte weiter gekommen. Nur dürfte ihnen das Ergebnis nicht gefallen! Darum darf ich die Herren bitten in den Konferenzraum zu gehen. Ich - äh! - wir haben dort alles für eine Präsentation vorbereitet, Sir!«

Dr. Kammer gibt sich beflissen und zeigte in Richtung des

Konferenzraumes. Dr. Schmied, in seiner pragmatischen und von sich überzeugten Art, nickte nur leicht mit dem Kinn und stellte eine eher gelangweilte Miene zur Schau. Die Art Schmieds brachte Vandorp jedes Mal zur Weissglut. »*Noch brauche ich dich! Aber nicht mehr lange und dann hat der Schmied seine Schuldigkeit getan!*« Dachte er und geht mit grossen Schritten an den zwei Wissenschaftlern vorbei. Die beiden Wissenschaftler und Adolf folgen ihm eiligst. Vandorp stürmte durch die Glastüre, setzte sich an seinen angestammten Platz am Kopfende des Konferenztisches und trommelte ungeduldig mit den Fingern auf die Tischplatte.

Er wartet ungeduldig bis Kammer und Schmied sich auf die Sessel vor ihre Tablet Computer gesetzt haben. Adolf nimmt, wie immer mit verschränkten Armen hinter Vandorp stehend, seinen Platz ein.

Kammer tippte auf seinem Tablet ein paar Befehle. Das Deckenlicht wird gedimmt und auf dem grossen Flachbildschirm gegenüber Vandorp erscheint die dreidimensionale Darstellung eines DNA Stranges, der sich um die eigene Achse drehte. Die verschieden farbigen Stege der Doppelhelix sind mit den verschiedenen Kombinationen der Buchstaben A-C-G-T markiert.

»Was sie hier sehen, Sir! Ist die Darstellung der Doppelhelix unserer letzten Versuchsreihe, in der die von Professor Bowles eingeschleusten Bugs die DNA nachhaltig verändert hat! Und somit ist diese für das Projekt „Axolotl“ unbrauchbar!«

Kammer tippte erneut auf sein Tablet und ruft zwei Abbildungen sequenzierter DNA ab.

»Auf der linken Seite sehen sie einen Ausschnitt der menschlichen DNA, wie sie bei praktisch allen Menschen vorkommt! Auf der rechten Seite handelt es sich um den Ausschnitt der gleichen Stelle der DNA wie auf der linken Seite!«

Kammer markierte mit dem Cursor auf der linken, als auch auf der rechten Seite ein bestimmte Stelle der DNA, die an einen

Strichcode erinnerndes Muster aufweist.

»Wie ihnen sicher auffällt, ist das Muster an dieser Position deutlich zu unterscheiden!«

Vandorp knurrte leise und bemerkte mit schnarrender Stimme auf Deutsch.

»Kammer! Meine Geduld ist beschränkt! Auf *was* wollen sie eigentlich hinaus? Ich weiss sehr wohl, dass sich DNA an gewissen Stellen unterscheiden kann. Sonst sähen wir alle gleich aus. Augenfarbe, Haare, Haut oder Statur - alles wäre identisch! Also? Was soll das?«

Kammer lässt sich durch die rüde Art Vandorps nicht beirren und dozierte ruhig weiter.

»Mit Verlaub, Sir! Bei dem rechten Abschnitt handelt es sich um *ihre* DNA, Sir! Sie erinnern sich, dass ich ihnen geraten habe, diese untersuchen zu lassen, nachdem sich ihr kleiner Finger fast vollständig regeneriert hatte. Was wir nun herausgefunden haben ist, dass es sich bei dieser speziellen Sequenz um eine *Mutation* handelt! Hervorgerufen durch die Injektion mit der Versuchs-Substanz „Axo0.02“, die sie sich vor einem Jahr von Dr. Gerlach spritzen liessen!«

Vandorp wedelte mit der Hand und meinte.

»Das ist bekannt! Und wie sie an meinem kleinen Finger sehen können, hat es funktioniert! Oder etwa nicht?«

Kammer schüttelt verneinend den Kopf.

»Leider nicht so, wie sie es sich erhofft haben! Die Substanz „Axo0.02“ als solche zeigt bei anderen Versuchspersonen keinerlei Wirkung in die gewünschte Richtung. Im Gegenteil! Die Probanden degenerieren auf eine uns unbekannte Weise und sterben in 89 Prozent der Fälle nach drei Tagen! Der Rest innert neun Tagen! Also! Eine Fehlerquote von *einhundert* Prozent!«

Vandorp schlägt mit der Faust auf den Tisch und brüllt.

»Das kann nicht sein! Sie wollen mich nur um meinen verdienten Triumph bringen, sie elender Stümper! Ich will unverzüglich eine vernünftige Erklärung oder ich werde sie sofort eliminieren lassen!«

Kammer ist etwas bleicher geworden, fasste sich, setzte sich kerzengerade hin und erklärte so ruhig es ihm möglich ist.

»Die Substanz *Axo0.02* hat bei ihnen eine Mutation ausgelöst, die zu der ungewöhnlichen Regeneration geführt hat! Das kann durchaus auch in der Natur vorkommen! Und sie sollten es als glückliche Fügung betrachten, dass sie mit dieser - wie soll ich sagen - besonderen *Gabe* beschenkt wurden!«

Kammer holte tief Luft und wollte weiter sprechen, als ihm Vandorp ins Wort fällt.

»Dr. Kammer! Entschuldigen sie meine harsche Art! Ihre Erklärung scheint mir schlüssig! Soviel habe ich verstanden. Und wenn es eine Laune der Natur ist - wenn auch mit einer kleinen Hilfe von aussen - so kann ich das akzeptieren! Das bedeutet dann wohl, dass Projekt „Axolotl" *nicht* ausgeführt werden kann? Nur! Was hat es denn mit den ominösen Daten aus dem Maya Tempel auf sich? Sind sie da einen Schritt weiter gekommen?«

Man merkte Kammer die Erleichterung an, als er erneut auf sein Tablet tippte und eine lange Tabelle mit Buchstaben aufrief.

26

Argentinien - Bahia Blanca

Während des ganzes Fluges zu ihrem ominösen Zielort irgendwo in Argentinien, sprachen die zwei Agenten kein Wort mit Samantha Wong. Wenigstens sind im Moment ihre Zweifel bezüglich einer möglichen Falle Vandorps ausgeräumt. Nur hin und wieder blickte Commandante Ruiz kurz zu Samantha, die ganz ruhig auf ihrem Sessel ihren Gedanken nachhängt. Sie hatte das Gefühl, als sei sie für die zwei Agenten Luft, obwohl sie ebenfalls einen Satz Ohrhörer der Bordsprechanlage erhalten hatte. *»Sicher wissen die zwei wer ich bin und dass ich international zur Fahndung ausgeschrieben wurde!«* Dachte sie. Aber eigentlich spielte das keine Rolle mehr. Ihre Versicherung für ein neues Leben steckte gut verborgen in Form eines winzigen Datenträgers in ihrem Gürtel.
Nach gut drei Stunden ereignislosen Fluges, meldete sich der Pilot über die Bordsprechanlage.

»Commandante Ruiz, Sir! Wir werden in fünf Minuten landen!«

Ruiz nickte seinem Partner zu und wandte sich dann an Samantha.

»Agente Diaz wird ihnen jetzt die Augen verbinden. Sie brauchen nicht zu erschrecken! Es handelt sich um eine reine Vorsichtsmassnahme!«

Diaz schnallte sich los, steht auf, greift in seine Jackentasche und holt eine Augenbinde aus schwarzem Stoff hervor. Eine jener Binden, die auch als Einschlafhilfe im Flugzeug verteilt werden. Er nimmt ihr die Ohrhörer ab und zieht ihr die Binde über die Augen. Sie ist erstaunt, dass er sich Mühe gibt, dies möglichst sanft zu tun und lässt die Prozedur klaglos über sich ergehen. Diaz prüfte noch, ob sie wirklich nichts mehr sehen kann, indem er eine Hand schnell in Richtung ihrer Augen bewegte. Zufrieden bemerkt er, dass die Augenbinde blickdicht ist, setzt sich wieder auf seinen Sessel und schnallt sich an.

»Bitte versuchen sie nicht die Binde zu verrücken, um etwas zu sehen, Miss Wong! Wir wollen uns doch jegliche Unannehmlichkeit ersparen, nicht wahr?«

ermahnte Ruiz Samantha, die bestätigend mit dem Kopf nickte. Jetzt spürte sie, dass der Hubschrauber langsamer wird und auf der Stelle schwebend, stetig nach unten gleitet. Ein kurzes Ruckeln und die Maschine hat auf dem Boden aufgesetzt. Samantha wird los geschnallt und Ruiz fordert sie auf aufzustehen. Sie hörte wie die Türe aufgezogen wird und spürt, wie die beiden Agenten sie bei den Armen fassen. Sie führen sie vorsichtig zum Einstieg und über die kleine Treppe nach draussen. Wieder auf festem Boden stehend versucht Samantha sich zu orientieren.

Durch die Augenbinde eines ihrer Sinne beraubt, sind dafür ihre anderen umso sensibilisierter. Sie riecht den warmen, mit Spuren von Kerosin durchsetzten, Asphalt der Landefläche. Spürt die abstrahlende Hitze des Triebwerks in ihrem Rücken und eine leichte, frische Brise salziger Meeresluft von vorne.

Anscheinend sind sie an einem in Küstennähe gelegenem Ort gelandet. Leise dringen die Geräusche einer belebten Siedlung an ihre Ohren, als Ruiz sie auffordert.

»Bitte jetzt vorsichtig zu gehen, Miss Wong! Wir werden sie führen und sie möchten doch auch, dass wir sie wohlbehalten abliefern können!«

An den Armen geführt, geht sie mit etwas wackeligen Schritten zwischen den zwei Männern. Sie hört, wie eine Türe sich in den Angeln quietschend öffnet und es überkommt sie wieder ein leichter Anflug von Panik. *»Wo bringen mich die zwei wohl hin? Das hört sich nach einer schon länger nicht benutzten*

Türe an!« Überlegt Samantha, als die Agenten sie wie es scheint in das Innere eines Gebäudes führen. Der durchdringende Geruch von Bodenpolitur, etwas leicht Schimmeligem und verstaubtem Papier dringt in ihre Nase. Sie hört, wie die Türe wieder zugezogen wird. Sie blinzelt in dem hellen Licht und ihr Blick wird langsam wieder klarer, als einer der Agenten ihr die Augenbinde abnimmt.

»Danke, Miss Wong, dass sie sich so kooperativ verhalten. Wie schon erwähnt, diente die Augenbinde nur zu unser beider Sicherheit! Bitte folgen sie mir!«

Sagte Ruiz sehr höflich. Sie befinden sich in einem durch Neonröhren beleuchteten Korridor. Leicht schmuddelige Wände, die in einem scheusslichen helloliv gestrichen sind. An einigen Stellen blätterte schon die Farbe von den Wänden und einzelne schwarze Schimmelflecken sind zu sehen. Der Boden ist mit hellbraunem Linoleum belegt und die Decke in einem vergilbten beigeweiss gestrichen. Der Gang ist zehn Meter lang und am Ende befindet sich nur eine einzelne dunkelgraue Metalltüre. Samantha kann keinerlei Hinweise erkennen, um was für ein Gebäude es sich handeln könnte.

Ruiz folgend, Diaz dicht hinter ihr, schreiten sie auf die Türe zu. Der Commandante öffnet die Türe und bittet sie einzutreten. Sie folgte seiner Anweisung und betritt den dahinter liegenden Raum. Ein spartanisch eingerichtetes Zimmer. Kahle Wände, ebenfalls in dem hässlichen Helloliv, der gleiche Boden und eine ebenso vergilbte Decke mit einer einzelnen Neonröhre. Links und rechts, je eine dunkelgraue Metalltüre. In der Mitte steht ein ziemlich mitgenommener Metalltisch mit vier Stahlrohrstühlen. Sonst ist keine weitere Einrichtung vorhanden. Samantha bleibt stehen, blickte sich unsicher in dem kahlen Raum um, als Ruiz zu ihr tritt, die Handschellen aufschliesst und sie auffordert.

»Bitte ziehen sie sich jetzt aus, Miss Wong!«

Samantha blickt ihn mit erstauntem Blick an.

»Bitte, Commandante Ruiz! Was soll das?«

Ruiz meint entschuldigend.

»Das muss sein, Miss Wong! Wir müssen uns vergewissern, dass sie nichts an sich verborgen haben! Und ich habe des Weiteren die Anweisung, mich von ihren Verletzungen zu überzeugen! Also, machen sie es uns nicht schwerer, als es so schon ist!«

Zögerlich beginnt Samantha sich auszuziehen. Sie legt ihre Jacke und dann ihre Bluse auf den Tisch. Streift ihre Stiefel von den Füssen und zieht ihre Jeans aus. Sie hakt ihre Finger in den Bund ihres Slips und will ihn ebenfalls hinunter streifen.

»Das genügt, Miss Wong! Ich hoffe doch sehr, sie haben nichts an - sagen wir einmal - *delikaten* Stellen versteckt?«

Samantha hält inne und verneint. Als Ruiz sie von oben bis unten genau in Augenschein nimmt, versucht sie ihre Blösse nicht zu verbergen. Sie schämt sich nicht wegen ihrer Nacktheit, sondern vielmehr wegen der unzähligen Hämatome, die momentan ihren Körper verunstalten. Ruiz zieht erschrocken die Luft ein, als er die inzwischen in allen Farben schimmernden Hämatome und Verletzungen an ihrem Körper und im Gesicht betrachtet. Er zieht ein Smartphone aus der Jackentasche.

»Bitte nicht bewegen, Miss Wong! Ich muss jetzt ihre Verletzungen dokumentieren, solange diese noch frisch sind!«

Er fotografierte sie zuerst von vorne. Er fordert Samantha auf sich nach links und dann nach rechts zu drehen. Er macht noch einige Nahaufnahmen ihrer Wunden im Gesicht und steckt das Smartphone wieder in die Tasche.

Während dessen untersuchte Diaz gewissenhaft ihre Kleider und entdeckte prompt das geheime Fach in ihrem Gürtel. Er hebt den kleinen USB-Stick in die Höhe und zeigt ihn Ruiz.

»Bitte ziehen sie sich wieder an, Miss Wong! Es tut mir aufrichtig Leid, was ihnen von Vandorp angetan wurde! Nun erklären sie mir aber bitte, *was* das für ein Objekt ist, dass sie offensichtlich versucht haben vor uns zu verbergen?«

Die beiden Agenten beobachten ruhig, wie sich Samantha wieder ankleidet.

»Setzen wir uns, Miss Wong! Also? Was hat es mit dem USB-Stick auf sich? Ich hoffe doch nicht, dass es sich um einen Peilsender handelt?«

Die beiden Agenten haben sich ihr gegenüber an den Tisch gesetzt. Ruiz blickte sie mit unter dem Kinn verschränkten Händen fragend an. Den USB-Stick hatte Diaz in die Mitte des Tisches gelegt. Samantha erwiderte den Blick von Ruiz und fängt an zu erzählen.

Sie beginnt mit der »Unterhaltung« an diesem frühen Morgen, die sie mit Vandorp hatte und seiner Drohung sie umzubringen. Wie sie sich mit Sally Bowles in Verbindung setzte und wie sie ihre Flucht vorbereitete. Dann kommt sie auf den USB-Stick zu sprechen.

»Commandante Ruiz! Ich habe auf diesem Datenträger *alle* relevanten Daten zu Rick Vandorps Plänen kopiert! Diese sind von unschätzbarer Bedeutung, um seine Pläne zu durchkreuzen und eine weltweite Katastrophe zu verhindern! Allerdings sind die Daten nur zu einem Teil auf dem Stick. Zu meiner Absicherung habe ich den wichtigsten Teil der Dateien in eine Cloud geladen, die nur von mir geöffnet werden kann! Sie haben sicher Verständnis dafür, dass ich nur der CISMA verraten werde, wie diese Daten zu öffnen sind! Und ich habe den Stick bewusst versteckt, da ich mir nicht sicher sein konnte mit *wem* ich es zu tun bekomme! Seien wir ehrlich Commandante! Bis jetzt weiss ich noch immer nicht, ob sie wirklich die Personen sind, die sie vorgeben zu sein! Und ausser einem Hubschrauber mit ziviler Kennung, diesem doch etwas düsteren Ort und der Erwähnung der CISMA, gibt es keinen Beweis für den Wahrheitsgehalt ihrer Aussagen!«

Samantha hält inne und bemerkte, wie sich ein freundliches Lächeln auf Ruiz‘ Gesicht ausbreitet.

»Sehr gut, Miss Wong! Natürlich haben sie Recht und ich bewundere ihren Mut, dass sie dieses aussergewöhnliche

Risiko eingegangen sind!«

Ruiz greift in die linke Innentasche seiner Jacke, holt ein schwarzes Ledermäppchen hervor. Er klappt es auf und legt es direkt vor Samantha auf den Tisch. Diaz tut es ihm gleich und sie beugte sich über die zwei Ausweise mit den in Messing geprägten Dienstmarken. Die bestätigen eindeutig, dass es sich bei den zwei Männern um Agenten des argentinischen Geheimdienstes handelte. Ruiz fischte aus seiner rechten Jackentasche wieder sein Smartphone, drückte auf das Display, hält Samantha das Gerät mit der Displayseite vors Gesicht.

»Beweis Nummer Eins - die Ausweise vor ihnen! Aber Ausweise zu fälschen ist keine Kunst! Beweis Nummer Zwei - sollte jedoch jeden ihrer Zweifel ausräumen!«,

sagte Ruiz leicht schmunzelnd, während aus dem Smartphone der Aufbau einer Verbindung zu hören ist.

»Special Agent Marc Miller am Phone! Aha! Commandante Ruiz, freut mich so schnell von ihnen zu hören! Wie ich sehe konnten sie das *»Paket«* abholen!«

Ruiz hatte auf Videoanruf geschaltet und Samantha erblickt Marc Millers Gesicht auf dem Display.

»Olà, Agente Miller! Wie sie sich überzeugen können, ist das »Paket« wohlbehalten bei uns!«,

erwiderte Ruiz. Samantha musste schmunzeln und sagte.

»Hallo, Dr. Miller! Das »Paket« von dem sie beide sprechen, sitzt hier mit am Tisch und hört alles mit!«

Sie sieht Marc Miller auf dem Display grinsen, der erwidert.

»Kleiner Scherz, Miss Wong! Ich bin froh, dass es geklappt hat. Alles Weitere wird ihnen Kollege Ruiz erklären! Ende!«

Er unterbricht die Verbindung und Ruiz steckt sein Smartphone wieder in die Jackentasche.

»Miss Wong? Hat sie Beweis Nummer *Zwei* überzeugt, dass sie nicht in die Fänge skrupelloser Gangster geraten sind?«

Samantha nickte erleichtert und hauchte nur ein leises.

»Danke!«

27

Argentinien - Washington D.C.

Commandante Ruiz nimmt den USB-Stick in seine Hand, steht auf und wendet sich an Samantha.

»Ich werde jetzt ihre Überführung nach Washington in die Wege leiten! Die Daten auf dem Stick sende ich zur Überprüfung an die CISMA! Sie haben sicher Hunger und möchten etwas trinken, Miss Wong?«

Samantha nickte und meinte etwas schüchtern.

»Ja! Danke, Commandante! Wann? Meinen sie, können sie mich von hier weg bringen?«

»Ich denke innert der nächsten Stunde! Bis ich zurück bin, wird Tenente Diaz bei ihnen bleiben!«

Ruiz verlässt den Raum durch die linke Metalltüre und lässt Samantha mit Diaz alleine. Quälende Stille herrscht jetzt in dem Raum. Diaz sagte kein Wort und Samantha getraut sich nicht ein Gespräch in Gang zu bringen. Nach fünf Minuten öffnete sich die rechte Türe und eine noch sehr junge Frau betritt den Raum. Ein Tablett auf den Händen balancierend. Sie stellt das Tablett, auf dem sich ein Teller voller Empanadas und zwei Dosen Pepsi Cola befinden, genau in die Mitte des Tischs. Murmelte fast nicht verständlich - »Por favor, buen comida!« - und entfernt sich wieder lautlos. Tenente Diaz schiebt das Tablett näher zu Samantha, lächelte und sieht sie auffordernd an. Dann kommen zum ersten Mal ein paar Worte in Englisch mit starkem Akzent über seine Lippen.

»Bitte, Miss Wong! Bedienen sie sich! Es ist zwar nur eine Kleinigkeit, aber auf dem Flug nach Washington werden sie sicher etwas Vernünftiges erhalten!«

Samantha bedankt sich ebenfalls auf Englisch, obwohl sie fliessend Spanisch spricht. Sie merkt erst jetzt, dass sie wirklich sehr hungrig und durstig ist. Während sie an einem Empanada kaute, einige Schlucke Pepsi nimmt, versuchte sie Diaz doch noch ein paar Worte zu entlocken. Aber der ist wieder stumm wie ein Fisch und hat sich in Schweigen zurückgezogen.

Nach zwanzig Minuten öffnete sich die linke Türe erneut und Ruiz betritt den Raum.

»Oh! Ich sehe, Lucinda hat ihnen etwas zur Stärkung gebracht? Ich habe auch gute Nachrichten! Wir werden in einer viertel Stunde von hier starten und in etwa neun Stunden in Washington eintreffen!«

»Schön zu hören, Commandante! Darf ich fragen was mit dem Stick ist?«,
erkundigt sich Samantha neugierig.

»Die Daten haben wir kopiert und an die CISMA weiter geleitet! Hier nehmen sie den Stick wieder an sich!«,
antwortet Ruiz, überreichte ihr den kleinen Datenträger und erklärt dann entschuldigend.

»Bis zum Flugzeug das sie in die Staaten bringt, muss ich sie leider bitten die Augenbinde wieder anzulegen. Sobald wir gestartet und in Reiseflughöhe sind, dürfen sie diese wieder ablegen. Ich habe mit der CISMA vereinbart, dass Tenente Diaz und ich sie bis nach Washington begleiten werden! Ich gehe doch Recht in der Annahme, dass sich die Handschellen während des Fluges erübrigen, Miss Wong?«

Die Frage Ruiz‘ war mehr rhetorischer Natur und Samantha nickte nur bestätigend.

Wie bei ihrer Ankunft führten die beiden Agenten Samantha an den Armen aus dem Gebäude. Sie wurde in einen Wagen gesetzt und kurz darauf hatten sie ihr Ziel erreicht. Dass es sich um einen Flughafen handelte, konnte Samantha an den typischen Gerüchen und Geräuschen erkennen. Sie wurde über eine kurze Treppe in das Innere eines Flugzeugs geleitet.

Dann helfen sie ihr auf einen sich bequem anfühlenden Sessel und Diaz schnallte ihren Sitzgurt fest. Sie kann hören, wie sich Ruiz auf Spanisch mit jemand, vermutlich dem Piloten, leise unterhielt. Konnte aber nicht verstehen, was die beiden besprachen. Sie spürte zuerst ein Vibrieren und dann, zuerst etwas leiser, das Brummen der Turbinen. Die Maschine ruckelte und setzte sich in Bewegung. Nach einer holperigen Fahrt über eine Zubringer Runway, bleibt das Flugzeug kurz stehen.

Plötzlich erwachen die Turbinen brüllend auf volle Touren und die Maschine beschleunigt immer schneller werdend auf der Startbahn. »Toc Toc Toc« hört sie, in immer schneller werdendem Stakkato, die Reifen auf den Betonplatten holpern. Unvermittelt spürt Samantha, wie sich ihr Magen wie auf einer Achterbahn hebt und der Jet sanft abhebt. Immer steiler nach oben steigend, hatte das Flugzeug schon bald die Reisehöhe erreicht und gleitet nun erstaunlich ruhig dahin.

»Miss Wong! Sie können sich jetzt die Augenbinde abnehmen! Möchten sie einen Drink?«

Hört sie, die inzwischen vertraute Stimme von Ruiz. Sie zieht sich die Binde von den Augen, blinzelte im ersten Moment wegen der Helligkeit und blickte sich beeindruckt in der geräumigen Kabine um. Ruiz hatte sich ihr gegenüber in den Ledersessel gesetzt und beobachtet, leicht amüsiert, das Gesicht von Samantha.

»Wow! Commandante Ruiz! Ich muss schon sagen, ich bin sehr beeindruckt! Ich kenne aus der Zeit mit Rick Vandorp so einige Privatjets von innen, aber dieses Fluggerät kann sich durchaus mit den anderen messen!«,

bemerkte Samantha, während sie sich weiter in der Kabine umsieht. Diese verfügte über eine elegante Einrichtung mit bequemen Sesseln, die mit weissem Leder bezogen sind. Zwischen ihr und Ruiz ist ein Tisch in Mahagonioptik montiert. Weiss und Beige ausgekleidete Kabinenwände vermitteln ein angenehm helles Ambiente und ein dunkelroter Teppich als

Bodenbelag, bildet einen sehr schönen Farbkontrast.

»Bitte nennen sie mich *Miguel*, Miss Wong! Ich darf kurz erklären! Bei dieser Maschine handelt es sich um eine *Dassault Falcon 7X* mit drei Turbinen und einer Reichweite, die uns ohne Zwischenstopp nach Washington bringt! Und dies, wenn nötig, mit einer Spitzengeschwindigkeit von rund 1000 Kilometern in der Stunde! Die Maschine wurde uns kurzfristig von einem argentinischen Unternehmer zur Verfügung gestellt. Und zwar auf spezielle Bitte von seinem Bekannten und Freund *George S. Miller!* Ich vermute, dass ihnen dieser Name nicht unbekannt ist?«,

erklärte Ruiz mit einem wissenden Blick.

»Sie sehen, wir haben - besser gesagt, die CISMA - hat keine Kosten und Mühen gescheut, um das »Paket« wohlbehalten nach Washington zu bringen!«,

ergänzte er mit einem schelmischen Augenzwinkern. Aus dem hinteren Bereich tritt die Flugbegleiterin zu den drei Passagieren und wiederholt Ruiz' Frage.

»Willkommen an Bord! Mein Name ist Mercedes. Ich bin für ihr Wohl auf diesem Flug zuständig. Möchten sie einen Drink, Madame? Und die beiden Herren?«

Samantha und die beiden Agenten geben ihre Wünsche bekannt und Mercedes begibt sich wieder nach hinten in die Bordküche.

»Übrigens! Wir haben ihnen eine kleine Auswahl an Sachen zum Anziehen und ein paar bequemere Schuhe besorgt. Ich hoffe die Grösse sollte passen? Wenn sie sich bei Gelegenheit frisch machen und umziehen möchten, wenden sie sich einfach an Mercedes!«

Ruiz hatte dies mit einem Fingerzeig auf ihre doch eher rustikale Kleidung und die derben Stiefel gesagt.

»Und wenn sie sich Ausruhen oder Schlafen möchten? Die Sessel dahinten können in Liegeposition abgesenkt werden!«

Samantha drehte sich um und bemerkte die zwei Ledersessel, die viel mehr Zwischenraum zu den vorderen hatten.

»Danke, Miguel! Dann nennen sie mich aber auch Sam! Eine

Frage. Ich bin etwas verwirrt über die Fürsorge die mir, dem »Paket«, zu Teil wird? Wie komme ich zu der Ehre, da ich doch international gesucht werde?«,

bemerkte Samantha und blickte Ruiz fragend direkt in die Augen.

»Ganz ehrlich, Sam! Auf Grund ihrer Zusage Informationen zu liefern, die zum Fall Vandorps beitragen, hat die CISMA und somit die Vereinigten Staaten entschieden das kleinere, sie verzeihen den Ausdruck, „Übel" in Kauf zu nehmen! Das heisst! Ihnen wird Straffreiheit gewährt! Aber nur für den Fall, dass sich die Informationen die sie noch liefern, so *wertvoll* sind *wie* sie behaupten!«

Mercedes kommt in dem Moment mit den Getränken und stellte die Gläser für Samantha und Ruiz auf den Tisch. Dann bringt sie Diaz sein Glas und begibt sich wieder diskret nach hinten. Ruiz hebt sein Glas und prostete ihr zu.

»Sie haben sicher schon einen Blick auf die Daten geworfen, Miguel?«

Ruiz nickte.

»Dann haben sie sicher bemerkt, dass es sich um äusserst brisantes Material handelt? Und sicher haben sie auch bemerkt, dass die Dateien *unvollständig* sind?«

Ruiz nickte wieder und sagte.

»Wie sie bei unserem ersten Gespräch erwähnten, befinden sich die ergänzenden Dateien also in einer Cloud, zu der nur sie Zugriff haben! Richtig?«

Aus dem Bordlautsprecher ertönte die Stimme des Piloten, der auf Englisch eine Durchsage an Ruiz richtet.

»Commander Ruiz! Ich empfange soeben einen Anruf der CISMA! Ich lege die Verbindung auf den Flat Screen in der Kabine!«

Ruiz nimmt eine Fernbedienung aus einer Halterung am Tisch, richtete sie auf das Sideboard an der gegenüber liegenden Kabinenwand und drückt auf eine Taste. Wie von Geisterhand wird ein 64inch HD Flat Screen aus dem Sideboard hochgefahren. In der Endposition schaltet sich der Bildschirm automatisch ein und das markante Gesicht von Marc Miller wird sichtbar.

»Olà! Commandante Ruiz! Como usted?«

»Olà! Agente Special Miller! Mui bien! Aber bitte, nennen sie mich einfach Miguel! Was verschafft uns die Eher ihres Anrufs? Ich hatte gerade mit Samantha, Verzeihung, Miss Wong eine interessante Unterhaltung!«

Marc Miller winkte mit einer Hand, konnte sich ein Grinsen nicht verkneifen und meinte.

»Hallo, Miss Wong! Wie ich sehe, haben sie es ja richtig gemütlich! Da oben in dreissigtausend Fuss Höhe! Und wie ich von Miguel höre, sind sie sich schon etwas näher gekommen!«

Samantha hatte ihren Sessel ebenfalls in Richtung des Bildschirms gedreht und winkte zurück.

»Besten Dank, Special Agent Miller! Ich werde von Miguel wirklich zuvorkommend behandelt!«

Marcs Miene wurde wieder ernst, als er sich an Ruiz wandte.

»Also, Miguel! Samantha! Warum ich sie anrufe! Wir haben die Dateifragmente erhalten und durch unseren IT-Spezialisten prüfen lassen. Er ist der Meinung, dass die Daten durchaus *echt* sein könnten und wenn ja, wirklich von grossem Wert sind! Sofern sie, Samantha, uns die ergänzenden Teile der Dateien liefern können! Wir wollten ihnen dies vorab mitteilen und erwarten sie also in etwa sieben Stunden in D.C.! Bis dahin guten Flug! Adios Miguel! Ciao, Miss Wong!«

Miller hatte die Verbindung ohne auf eine Antwort zu warten unterbrochen. Der Bildschirm wird schwarz und Ruiz drehte sich wieder in Richtung Samanthas.

»Sie haben es gehört, Sam! Sie haben also fast schon VIP Status!«

Samantha lächelte etwas verlegen und meinte mit einem Kopfnicken nach hinten.

»Wenn sie nichts dagegen haben, Miguel, würde ich mich

jetzt gerne etwas hinlegen! Ich muss gestehen, dass mich die vergangenen Stunden doch mehr geschafft haben, als erwartet!«

»Kein Problem! Und wenn sie einen Wunsch haben, richten sie sich einfach an Mercedes. Schlafen sie Gut!«,
erwiderte Ruiz.

28

10'000 Meter über dem Atlantik

Samantha steht auf und begibt sich in den hinteren Bereich der Falcon. Dort wechselte sie ihre doch arg ramponierte Kleidung gegen eine Seidenbluse mit farblich dazu passender Hose aus Kaschmirwolle. Dann setzte sie sich auf einen der zwei Liegesessel. Mercedes hatte sie schon bemerkt und kommt mit einer weichen Decke aus Schurwolle zu ihr. Sie zeigt Samantha, wie der Sessel in Liegeposition gestellt wird. Todmüde streckt sich Samantha auf dem Sessel aus und schliesst die Augen.

Doch trotz ihrer Müdigkeit findet sie im ersten Moment noch keinen Schlaf. Hundert Gedanken schiessen ihr durch den Kopf. Sie denkt wieder an das schicksalhafte Zusammentreffen mit Vandorp in London vor fast zwölf Jahren. An die Ereignisse in Mexiko, ihre gemeinsame Flucht an die Küste Panamas und weiter nach Argentinien. Das vergangene Jahr, in ihrem selbst gewählten Exil im Distrikt Rio Negro. Mit einem gewissen Schaudern erinnerte sie sich an die langsame Veränderung von Rick Vandorps Psyche. Die sich immer mehr in nationalsozialistischen Gedankengängen äusserte.

Vor allem, dass er sie immer häufiger als minderwertige Person beschimpfte, gibt ihr zu Denken. *»Ich komme einfach immer wieder zu dem Schluss, dass diese Veränderung Ricks mit der verhängnisvollen Injektion zusammen hängt! Die Regeneration seines abgetrennten Fingers hat zwar bis zu einem gewissen Grad funktioniert. Doch was für Nebenwirkungen noch auftreten können, weiss kein Mensch!«* Überlegt Samantha. Dann erinnert sie sich plötzlich an eine Begebenheit, die schon länger zurück liegt. *»Genau! Es gibt doch Parallelen zwischen* *den Experimenten seines Grossvaters und seines Vaters!«*

Es war vor sechs Jahren, als Rick Vandorp zu einem der reichsten Unternehmer in den Staaten gehörte und sie schon länger eine Liebesbeziehung hatten. Es war in der Zeit, als Vandorp sie auch zu seiner Vertrauten in geschäftlichen Angelegenheiten gemacht hatte. Eines Abends sassen sie im Wohnraum des riesigen Penthouse gemütlich zusammen. Sie tranken ein Glas Bourbon, als Vandorp unvermittelt aufgestanden ist und zu einem der unzähligen Gemälde ging. Samantha hatte davon Kenntnis, dass sich hinter dem Gemälde ein eingebauter Tresor verbarg, zu dem nur er Zugang hatte. Er klappte das Bild zur Seite, presste seine Daumen auf den Fingerprintsensor, tippte anschliessend eine längere Zahlenkombination auf einer Tastatur und öffnete die schwere Stahltüre. Er entnahm dem Tresor ein kleines, in Leder gebundenes Büchlein und setzte sich wieder zu Samantha auf die Couch. Er legte das Büchlein vor Samantha auf den Glastisch und tippte mit dem Zeigefinger darauf.

»Sam, meine Liebe! Dieses Buch hier, hat bisher noch kein Mensch zu Gesicht bekommen! Ausser mir, wirst du die Erste sein, die es lesen darf!«

Samantha wusste nicht worauf Rick hinaus wollte und sieht ihn fragend an.

»Dieses Büchlein ist das Vermächtnis meines Grossvaters *Eberhard von Gehlendorf*, alias Erhard Vondorf sowie meines Vaters *Franz von Gehlendorf*, alias Franz Vondorf! Es handelt sich um eine Art Tagebuch und Bericht. Mein Vater hat ihn damals niedergeschrieben! Er beginnt bei der Flucht aus dem durch die alliierten Siegermächte besetzten Deutschland, beziehungsweise aus Hamburg im Jahr 1946!«

Sam blickte auf die das kleine Büchlein, dann zu Rick Vandorp und fragte.

»Du hast mir bisher nur erzählt, dass dein Grossvater Wissenschaftler gewesen ist und zusammen mit deinem Vater nach Mexiko flüchtete! Wieso zeigst du mir jetzt diese

Aufzeichnungen?«

Vandorp nimmt einen Schluck seines Bourbon, sieht Sam mit von Enthusiasmus geweiteten Augen an und erklärt ihr.

»Weil ich mich dazu entschlossen habe, das Lebenswerk meines Grossvaters und Vaters weiter zu führen, beziehungsweise zu einem krönenden Abschluss zu bringen! Ich werde! Nein! Wir werden die Schmach und Schande, die den zwei widerfahren ist bereinigen! Wir werden der Welt beweisen, dass sie mit ihrer Forschung Recht hatten! Also lies das Buch in Ruhe durch, dann wirst du verstehen *was* ich meine!«

Nach dieser, für Samantha vagen Aussage, ist Vandorp aufgestanden und hatte ohne ein weiteres Wort den Wohnraum verlassen. Im Moment etwas irritiert, dass er sie plötzlich alleine lässt, schaut sie auf das vor ihr liegende Büchlein. Sie kennt Rick Vandorp inzwischen gut genug, um zu wissen, dass er es mit seiner Aussage durchaus ernst meinte. Sie ist sich unschlüssig, ob sie ihm nicht einfach folgen sollte.

Samantha nimmt das Büchlein in die Hand, fährt mit der Hand über das dunkelrote Leder und blättert zum ersten Eintrag. Es handelt sich eher um eine Mischung aus Tagebucheinträgen und in der ersten Person abgefassten Berichten. Die ersten Eintragungen hatte Franz Vondorf als Tagebuch verfasst und schildert die Überfahrt von Hamburg nach Mexiko. Mit wachsender Faszination fängt sie an zu lesen und versinkt nach kurzer Zeit komplett in der Familiengeschichte der Von Gehlendorfs.

29

Das Tagebuch der Von Gehlendorfs

Tagebucheintrag von Franz Vondorf

3ter Tag auf See

Wir befinden uns jetzt schon seit drei Tagen auf See und es ist bis jetzt eine angenehme und ereignislose Überfahrt. Die Distanz von Hamburg zu unserem Zielhafen in Mexiko beträgt rund **9000** Kilometer und dauert, gemäss Kapitän Meierbier, bei unserer Reisegeschwindigkeit von 22 Knoten in der Stunde, rund siebzehn Tage.

Vater ist die meiste Zeit in seiner Kabine und grübelt über seinen Unterlagen. Die Prothese hat sich als ausserordentlich gut angepasst erwiesen und nur ab und zu muss Günther noch eine Kleinigkeit richten. Er kümmert sich wirklich liebevoll um Vaters Wohlbefinden. Die *M.S. Hamburg 3* bietet für uns einige Annehmlichkeiten, doch ist nicht zu verkennen, dass es sich um einen Frachtdampfer handelt.

Von der Besatzung sehen wir nur ab und zu einige Matrosen bei der Arbeit, wenn wir an Deck etwas frische Luft schnappen. Ansonsten haben wir nur mit Kapitän Ernst Meierbier Kontakt. Unsere Mahlzeiten nehmen wir jeweils zusammen mit ihm und dem Ersten Offizier, Julius Schrader, in der separaten Messe ein. Das Essen ist erstaunlich gut zubereitet. Es ist immer wieder verblüffend, was ein Bündel Banknoten alles bewirken kann.

8ter Tag auf See

Aus irgendeinem Grund hat einer der Matrosen erfahren, dass wir grössere Sachwerte mit uns führen. Als Günther in unserem

Frachtabteil nach dem Rechten sehen wollte, beobachtete er einen Seemann, der sich an unseren Kisten zu schaffen machte. Als Günther ihn zur Rede stellen wollte, hat der Mann ihn ohne Vorwarnung mit einem Messer angegriffen. Nur - man darf sich nicht einfach mit Günther anlegen. Mit einem Schuss aus der kleinen CZ hat er das Problem aus der Welt geschafft. Als wir Kapitän Meierbier zur Rede stellten, wie der Matrose in unser Frachtabteil gelangen konnte, erklärte er, dass sich der Mann den Zweitschlüssel genommen habe. Er versicherte uns, dass es inskünftig zu keinerlei derartigen Vorfällen mehr kommen wird.

9ter Tag auf See

Nach dem unschönen Vorfall mit dem Seemann, herrschte wieder die tägliche Routine auf dem Schiff. Kapitän Meierbier hatte zuvor die gesamte Mannschaft zusammen gerufen. Er gab den Männern unmissverständlich zu verstehen, sich von unserem Frachtabteil fern zu halten. Ansonsten würde er die Fehlbaren persönlich liquidieren und auf hoher See verschwinden lassen. Bei dieser Gelegenheit lobte er die schnelle Reaktion Günthers. Ein wirklicher guter Mann! So denkt ein wahrer Diener für sein Vaterland.

16ter Tag auf See

Wir sind jetzt nur noch einen Tag von unserem Ziel entfernt und Vater hat Günther und mich zu sich in die Kabine gerufen. *»Franz! Dr. Heigel! Ich glaube ich habe den Fehler in unseren Berechnungen, beziehungsweise die Lösung für das Problem bei unserem Projekt gefunden!«* Sagte er voller Stolz und tippte auf einen Stapel eng beschriebener Papiere, die auf dem kleinen Schreibtisch liegen. *»Sobald wir an unserem Bestimmungsort angekommen sind, werden wir uns unverzüglich mit der Arbeit beginnen!«*

17ter Tag. Ankunft in Progreso

Wir haben es geschafft! Ohne weitere Zwischenfälle sind wir

endlich in Mexiko angekommen! Am frühen Nachmittag legte die *M.S. Hamburg 3* im Hafen von Progreso in der Provinz Yucatán an. Nachdem unser Gepäck ausgeladen worden ist, verabschiedete sich Kapitän Meierbier überschwänglich auf dem Pier und wünschte uns viel Erfolg bei unseren weiteren Aktivitäten. Tatsächlich erwartete uns schon eine Vertrauensperson mit einer grossen Limousine und einem kleinen Lastkraftwagen. Heinz Heinzer, unser Mann in Hamburg hatte wirklich hervorragende Arbeit geleistet. Der Mann der uns mit seinem Fahrer erwartete, stellte sich als Markus Krieger vor. Er war ebenfalls Angehöriger der ehemaligen SS und wie er uns berichtete, schon kurz nach Kriegsende mit Hilfe der Organisation *»die Spinne«* nach Mexiko geflüchtet. Ich habe ihn um einen Beweis seiner Identität gebeten und nach dem ich seine eintätowierte Stammnummer am Oberarm gesehen hatte, sind bei uns jegliche Zweifel verflogen.

<u>Mérida - Juni 1946</u>

In den ersten Wochen wohnten wir drei in einem der besten Hotels von Mérida. Ich hatte Schöller beauftragt nach einem geeigneten Objekt Ausschau zu halten, wo wir unseren zukünftigen Wohnsitz einrichten konnten.
Einen Ort der abgelegen genug ist, um unsere geplanten Aktivitäten unbeobachtet vorantreiben zu können. Jedoch nahe genug an einer Ortschaft, um die Verbindung zur Aussenwelt aufrecht zu erhalten.

Nach einigen Tagen des Wartens, klopfte es an der Türe zu ihrer Suite und Schöller betritt den Vorraum.

»Herr Vondorf, guten Morgen! Ich habe nunmehr ein Objekt ausfindig gemacht, dass ihren Bedürfnissen genau entspricht!«

Berichtete Schöller während er mir in das angrenzende Wohnzimmer folgte. Mein Vater und Gunther Heigel sassen am Schreibtisch über einer Anzahl Papiere und Dokumente gebeugt. Sie hoben die Köpfe, als sie uns eintreten hören.

»Vater, Dr. Heigel! Gute Nachrichten! Herr Schöller ist fündig geworden!«

Eröffnete ich den beiden.

»Herr Schöller! Bitte erzählen sie!«

Schöller drückte sein Kreuz durch und nimmt unterbewusst Habachtstellung an. Im letzten Moment vermeidet er, seinen rechten Arm zum „Deutschen Gruss“ zu heben. Ich musste innerlich schmunzeln.

»Herr Professor! Melde gehorsamst, dass ich ein für ihr Vorhaben geeignetes Objekt gefunden habe!«

Mein Vater blickte Schöller über den Rand seiner Lesebrille an, nickte kurz und meinte.

»Setzen sie sich, Schöller! Wir hören!«

Schöller entspannte sich ein wenig, setzte sich auf einen Stuhl vor dem Schreibtisch und klappte seine Aktenmappe auf. Er entnimmt einige Papiere und erklärte.

»Das Objekt befindet sich etwa vier Kilometer ausserhalb von der kleinen Stadt *Mani*. Mani liegt zwanzig Kilometer in südöstlicher Richtung von *Mérida*. Das Objekt umfasst ein grosses Herrschaftshaus mit angrenzenden Wirtschaftsgebäuden und einem Grundstück von rund 20 Quadratkilometer Umschwung!«

Schöller legte einen gefalteten Plan vor meinen Vater und Günther, klappte ihn auf und streicht das Papier glatt. Schöller deutete mit dem Finger auf die eingezeichneten Gebäude und umfährt dann die Aussengrenze des Geländes.

»Sie sehen, dass sich hier in diesem Bereich die vermutlich ideale Stelle befindet, um die geplanten Einrichtungen zu erstellen!«

Mein Vater studierte den Plan sehr genau, blickte zu mir und Gunther Heigel. Ich sagte.

»Ich meine, wir haben hier das ideale Gelände gefunden, Vater! Herr Schöller sollte unverzüglich die nötigen Formalitäten zum Kauf in die Wege leiten! Was meinen sie,

Dr. Heigel?«

Heigel nickte nur bestätigend und ich wandte mich an Schöller.

»Könnte es irgendwelche Probleme mit der Abwicklung des Kaufs geben?«

Schöller schüttelte den Kopf.

»Nein, Herr Vondorf! Ich habe meine Verbindungen zu den örtlichen Behörden in den letzten Monaten aufs Beste ausgebaut! Natürlich auch mit den nötigen monetären Freundlichkeiten!«

»Dann veranlassen sie jetzt alles Nötige, damit wir uns möglichst schnell in unserer neuen Heimat einrichten können! Danke!«

Schöller hatte begriffen, dass die Besprechung beendet ist, verschloss seine Mappe, steht auf und sagte zu uns.

»Sie hören von mir! Meine Herren!«

Er machte einen Bückling, schlägt dann die Hacken zusammen, machte kehrtum und verlässt eilig das Appartement.

Nachdem Schöller gegangen ist, schweigen wir eine Weile. Jeder von uns in seine eigenen Gedanken versunken.

Eine Woche später hatte Schöller alle Kaufmodalitäten erledigt. Die Kaufdokumente wurde unter notarieller Aufsicht unterzeichnet und der Umzug von Mérida auf das Anwesen in der Nähe von Mani organisiert.

Während sich mein Vater und Günther Heigel um den wissenschaftlichen Aspekt unseres Projektes kümmerten, beschäftigte ich mich mit der Planung und Ausführung der Bauarbeiten der zukünftigen Forschungseinrichtungen auf dem Gelände der *„Finca do Pueblo“*. So nannten wir nun, auf Anregung von Günther Heigel, unser Anwesen.

Nachdem das Herrenhaus unseren Bedürfnissen entsprechend renoviert und eingerichtet war, beginnen die eigentlichen Bauarbeiten. Durch grosse finanzielle Zuwendungen - gespeist aus unserem beachtlichen Vermögen - an die Gemeinde von Mani, stellten die so bedachten Stadtobersten keine Frage betreffs des Zwecks der geplanten Bauten. Die grosszügigen

Bestellungen von Baumaterialien verhalfen etlichen Unternehmen und Handwerker zu neu gewonnenem Wohlstand. Warum wir eine unterirdische Anlage erstellten, wurde dermassen beantwortet, dass sie der Erforschung neuer Technologien zur Verbesserung der landwirtschaftlichen Nutzung dienen.

Nach einem Jahr - Anfang 1948 - ist der erste Abschnitt fertig gestellt und mein Vater und Dr. Heigel nehmen wieder ihre Arbeit am Projekt „Axolotl" auf.

Ich kümmerte mich um den landwirtschaftlichen Bereich der „Finca do Pueblo". Der diente zur Tarnung der eigentlichen Arbeiten an unserem Projekt.

Während der nächsten Jahre treiben mein Vater und Günter Heigel die Erforschung der genetischen Manipulation stetig voran. Aber immer, wenn sie der Meinung waren ihrem Ziel nahe zu sein, wurde das Projekt von massiven Rückschlägen zurück geworfen.

Wir halten auch beständig Kontakt zu den verschiedenen deutsch stämmigen Gemeinden in Südamerika. Vor allem mit den nach Misionés emigrierten ehemaligen Parteigenossen, herrschte ein reger Gedankenaustausch.

Auf Drängen meines Vaters, der gute Verbindungen zu den Kameraden unterhielt, heiratete ich im Jahr 1959 die junge Emanuela Colmonte. Eigentlich heisst sie Emma Kohlberg. Emma ist auch gebürtige Deutsche, war beim BDM und im Lebensborn e.V.! Sie ist - wie ich - glühende Anhängerin der NSDAP und deren Rassenideologie! 1945 ist sie mit ihrer gesamten Familie nach Südamerika, genauer gesagt, nach Misionés in Argentinien geflüchtet. Ich musste dafür extra in die deutsche Kolonie nach Misionés reisen, um sie zu uns nach Mina zu holen. Günther lässt sich nichts anmerken und ich fügte mich in das unvermeintliche Schicksal.
Sechs Jahre später, anno 1964, konnte ich mich nicht länger ihrem

fordernden Drängen nach einem Kind verwehren. In diesem Jahr wird Emma von einem gesunden Knaben entbunden. Vater ist sehr stolz, dass wir endlich einen Stammhalter haben. Und ich komme nicht umhin zu erwähnen, dass ich den kleinen Richard richtig ins Herz geschlossen habe.

Unsere Ehe verlief in gegenseitigem Respekt. Aber die von Emma erhoffte Liebe, konnte ich ihr nie entgegen bringen. 1974 kommt meine Ehefrau bei einem tragischen Verkehrsunfall ums Leben. Nun ziehen Günther und ich, den inzwischen strammen 8-jährigen Jungen gemeinsam auf.

Mit geschlossenen Augen denkt sie an die seltsame Familiengeschichte der Vondorfs, als ihre Lider immer schwerer werden und sie plötzlich in tiefen Schlaf versinkt.

30

10'000 Meter über dem Atlantik

Langsam lichtet sich die Dunkelheit und verwandelte sich in regenbogenfarbige Schleier. Seltsame dumpfe Geräusche dringen an ihre Ohren. Mühsam öffnete Samantha zuerst ein Auge und dann das andere. Grelles Licht blendet sie einen Moment lang und sie schliesst die Augen sofort wieder. Als sie beide Augen wieder aufmachte, blickt sie direkt in eine Deckenleuchte, die in dieser Form in Operationssälen anzutreffen sind.

»Wo bin ich?«, stellte ihr noch immer benommenes Gehirn sich selbst die Frage. Die merkwürdigen Geräusche werden immer lauter und entpuppen sich als spitze Schreie und angestrengtes Hecheln. Schwerfällig hebt Samantha ihren Kopf nach vorne und blickt an sich hinunter. Sie liegt auf einer merkwürdigen Konstruktion, die sie irgendwie an einen gynäkologischen Stuhl erinnerte. Sie will ihre Hand hochheben und sich bemerkbar machen. »Himmel! Ich kann mich nicht bewegen! Ich bin auf diesem Ding festgeschnallt!«

Schiesst es ihr durch den Kopf und ein Anflug von Panik machte sich in ihrem Körper breit. Samantha bemerkte, dass ihre Beine gespreizt und abgewinkelt mit den Kniekehlen auf zwei Auslegern mit kleinen Polster aufliegen. Auch ihre Unterschenkel sind an dem seltsamen Gestell festgeschnallt. Eine blass grüne dünne Decke bedeckt ihren Körper von den Brüsten bis über die Knie. Vor sich, zwischen ihren Schenkeln, sieht sie die Oberseite eines mit einer OP-Kappe bedeckten Kopfs. Rechts von ihr steht eine jüngere Frau. Von Kopf bis Fuss in einen blass grünen OP-Kittel gehüllt. Vor dem Gesicht einen riesigen Mundschutz, die Haare ebenfalls unter einer OP-Kappen verborgen, so dass Samantha nur ihre glühenden eisblauen Augen sehen kann.

»Was machen sie denn da?« Will Samantha fragen. Sie spürt, dass sich ihr Mund bewegt, aber kein Laut zu hören ist. Jetzt vernimmt sie wieder die klagenden Schreie und das Gehechel. Samantha dreht den Kopf so gut es geht nach rechts und bemerkt drei Frauen in einer Reihe. Allesamt auf den gleichen Stühlen festgeschnallt. Sie dreht den Kopf nach links und sieht drei weitere Frauen aufgereiht auf den Stühlen - wie Perlen auf einer Schnur. Alle Frauen sind offensichtlich gut gebaute Schönheiten mit blonden Haaren.

»Der Inbegriff des „arisch“ idealisierten Frauentypus!«, kommt es Samantha in den Sinn. Vor jeder der Frauen sitzt eine in Operationskleidung gehüllte Gestalt. Daneben eine weibliche Assistentin, die ein Ebenbild derjenigen sein könnte, die vor ihr steht. Diese sind nur als blass grünes Schemen zu erkennen.
Sie rüttelte an ihren Fesseln, aber keiner schenkt ihr Beachtung. »Pressen, pressen! Ja! So ist es gut! Bald ist es soweit!« Vernimmt sie eine sonore Stimme zwischen ihren Schenkeln. Irgendwie hohl tönend, wie durch Watte gedämpft. »Verdammt! Ich bin mitten am Gebären! Das kann doch nicht wahr sein!« Durchfährt es Samantha, als ein gutturaler Schrei zu ihrer Linken ertönt. Dann zu ihrer Rechten und wieder einer links. »Geschafft, meine treuen Gefährtinnen!«, vernimmt sie die Gestalten zwischen den Schenkeln der Frauen ausrufen. »Söhne! Ihr habt uns sechs Söhne geschenkt!«

Die Gestalten halten triumphierend mit beiden Händen sechs Neugeborene hoch und drehen die Babys in ihre Richtung. Sie schüttelt den Kopf hin und her und sieht mit Entsetzen, dass alle sechs Frauen identische Babys zur Welt gebracht haben. Die sechs blass grünen Schemen vor den Schenkeln der Frauen jubeln. Dann verschwinden wie von Geisterhand die Geschichtsmasken und enthüllen eine karikierte Version von Rick Vandorps Antlitz. Alle brüllen im Chor. »Und jetzt

du, Samantha! Bring es zu Ende!« Ohne ihr Zutun spürt sie wie etwas aus ihrem Bauch rutscht und im nächsten Moment hält ihr der vor ihr Sitzende ein Neugeborenes entgegen. »Nein, nein! Das darf doch nicht wahr sein! Das kann nicht sein!«. Schreit Samantha qualvoll auf, als sie das kleine Geschöpf mit dem riesigen Kopf erblickt. Aus grossen stahlblau glühenden Augen blickt sie das Gesicht mit den Zügen von Adolf dem Klon an. Er reisst sein Mund auf. Eine Reihe spitzer Zähne blecken ihr entgegen. Grünlicher Speichel tropft von seinen Lippen. Ein grässliches Gebrüll erfüllt den ganzen Saal, als sich eine Hand von hinten auf ihre Schulter legt und Rick Vandorps Stimme in ihr Ohr flüstert.
»Samantha! Es ist soweit! Wir sind da!«

Vor Schreck zuckte Samantha zusammen und öffnete schlaftrunken die Augen. Über sie gebeugt, blickt Samantha in das Gesicht Miguels, der sie lächelnd ansieht. Seine Hand liegt auf ihrer Schulter und er sagte.

»Samantha! Es ist soweit! Wir sind da! In zehn Minuten landen wir in D.C.!«

Sie schüttelte kurz ihren Kopf, um die Spinnweben und den grässlichen Albtraum zu verscheuchen.

»Sorry, Miguel! Ich hatte einen fürchterlichen Alptraum!«

»Oh, das tut mir leid! Und wie ich sehe haben sie sich schon umgezogen! Steht ihnen wirklich gut!«,
meinte Ruiz und streckte ihr eine Sonnenbrille entgegen.

»Vielleicht möchten sie ihre lädierten Augen etwas verdecken!«,
sagte er mit einem charmanten Lächeln, dann hilft er ihr auf die Beine und geleitet Sam nach vorne zu der Sitzgruppe.

31

London - Zentrale KI6

Gerade als Peter zur Erklärung ansetzt, meldete sich Charles Smartphone mit dem speziellen Klingelton, der anzeigte, dass sich der General persönlich meldete. Charles nimmt den Anruf entgegen und hört dem General schweigend zu. Dann beendete er das Gespräch und erklärte.

»Das war der General persönlich!«

Charles, das Gehörte immer noch verarbeitend, holt einmal tief Luft und schildert, was der General berichtet hatte.

»Erstens! In Mailand ist die Wohnung von Professor Ferruccio komplett ausgebrannt! Es gibt keine verwertbaren Spuren mehr und es handelte sich ganz klar um Brandstiftung! Zweitens! In Viry-Chătillon ist ein Haus nach einer verheh-renden Gasexplosion in die Luft geflogen! Und ratet mal, wessen Haus das war? Richtig! Professor Frederic Majols! Und ziemlich sicher ist auch dort Sabotage im Spiel!«

Fred bemerkte nur trocken.

»Und gehe ich Recht in der Annahme, dass da ein gewisser Herr seine Finger im Spiel hatte?«

»Genau! Er will offensichtlich sämtliche Rückschlüsse auf seine Pläne und seinen Aufenthaltsort verschleiern! Also erübrigt sich unsere Reise nach Frankreich und Italien!«,

anwortete Charles, machte eine Pause und ein leichtes Lächeln umspielt seinen Mund. Dann verkündet er.

»Doch das *Interessanteste* zum Schluss! Und jetzt haltet euch fest! Samantha Wong hat sich bei Sally gemeldet! Sie hat offensichtlich ein Riesenproblem mit ihrem Rick Vandorp! Beziehungsweise *der* hat ein Problem mit *ihr*! Sie bietet uns

an, hoch brisante Daten von den Plänen Vandorps zu liefern, wenn wir sie schnellst möglichst in die Staaten schaffen!«
Fred blickte Charles ungläubig an und hakt nach.
»Das ist doch wohl ein Witz? Warum sollte ausgerechnet Samantha Wong Vandorp verraten?«
Charles schüttelte den Kopf.
»Ich weiss es auch noch nicht im Detail! Aber anscheinend ist es ihr bitterernst! Und so - wie sie antönte - besteht wirklich Dringlichkeit! Marc Miller hatte mit dem General Rücksprache und der ordnete ihn an, er soll sich sofort um diese Angelegenheit kümmern!«
Charles wendet sich an MacGregor.
»Aber bitte, Peter! Fahren sie doch fort!«

Peter MacGregor zeigte auf den Bildschirm. Oben in der rechten Ecke des Dokuments befindet sich ein Porträt von Velasquez, das ihn in jungen Jahren zeigte. Links sind die persönlichen Daten aufgeführt. Der Name, Vorname, Geburtsdatum, Grösse sowie Augen- und Haarfarbe. Mac Gregor räusperte sich und erklärte.
»Gentlemen! Bitte zu beachten, dass das Porträt dieses Mannes nicht ganz dem jetzigen Erscheinungsbilds unseres Zielobjekts entspricht! Ich habe das Foto aus der Personalakte der Argentinischen Armee *ausgeliehen*!«
Er markierte mit einem roten Punkt die erste Zeile einer kurzen Zusammenfassung über den Werdegang von Henrique Velasquez.
»Bitte lesen sie ruhig, während ich ihnen kurz berichte! Geboren 1976 in Misionés. Sohn eines fanatischen Neo-Nazis namens Manfredo Velasquez! Dieser, der Enkel eines Nazi-Funktionärs namens Kurt Meyer. Nach seiner Flucht 1945 liess er sich in Misionés nieder und nannte sich fortan Corrado Velasquez. Der kleine Henrique wuchs in einer Umgebung von unverbesserlichen Anhängern des „Dritten Reiches“ auf. Aufgrund der sehr vermögenden Familie

- natürlich stammte dieses aus den Pfründen der Nazis - mangelte es an nichts und unser „Freund“ wurde nach Strich und Faden verwöhnt! Könnte man sagen, wohl doch!«, bemerkte Peter MacGregor ironisch, während er den Bericht weiter nach unten scrollte.

»Mit 19 Jahren fühlte sich Henrique - den alle nur „*Henry*“ nannten - berufen, eine Karriere bei der Argentinischen Armee zu machen! Zuerst stellte er sich recht geschickt an und seine Vorgesetzten sind voll des Lobes. Aufgrund seiner schnellen Auffassungsgabe für alles was schiesst oder explodiert! Da er auch körperlich topfit ist, wird er zu einer Elite-Einheit, ähnlich unserer „SAS“ oder euren „Navy-Seals“, abkommandiert!«

MacGregor vergrössert ein leicht verblichenes Foto, das im Text eingebettet ist. Auf der ist ein muskulöser, junger Velasquez zu sehen - in voller Kampfmontur in die Kamera lächelnd.

»Nun! Unserem „Henry“ gefällt das ganz gut. Er hat nur ein grosses Problem! Er kann sich sehr schlecht unterordnen oder Befehle befolgen und wird gegenüber seinen Vorgesetzten immer aufsässiger! Was folgte sind: - Verwarnungen, Arrest und zum Schluss - im Jahr 1987 - die unehrenhafte Entlassung wegen Insubordination!«

MacGregor scrollt die Akte weiter und markiert eine Jahreszahl.

»Einige Jahre lang ist nichts Besonderes über ihn zu berichten! Er hält sich vermutlich bei seiner Familie auf und leckt seine Wunden des verletzten Stolzes. 1992 wird er in einem Bericht über eine berüchtigte Söldnertruppe erwähnt! So soll er der Anführer dieser zusammen gewürfelten Truppe gewesen sein. Diese liess sich gegen entsprechendes Honorar von jedem Schurkenstaat oder totalitärem Regime anheuern!«

Eine kurze Liste verschiedener Länder und Orte wurde auf dem Bildschirm eingeblendet. MacGregor fährt in seiner Erläuterung fort.

»Gesichtet wurde Velasquez‘ Truppe in afrikanischen Despoten Staaten, dem Jemen, im Irak und in Syrien! Um nur einige der Orte zu nennen! Es wird berichtet, dass sein Trupp absolut skrupellos agierte. Nicht bestätigte Quellen sprechen auch vom Raub antiker Artefakte! Dann verliert sich seine Spur!«

Während MacGregor kurz inne hält, stellte Patrik eine Zwischenfrage.

»Peter! Konntet ihr seinen aktuellen Wohnort ermitteln?«

MacGregor nickte und hebt kurz die Hand.

»Gemach, mein Lieber! Nur noch kurz! 2009 taucht sein Name plötzlich wieder in den Dokumenten der CIA auf. Und zwar im Zusammenhang mit der Ermordung eines hochrangigen Wirtschaftsführers! Die CIA vermutete, dass Mr. Velasquez zum Auftragskiller mutiert ist! Es konnte ihm aber nie schlüssig etwas nachgewiesen werden. Anscheinend setzt der „Herr“ seine erlernten Fähigkeiten äusserst effizient und mit Erfolg ein! Er hinterlässt nie auch nur den geringsten Hinweis auf seine Person! Und nun zu deiner Frage, Patrik! Sein fixer Stützpunkt oder Wohnort ist - ratet einmal? - Misionés in Argentinien! Also seine alte Heimat!«

Charles runzelte die Stirn, zeigte auf die Personalakte auf dem Bildschrim und meint.

»Das legt doch nahe, dass Velasquez zu irgendeinem Zeitpunkt Rick Vandorp kennen lernte. Der hat sicher noch viele Verbindungen zu den alteingesessenen deutschstämmigen Einwohner von Misionés! Eine Frage, Peter! Gibt es ein aktuelles Foto von „Henry“, wie er heute aussieht?«

MacGregor grinste auf den Stockzähnen und vollführte ein paar Gesten mit seiner gechipten Hand. Auf der linken Seite des Bildschirm ist das Porträt Velasquez‘ aus der Armeeakte nun vergrössert dargestellt.

»Ich habe mir schon gedacht, dass diese Frage auftaucht! Leider nein, Charles! Ein aktuelles Bild haben wir nicht! Jedoch hat der *junge* „Henry“ nicht mit dem *alten* „Peter“ gerechnet!«

Er kicherte und schnippte mit seinem Daumen. Das jugendliche

Porträt duplizierte sich und wanderte auf die rechte Seite des Bildschirms. Langsam verwandelte sich das Gesicht des jungen Henrique mit 20 Jahren. Kurz darauf zeigt das rechte Porträt die Physiognomie eines Mannes mit Anfang von vierzig Jahren. Das Abbild des ehemals jungen Velasquez jetzt mit 42 Jahren.

»Unsere Software kann einen Mann oder Frau beliebig altern lassen! Natürlich funktioniert das auch umgekehrt und wir können eine alte Person verjüngen! Und das mit einer Genauigkeit von 97 Prozent!«,

verkündete Peter nicht ohne Stolz. Er bewegte wieder seinen Mittelfinger.

»Ob mit Bart, Glatze Brille oder Sonnen gebräunt! Kein Problem!«,

sagte er und in schneller Folge wechselten sich die Porträts mit den besagten Merkmalen ab. Die drei Agenten betrachteten die verschiedenen Gesichter interessiert und Fred kommentierte.

»Wirklich eindrücklich, Peter! Könnten sie diese Varianten eventuell auf unsere Smartphones „beamen“? Kann uns noch von Nutzen sein!«

Nach einer kleinen Handbewegung, tippte MacGregor auf Freds rechte Jackenseite.

»Schon erledigt, junger Mann!«

Im selben Moment piepsten die Smartphones der drei Agenten. Charles wunderte sich nicht, dass MacGregor die geheimen Nummern ihrer Smartphones kannte. Ihn interessierte vielmehr eine Frage.

»Peter! Wir kennen jetzt die Vita von Velasquez genannt „Henry“ oder auch dem „Schatten“! Und offensichtlich ist dieser Typ gemein gefährlich und auch ziemlich verschlagen! Können sie uns vielleicht schon sagen, wo er sich momentan befindet? Ich bin der Meinung und ich glaube auch Fred und Patrik sind dieser Ansicht, dass wir Velasquez unbedingt aufspüren und dingfest machen sollten!«

Fred ergänzte ohne mit der Wimper zu zucken.

»Wenn nötig lebendig - oder auch tot! Ich würde natürlich

zweiteres vorziehen!«

Sollte sich Peter über Freds Äusserung gewundert haben, lässt er sich nichts anmerken und deutete auf den Bildschirm. Die Dokumente sind verschwunden und der Ausschnitt einer Karte ist zu sehen. Ein rotes blinkendes Fadenkreuz zeigt den aktuellen Standort einer Telefonnummer mit den genauen Koordinaten an.

»Gentlemen! Voila! Unser Mr. „Henry" befindet sich jetzt genau hier! - es handelt sich um den Terminal für private Charterflugzeuge auf Heathrow International Airport!«

Ein Fingerschnippen und ein Fenster öffnete sich neben der roten Markierung.

»Mr. „Henry" hat soeben einen Privatjet gechartert und ist im Begriff nach Washington zu fliegen! Wie sie sehen befindet sich der Jet auf der Startposition und wird in zwei Minuten abheben!«

Ein neues Fenster öffnet sich und zeigte die Flugnummer, die Startzeit und den Zielflughafen an.

»Dann besteht im Moment keinerlei Möglichkeit ihn noch aufzuhalten! Da wir jedoch wissen, dass er nach Washington fliegen will, könnten wir ihn dort abfangen!«,

sagte Charles und richtet sich an Fred und Patrik.

»Wir werden auf dem schnellsten Weg zum City Airport fahren und sofort starten! Peter! Können sie in Erfahrung bringen, mit *was* für einem Flugzeugtyp Velasquez unterwegs ist? Und würden sie sich mit Abel Mankowski in Verbindung setzen! Übermitteln sie ihm die Daten von Velasquez Smartphone damit auch die CISMA seinen Weg verfolgen kann! Und halten sie uns bitte über den Standort von „Henry" auf dem Laufenden!«

MacGregor ruft einige Daten auf dem Bildschirm ab und meinte.

»Also, Charles! „Henry" ist mit einer Cessna 3000 gestartet! Zwei P&W Triebwerke mit jeweils 2000 Kp Schub und einer Höchstgeschwindigkeit von knapp 900 km/h! Die Daten habe ich soeben an Abel gesendet! Kann ich ihnen sonst noch unterstützend zur Seite stehen?«

Charles überlegte und hat noch eine Frage an Fitzpatrik.

»Patrik! Ich habe das schon im Vorfeld unserer Reise hierher abgeklärt. In Absprache mit unserem „General“ und ihrem „Commander“ sollen sie uns weiterhin unterstützen! Das heisst, sie werden uns begleiten und sind solange Teil unseres Teams, bis wir Rick Vandorp zu Fall gebracht haben! Ist das für sie in Ordnung?«

Patrik blickte von Charles zu Fred und wieder zu Charles.

»Leute, Gentlemen! Es ist mir eine ausserordentliche Ehre mit ihnen zwei zusammen arbeiten zu dürfen!«

Fred grinste über die etwas geschwollene Ausdrucksweise Patriks. Er klopfte ihm kräftig auf die Schulter und meinte lachend.

»Mann! Nicht so förmlich! Nenn mich ab sofort Fred! Und den Typen da, darfst du getrost einfach Charles nennen!«

Charles streckte seine rechte Hand aus und Patrik schlägt ein.

»Willkommen im Team, Patrik! Ich bin überzeugt, dass wir einen Mann mit deinen Fähigkeiten noch sehr gut gebrauchen können! Aber genug der Lobhudelei! Da unser Jet eine Höchstgeschwindigkeit von 1000 km/h hat, sehe ich die Chance, dass wir zumindest nicht sehr viel später in Washington eintreffen! Also! Dann lasst uns gehen!«

Sie verabschieden sich von MacGregor, der ihnen verspricht sie auf dem Laufenden zu halten. Sie begeben sich eiligst in die Lobby, wo Alastair auf sie wartete. Fitzpatrik hatte ihn schon informiert und der hatte einen Hubschrauber geordert, der jetzt mit knatternden Rotoren auf dem Innenhof auf die drei Agenten wartete.

32

Über dem Atlantik - CISMA Jet

Die Gulfstream der CISMA hatte soeben den Steigflug beendet, die Reisehöhe von Zehntausend Meter erreicht und fliegt jetzt mit der maximalen Geschwindigkeit von rund 1000 km/h nach Westen. Valerie Bishop informierte die drei Agenten und servierte ihnen eine kühlen Drink. Die drei Passagiere lösen ihre Sitzgurte. Patrik, der Val zum ersten Mal sieht, ist von ihrer Erscheinung sichtlich angetan. Er steht auf, reichte ihr mit einer kleinen Verbeugung formvollendet die Hand und meint dann.

»Es freut mich ausserordentlich ihre Bekanntschaft zu machen, Miss Bishop! Ich hoffe wir haben die Gelegenheit uns näher kennen zu lernen!«

Fred verdrehte die Augen und sagte dann trocken.

»Leg dich mal lieber nicht mit Val an, Patrik! Sie ist ein echt harter Brocken und mit ihr ist nicht zu Spassen! Ausbildung als Agentin, Pilotin auf verschiedenen Flugzeugen, und so!«

Bishop lächelte Patrik zu und meint.

»Warum nicht, Patrik! Aber zuerst gilt es für sie, die Welt zu retten! Und dann sehen wir weiter!«

Sie drehte sich um und begibt sich in den hinteren Teil der Kabine. Charles schmunzelte über die Emotion Patriks, dann begibt er sich nach vorne ins Cockpit. Er blickt ihrem Piloten, Angus B. Cormick, über die Schulter. Er ist immer wieder beeindruckt von dem Anblick der sich einem durch die Frontscheiben bietet. Unter ihnen ein Wolkenmeer, das aussieht wie Watte und sich endlos bis zum Horizont erstreckt. Darüber ein strahlend blauer Himmel, der nach oben eine immer dunklere

Färbung annimmt. Vereinzelt ist durch grössere Lücken in der Wolkendecke das fast schwarze Wasser des Atlantiks zu erkennen. Zuweil von weissen Streifen durchzogen. Hervor gerufen von der Gischt sich überschlagender Wellen. Charles reisst sich von dem Anblick los und sagte zu Cormick und seinem Co-Piloten Jim Henson.

»Seid gegrüsst, wackere Flieger! Angus? Kannst du schon abschätzen, wann wir in Andrews Air Base landen werden?«

Nach einem Blick auf die Instrumente berechnet Cormick kurz die Daten und meint.

»Aye, Charles! Wenn wir unsere Geschwindigkeit halten können und der Rückenwind anhält, sollten wir in sechs Stunden Andrews erreicht haben!«

Charles nickte zufrieden und klopft Angus auf die Schulter.

»Also dann, ihr zwei Luftcowboys! Holt das Beste aus eurem fliegenden Ross raus! Dann könnten wir eventuell noch rechtzeitig ankommen, um unsere Zielperson einzukassieren«

Er drehte sich um und will soeben zu Fred und Patrik zurück, als sein Smartphone vibrierte. Er nimmt das Gerät aus der Tasche und sieht auf dem Display, dass Abel ihn anruft. Er bleibt vor der Cockpittüre stehen und nimmt das Gespräch sofort entgegen.

»Abel, was gibt's? Warte bitte einen Moment. Ich möchte, dass Fred und Patrik mithören können!«

Er geht zu der Sitzgruppe, setzt sich auf einen der Sessel und legt sein Smartphone in die Mitte des kleinen Tisches. Er tippt auf ein Icon und sagt.

»Abel! Ich habe den Lautsprecher eingeschaltet. Fred und Patrik können dich jetzt auch hören. Schiess los!«

»Hallo, Fred! Hi, Patrik! Ohne Umschweife! Ich habe vom „Old Man“ die Order erhalten, euch über einen seltsamen Anruf zu informieren. Und zwar hat sich vor einer halben Stunde ein anonymer Anrufer bei der CISMA, genauer, beim General gemeldet! Offensichtlich von einem nicht identifizierbaren und mit Stimmverzerrer ausgerüsteten

Telefon! Und ratet mal, was der Unbekannte zu berichten hatte?«,

hörten sie Abels doch etwas aufgeregt klingende Stimme.

»Bitte keine Ratespielchen, Abel! Raus mit der Sprache!«, entgegnete Charles und Abel räusperte sich verlegen.

»Sorry! Also! Der Anrufer teilt doch unverfroren mit, dass - ich zitiere - es doch sicher im Interesse der nationalen Sicherheit der USA sei, zu erfahren, dass ein gewisser - und jetzt der Hammer - *Henrique Velasquez* in Washington demnächst ankommen wird! Dieser sei für die Ermordung von drei Wissenschaftlern verantwortlich! Ihr wisst schon - Frederic Majol, Gerald Bolster und Massimo Feruccio! Er habe auch die Zerstörung des Hauses in Frankreich und in Italien in Auftrag gegeben! Ferner habe Velasquez jetzt vor, eine gewisse Samantha Wong - er sagte wörtlich - zu *eliminieren*!«

Charles, Fred und Patrik sind für einen Moment sprachlos, während Abel ungerührt weiter fährt.

»Nun! So wie ich das sehe, will jemand diesen Henrique Velasquez in die Pfanne hauen! Und bei dem Typen handelt es sich wohl um den Profikiller, von dem ich die Personaldaten von Peter MacGregor erhalten habe. Übrigens! Ein lustiges Kerlchen, dieser Peter! Redet einfach ein bisschen komisch!«

Abel gönnte sich ein kleine Pause und beisst hörbar ein Stück Schokoriegel ab, dann fährt er fort.

»Und nach Durchsicht der Daten bin ich - und auch der General - der Meinung, dass es sich bei dem anonymen Anrufer nur um Rick Vandorp oder einem seiner treu ergebenen Lakaien handeln kann! Was mir, beziehungsweise uns nicht ganz klar ist, *warum* Vandorp diesen Velasquez auflaufen lassen will?«

Fred schürzte kurz die Lippen, überlegte und spricht dann in Richtung des Smartphones.

»Abel! Hier Fred! Seid ihr nicht auch schon auf den Gedanken gekommen, dass Vandorp schlicht und einfach übergeschnappt ist! Ich glaube er will einfach die engsten Mitwisser seiner abstrusen Weltherrschaftspläne loswerden! So machen das doch wohl alle Despoten!«

Charles überlegte kurz, furchte die Stirn und fragt.

»Abel? Was mir nicht ganz einleuchtet! *Warum* der Anrufer - oder sagen wir mal es handelt sich um Rick Vandorp - behauptet, Velasquez habe die drei Wissenschaftler auf dem Gewissen? Im Protokoll der Carabinieri in Mailand steht doch, dass Augenzeugen einen sehr grossen, fast zwei Meter messenden Hünen gesehen haben wollen. Und der habe ganz kurze blonde Haare und stahlblaue Augen gehabt! Diese Beschreibung und auch der Modus Operandi des Mordes - nämlich Genickbruch - deuten doch ohne Zweifel auf Adolf oder einen der Klone hin?«

Ein Knistern ist aus dem Lautsprecher zu hören, dann meldet sich Abel mit etwas undeutlicher Stimme wieder. Offensichtlich ist er wieder am Schokoriegel kauen.

»Du hast Recht, Charles! Das hat den General und mich zuerst auch irritiert! Ich habe mir dann die Daten zu Velasquez' Person noch einmal gründlich angesehen und bin auf eine mögliche Erklärung gestossen! In einem Anhang in seiner Vita stehen ganz unten ein paar interessante Details! Henrique Velasquez ist anscheinend auch ein Meister der Verstellung und Verkleidung! Und wenn man seine Körpergrösse von 190 Zentimeter berücksichtigt, ist es ein Leichtes mit extrem dicken Sohlen an den Schuhen den Eindruck zu erwecken man sei ein zwei Meter Riese!«

Abel holte tief Luft und sie hören, dass er ein grossen Schluck nimmt.

»Und man muss auch bedenken, dass Zeugenaussagen meistens sehr ungenau ausfallen!«,

fährt Abel fort. Die drei Agenten haben seinen Ausführungen mit steigendem Interesse zugehört. Charles bedankte sich bei Abel für die Informationen, beendete die Verbindung und sieht Patrik und Fred fragend an.

»Und? Was haltet ihr von Abels Theorie? Das tönt doch alles sehr schlüssig. Zumal Velasquez auch eine langjährige Erfahrung als Militär und Söldner hat! Also ist es für ihn sicher kein Problem, jemanden blitzschnell das Genick zu brechen!«

Patrik tippte gedanken verloren mit seinem Finger auf Charles' Smartphone und meint dann.

»Ich bin auch der Meinung, dass diese Theorie durchaus stimmig ist! Nur! Warum Vandorp „Henry" verheizen will, ist mir immer noch nicht klar!«

Fred klopfte Patrik, der neben ihm sitzt, auf die Schulter und verkündete.

»Ich wiederhole mich nur ungern! Aber ich hab es euch gesagt! Vandorp ist einfach reif für die Klapse! Aber, ernsthaft! Wie gehen wir jetzt weiter vor? Im Moment sind uns für die nächsten paar Stunden die Hände gebunden!«

Charles schüttelt den Kopf.

»Stimmt nicht ganz, Fred! *Wir* - können im Moment nichts tun! Aber Bill Harmundsons *Team2* kann sofort aktiv werden! Sie können „Henry" bei der Landung in „Empfang" nehmen und ihn zur Vernehmung in unser Safehaus #2 bringen! Dann lasst uns jetzt noch einmal die Dokumente von Gerald Bolster untersuchen!«

In der Kabine ist nur ein leises Brummen der starken Rolls-Royce Triebwerke zu hören, als sich Charles Roberts, Fred MacMillan und Patrik Fitzpatrik, über die ausgedruckten Dokumente von Gerald Bolster beugten. Mit immer grösserem Entsetzen lesen sie, was für einen abgefeimten Plan Vandorp verfolgte. Charles wollte soeben das Wort an seine Kollegen richten, als sich sein Smartphone wieder bemerkbar machte und anzeigte, dass Marc Miller anruft. Er nimmt den Anruf entgegen und hört eine Weile stumm zu. Fred und Patrik unterbrechen das Studium der Dokumente und sehen gespannt zu Charles. Der schüttelt kurz den Kopf und beendet das Gespräch ohne ein Wort gesagt zu haben.

»Was ist los, Charles? Du siehst aus, als hättest du mit einem Geist gesprochen, beziehungsweise - eben nicht!«,
bemerkte MacMillan und zeigte mit seinem Finger auf das Smartphone, das Charles vor sich auf den grossen Tisch gelegt hatte.

»Sorry, Leute! Nein! Nicht mit einem Geist, sondern mit Marc Miller! Er hat mir soeben mitgeteilt, dass sie die Datensätze von Samantha Wong ausgewertet haben. In der Tat sind die darauf enthaltenen Informationen von äusserster Brisanz!«
Charles nimmt eine Fernbedienung aus einer kleinen Schublade, richtet sie auf die linke Kabinenwand und drückt eine Taste. Ein flexibler OLED Bildschirm entrollt sich aus der Kabinendecke nach unten und zeigt ein Standbild mit dem Logo der CISMA.

»Marc hat Abel gebeten uns die Daten zu übermitteln, damit wir uns vorab ein Bild machen können!«,
erklärte Charles und presst eine andere Taste. Ein grüner Balken mit Prozentangabe, zeigt den Stand der Übertragung an und nach ein paar Sekunden erscheint auf dem Bildschirm das Icon eines Ordners. Charles klickte mittels des eingebauten Cursors auf das File und eine Reihe von Dateien werden in einem Fenster angezeigt. Charles öffnet die erste Datei - ein PDF-Dokument - und ein Schriftstück wird angezeigt.

Die Überschrift lautete - *»Genesis Strike/Phase 1«* - und umfasste eine Inhaltsangabe sowie eine kurze Einleitung. Die drei Männer lesen schweigend das Dokument, dann meint Fred MacMillan mit leiser Stimme.

»Mich laust der Affe! Habt ihr das auch so verstanden, wie ich das hier lese? Wenn ich mich nicht irre, befasst sich das Dokument mit einer Aktion, die die Menschheit ins Steinzeitalter zurück werfen wird!«
Er holte tief Luft, lässt den Atem hörbar entweichen und fährt etwas heiser fort.

»Obwohl das Dokument unvollständig und der Rest noch in Samantha Wongs Händen ist, interpretiere ich das so! Vandorp hat einerseits irgendeine riesige Sauerei mit genetisch veränderter DNA und anderseits mit spaltbarem Material vor! Seht ihr das auch so?«

Charles öffnete zwei weitere Dokumente und legte diese nebeneinander auf den Bildschirm. Die Männer lesen schweigend die Dokumente, die wie das Erste an einigen Stellen mit schwarzen Balken unkenntlich gemacht sind und unvermittelt im Lauftext aufhören.

»Dann bin ich einmal auf die Ergänzungen der fehlenden Teile des Puzzles gespannt, das uns Samantha Wong zu bieten hat!«,

bemerkte Charles und lehnte sich in seinem Sessel zurück.

»Lasst uns ein bisschen ausruhen bis wir in Andrews landen!«, brummelte er, während er seine Augen schliesst.

33

Swan Point Creek - Maryland

Zehn Minuten später setzt die Falcon auf der Landebahn, der im Südosten von Washington gelegenen *Andrews U.S. Air Force Base*, sanft auf. Nachdem die Maschine das Parkfeld erreicht hatte, kann Samantha aus dem Fenster beobachten, wie drei identische schwarze SUVs auf das Flugzeug zufahren und in einer Linie auf der linken Seite in zehn Meter Entfernung anhalten. Es sind riesige Fahrzeuge von GMC, alle mit fast schwarz getönten Scheiben. Aus jedem der Wagen steigt ein Mann aus und postiert sich neben der Fondtüre. Sie sind in schwarze Anzüge mit weissen Hemden und einer schwarzen Krawatte gekleidet. Mit den dunklen Sonnenbrillen und den leicht ausgebeulten Jacketts unter der Schulter, sind die muskulösen Männer unschwer als Agenten eines Geheimdienstes zu erkennen.

»Das ist ja ein nettes Empfangskomitee, Miguel!«,
bemerkte Samantha ironisch. Der lächelte und meinte nur trocken.

»Alles zu ihrer Sicherheit, Sam!«
»Oder vielleicht doch eher zu eurer! Man weiss ja nie!«,
entgegnete sie spitz.

»Also! Lassen sie uns aussteigen und sie in die *Höhle des Löwen* geleiten!«,
forderte Ruiz Samantha auf. Sie begeben sich in den vorderen Bereich der Falcon. Die Einstiegstüre wurde geöffnet und Samantha, gefolgt von Ruiz und Diaz steigen die kurze Treppe hinunter. An deren Ende wartete schon einer der Agenten, forderte die drei auf, ihm zu dem mittleren der Fahrzeuge

zu folgen. Kurz bevor sie den Wagen erreichen, öffnete sich die Fondtüre und ein Mann steigt aus. Samantha erkennt in sofort wieder. Vor ihr steht - Marc Miller. In einen tadellosen schwarzen Anzug gekleidet, offensichtlich auf Mass gefertigt und einem edlen Designer T-Shirt, ebenfalls schwarz. Er hatte sich sorgfältig rasiert, trägt sein Haar aber immer noch ultra kurz. Samantha muss sich eingestehen, dass Marc Miller äusserst attraktiv aussieht. Sie bemerkte auch, dass er, im Gegensatz zu ihrer ersten Begegnung in Kukul Kans Tempel vor einem Jahr, deutlich Muskeln angesetzt hatte. Er ist topfit und durchtrainier. Miller hatte seine Hände hinter dem Rücken verschränkt, deutete eine Verbeugung an und begrüsst sie mit einem Lächeln.

»Samantha Wong! Ich heisse sie im Namen der CISMA in Washington D.C. willkommen! Ich hoffe sie hatten eine angenehme Reise mit den beiden charmanten Kollegen aus Argentinien? Natürlich habe ich es mir nicht nehmen lassen das „Paket" persönlich in Empfang zu nehmen!«,

sagte Miller und grinste schelmisch.

»Kleiner Scherz am Rande!«

Samantha nimmt die Sonnenbrille ab und sieht Miller aus ihren leicht geschwollenen Augen an.

Miller meint daraufhin ernst geworden.

»Ich muss ehrlich sagen, ihr Zustand ist erschreckend! Der, der ihnen dies zugefügt hat, wird das noch bitter bereuen! Das verspreche ich ihnen!«

Samantha senkte für einen Augenblick den Kopf, als ihr wieder bewusst wird, dass sie äusserst lädiert aussehen muss. Dann strafft sie ihre Schultern, blickt Marc Miller direkt an und sagt.

»Special Agent Miller! Ich kenne ja ihren manchmal skurrilen Humor! Aber Danke für ihre Anteilnahme! Und ich schätze es sehr, dass sie mich, beziehungsweise uns drei, persönlich in Empfang nehmen"!«

Miller zeigte mit seiner rechten Hand auf die offene Wagentüre. Dann streckte er seine linke Hand nach vorne. An seinem

Zeigefinger baumelte eine schwarze Augenbinde, die er einmal lässig um den Finger rotieren liess.

»Sobald wir im Wagen sind, muss ich sie leider bitten diese Augenbinde anzulegen!«

Samantha greift nach der Augenbinde und entgegnete.

»Kein Problem! Ich kenne das Prozedere durch Miguel und Tenente Diaz inzwischen ganz gut!«

Sie steigt in den geräumigen Fond des SUV und Miller setzte sich neben sie. Ruiz und Diaz werden von einem Agenten zu den anderen Wagen geleitet. Ohne Umstände zieht sich Samantha die Binde über die Augen und vernimmt nun nur noch die Umgebungsgeräusche. Sie spürt einen schwachen Luftzug an ihrer Nase und ist sich sicher, dass Miller geprüft hat, ob sie zusammen zuckt, wenn er vor ihrem Gesicht einen vermeintlichen Schlag austeilt.

»Alpha 1 an Beta 2 und Beta 3! Wir starten jetzt! Das Ziel ist Hideaway SPC! Wir nehmen die Route Domino!«,

hörte Samantha Miller sagen und fast geräuschlos setzt sich der schwere Wagen in Bewegung.

»Richtig professionelle geheime Geheimagentensprache! Ich bin echt beeindruckt, Special Agent Miller!«,

meinte Sam mit ironischem Unterton.

»Ja, ja! Ich weiss! Tönt wie in einem schlechten B-Movie! Ist auch nicht so mein Ding - aber eben Vorschrift! Und lassen sie das Special Agent! Nennen sie mich einfach Marc! Das hatten wir doch schon!«,

sagte Marc zu Samantha und drückte, wie nicht beabsichtigt, etwas kräftig ihren linken Oberarm. Die Berührung lässt Sam leicht zusammen zucken. Durch die Hämatome sind diese Stellen immer noch sehr schmerzempfindlich.

»Oh! Entschuldigen sie, Sam! Ich habe gar nicht mehr an ihre Verletzungen gedacht! Sorry!«,

entschuldigt sich Marc mit besorgter Stimme.

»Vergessen und vergeben, Marc! Zeitweise habe ich diese Stellen schon fast vergessen!«

Miller betrachtete Samantha von der Seite und dachte. *»Also sind all deine Verletzungen, die auf den Fotos von Ruiz zu sehen sind, zumindest echt! Mal sehen, ob der Rest deiner Geschichte sich auch bewahrheitet, Samantha Wong?«*

Die halbe Stunde Fahrt zum Ziel verbrachten die vier Personen im Wagen schweigend. Nur ab und zu unterbrochen von ein paar, für Samantha nicht verständlichen Sätzen, die Marc Miller über sein Earset mit jemandem führte.

Samantha bemerkte, dass der SUV seine Geschwindigkeit langsam reduzierte und hat das Gefühl, dass der Wagen ziemlich steil aufwärts fährt. Dann hält das Fahrzeug und sie konnte leise, aber deutlich, ein metallisches Rattern hören. Nachdem sich der SUV erneut für ein paar Sekunden vorwärts bewegte, kommt er wieder zum Stillstand. Erneut vernimmt sie das Rattern, als Marc Miller sie anspricht.

»So, meine Liebe! Wir sind angekommen! Bitte lassen sie die Binde noch auf. Ich werde sie leiten!«

Die Fondtüre wurde geöffnet und sie spürte eine kräftige Hand, die erstaunlich sanft ihre Rechte umfasst. Marc Miller hilft ihr vorsichtig aus dem Wagen. Deutlich riecht sie eine Mischung aus schwachem Benzingeruch, Gummiabrieb und Reinigungsmittel. Sie spürt die abstrahlende Wärme des Motors. *»Wir befinden uns in einer Garage! Unverkennbar, dieser Geruch!«* Denkt sie, während Marc sie an der Hand führt. Nach einer längeren Treppe, sind sie über knarrende Dielen eines Flurs gegangen und sie hörte das typische Geräusch einer sich öffnenden Türe.

»Da wären wir! Sie dürfen nun die Augenbinde ablegen, Sam!«,

bedeutete ihr Marc. Als sie die Augen wieder frei hat, ist sie für einen Moment geblendet. Sie sieht sich verblüfft in dem Raum um. Bevor sie etwas sagen konnte, erklärte Marc.

»Das ist ihr vorläufiges Zuhause, Sam! Wir befinden uns hier in einem der Safe Häuser unserer Organisation! Hier sind sie sicher und es wird sie garantiert niemand finden!«

Samantha nickte stumm und nimmt den Raum genauer

in Augenschein. Sie stehen mit dem Rücken zur Türe, durch die sie eben eingetreten sind. Vor ihnen steht ein grosses Boxspringbett mit zwei rustikalen Nachttischchen in dunklem Holz. Auf der rechten Seite ist die Wand aus dicken Bohlen gefertigt. Die drei anderen Wände sind mit Holz getäfelt. In der linken Wand befindet sich eine weitere Türe und daneben zwei weitere schmale, die vermutlich zu einem Schrank gehören. Ein gemütlich aussehender Ohrensessel mit einem kleinen Beistelltischchen vervollständigen die eher spartanische Einrichtung. Abgesehen von der Deckenleuchte, die aus einem auf Shabbyschick getrimmten Kanister besteht. Was sofort ins Auge fiel - das Zimmer hatte keine Fenster!

»Da! Durch diese Türe gelangen sie ins Badezimmer. Im Schrank daneben finden sie eine Auswahl an Kleidung und Schuhe! Die Grösse sollte ihnen passen. Miguel hat uns ihre Masse während der Anreise übermittelt! Und, ja! Das Zimmer, wie auch das Bad, hat keine Fenster! Zu ihrer und unserer Sicherheit! Sie verstehen?«,

meinte Marc nur trocken, als er Samanthas ungläubige Miene beobachtete.

»Danke, Marc! Wirklich hübsch und so rustikal! Ich vermute es handelt sich um ein Blockhaus irgendwo auf einer Anhöhe! Die Zentrale der CISMA ist dies ja wohl kaum?«

Marc bejahte mit leichtem Schmunzeln.

»Ich lass sie jetzt für eine Weile alleine! Sie können sich frisch machen und sich ein bisschen entspannen! Ich werde sie in einer Stunde abholen und zum Dinner begleiten. Die Küche hier ist wirklich ausgezeichnet!«

Er drehte sich um und geht aus dem Zimmer. Samantha hört, wie die Türe von aussen verschlossen wird. Sie geht zu der Türe, drückt prüfend die Klinke runter. *»Natürlich verschlossen! Was soll's! Habe ich etwa etwas anderes erwartet! Das hier ist eine Zelle! Sicher eine edle - aber eben doch eine Zelle!«* Zieht Sam Resümee, fügt sich in den Umstand und legte sich auf das, zugegebenermassen sehr bequeme Bett.

34

Swan Point Creek - Safehaus

Nachdenklich geht Marc Miller den Flur entlang. »*Irgend etwas beunruhigt mich? Es ist nur so ein Bauchgefühl! Aber eigentlich sollte man sich nicht von Gefühlen leiten lassen!*« Resümiert Miller, während er vor einer massiven Holztüre stehen bleibt. Er legte seine Hand auf die matte Oberfläche eines schwarzen Feldes, das in Brusthöhe rechts neben der Tür in die Wand eingelassen ist. Ein hellblauer Lichtstreifen streicht von oben nach unten über seine Handfläche. Mit einem kurzen Piepsen, dem Klicken eines Schlosses und einem grün leuchtendem Rechteck signalisiert der Handscanner, dass er autorisiert ist, den dahinter liegenden Raum zu betreten.

Miller öffnet die Türe und betritt den im Halbdunkel liegenden Raum. In dem Raum ist die Kommunikationszentrale des Safehaus unter gebracht. Von allen nur das „Comcent“ genannt. Linkerhand sitzt vor einer Batterie von Flachbildschirmen, einer der Agenten und beobachtet konzentriert die Bilder der unzähligen Überwachungskameras. Die zeigen die Räume und die nähere Umgebung des Blockhauses. Rechterhand ist ein grosser Einwegspiegel in der Wand eingebaut, der den Blick in den dahinter liegenden Raum gewährt. Im Moment ist es noch eine dunkle Fläche. Marc Miller weiss, dass es sich um den Verhörraum handelt. Gegenüber der Türe ist über einem schlichten Tisch ein grosser Flachbildmonitor angebracht. Auf dem Tisch befindet sich eine eingebaute Tastatur und ein Touchpad als Maus Ersatz.

»Hallo Mike! Alles in Ordnung?«,

fragte Marc Miller den Agenten und deutete auf die Überwachungsmonitore.

»Hi, Marc! Soweit alles ruhig! Unser „Gast“ hat sich hingelegt und döst vor sich hin. Die zwei Argentinier sind im Wohnraum und genehmigen sich einen Drink. Die Umgebung ist so ruhig, wie die Andacht in einer Kirche! Also, alles im Lot!«,

entgegnet Mike. Marc nickte zufrieden und geht zum Tisch. Er setzt sich auf den Drehsessel und tippt eine längere Befehlszeile auf der Tastatur. Der grosse Monitor vor ihm erwachte zum Leben und zeigt das Logo der CISMA. Miller drückte eine weitere Taste und nach einer Sekunde Schneerauschen erscheint Charles Roberts Gesicht in der Mitte des Bildschirms. Rechts unten ist das kleine Bild von Marc Miller eingeblendet.

»Hi, Charles! Will dir nur kurz berichten! Aber zuerst eine Frage? Wo seid ihr im Moment?«,

spricht Marc in das unsichtbare Mikrofon.

»Marc! Schön dich zu sehen! Wir, also Fred, Patrik und ich, befinden uns im Landeanflug auf die Andrews Air Base. Wir werden in fünf Minuten Bodenkontakt haben! Also, schiess los! Was hast du Neues?«,

antwortete Charles Roberts und Marc bemerkte seine gespannte Miene.

»Nun! Vor knapp einer Stunde sind Samantha Wong und die zwei argentinischen Agenten wohlbehalten gelandet. Ich habe sie mit unserem Team in Empfang genommen und wir sind sofort zum Safehouse SPC aufgebrochen! Samantha Wong ruht sich im Moment aus und ich werde sie in einer Stunde zum Diner aus ihrem „Zimmer“ holen! Ansonsten keine Neuigkeiten! Wir warten mit der Befragung bis morgen früh! Kommst du zu uns hoch oder wollt ihr euch aus der Zentrale zuschalten? Und noch was! Die Verletzungen von Sam sind echt! Ich habe das überprüft!«,

berichtete Marc. Charles Roberts überlegte kurz, wendet sich an jemand ausserhalb des Bildausschnitts und sagte dann.

»Ich komme morgen früh zu euch! Fred wird zusammen mit Patrik und Abel die Befragung von seiner Kommandobrücke aus mitverfolgen! Ich muss jetzt ausschalten. Wir landen in einer Minute! Bis Morgen, Ciao Marc!«

Und schon hatte Charles die Verbindung gekappt und der Monitor zeigte wieder das Siegel der CISMA.

35

Swan Point Creek - Safehaus

Samantha ist eben im Begriff einzudösen, als es an der Türe klopfte. Sofort ist sie hellwach, setzte sich auf die Bettkante und vernimmt das Klicken des Türschlosses. Sie wird aufgestossen, Marc Miller steht im Türrahmen und verkündet vergnügt.

»Sam! Zeit sich an der heimischen Küche gütlich zu tun! Man glaubt es kaum, aber das Essen hier ist eines Gourmet Restaurants durchaus ebenbürtig!«

Er macht eine einladende Handbewegung zu einem imaginären Ort, als Samantha zu ihm sagt.

»Einen kleinen Moment, Marc! Nur ganz kurz etwas aufhübschen, ok?«

Und schon ist sie im Badezimmer verschwunden. Zwei Minuten später erscheint sie wieder und Marc bemerkt anerkennend.

»Wow! In so kurzer Zeit - so ein Ergebnis!«,

und meinte damit, dass Samantha es geschafft hatte, ihre gröbsten Blessuren mit dezentem Make-up fast zum Verschwinden zu bringen. Als sie auf ihn zukommt, bietet er ihr galant den gebogenen rechten Arm an. Sie hakte sich bei ihm unter und er führt sie durch den in gedämpftes Licht getauchten Flur in Richtung einer helleren Lichtquelle. Sie betreten einen grossen sehr hohen Raum, der die massive Bauweise des Blockhauses zur Geltung bringt. Gegenüber des Eingangs ist ein grosses Panoramafenster in die Baumstämme eingelassen. Es reicht vom Boden bis fast zur Decke und bietet den ungehinderten Blick auf eine atemberaubende Aussicht. Vor Samanthas Augen erstreckt sich nach allen Seiten ein dichter Wald aus Sequoia

Tannen und Laubbäumen. Wie es scheint steht das Haus auf einer Lichtung und ausser den aufragenden Bäumen ist kein Hinweis auf die genau Lage zu erkennen. Nur der rötliche Schein der untergehenden Sonne hinter den Baumwipfeln lässt erahnen, dass dieses Gebäude sehr gut gegen ungebetene Beobachter abgeschirmt ist. Samantha bläst kurz die Luft aus ihren Wangen und meint beeindruckt.

»Ich bin wirklich überwältigt! So einen ähnlichen Anblick kenne ich nur vom Inalco Haus am Lago Nahuel Huapi! Und wie ich sehe, lassen es sich Miguel und Tenente Diaz schon gut gehen!«,

bemerkte sie mit einem Blick zu den zwei Männern. Jeder mit einem schweren Kristallschwenker in der Hand, die zwei Fingerbreit mit einer goldbraunen Flüssigkeit gefüllt sind. Sie sitzen auf einem rotbraunem Ledersofa im englischen Stil, das zu einer Sitzgruppe gehört. Es ist vor einem riesigen, aus runden Flusssteinen, gemauerten Kamin platziert. Ein knisterndes Feuer verbreitete eine angenehme Wärme und der leichte Duft von Birke ist zu riechen.

Auf der linken Seite des Raumes bemerkt Sam einen grossen Esstisch. Gefertigt aus einer dicken Eichenholzplatte, die auf zwei mächtigen, glatt geschliffenen Baumstämmen ruhte. Um den Tisch stehen acht Holzstühle im Stil der amerikanischen Gründerzeit. Der Tisch ist für vier Personen eingedeckt.

»Dann darf ich sie fragen, was sie gerne zum Aperitif hätten, Sam? Die zwei Herren dort delektieren sich, wie nicht anders zu erwarten, an hochprozentigem Bourbon!«,

richtet sich Marc Miller an Samantha, während er auf die zwei Argentinier zeigte.

»Wenn es ihnen nichts ausmacht, würde ich gerne etwas weniger Hochprozentiges nehmen!«

»Dann ist ein Gläschen Schampus sicher der richtige Einstieg! Meinen sie nicht auch?«,

sagte Marc, während er schon auf den kleinen Barschrank zusteuerte, der links vom Esstisch an der Wand steht.

»Aber bitte setzten sie sich zu uns, Sam! Marc schafft es sicher alleine zwei Gläser auf einmal zu tragen!«,

bemerkte Miguel und deutete auf den Ledersessel zu seiner Rechten. Sie setzte sich und beobachtete, wie Marc eine Flasche Champagner aus dem Kühlschrank fischte, sie geschickt öffnete und zwei Flutes bis fast zum Rand mit der perlenden Flüssigkeit einschenkte und gleichzeitig erläuterte.

»Ein Jouet Perrier, Jahrgangs Cuvé! Ein wahrlich köstliches Getränk!«

Als Sam ihn so sprechen hörte, kommt ihr unvermittelt die Parallele zu Rick Vandorp in den Sinn, der ebenfalls diese Marke bevorzugte. Miller überreichte Samantha ein Glas, setzte sich ihr gegenüber in den zweiten Sessel und hebt sein Glas in die Höhe.

»Dann lassen sie uns auf die gelungene Überführung unseres „Paketes“ anstossen! Nein, ernsthaft! Stossen wir auf eine gute Zukunft an!«

Alle heben ihre Gläser und nehmen ein kräftigen Schluck. Doch die fast familiäre Atmosphäre täuschte nicht über eine gewisse Spannung hinweg, die im Raum mitschwingt. Das liegt sicher auch an der Unsicherheit der vier Anwesenden, was auf sie zukommen wird. Nach einer Weile des Schweigens, erscheint endlich ein junger Mann in einem weissen Jackett und forderte die vier auf, sie möchten sich an den Tisch setzen, damit der erste Gang serviert werden kann.

»Na, das ist doch eine wahrlich gute Meldung! Ich meine es ist das Beste, wenn wir heute Abend das Thema Rick Vandorp und seine Machenschaften aussen vor lassen! Irgendwie scheint mir die Stimmung etwas bedrückt! Wir werden morgen noch ausgiebig Zeit haben, uns ausführlich mit den Themen zu befassen, weswegen Samantha eigentlich zu uns gekommen ist!«,

sagte Marc Miller, während er aufsteht und zum Esstisch rüber geht.

36

Fairfax - Greys Genetic Institute

Es ist schon spät am Abend, das GGI Greys Genetic Institute liegt fast vollkommen im Dunkel der Nacht. Alle Mitarbeiter sind nach Hause gegangen, nur die Security versieht noch ihren Dienst. Zwei Wachleute der Security ziehen regelmässig ihre Runden um das weitläufige Gebäude. Im dritten Stock von Gebäude C01 brennen noch einige Deckenleuchten und werfen einen schwachen Schein nach draussen. Als der Wachmann an der Front von C01 vorbei kommt, sieht er kurz zu den leuchtenden Vierecken hoch und schüttelt nur den Kopf. *»Der gute Professor Bowles kann einfach nicht abschalten! Immer am Grübeln und Forschen!«*, denkt der Wachmann und setzte seine Runde fort.

In ihrem geräumigen Labor- und Arbeitsraum auf der dritten Etage, sitzt Adrian Bowles an seinem Schreibtisch und starrt ungläubig auf den grossen Bildschirm. Gegenüber, an ihrem gemeinsamen Schreibtisch, ist Sally Bowles damit beschäftigt einen Wust von Ausdrucken zu ordnen. Seit nunmehr fast neun Monaten versuchen die beiden, mit Hilfe von Marc Miller und Abel Mankowski, dem Entschlüsseln der Daten, die sie seinerzeit von „Kukul Kan“ erhalten hatten, näher zu kommen. Bis heute endete jeglicher Versuch das Rätsel um die Buchstaben und Ziffernfolgen zu knacken in einer Sackgasse.

Adrian starrte immer noch auf seinen Bildschirm, dann holte er tief Luft und sagte so leise, dass Sally im Moment gar nicht richtig hinhörte.

»*Heureka*! Ich hab‘s! Ich habe die Lösung!«
Er hebt den Kopf, klopft mit der flachen Hand kräftig auf den

Schreibtisch, dass Sally vor Schreck zusammen zuckte. Dann verkündete er mit Jubel in der Stimme.

»Sally! Ich hab's! Wir haben die ganzen langen Monate in der *falschen* Richtung gesucht!«

Sally blickte zu ihrem Vater und runzelt leicht die Stirn.

»Was hast du gesagt? Warum erschreckst du mich fast zu Tode?«,

bemerkte sie und wirft Adrian einen fragenden Blick zu.

»Komm mal rüber und sieh es dir selber an! Warum sind wir nicht früher darauf gekommen?«

Sally steht auf, umrundete den grossen Doppelschreibtisch und stellte sich hinter ihren Vater. Sie legte ihm die rechte Hand auf die Schulter, beugt sich nach vorn und begutachtet den Buchstaben- und Zeichenwust auf seinem Bildschirm. Mit leicht ironischem Unterton fragt sie.

»Also? Was hat meinen lieben Vater und Professor denn so aus dem Häuschen gebracht, dass er sogar den guten alten Archimedes zitiert?«

Adrian zeigte auf den Monitor und fängt an zu erklären.

»Siehst du die Buchstabenabfolgen hier? Nun! Wir sind bisher immer davon ausgegangen, dass es sich um eine Darstellung des menschlichen Genoms und die fortlaufenden Abfolgen der Kombinationen aus A - C - G - T, also den Grundbausteinen der DNA, handelt! Oder, wenn man es so betrachtet, um die Zusammensetzung der Stege einer Doppelhelix! Kannst du das soweit bestätigen?«

Sally bejahte dies und Adrian fährt fort.

»Wir dachten immer - ich nehme als Beispiel diese Sequenz hier, bestehend aus der Folge AGTCATGCTACT und so weiter - stelle den Bauplan für ein bestimmtes Protein dar! Soweit richtig?«

Sie nickte und meint.

»Und jede dieser Sequenzen, die wir überprüft hatten, ergab keinen Sinn, beziehungsweise führte zu keinem gangbaren Resultat!«

Adrian drehte sich mit dem Gesicht zu Sally und verkündete, nicht ohne einen leichten Anflug von Stolz.

»Das - meine liebe Tochter - ist gar nicht der Bauplan des menschlichen Genoms oder irgendeiner DNA! Hierbei handelt es sich schlicht und einfach um eine, dem binären Code ähnliche, *Computersprache*!«

Sally ist für eine Weile sprachlos, blickte auf den Bildschirm, dann wieder zu ihrem Vater.

»Das bedeutet, wir hatten es eigentlich die ganze Zeit vor Augen und sogar Abel und sein „Golem" ist nicht auf den Gedanken gekommen in diese Richtung zu suchen! Schande über uns alle!«,

frotzelte Sally und fängt herzlich an zu lachen, während sie ihren Vater mit beiden Armen umfasste und an sich drückt.

»Gratuliere, du Genie! Ich wusste die ganze Zeit, wenn es *einer* schafft die Lösung zu finden, dann kann dies nur Professor Adrian Bowles, mein Vater und Erzeuger sein!«

Adrian kennt den manchmal hintergründigen Humor seiner Tochter nur zu gut und lässt ihre Lobhudelei mit einem Seufzer der Resignation über sich ergehen. Sally wird ernst und zeigt mit der Hand auf den Bildschirm.

»Aber jetzt mal im Ernst, Dad! Welche Schlüsse können wir aus deiner Erkenntnis ziehen? Können wir diesen Code entziffern? Und wird uns das dem sogenannten Geheimnis des „*Ewigen Lebens*" näher bringen?«

Adrian reagierte mit einem schwachen Kopfschütteln und erklärte.

»Ich weiss es nicht, Sally! Zuerst müssten wir den Aufbau dieser binären Sprache verstehen! Sicher kann uns Abel mit der Rechenpower seines „Golem" weiter helfen! Das ist das eine! Das andere ist - in welchem Idiom ist dieser Text abgefasst? Und ich nehme an, dass es sich um einen handelt? Du hast mir zwar erzählt, dass dieser Avatar namens „Kukul Kan" Englisch mit Charles kommuniziert habe. Was aber nicht heissen will, dass diese Daten ebenfalls auf Englisch oder einer uns bekannten Sprache abgefasst sind!«

Sally furchte die Stirn, dann meint sie.

»Wie auch immer! Das Beste ist im Moment, dass wir Abel unverzüglich deine Entdeckung mitteilen! Wenn er die neuen Voraussetzungen kennt, ist er am ehesten in der Lage den Code zu entschlüsseln!«

Sie blickt auf ihre Armbanduhr.

»Es ist noch nicht so spät! So wie ich Abel kenne, sitzt er um diese Zeit sowieso immer noch vor seinen Bildschirmen und knobelt an irgendeinem IT-Problem rum!«

Sie setzte sich neben ihren Vater, zieht die Tastatur zu sich, öffnete ein Fenster mit dem Logo der CISMA und tippt eine Zeichenkombination in ein Feld, das zur Eingabe des Passwortes auffordert. Ihre Eingabe wird bestätigt und ein weiteres Fenster zeigt an, dass sie ihre Hand auf den berührungs empfindlichen Bildschirm legen muss. Im Zuge ihrer Aufnahme als Special Agent der CISMA wurden aus Sicherheitsgründen sämtliche Bildschirme in ihrem Labor des GGI auf Touchscreen-Monitore umgestellt. Sie legte ihre rechte Hand auf das Feld in der Mitte des Bildschirms. Ein blauer Lichtbalken scannte Sally Handfläche und sofort erscheint die Benutzeroberfläche des CISMA Servers. Sie tippt auf eines der Icons, ein grüner Balken in einem kleinen Feld baut sich von links nach rechts auf und fast augenblicklich sehen Adrian und Sally das markante Gesicht Abels auf dem Monitor.

»Wer ruft noch so spät bei Nacht und Wind? Ha! Es ist die liebe Sally und der gute Papa Professor! Was kann ich zu so später Stunde für euch zwei Gutes tun?«

Abel freute sich echt über Sally Anruf und grinste über beide Backen, als er die zwei erblickte.

»Sorry, Abel, dass wir so spät noch anrufen!«,

entschuldigt sich Sally, doch Abel winkte ab.

»Kein Problem! Ihr kennt mich ja! Immer im Dienste der Sache und wenn es nur eine Partie Schach mit meinem treuen „Golem“ ist! Der mich übrigens - mich den genialen Abel

Mankowski - schon zum fünften Mal Schachmatt gesetzt hat! Na ja! Damit muss ich leben. Ich habe das Kerlchen ja schliesslich auch programmiert!«

Sally und Adrian müssen schmunzeln. Sie kennen die besondere Beziehung zu seinem „Golem" - dem Supercomputer - zu Genüge.

»Abel, du weisst, dass wir uns schon lange mit den Daten aus dem Tempel in Mexiko herum schlagen, die das Geheimnis des „Ewigen Lebens" enthalten sollen? Du weisst auch, dass wir immer davon ausgegangen sind, dass es sich um eine Form des Codes der menschlichen DNA handelt?«

Abel hörte interessiert zu und nickte bestätigend.

»Dann wird dich Dads Entdeckung, die er heute Abend gemacht hat, vom Hocker hauen! Er hat nämlich soeben die teilweise Lösung des Problems gefunden!«

Sally machte bewusst eine Kunstpause und Abel ist sichtlich näher zur Kamera gerückt, als Sally verkündet.

»Bei den Zeichen- und Ziffernfolgen, bestehend aus A - C - G und T, handelt es sich *nicht* um die Grundbausteine der DNA, sondern um - eine Art binärer *Computersprache*!«

Abel fehlten die Worte. Sie hören, wie eine Getränkedose aufgerissen wird und können beobachten, wie er den gesamten Inhalt seines heiss geliebten Energydrinks auf einen Zug in sich hinein kippte. Er zerknüllte die Dose mit der Hand und wirft sie gedankenverloren über seine Schulter, dann wendet er sich wieder der Kamera zu und sagt mit leicht stockender Stimme.

»Du meine Güte! Warum sind wir nicht schon früher darauf gekommen? Wie das halt so ist - man sieht vor lauter Bäumen den Wald nicht mehr! Gratuliere Adrian! Was schlagen sie nun vor? Wie soll es weiter gehen?«

Adrian muss nicht lange überlegen und erwidert.

»Ich, und auch Sally, sind der Meinung, dass sie und ihr „Golem" sich der Sache annehmen sollten! Wenn es jemand schafft diesen Code zu entschlüsseln, dann sind sie beide das! Auf Basis der neuen Sachlage sollte es für sie und der Rechenpower von „Golem" doch möglich sein diesen Code in etwas Verständliches zu übersetzen?«

Abel griente etwas verlegen ab dem Kompliment und antwortet.

»Ich werde mich unverzüglich mit „Golem" abstimmen und ihn mit einem entsprechenden Algorithmus - quasi - noch einmal über die „Bücher" gehen lassen!«

Sally winkte ab und meint nur.

»Keine Eile, Abel! Wir haben bis jetzt schon so viel Zeit investiert, da kommt es auf ein paar Stunden oder Tage mehr oder weniger auch nicht mehr drauf an! Du kannst mit „Golem" in Ruhe an die Lösung gehen! Wichtig ist nur, dass wir endlich erfahren, was die Botschaft eigentlich bedeutet. Und ob sie wirklich etwas mit dem sogenannten „Ewigen Leben" zu tun hat! Oder was auch immer deren Inhalt ist?«

Abel nickte verstehend.

»Werden wir machen! Sollten wir nicht auch den „General" und Charles darüber informieren?«

»Das werde ich übernehmen, Abel! Konzentriere dich einfach auf die Aufgabe, ok?«

Abel nickte abermals und ganz seine Art, kappte er einfach die Verbindung mit den Worten.

»Melde mich! Ciao!

37

Swan Point Creek - Safehaus

Am frühen Morgen wird Samantha von Marc Miller in ihrem Zimmer abgeholt.

»Ich hoffe sie haben den gestrigen Abend und unsere Küche genossen, Sam?«,

erkundigte er sich, während er am Türrahmen wartete.

»Und haben sie auch gut geschlafen?«

Samantha geht auf ihn zu, blickt ihn aus wachen Augen direkt an und sagt mit ironischem Unterton.

»Danke der Nachfrage, Marc! Ja! Das Essen war wirklich hervorragend! Und ja! Ich habe wider Erwarten in dem bequemen Bett tief und fest geschlafen! Ihre „Zellen“ sind tatsächlich sehr komfortabel eingerichtet!«

Marc lächelte versonnen.

»Ich weiss! Wir geben uns die grösste Mühe unsere „Gäste“ zufrieden zu stellen!«

Er zeigt mit der Hand in den Gang.

»Darf ich bitten! Wir beginnen jetzt mit dem ersten Teil der Befragung! Anschliessend machen wir eine Pause mit Frühstück, bevor wir weiter machen!«

Neben der Türe wartete ein Agent. Er nickte Samantha grüssend zu und sie folgte Marc, den Agenten im Rücken, bis zu einer der massiven Türen. Der Agent postierte sich wieder neben der Türe. Marc öffnete die Türe durch Autorisierung mit dem Handscanner und forderte Samantha auf einzutreten. Etwas erstaunt blickt sie sich um und erkennt sofort, dass es sich um einen typischen Verhörraum handelte. Links in der Wand ist eine grosse dunkle Fläche, die sie unschwer als Einwegspiegel erkennt. Am Boden fest geschraubt, steht in der Mitte des Raumes ein massiver Metalltisch. Links sind zwei und rechts ein Metallstuhl plaziert. Hinter dem einzelnen Stuhl ist ein grosser Flachbildschirm in der Wand verankert. Die anderen Wände sind kahl und mit matten hellgrauen Metallplatten verkleidet, die ein gekreuztes Muster aufweisen. Die Decke ist weiss gestrichen und mit einem indirekten hellen Beleuchtungskörper versehen. Samantha kann nirgends Kameras entdecken, ist jedoch überzeugt, dass diese, gut verborgen, vorhanden sind. Sie drehte sich zu Miller.

»Wirklich hübsch eingerichtet! Etwas spartanisch, aber durchaus minimalistisch modern!«

Marc zuckte mit keiner Wimper und entgegnet.

»Ja! Aber sehr zweckmässig! Bitte setzen sie sich doch bitte auf den rechten Stuhl. Ich komme in zwei Minuten zurück!«

Er beobachtet, wie sich Samantha auf den zugewiesenen Stuhl setzte und ihre Hände gefaltet auf die Tischplatte legte. Sie betrachtete ganz ruhig die vor ihr sichtbare dunkle Fläche, in der Gewissheit, dass man sie dahinter beobachtete.

Nachdem Miller die Türe verschlossen hatte, begibt er sich in den angrenzenden Raum, in dem der Agent vom Vorabend wieder seinen Dienst versieht. Er grüsste kurz und deutet auf den Einwegspiegel.

»Guten Morgen, Mike! Bist du bereit die Daten von Samantha Wong auf den Flat Screen zu überspielen?«

Mike bejahte und zeigte auf seine Bildschirme. Auf drei Monitoren ist Samantha Wong aus verschiedenen Perspektiven zu sehen. Einer davon zeigte ihr Gesicht, auf dem kleine grüne Leuchtpunkte an markanten Stellen auf blitzten. Diese verschieben sich mit jeder Bewegung ihres Kopfes und der Mimik ihrer Physiognomie. Das Programm hatte Abel Mankowski für "Golem" entwickelt. Bei Befragungen von Zeugen oder Tätern, erkennt das Programm an Hand der Stimmanalyse und im Zusammenspiel mit der Gesichtsmimik, ob die Zielperson die Wahrheit sagte oder eben lügt. Abel nennt sein Programm mit

Stolz - LEA - die *"Lügen-Erkennungs-App"* und ist eigentlich nichts anderes, als eine Hightech Version des Lügendetektors. Abel rühmte sich, dass sein Algorithmus eine Trefferquote von 100 Prozent hätte. Und tatsächlich hat die App seit der Einführung noch nie versagt. So ganz kann Marc das nicht glauben und zieht Abel immer damit auf, dass es sicher „nur" 99,9 Prozent wären.

»Abels „Wunderding" habe ich schon justiert und direkt mit „Golem" verbunden. In der CISMA können die jetzt die Befragung in Echtzeit mit verfolgen!«,

erklärte Mike und deutete auf einen vierten Monitor.

»Die Jungs in der Zentrale sind auch schon zugeschaltet! Charles sollte jeden Moment hier auftauchen! Er bringt übrigens noch Doc *Cheryl Biden* mit. Du kennst sie ja - unsere Ärztin vom Fach!«

informierte Mike und Marc meint.

»Doc Biden? Da wird sich die gute Samantha Wong aber freuen! Cheryl entgeht rein gar nichts! Es ist eine gute Idee von Charles sie mit zu bringen! Ich meine zwar, dass die Blessuren der Wong echt sind, aber wer weiss?«

In dem Moment hören sie das Klicken des Türschlosses, die Türe wird aufgestossen und Charles Roberts tritt in den Raum. Gefolgt von einer sehr attraktiven Frau Anfang Vierzig. Sie ist schlank und macht einen durchtrainierten Eindruck, als sie mit federnden Schritten auf Marc zugeht. Ihr sympathisches Gesicht ist umrahmt von einer vollen Mähne aschblonder Haare und ein leichtes Lächeln umspielte ihren Mund. Sie trägt nur dezentes Make-up und Marc findet, dass durch ihre natürliche Schönheit auch das wenige nicht nötig wäre. Doc Biden streckt Marc die Hand entgegen und schüttelt sie mit stahlhartem Griff. *»Mann o Mann! Cheryl hat vielleicht einen Griff! Kein Wunder, wenn man weiss, dass sie ihre Ausbildung bei den Marines absolviert hat, bevor sie von der CISMA angeworben wurde!«*, dachte sich Marc und sagt gleichzeitig.

»Cheryl, Doc! Freut mich immer wieder dich zu sehen! Was

verschafft uns die Ehre deiner gern gesehenen Anwesenheit?«
Cheryl knuffte Marc auf den Oberarm.

»Lass das Gesülze, alter Charmebolzen! Denk dran! Du bist verheiratet und hast eine süsse Tochter! Im Ernst! Charles meinte, ich solle die Verletzungen von Samantha Wong noch einmal gründlich untersuchen! Und bevor ihr mit der Befragung beginnt, werde ich das auch sofort erledigen!«

Charles nickte Cheryl auffordernd zu und sie begibt sich in den Verhörraum. Als sie eintritt, hebt Samantha den Kopf und blickte mit ihren immer noch leicht geschwollenen Augen die eintretende Frau erstaunt an. Doc Biden stellte ihren Aluminiumkoffer auf den Tisch, streckte Samantha die Hand hin und sagt.

»Guten Morgen, Samantha! Mein Name ist Dr. Cheryl Biden! Sie können mich Cheryl nennen! Ich komme um mir ihre Verletzungen anzusehen! Und ich werde sie bei der Gelegenheit auch noch professionell „verarzten"! Ich sehe schon, die gespaltene Lippe und der Riss auf der Wange sind leicht entzündet!«

Cheryl klappte ihren Koffer auf und meinte beiläufig.

»Samantha! Bitte ziehen sie sich aus, damit ich die anderen Blessuren begutachten kann! Den Slip können sie anbehalten! Und, nein! Wir werden nicht beobachtet. Auch für uns gilt, Anstand und Würde zu beachten!«

Sie blickte Samantha an und nickt auffordernd. Samantha tat, wie ihr geheissen und zieht sich aus. Sie legt ihre Sachen auf den Stuhl und wartet. Doc Biden hatte inzwischen ultra feine Latexhandschuhe übergezogen und forderte sie nun auf, sie möchte sich gerade hinstellen. *»Eines muss man ihr lassen! Trotz der Verletzungen sieht die Frau Klasse aus!«*, schiesst es ihr durch den Kopf, dann hebt sie eine kleine Stableuchte und forderte Samantha auf, die Augen zu schliessen. Sie untersuchte die Hämatome um die Augen, drückt sanft auf den Riss in der Wange. Was Samantha vor Schmerz kurz zusammen zucken lässt. Dann untersucht Cheryl die Male der Schläge auf den

Brustkorb, an den Armen und an den Oberschenkeln.

»Sam! Heben sie doch einmal die Arme in die Höhe!«

Als Cheryl die Innenseiten des linken Armes untersucht, fällt ihr in der Achselhöhle eine kaum sichtbare kleine Verletzung auf. Sie drückte mit dem Zeigefinger auf die Stelle und fragt.

»Spüren sie hier etwas, Sam?«

Samantha zuckt leicht, verzieht etwas das Gesicht.

»Ja, schon! Allerdings dachte ich, das ist eine etwas gereizte Lymphdrüse!«

Cheryl nimmt eine Lupe zur Hand und betrachtet die gerötete Stelle aus nächster Nähe.

»Es sieht so aus, als wenn etwas unter der Haut steckt! Hat sie irgendetwas gestochen? Eine Mücke, eine Wespe, oder sonst etwas?«

Samantha verneint.

»Nicht dass ich wüsste! Was kann das sein, Cheryl?«

Biden fischte aus ihrem Koffer eine kleine Spritze mit extra dünner Kanüle. Zieht die Schutzkappe von der Nadel.

»Ich werde die Achselhöhle jetzt örtlich betäuben und anschliessend durch einen kleinen Schnitt versuchen, den Fremdkörper heraus zu holen! Bitte halten sie die Arme weiterhin oben!«,

erklärte Cheryl und sticht die Nadel in der Nähe der Rötung in das Gewebe. Dann drückt sie die glasklare Flüssigkeit unter die Haut. Samantha ist erstaunt, dass sie nur einen kleinen Piekser fühlte und bemerkt, wie ihre Achselhöhle schon ein taubes Gefühl annimmt. Nach einer Minute glättet Cheryl mit dem Daumen und Zeigefinger der linken Hand die Haut um die Rötung. Mit einem feinen Skalpell macht sie vorsichtig den ersten Schnitt über der roten Stelle. Mit dem zweiten Schnitt gelangt sie tiefer in die Hautschicht und bemerkt verwundert.

»Ich stosse hier auf etwas Hartes! Sehr klein, aber eindeutig ein Fremdkörper!«

Während sie das wenige Blut wegtupft, greift sie zu einer feinen Pinzette und schiebt sie in die kleine Wunde. Ein kurzes Ziehen, dann hält sie die Pinzette hoch und betrachtete den kleinen Gegenstand - nicht grösser als ein Reiskorn - von allen Seiten. Sie legte das Objekt in eine kleine Glasschale, dann verklebt sie zuerst den kleinen Schnitt in der Achselhöhle mit einem Spezial-Wundpflaster.

»Sie können die Arme jetzt senken, Sam!«

Cheryl deutete auf das „Reiskorn“ und fragte mit einem strengen Unterton.

»Können sie mir erklären, *was* das ist, *wie* das in ihre Achselhöhle kommt und *was* das zu bedeuten hat?«

Samantha schüttelte energisch den Kopf und beteuert.

»Ich habe wirklich keine Ahnung, Cheryl! Sie können mir glauben! Ich habe so etwas noch nie gesehen und weiss auch nicht, wie das unter meine Haut gelangt ist! Wissen *sie* - *was* das sein könnte?«

In dem Moment ertönte Charles Roberts Stimme aus einem verborgenen Lautsprecher und Samantha zuckte unwillkürlich zusammen.

»Cheryl! Ich habe da so eine Ahnung, um was es sich bei dem Objekt handelt! Bring das Ding zu uns hinüber! Und Miss Wong! Keine Angst! Wir haben nur die Audioübertragung eingeschaltet!«

Cheryl blickte Samantha misstrauisch an.

»Ziehen sie sich bitte wieder an! Ich habe genug gesehen und auch ich habe da so eine Idee, *was* das sein könnte! Setzen sie sich dann wieder hin! Ich bin in fünf Minuten zurück!«

Sie packte ihre Instrumente in den Koffer, nimmt die kleine Schale in die Hand, verlässt wortlos den Raum und lässt eine ratlose Samantha zurück. Vor der Türe wartete schon Charles Roberts und streckte die Hand aus.

»Du hast sicher denselben Gedanken wie ich? In einer Minute haben wir Gewissheit! Komm!«

Er nimmt die kleine Schale und sie begeben sich in den Nebenraum. Er geht zu einer der Arbeitsstationen, legt die Glasschale unter ein Gerät, das wie eine Kamera aussieht. Auf einem daneben stehenden Monitor erscheint eine hundertfache Vergrösserung des Objekts. Es ist deutlich zu erkennen, dass es sich um ein Reiskorn ähnliches Objekt mit einer Oberfläche aus Kunststoff handelt. Charles tippte ein paar Befehle in eine Tastatur und schaltet die Verbindung zur „Kommandobrücke“ frei. Sofort sieht er Abels Gesicht auf einem zweiten Bildschirm. Bevor Abel ein Wort sagen kann, erklärt Charles.

»Abel! Hör mir einfach kurz zu! Was ich hier unter die Kamera gelegt habe, haben wir soeben aus Samantha Wongs Achselhöhle entfernt! Ich vermute, dass es sich um eine „*Wanze*“ oder ähnliches handelt! Könntest du mal ein paar deiner IT-Tricks anwenden und das *Ding* untersuchen. Das geht doch aus der Ferne?«

Abel sieht zur Seite.

»Charles, ich sehe das Objekt! Ein echt cooles Teil! Warte eine Sekunde!«

Sie konnten sehen, dass Abel den Kopf senkte und vermutlich Befehle eintippte. Das Bild auf dem Monitor veränderte sich und wurde durchleuchtet. Ähnlich wie bei den Sicherheits-Scanner an Flughäfen ist zu erkennen, dass sich im Innern der Kunststoffhülle mikrofeine elektronische Strukturen befinden. Abel blickte wieder in die Kamera und stellt fest.

»“Golem“ hat die innere Struktur gecheckt und ist ebenso wie ich überzeugt, dass es sich um einen äusserst raffiniert konstruierten Mikro-GPS-Sender, oder besser gesagt, ein *Subminiatur-Ortungsgerätchen* handelt! Sehr clever! - Es kann von überall geortet werden, ohne dass es verräterische Impulse aussendet!«

Abel legt nach seiner Erklärung einen sehr zufrieden Ausdruck an den Tag und ergänzte.

»Und äusserst kostspielig oben drauf! Vandorp - und ich nehme an, dass das *Dingelchen* von ihm stammt - muss immer noch über enorme Ressourcen verfügen!«

Charles drehte sich zu den anderen um, zeigt auf das kleine Objekt und verkündet mit ruhiger Stimme.

»Danke Abel, für die Bestätigung! Kollegen! Cheryl hat es auch geahnt! Und Abel hat es soeben bestätigt! Was wir hier sehen ist ein Wunderwerk der Mikro-Elektronik!«

Einige Sekunden herrscht Totenstille im Raum, als sich Marc als erster fasste und ganz auf seine Art verkündet.

»Wow! Da hat uns also die ach so *unschuldige* Samantha Wong mal wieder richtig übers Ohr gehauen! Schleppt uns eine Wanze in die Hütte und meint wir merken's nicht!«

Charles und Cheryl schauen eher skeptisch.

»Ich bin mir nicht sicher, ob Samantha von dem GPS-Sender wusste? Es kann ebenso gut sein, dass der ihr von Vandorp implantiert wurde, als sie nach den Schlägen das Bewusstsein verloren hat! Sie hatte gegenüber Miguel erwähnt, dass sie nicht weiss, wie lange sie bewusstlos war! Sie sagte zwar, dass sie noch hörte wie Vandorp das Zimmer abschloss! Aber ebenso gut kann er noch einmal zurück gekommen sein!«,

bemerkte Charles. Marc schaut seinerseits skeptisch.

»Ich weiss nicht, Charles! Das tönt zwar plausibel, aber warum sollte ihr Vandorp einerseits einen Ortungschip „einpflanzen“, wenn er uns anderseits davor warnt, dass Henrique Velasquez Samantha Wong ans Leder will? Das macht doch alles keinen Sinn! Und wie ich dir schon gestern sagte - ich hab einfach ein ungutes Gefühl!«

Charles zog die Stirn in Falten, überlegte angestrengt, dann kommt er zu einem Entschluss.

»Wir werden der Dame jetzt mal auf den Zahn fühlen! Du kommst mit, Marc! Die anderen beobachten von hier aus!«

Samantha Wong sitzt Gedanken verloren am Tisch und blickt, ohne diese richtig wahr zunehmen, auf die dunkle Fläche. Hinter der sie, und da ist sie sich sicher, beobachtet wird. *»Wie lange warte ich jetzt schon? Fünf Minuten sagte diese Cheryl!«*, dachte sie und irgendwie hatte sich ihr Zeitgefühl verabschiedet. In dem Moment vernimmt sie ein Klicken und unvermittelt wird die Türe aufgestossen. Als sich Samantha der Türe zuwendet, erkennt sie sofort *wer* da den Raum betritt - Charles Roberts, Special Agent der CISMA, gefolgt von Marc Miller. Roberts stellt sich ihr gegenüber an den Tisch und betrachtete sie ein ganze Weile, ohne ein Wort zu sagen. Er schürzt ein wenig die Lippen, holte Luft und sagt mit eiskalter Stimme.

»Samantha Wong!«

Er macht eine Kunstpause.

»So sieht man sich wieder! Seit unserem letzten Zusammentreffen ist es zwar schon eine Weile her, aber wie könnte ich *sie* jemals vergessen!«,

sagte er mit völlig neutraler Stimme, was umso bissiger klang. Samantha blickte Charles aus ihrer sitzenden Position direkt in die Augen. Sie weiss, dass es zur Taktik des Verunsicherns eines Gegners gehört, im Stehen auf einen Sitzenden hinunter zu schauen. Gerade heraus und ebenso neutral entgegnet sie.

»Special Agent Roberts! Ich habe dies bei meinem ersten Anruf schon zu ihrer Partnerin Dr. Bowles gesagt! Ich bedaure *ausserordentlich*, was damals in Mexiko passiert ist! Vor allem, was Rick Vandorp Dr. Bowles durch den unseligen Dr. Gerlach antun lassen wollte! Das ist ohne mein Wissen geschehen!«

Charles Blick verfinsterte sich für einen Augenblick, dann gewinnt seine Professionalität wieder die Oberhand. Während er und Marc sich ihr gegenüber auf die Stühle setzen und ihre Tablet Computer auf den Tisch legen, wirft er ruhig ein..

»Ich glaube sie haben vergessen, dass *sie* einen unseren Agenten in Mexiko ermorden liessen und dass *sie* mich und diesen Herrn...«,

er zeigte auf Marc Miller.

»...durch einen eurer Klone, Götz hiess er wohl, ins Jenseits befördern lassen wollten! Oder irre ich mich etwa?«

Samantha Wong senkte leicht den Kopf und sagte sehr leise.

»Sie haben Recht, Sir! Ich weiss auch nicht welcher Teufel mich damals geritten hatte!«

Sie blickt zuerst Roberts und dann Miller an.

»Ich kann das was alles vorgefallen ist, nicht Ungeschehen machen! Ich war einfach Vandorp *hörig*! Und ich kann und möchte mich hier und heute bei ihnen entschuldigen! Dies gilt vor allem auch für Dr. Bowles. Die ja nur durch meine Hilfe in diese unwürdige Lage gekommen ist!«

Charles weiss nur zu gut, dass Samantha auf die Androhung Sally Bowles bei lebendigem Leib sezieren zu lassen anspielte. Er blickt zu Marc, der kaum merkbar nickte.

»Gut! Wir nehmen ihre Entschuldigung *vorerst* an! Jetzt sind sie am Zug, Samantha! Aber seien sie versichert! Wenn sie uns heute nichts Brauchbares über die Pläne Vandorps liefern können, werde ich dafür sorgen, dass sie den Rest ihres Lebens in einer dunklen Zelle verrotten!«

Samanthas Augen funkelten für einen Sekundenbruchteil erbost auf, dann holt sie einmal tief Luft und beginnt zu erzählen.

»Zuerst möchte ich, dass sie wissen, dass ich ihre Reserviertheit mir gegenüber verstehe, Special Agent Roberts! Bevor ich ihnen, wie versprochen, die ergänzenden Daten liefere, möchte ich noch etwas zur Vorgeschichte erzählen, die dazu führte mich bei ihnen zu melden!«

Charles nickte wortlos.

»Vor knapp einem Jahr wollte Rick Vandorp durch den Einsatz einer Substanz die Erbanlagen des menschlichen Genoms unter Verwendung der DNA Struktur des Lurchs *Axolotl* und ergänzender Manipulation des menschlichen Genoms den, wie er es nannte, *Supersoldaten* erschaffen! Mit deren Hilfe wollte er ein *„Viertes Reich“* unter seiner Führung wieder aufleben lassen. Dies ist ihnen soweit bekannt! Ebenfalls, wie das Ganze geendet hat!«

Samantha schluckte und fragte mit einem leichten Kratzen in der Stimme, ob sie ein Glas Wasser haben dürfte. In der Tat ist die Luft im Raum sehr trocken und auch Charles und Marc verspürten ein leichtes Kratzen im Hals. Nachdem ein Agent ihnen Wasser in kleinen PET-Flaschen gebracht und sie ihre trockenen Kehlen benetzt hatten, fährt Samantha fort.

»Danke! Nun! Was sie nicht wissen können! *Bevor* die Anlage FEP-VIII zerstört wurde, liess sich Vandorp von Dr. Gerlach die Substanz „Ax0.02“ spritzen! In der Annahme, dass diese zu drei Mutationen führen würde. Nämlich - *Regeneration* - *Leistungssteigerung* - *ewiges Leben*! Ich nehme an, bei der Untersuchung seiner Yacht - der *„Efrari2“* - haben sie in der Eigner-Kabine eine Menge Blut vorgefunden? Und dieses stammte von Vandorp?«

Charles bestätigte.

»Und sie werden sich gewundert haben, warum es dort zu finden war? Nun! Ich war in dieser Nacht bei ihm, als er urplötzlich komplett durchgedreht ist! Er hat rum gebrüllt, dass alle gegen ihn seien und dass er es der Welt schon zeigen werde! In seinem Wahn hat er sich dann mit einem Ehrendolch der SS den kleinen Finger seiner linken Hand abgetrennt!«

Sie nimmt einen Schluck Wasser und bemerkt die erstaunten Mienen von Charles und Marc.

»Sie können sich vorstellen, wie dies auch mich geschockt hatte! Ich habe ihn dann so gut es ging versorgt. Den abgetrennten Finger habe ich ins Meer geworfen. Ich dachte wir könnten ja nicht einfach in der nächste Klinik auftauchen, um das Glied wieder annähen zu lassen! Des Weiteren hatte die Wunde erstaunlicherweise schon nach einer Minute aufgehört zu bluten! Was mir, angesichts der schweren Verletzung, schon sehr seltsam vorkam! Wir, das heisst Vandorp, Adolf und ich, sind dann mit dem U-Boot, der *„Axolotl2“*, nach Panama geflüchtet. Dort am Strand hat uns ein grosser Sattelschlepper mit spezieller Hebevorrichtung aufgeladen!«

Marc grinste leicht und meinte amüsiert.

»Ja! Ich erinnere mich noch genau, dass mir eine Fahrt in diesem *Stealth-U-Boot-Dings* auch gefallen hätte!«

Charles ergänzte.

»Soviel konnten wir auch ermitteln! Aber dann hat sich eure

Spur verloren! Wie ging es dann weiter?«
Samantha fährt fort.

»Von Panama aus sind wir zuerst nach Misionés gereist! Dort hatte Rick bei einem linientreuen Bankier - genauer gesagt - einem eingefleischten Neonazi namens Meienhof - in den Jahren zuvor ein ziemlich grosses Vermögen schwarz angelegt! Der Banker, beziehungsweise dessen Familie, hatte sich schon kurz nach dem Krieg in Misionés niedergelassen. Er gründete eine Bank und hat sich um die dubiosen Geldgeschäfte zahlloser geflüchteter Nazis gekümmert!«
Marc stellte eine Zwischenfrage.

»Ist ihnen die Höhe dieses Vermögens bekannt?«
Samantha muss nicht lang überlegen.

»Seit wir im Inalco Haus untergekommen sind, kümmerte ich mich auch um die laufenden Transaktionen und hatte vollen Zugriff auf die verschiedenen Konten! Wir reden hier über Pfründe in Höhe von knapp einer Milliarde Dollar!«
Marc pfiff leise durch die Zähne.

»Damit lässt sich natürlich so Einiges anstellen! Bitte fahren sie fort! «,
kommentierte Charles.

»Durch die Vermittlung besagten Bankiers, konnte Vandorp unter dem Pseudonym *„Don Rico Dopueblo"* das sogenannte *„Inalco Haus"* erwerben! Zudem hat er durch grosszügige „Spenden" an die Honoratioren von Bariloche auch noch die *„Isla Huemul"* gekauft! Es dürfte ihnen bekannt sein, dass ein gewisser *Dr. Paul Richter* dort das Atomprogramm für das Regime Peróns vorangetrieben hatte!«
Charles wechselte ein paar Blicke mit Marc. Der nickte unmerklich und Charles fragte Samantha.

»Samantha! Wir haben inzwischen heraus gefunden, dass die *Isla Huemul* eine Rolle in den Plänen Vandorps spielen muss! *Was* genau geht da vor sich?«
Sie nimmt einen Schluck Wasser und antwortet.

»Lassen sie mich zuerst noch Sache erwähnen, die sie

beide, als Wissenschaftler auf dem Gebiet der Genetik, interessieren dürfte! Wie ich schon sagte, hatte sich die Psyche Vandorps nach der Injektion der Substanz laufend verändert! Seine „normalen“ Phasen, in denen er immer noch der weltmännische und beherrschte Unternehmer war, wechselten zusehends mit den - ich nenne es - „psychotischen“ Phasen ab! In diesem Zustand war er ein vollkommen anderer Mensch! Von nazionalistischen Zügen geprägt, herrschsüchtig, unberechenbar und absolut skrupellos! Ich führte dies auf die Substanz zurück! Das eigentlich Verblüffende ist jedoch! Sein abgehackter kleiner Finger, beziehungsweise der Stumpf, hatte sich innert drei Wochen, bis auf einen kleinen Teil des letzten Gliedes, vollkommen *regeneriert*! Dann kam es zu Komplikationen, die das letzte Glied unkontrolliert mutieren liess! Es blieb uns nichts anderes übrig, als das erste Glied zu amputieren!«

Nach dieser Eröffnung herrscht für einen Moment bedrückende Stille und Charles und Marc sind sprachlos.

»Sie machen Scherze, Samantha? Das ist *nicht* ihr Ernst?«, prustete Marc, nach dem ersten Schock über das Gehörte. Auch Charles blickte Samantha ernst an und meinte sich verhört zu haben.

»Sie sind also der Meinung, dass diese Substanz tatsächlich, zumindest die Regeneration abgetrennter Glieder oder beschädigter Organe hervorrufen kann? Das klingt doch reichlich absurd?«,

erkundigte sich Charles mit ungläubigem Unterton. Samantha zuckte nur mit den Schultern und erwidert.

»Ich kann nur wiedergeben, was ich mit *eigenen* Augen gesehen habe! Und das ist, dass der kleine Finger an der linken Hand Vandorps wieder nachgewachsen ist! Warum auch immer?«

38

In Velasquez' Jet über Maryland

Henrique Velasquez hatte während fast dem ganzen Flug tief und fest geschlafen. Nach dem Start in London, hatte er die Flugbegleiterin instruiert, sie möchte ihn eine Stunde vor Ankunft wecken und ihm eine Kleinigkeit servieren. Nicht das erste Mal geniesst Velasquez den zuvorkommenden Service eines VIP-Privatcharterfluges. Da er sich aber für die bevorstehende Aufgabe ausruhen wollte, sah er davon ab, die attraktive Flugbegleiterin mit seinem Charme zu verführen und hinten in der Kabine flach zu legen. Er nimmt seine Aufträge jedoch ernst und geniesst nach den Köstlichkeiten aus der Bordküche, nur ein Glas eisgekühlten Champagner. Er blickte kurz auf seine Omega Oyster am rechten Handgelenk, leert das Glas in einem Zug und steht aus dem bequemen Ledersessel auf. Er sieht sich in der üppig ausgestatteten Kabine kurz um und begibt sich langsam in den hinteren Teil.

Dort befindet sich die Bordküche und ein kleiner Waschraum. Die Flugbegleiterin sitzt auf einem kleinen Behelfssitz an der linken Kabinenseite und ist in ein Hochglanzmagazin der Klatschpresse vertieft. Instinktiv spürt sie, dass sie beobachtet wird. Als sie das Magazin senkte und die Augen nach oben richtete, blickt sie direkt in die Mündung eines schwarzen Schalldämpfers. Kein Ton kommt über ihre Lippen, als sie mit erstaunt weit aufgerissenen Augen in ihrem Sitz zusammen sinkt. Nur ein kleiner roter Punkt ist genau in der Mitte ihrer Stirn zu sehen. Aus dem rinnt ein einzelner Blutfaden nach unten. Aus kalten Augen blickt Velasquez auf die tote Frau hinunter. Er prüft kurz den Schalldämpfer seiner FN 7,65 mm Pistole und nickt zufrieden. Für Missionen in Flugzeugen verwendet er immer Spezialmunition. Die hat garantiert eine letale Wirkung, da sie sich beim Eindringen in menschliches Gewebe, wie ein Stern verformte. Hatte aber den Vorteil, dass das Projektil den Körper nicht durchschlägt und somit keine Gefahr besteht, die Flugzeughülle zu beschädigen. Was natürlich fatale Folgen hätte.

Velasquez überprüft, ob die zwei schwarzen grossen Taschen noch an dem Ort sind, wo sie die Flugbegleiterin verstaut hatte. Er hievt die schweren Taschen aus dem Gestell und deponiert sie auf der Couch an der linken Seite der Kabine. Dann begibt sich nach vorne zur Türe, die zum Cockpit führt. Dort drückt er auf die Taste der Gegensprechanlage.

»Captain Brown! Ich möchte mit ihnen etwas besprechen. Würden sie ihrem Passagier auch noch kurz einen Blick durch die Cockpitscheiben gönnen?«

Aus Sicherheitsgründen, das wusste Velasquez, sollte während des Fluges der Zugang zum Cockpit immer verriegelt sein. Bei den zahlungskräftigen Kunden nimmt man dies jedoch nicht so genau. Aus dem Lautsprecher ertönte eine etwas blecherne Stimme.

»Selbstverständlich, Mr. Pinzon! Kommen sie ruhig herein. Die Türe ist nicht abgeschlossen!«

Velasquez steckte seine Pistole hinten in den Hosenbund und tritt durch die schmale Türe. Rechts vor ihm sitzt der Pilot namens Brown und links sein Co-Pilot. Der letztere sieht konzentriert auf die verwirrende Anzahl Instrumente und Monitore, während der Pilot gerade im Begriff ist eine Funkmeldung an die Flugsicherung durch zugeben. Als er geendet hatte, dreht er sich in seinem Sitz so gut es ging zu seinem Passagier um.

»Ah, Mr. Pinzon! Ist das nicht ein atemberaubender Anblick? Das ist es, was ich an meinem Beruf so liebe! Grenzenlose Freiheit über den Wolken!«

In der Tat ist die Aussicht aus dem Cockpit beeindruckend. In zehntausend Meter Höhe über den Wolken hat man ungehinderte Sicht bis zum fernen Horizont. Velasquez scheint dies jedoch nicht sonderlich zu beeindrucken, als er zum Piloten sagte.

»Ja, ja! Wirklich schön! Mich interessiert, ob sie mir sagen können, *wie* lange wir noch bis zur Landung haben?«

Etwas enttäuscht über die nüchterne Reaktion seines Fluggastes, erwiderte der Pilot.

»Ja, Sir! Kann ich ihnen genau sagen! Ich habe soeben mit der Flugsicherung von Dulles International gesprochen. Wir haben die Landeerlaubnis in dreissig Minuten auf Landebahn #5! Wie sie sehen, ist das Wetter absolut ruhig somit mit keiner Verzögerung zu rechnen ist!«

Velasquez nickte knapp, zieht einen Zettel aus seiner Hosentasche und reicht ihn dem Piloten.

»Wenn wir diese Koordinaten anfliegen würden? Wann - ab jetzt gerechnet - würden wir diesen Punkt erreichen?«

Der Pilot nimmt den Zettel entgegen, blickt irritiert auf die zwei Zahlenreihen, dann zu Velasquez.

»Ich verstehe nicht ganz, Sir?«

Velasquez hatte mit dieser Reaktion gerechnet, fischte seine Pistole aus dem Hosenbund und richtete den Lauf mit dem Schalldämpfer auf den Hinterkopf des Co-Piloten.

»Ganz einfach, Captain Brown! Wenn sie mir jetzt nicht augenblicklich die genaue Zeit - minus zwei Minuten - mitteilen, *wann* wir an diesem Punkt ankommen, werde ich ohne Zögern ihrem Co-Piloten eine Kugel in den Kopf jagen! Und kommen sie nicht mal auf den Gedanken den Funk benutzen zu wollen! Also, bitte?«

Brown sieht man an, dass er innerlich vor Wut kochte. Angesichts der Drohung und dem Anblick der Pistole in Velasquez Hand, merkte er, dass der es ernst meint und sagt.

»Dazu muss ich jedoch die Daten in den Bordcomputer eingeben und somit einige Tasten bedienen!«

Velasquez nickte.

»Nur zu! Aber seien sie versichert! Ich habe eine Fluglizenz und kenne mich mit den Instrumenten recht gut aus!«

Brown wendet sich der Batterie von Instrumenten zu und tippte auf dem Touchscreen des Navigationscomputers die Koordinaten ein. Auf dem Display wurde eine neue Route angezeigt. Eingeblendet - die aktuelle Zeit, die Distanz und die Ankunftszeit am Zielpunkt. Brown wendet sich wieder Velasquez zu und sieht ihn fragend an.

»Verzeihen sie, Sir! Aber an den angegebenen Koordinaten befindet sich weder ein Flugplatz noch sonst eine Landemöglichkeit?«

Der verzieht keine Miene und befiehlt.

»Sie schalten jetzt den Autopiloten ein! Ziel diese Koordinaten, plus 1000 Meilen! Geschwindigkeit gleich bleibend! Flughöhe kontinuierlich bis zum Zielpunkt auf 3000 Meter runter gehend!«

Brown schüttelte den Kopf und protestierte.

»Mensch! Sind sie noch ganz bei Trost? Unser Sprit reicht noch für maximal 500 Meilen ab Zielpunkt! Und wir können nicht einfach die uns zugewiesene Luftstrasse verlassen!«

Ohne mit der Wimper zu zucken, zieht Velasquez den Abzug nach hinten. Ein trockenes „Plopp" ertönt und der Co-Pilot sinkt in seinem Sitz zusammen. Brown blickt entsetzt auf seine toten Kollegen.

»Los! Den Autopiloten einschalten!«,

sagte Velasquez mit tödlich ruhiger Stimme. Captain Brown gehorchte zähneknirschend und spürbar senkte sich das Flugzeug mit der Nase nach unten.

»An Flug 4735 von London nach Washington! Sie verlassen die ihnen zugeteilte Flughöhe! Sofort korrigieren! Haben sie verstanden? Sofort zugewiesene Flughöhe wieder einnehmen!«

Quäckte es plötzlich aus dem Lautsprecher der Funkanlage. Brown wollte instinktiv antworten und bemerkt seinen Fehler im selben Moment. Er hörte das kurze „Plopp" schon nicht mehr, als die Kugel seinen Schläfenknochen durchschlägt und sein völlig zerstörtes Gehirn sofort ausser Funktion tritt.

Erneut knisterte es im Lautsprecher. Velasquez greift über den schlaffen Körper von Captain Brown zum Funkgerät und schaltete es aus. Er drehte sich um, geht durch die Cockpittüre und begibt sich mit zufriedenem Ausdruck in den hinteren Bereich der Kabine. Er legt seine Zivilkleidung ab. Aus der einen grossen schwarzen Tasche fischt er einen schwarzen Tarnanzug und eine dünne kugelsichere Weste. Die ist aus einem sehr leichten, aber fast undurchdringlichem Material hergestellt. Er entnimmt der Tasche verschiedene Ausrüstungsgegenstände und Waffen und verstaute diese in passgenaue Taschen in seinem Tarnanzug. Dann zieht er einen Flysuit hervor und beginnt ihn sich überzuziehen. Dieser besteht aus einem neuartigen Material, in dem sich, durch die spezielle Beschichtung, zu jeder Tages- und Nachtzeit die Umgebung spiegelte und den Träger somit fast unsichtbar macht.

Aus der zweiten Tasche fischt er eine Art Rucksack und schnallt sich diesen auf den Rücken. An den Tragriemen auf der Brust ist ein kleinerer Beutel befestigt. Zuletzt entnimmt er der Tasche einen Integralhelm mit aufklappbarem Visier. Nach einem Blick auf seine Uhr, setzt er sich auf die gegenüber liegende Couch. Er legte die Hände auf die Knie und schliesst die Augen. Er beginnt ganz langsam ein- und auszuatmen. Sein Puls verringert sich und eine alles durchströmende Ruhe durchflutete seine Körper. Es ist eine Form von Meditation, die er immer vor bevorstehenden Aufgaben durchführt.

Nach einer Weile strafft er sich, öffnet die Augen und blickt auf seine Uhr.

»Noch vier Minuten!«,

murmelte er zu sich selbst, greift zum Helm und setzt ihn auf. Dann geht er zur Einstiegstüre, klappt den Deckel der Verriegelungsmechanik auf und checkt noch einmal die Zeit. Entschlossen entriegelt er die Luke. Ein orkanartiger Windstoss reisst ihn fast von den Füssen. Mit beiden Händen und Füssen stemmt er sich gegen den Lukenrahmen und wartet, bis sich der Luftdruck im Inneren der Kabine an den Aussendruck angeglichen hatte. Der Fahrtwind zerrt immer noch an seinem Körper, jedoch nicht mehr mit dieser Wucht. In Gedanken hatte er die Sekunden rückwärts gezählt und als er bei Zero ankommt, stösst er sich mit aller Kraft aus der Öffnung. Die Arme ganz eng an den Körper gepresst, die Beine geschlossen, stürzt er Kopf voran in die Tiefe. Ganz knapp kann er den Zusammenprall mit dem Heck der Maschine vermeiden. Mit Schwindel erregender Geschwindigkeit sticht Velasquez in die Wolkendecke.

Ein Piepsen in seinem Helm zeigt ihm an, dass er jetzt die 2000 Höhenmeter unterschritten hatte. Langsam breitet er seine Arme aus und spreizt die Beine. Die eingenähten Fledermaus ähnlichen Flächen reduzieren seine Fallgeschwindigkeit stetig und Velasquez geht in den Segelflug über. Nach weiteren 500 Höhenmetern fliegt er aus der Wolkendecke. Er kann jetzt die Gegend unter ihm genau erkennen. Ein Blick auf das integrierte Navigationsgerät an seinem rechten Unterarm zeigt an, dass er sich nur noch 400 Meter Luftlinie vom Landepunkt entfernt befindet. Ein weiteres Piepsen im Helm signalisiert, dass er 500 Höhenmeter erreicht hat. Velasquez zieht an der Reissleine vor seiner Brust und in Sekundenschnelle entfaltet sich der Spezialgleitschirm. Auch dieser ist mit der speziellen Beschichtung versehen und macht ihn damit praktisch unsichtbar.

39

Maryland - Nähe Safehaus

Der Sonnenaufgang kündigte sich durch einen rötlichen Schein am fernen Horizont an. Die nur noch vereinzelt am Himmel schwebenden Wolken hatten eine rosige Färbung angenommen und sehen aus wie Zuckerwatte. Henrique Velasquez schenkte dem Naturschauspiel keinen Blick. Geräuschlos schwebte er seinem Ziel entgegen. Ab und zu wirft er einen Blick auf seinen Navigationscomputer am linken Unterarm und korrigierte dann mittels der Steuerleinen die Richtung seines Gleitschirms.
»Noch 150 Höhenmeter und ich habe den Landepunkt erreicht!«, berechnet er kurz und konzentriert sich auf die unter seinen Füssen vorbei gleitende Landschaft. Kaum eine Minute später zieht er an den Steuerleinen und bleibt fast in der Luft stehen. Punktgenau berühren seine Füsse in der Mitte einer kleinen Lichtung den Boden. Er machte drei Schritte vorwärts und lässt den Gleitschirm hinter seinem Rücken in sich zusammenfallen. Blitzschnell rafft er das feine Gewebe und die Tragleinen zusammen, nimmt das Bündel auf die Arme und geht schnell zum nahen Waldrand. Im Schatten der Bäume zieht er sein Flysuit aus und rollt auch diesen zu einem kleinen Bündel zusammen. Im Unterholz gräbt Velasquez eine Grube in den Waldboden. Gerade so gross, dass sein Gleitschirm und der Flysuit hinein passen. Als er die zwei Bündel mit einer dünnen Schicht Erde, Laub und Tannennadeln bedeckt hatte, steht er auf und betrachtet sein Werk.

Nur ein sehr geübtes Auge könnte das Versteck jetzt noch entdecken. Er liest seinen Standort auf dem Navi ab, tippt auf einige Tasten und das Gerät zeigt ihm den Weg zu seinem Ziel an. Mit langsamen Schritten geht Velasquez tiefer in den Wald hinein und verschmilzt dank seinem Tarnanzug fast vollkommen mit der Umgebung. Nach zweihundert Meter hält er an und setzt sich auf einen abgestorbenen Baumstamm. Er blickt auf seine Uhr. *»Noch eine Stunde, dann werde ich meinen Auftrag erledigen!«* Er schliesst die Augen, atmet langsam ein und aus und fällt in den Zustand der Meditation.

40

Swan Point Creek - Safehaus

Die dunkle Fläche des Flachbildschirms an der Wand hinter Samantha Wong erwachte plötzlich zum Leben. Auf dem Bildschirm wird Abel sichtbar, der Lautsprecher knisterte und sie vernehmen seine aufgeregte Stimme. Charles und Marc blicken auf den Flat Screen und Charles bedeutete Samantha, sie möchte schweigen.

»Charles, Marc, Miss Wong! Soeben erreichte uns die Nachricht, dass die Cessna, die Velasquez gechartert hat, vor anderthalb Stunden die vorgeschriebene Luftstrasse verlassen hätte! Unsere Ortung und auch die von Peter MacGregor, haben ergeben, dass die Maschine den Kurs geändert hat!«

Abel kommt ins Stottern und musste einmal tief Luft holen.

»Laut Flugsicherung sank das Flugzeug von der ursprünglichen Flughöhe stetig auf 3000 Meter. Sie überflog einen Punkt in der Nähe von *Swan Point Creek*! Dann setzte sie ihren Kurs in südwestlicher Richtung fort, ohne auf Funkanrufe zu reagieren! Zwei *F33 „Raptor"* sind dann von der Andrews Air Base aufgestiegen! Sie haben sich der Cessna bis auf wenige Meter angenähert, konnten jedoch nur feststellen, dass die Piloten auf ihre Funksprüche nicht antworteten! So wie es aussieht haben die Piloten auch nicht auf Sichtzeichen der „Raptoren" reagiert, was vermuten lässt, dass die Crew bewusstlos oder tot ist!«

Charles blickt kurz zu Marc, dann zu Samantha und unterbricht Abel in seinem Redefluss.

»Moment mal, Abel! Du sagtest die Cessna sei über *Swan*

Point Creek geflogen? Hast du den aktuellen Standort von Velasquez Smartphone?«

Abel verzeiht den Mund und druckste rum.

»Zu deiner ersten Frage, Charles! Ja! Die Cessna hat in der Nähe von Swan Point das Gebiet überflogen! Und, nein! Leider haben wir das Ortungssignal von Velasquez' Smartphone kurz vor Swan Point verloren! Ich vermute, er hat das Gerät ausgeschaltet!«

Charles und Marc verdauen diese Informationen, während Samantha dem Dialog irritiert zuhörte. Abel hatte sich etwas beruhigt und berichtete weiter.

»Die zwei F33 verfolgten die Cessna weiter und es wurde in Erwägung gezogen die Maschine abzuschiessen! Nach ungefähr 480 Kilometer „Geisterflug" Richtung Südwesten, meldeten die „Raptoren", dass das Flugzeug urplötzlich die Nase senkte und langsam immer tiefer weiterflog! Die Piloten der F33 wunderten sich, dass die Maschine nicht schon vorher ins Trudeln kam und konnten dann beobachten, wie die Cessna nur etwa 750 Meter nordwestlich des kleinen Ortes „Warrensville" im Bundesstaat North Carolina in einem Waldgebiet niedergegangen ist! Es gab keine Explosion und kein Feuer! Was darauf schliessen lässt - der Maschine ist schlicht und einfach der „Sprit" ausgegangen! Die sofort an die Absturzstelle geeilten Rettungskräfte haben dies bestätigt, da an der Absturzstelle keinerlei Feuer vorhanden ist! Übrigens! Es ist ein wahres Wunder, dass das Flugzeug nicht in den Ort krachte!«

Marc hebt kurz die Hand und fragte dann.

»Abel! Was ist mit der Crew und mit Velasquez?«

Abel nimmt einen grossen Schluck Energydrink und antwortet.

»Darauf wollte ich gerade kommen, Marc! Das Merkwürdige ist - die Retter haben nur *drei* Leichen vorgefunden! In relativ guten Zustand - nach so einem Crash! Das Dumme ist nur! Die sind nicht bei dem Absturz ums Leben gekommen, sondern - durch eine Kugel in den Kopf! Von Velasquez fehlt jede Spur!«

Charles wirft ein.

»Was für mich darauf hindeutet - Velasquez *lebt*! - und ist mit einem Fall- oder Gleitschirm noch über der Gegend von Swan Point abgesprungen!«

Abel unterbricht Charles.

»Das deckt sich mit den ersten Untersuchung der Wrackteile! Bevor sie auf den Boden aufschlug, ist die Cessna von der relativ stabilen Fluglage erst kurz vor dem Crash ins Trudeln gekommen! Der Rumpf ist in drei Teile zerbrochen und ein Flugunfall-Experte vor Ort meldete, dass die Einstiegstüre entriegelt und geöffnet vorgefunden wurde!«

Charles überlegte fieberhaft, dann kommt er zu einem Entschluss.

»Abel! Das ist jetzt enorm wichtig! Setze dich umgehend mit Bill Harmundson von Team2 in Verbindung! Die erwarten unseren „Freund" natürlich am Dulles Airport. Sag ihm, er solle auf dem schnellsten Weg zum Safehaus kommen! Wenn sie mit dem Hubschrauber von Dulles nach Andrews fliegen und dort auf eines unserer Fahrzeuge umsteigen, könnten sie in fünfundvierzig Minuten hier eintreffen! Und sag Bill, dass sie sich dem Safehaus möglichst geräuschlos durch den Wald von der Südseite nähern und sich dort verborgen halten sollen! Hast du das soweit alles verstanden?«

Abel nickte heftig mit dem Kopf.

»Okay, Charles! Alles verstanden! Einen Moment!«

Abel stellt den Ton ab und sie können sehen, dass er ziemlich aufgeregt in eine andere Richtung spricht. Dann wendet sich Abel wieder der Kamera zu und schaltet den Ton wieder ein.

»Ist erledigt! Bill beeilt sich hierher zu kommen. Er meinte, sie könnten es vielleicht auch früher schaffen!«

Charles fragt Abel.

»Ist es möglich, dass du mit unserem Satelliten das Gebiet um Swan Point und das Safehaus absuchen kannst? Ich denke da an den Einsatz deiner Wärmebildkameras oder was auch immer einen Menschen aufspüren würde?«

Abels Miene erhellt sich verstehend.

»Aber ja, natürlich, Charles! Wie damals in Mexiko! Gib mir fünf Minuten!«

Bevor Charles etwas erwidern konnte, ist Abel aus dem Blickfeld der Kamera verschwunden. Marc und Charles blicken zu Samantha, die dem ganzen stumm zugehört hatte.

»Samantha! Wir wurden schon gestern gewarnt, dass ein gewisser *Henrique Velasquez* auf sie angesetzt ist, um sie zu eliminieren! Und es ist klar, dass er mit Hilfe der „Wanze" genau bestimmen kann *wo* sie sich befinden!«

Sie blickte Charles erstaunt an.

»Und so wie es aussieht, ist Velasquez auf dem Weg hierher! Ich weiss zwar nicht, *wie* er es bewerkstelligen will an sie ran zu kommen? Aber soweit lassen wir es sowieso nicht kommen! Wir werden ihm eine Falle stellen, aber dazu brauche ich ihre Hilfe! Sind sie dazu bereit?«

Samantha nickte und sagte mit fester Stimme.

»Ich bin also der Köder? Sie können auf mich zählen, Agent Roberts! Wie soll denn meine Hilfe aussehen?«

Charles erklärte.

»Velasquez weiss nicht, dass es sich hier um ein Safehaus handelt! Er kann lediglich annehmen, dass sie sich mit uns in Verbindung gesetzt haben. Wir werden folgendermassen vorgehen! Sie werden die „Wanze" an sich nehmen! Dann setzen sie sich im Wohnbereich hin. Cheryl wird sich zu ihnen setzen und sie unterhalten sich vermeintlich zwanglos! Beide werden sie mit Schutzwesten ausgestattet! Velasquez wird sie orten und sich an sie heran schleichen. Ich vermute er wird es über die Terrasse versuchen! Wir werden uns um Velasquez kümmern! Einen Vorteil haben wir! Er weiss nicht, dass wir wissen, dass er auf dem Weg hierher ist!«

Charles und Marc klemmten sich ihre Tablet Computer unter den Arm, zusammen verlassen die drei eilig den Verhörraum und begeben sich in das "Comcent". Charles setzte sich neben Mike und beobachtete kurz die Übertragung der Überwachungskameras.

»Konntest du schon etwas entdecken, Mike? Sind alle Kameras zugeschaltet?«

Mike deutete auf einen der Monitore.

»Das sind die sechs Aussen-Kameras, die den gesamten Bereich der Lichtung erfassen. Bisher ist hier alles ruhig!«

Dann deutete er auf einen anderen Monitor.

»Hier siehst du die Übertragung des Eingangsbereich, der Garage sowie der überwachten Räume! Auch hier ist bisher alles ruhig!«

Charles drehte sich zu dem grossen Monitor an der Querwand. Marc hatte sich schon davor hingesetzt und beäugte die Live Übertragung aus Abels Kommandobrücke. Aus einer Anzahl flimmernder Monitore ist von Abel keine Spur zu sehen.

»Abel! Komm schon! Wo hast du dich verkrochen? Hast du irgendeinen Hinweis auf Velasquez?«,

grummelte Marc. Charles hat sich zu ihm gesellt und sich neben ihn gesetzt, als Abels Konterfei wieder auf dem Monitor sichtbar wird.

»Sorry, Leute! Hat etwas gedauert, bis ich den Satelliten ausgerichtet habe! Ich schalte jetzt auf die Übertragung. Links per Wärmebildkamera, rechts per Radar!«

Auf dem Bildschirm ist nun das Gebiet um das Safehaus in verschiedenen blau- und grünlichen Farben für die kalten Bereiche und in Gelb bis Rot für die warmen Bereiche zu sehen. Der Satellit deckte in dieser Stufe den Radius von 100 Meter um das Safehaus ab. Deutlich sind einige, als rotorange Umrisse dargestellte Personen auszumachen, die sich im Innern des Gebäudes aufhalten. Charles zählte elf solcher Flecke. *»Das sind sieben Personen hier in diesem Raum sowie die vier Agenten im Haus! Soweit alles in Ordnung. Das Küchenpersonal kommt erst gegen Abend wieder!«* Denkt Charles.

»Abel! Vergrössere den Radius auf etwa vierhundert Meter um das Safehaus!«

Langsam wird der Ausschnitt des Geländes um das Safehaus erweitert. Die rotorangen Umrisse sind nunmehr nur als kleine Punkte zu erkennen. Ruiz der hinter den beiden steht ruft plötzlich.

»Charles! Sieh doch nur! Da ganz am äusseren Rand! Da bewegt sich doch ein kleiner dunkelgelber Fleck!«

Charles und Marc starren gebannt auf den Monitor.

»Abel! Du hast Miguel gehört! Nordöstlich in etwa dreihundert Meter Entfernung bewegt sich etwas. Richte die Kameras darauf und vergrössere so gut wie möglich!«

Abel blickt kurz in die Kamera und nickte.

»Kommt sofort! Ja! Ich habe es auch entdeckt. Ich zoome jetzt auf die grösst mögliche Stufe!«

Blitzschnell vergrösserte sich der Bildausschnitt und jetzt konnten sie es deutlich sehen. Dort unten im Wald bewegte sich ein Mensch. Durch die starke Vergrösserung ist, wenn auch in Falschfarben, zu erkennen, dass es sich um eine Person von oben handelte. Die schleicht äusserst vorsichtig durch das Unterholz. Marc zeigte auf den Bildausschnitt.

»Ich wette meinen Bentley, wenn das da nicht unser Freund „Henry" ist! Wie gehen wir jetzt weiter vor, Charles?«

»So wie es aussieht bewegt sich Velasquez äusserst vorsichtig und somit auch langsam! Wir werden ihm eine Falle stellen. Ich vermute, er hat einen GPS-Tracker bei sich, mit dem er die genaue Position der „Wanze" bestimmen kann!«,

erwiderte er und blickt kurz auf den Monitor auf dem Velasquez erfasst ist. Abel steuerte die Kamera und folgte ihm stetig. Charles nimmt die Reiskornwanze und wendet sich an Samantha und Cheryl.

»Stecken sie das Ding einfach in ihre Hosentasche. Cheryl! Du begleitest Sam in den Wohnbereich. Unterhaltet euch oder spielt eine Partie Schach. Wie auch immer! Es soll von aussen möglichst ungezwungen aussehen! Zeige Samantha, wie man die Schutzweste unauffällig unter der Kleidung trägt! Du weisst ja wo sich die Westen befinden? Und wie ich sehe, trägst du deine Glock immer bei dir! «

Cheryl bestätigte, während Samantha die „Wanze“ in ihrer Hosentasche verstaute. Charles sieht sich im Kommandoraum um und überlegte einen kurzen Moment.

»Mike! Hast du für uns Earsets hier?«

Mike nickte und öffnet eine stählerne Schublade an seinem Kommandopult. Er entnimmt sieben kleine fleischfarbene Gegenstände und gibt sie Charles. Der verteilt die Earsets und jeder führt eines ins rechte Ohr.

»Check! Könnt ihr mich hören?«

Sie bestätigen und auch die restlichen im Safehaus verteilten Agenten melden sich.

»Ich möchte Velasquez in dem Glauben lassen, dass Samantha nur mit Cheryl hier ist! Miguel! Würden sie sich, zusammen mit Jack und Diego in der Garage postieren! Ich glaube zwar nicht, dass er dort eindringen wird! Aber sicher ist sicher! Marc! Du kommst mit mir! Wir sichern den Wohnbereich! Cheryl, Samantha! Holt euch die Westen!«

Cheryl hebt den rechten Daumen und die zwei Frauen gehen aus dem Raum. Charles richtet sich an Marc und Miguel.

»Dann los! Alle auf ihr Positionen! Noch eines! Ich möchte Velasquez wenn immer möglich *lebend*! Aber geht kein Risiko ein! Wenn er nicht spurt habt ihr Schussfreigabe!«

Gemeinsam verlassen sie das "Comcent" und jeder begibt sich auf seine zugewiesene Position. Charles und Marc gehen zum Wohnbereich. Samantha und Cheryl haben sich inzwischen auf die Sessel nieder gelassen und sehen auf ein Schachspiel, das zwischen ihnen auf dem niedrigen Tisch steht. Charles registriert zufrieden das unverfängliche Bild, das die zwei Frauen vermitteln. Er und Marc gehen zum Durchgang und postieren sie sich links und rechts hinter der Wand.

»Mike, bitte melden! Hast du schon eine Rückmeldung von Bill Harmundson? Wie lange wird er noch brauchen?«

Er hört Mikes Stimme in seinem Earset.

»Bill und sein Team werden in einer viertel Stunde an der

vereinbarten Stelle sein!«

Charles fixierte Marc, der aufmerksam die zwei Frauen im Wohnbereich beobachtete.

»Abel! Wie weit ist „Henry“ noch vom Safehaus entfernt?«

Die Antwort kommt umgehend.

»Noch etwa hundertzwanzig Meter, Charles! Er ist stehen geblieben und so wie ich das interpretiere, fummelt er irgend etwas aus seinen Taschen!«

41

Swan Point Creek - Safehaus

Henrique Velasquez bleibt stehen und konsultierte seinen GPS-Tracker. *»Noch 120 Meter bis zur Zielperson!«*, überlegte er kurz, während er auf dem Tracker einige Befehle eintippt. Eine Karte wird unter dem rot blinkenden Punkt eingeblendet. Es ist deutlich zu erkennen, dass sich sein Ziel innerhalb eines Gebäudes befinden muss, dessen grobe Umrisse sind in der Mitte einer Lichtung zu erkennen. *»Aha! Samantha Wong ist in diesem Haus untergebracht!«*, murmelt Velasquez leise. Er sieht sich kurz um. Inmitten dicht wachsender Nadel- und Laubbäume stehend, herrscht ein diffuses Zwielicht. Sein Tarnanzug, ein Prototyp der neuesten Generation, besteht aus speziellen Hohlfasern. Durch einen Minicomputer gesteuert, wird von einen Miniscanner die Umgebung ermittelt und passt den Tarnanzug farblich an. Das macht Velasquez aus einer Distanz von fünf Metern praktisch unsichtbar.

Er zieht einige Gegenstände aus den Taschen und setzt sie zusammen. Das Scharfschützengewehr hat er selber entworfen und von einem diskreten Waffenschmied für eine horrende Summe herstellen lassen. Ausser dem Lauf aus gezogenem Spezialstahl, besteht seine Konstruktion fast ausschliesslich aus hochfestem Polycarbonat. Das Magazin fasste sechs Schuss Munition im Kaliber .325 und hatte eine extrem hohe Durchschlagskraft. Die Zieloptik mit Laserpointer, erlaubt ihm eine Eincentmünze auf 200 Meter zu treffen. Er wiegt das Gewehr kurz in einer Hand, dann befestigt er es an einem Karabinerhaken vor seiner Brust. Velasquez zieht eine Desert Eagle, Kaliber .10 APC, aus dem Schulterhalfter, spannt den Schlitten, vergewissert sich, dass das Magazin richtig sitzt und schiebt die entsicherte Waffe wieder in das Halfter.

Ein Blick auf den GPS-Tracker und Velasquez setzt seinen Weg fort. Er nimmt sich Zeit und ist bemüht keinerlei Geräusch zu verursachen., obwohl ihn sowieso niemand hören könnte. Nach zehn Minuten sieht er durch das dichte Unterholz den Rand einer Lichtung durch das Blattwerk durchscheinen. Immer noch durch die Büsche verborgen, kniet Velasquez nieder, fischt ein kleines Fernglas aus der Brusttasche und hebt es an sein rechtes Auge. Durch das Okular beobachtet er, zwanzig Fach vergrössert, zuerst den Rand der Lichtung von links nach rechts, bis das Gebäude in seinem Blickfeld auftaucht. *»Soso! Ein ziemlich massiv gebautes Blockhaus! Ein Fundament aus behauenen Felsblöcken. Der Oberbau aus dicken Stämmen gefügt! Nur eine Etage!«*, konstatiert Velasquez mit geübtem Blick. Was ihm besonders ins Auge fällt ist das grosse Panoramafenster mit der, an der linken Seite, eingelassenen Glastüre in einem Stahlrahmen.

Vor dem Fenster erstreckte sich über die gesamte Breite des Blockhauses eine etwa drei Meter tiefe Terrasse. Auf der linken Seite führte eine aus Steinen gemauerte Treppe nach unten auf die Lichtung. Das Gelände vor dem Blockhaus ist von einem dichten Naturrasen mit verschiedenen Gräsern und Feldblumen bewachsen. Velasquez schwenkt das Fernglas wieder zum Panoramafenster und stellt den Zoom eine Stufe höher. Er kann aber wegen der Spiegelung des leicht getönten Glases nur den gegenüberliegenden Waldrand der Lichtung erkennen. *»Irgendwie seltsam! Kein Mensch zu sehen! Alles ruhig und ich kann auch keine Kameras entdecken!«*, schiesst es ihm durch den Kopf. Er konsultiert seinen Tracker. Jetzt in grösserer Darstellung ist deutlich von oben das Gebäude zu erkennen. Auch der rote Punkt blinkt noch. *»Aus der Lage des Signals müsste sich das Ziel in etwa hinter dem Panoramafenster befinden!«*, überlegt Velasquez und hat jetzt eine klare Vorstellung, wie er vorgehen wird.

42

Swan Point Creek - Safehaus

Charles Roberts tippt an sein Earset.
»Abel, hier Charles! Hast du Velazquez immer noch auf dem Radar? Wo befindet er sich jetzt? Und hast du von Bill und Team2 Neuigkeiten?«
Ein Knistern in seinem Earset, dann vernimmt er Abels Stimme.
»Charles! Velasquez hat sich inzwischen an den Rand der Lichtung geschlichen und befindet sich noch etwa vierzig Meter vom Blockhaus entfernt! Bills Team ist inzwischen am südlichen Rand der Lichtung eingetroffen! Ich schalte ihre Headsets jetzt auf eure Frequenz! Kann ich sonst noch etwas für euch tun?«
Charles überschlägt die neuen Fakten und antwortet.
»Behalte Velasquez einfach weiterhin im Auge! Melde uns jeden seiner Schritte! Over«
Er sieht zu Marc, dann zu Cheryl und Samantha.
»Ihr habt es gehört! Velasquez wird in den nächsten Minuten in Aktion treten! Charles an Bill! Kommt so schnell wie möglich von der linken und rechten Seite zum Blockhaus! Bleibt im Unterholz, damit „Henry“ euch nicht bemerkt!«
Bill Harmundson meldet sich sofort.
»Habe verstanden, Charles! Wir nehmen „Henry“ von links und rechts in die Zange! Wie lautet deine Order, wenn es brenzlig wird?«
Ohne zu zögern antwortet Charles.
»Dann macht von euren Waffen Gebrauch! Wir gehen kein Risiko ein!«
Er nickte Marc und zu, der seine Glock 19x aus dem Halfter zieht

und sie entsichert: Charles hatte sich aus der Waffenkammer eine DARPA Smart Gun ausgesucht. Cheryl legte ihre Glock unauffällig unter eines der Kissen auf dem Ledersofa und sieht Samantha an.

»Sam! Sie haben es gehört! Es gilt Ernst!«

Samantha blickte vom Schachbrett auf, das sie in den letzten Minuten angestarrt hatte, ohne es bewusst wahrzunehmen.

»Wie bitte? Oh! Ja! Ich habe mitgehört! Ich würde mich allerdings sicherer fühlen, wenn ich mich auch an so einem Ding festhalten könnte!«

Sie nickte in Richtung der unter dem Kissen verborgenen Glock.

»Kann ich mir vorstellen, Sam! Aber überlassen sie das mal lieber unseren „Jungs“! Die kennen sich mit solchen Situationen bestens aus!«

43

Swan Point Creek - Safehaus

Velasquez hatte sich vorsichtig am Rand der Lichtung durch das Unterholz vorgearbeitet und bleibt stehen. In zehn Meter Entfernung befindet sich das untere Ende der Treppe, die zur Terrasse hinauf führt. Er zieht langsam tief Luft in seine Lungen, um dann ebenso langsam auszuatmen. Er schliesst kurz die Augen. In Gedanken vollzieht er die nächsten von ihm geplanten Schritte. Er öffnete die Augen, dann klinkt er sein Scharfschützengewehr vom Karabinerhaken und legt es auf den weichen Waldboden. Er ist zum Schluss gekommen, dass ihm die Waffe in dieser Situation nicht viel nützen wird. Velasquez strafft sich und geht entschlossen mit leisen Schritten zum Ende der Treppe. *»Noch immer alles ruhig! Nur noch ein paar Meter und ich kann meinen Auftrag zu Ende bringen!«*

Ohne das geringste Geräusch zu verursachen geht er Schritt für Schritt die Stufen hinauf. Er hat seine Desert Eagle gezogen und richtet sie nach vorne. Ein Blick auf den Tracker bestätigt, dass Samantha Wong immer noch am gleichen Punkt ist.

Auf der letzten Stufe oben an der Treppe bleibt er stehen. Die Terrasse ist mit breiten, vom Wetter dunkel gefärbten, Eichenbohlen belegt. Vorsichtig setzt er einen Stiefel auf das Holz und verlagert langsam sein Gewicht auf einen Fuss. *»Sehr gut! Das Holz ist so stabil, dass kein Knarren zu hören ist!«*, überlegt er mit zufriedener Miene.

Vorsichtig näherte er sich der Glastüre. Aus diesem Blickwinkel kann er nun in das Innere des hinter dem Panoramafenster gelegenen Raum blicken. Er konstatiert ein grosszügigen Wohnbereich, der im typisch amerikanischen Stil der Gründerjahre eingerichtet ist. Auf der rechten Seite bemerkt er einen grossen Esstisch aus massivem Holz. Zur Linken ein grosser Kamin, davor eine Sitzgruppe und - Samantha Wong. Aber noch eine Frau sitzt ihr gegenüber. Anscheinend sind die zwei Frauen in eine Partie Schach vertieft.

»Sehr gut! Voll aufs Spiel konzentriert! Ein Schuss auf Samantha Wong. Ein zweiter auf die Frau - Auftrag erledigt!«

Er überprüft die Glastüre. Die Klinke ist auf der linken Seite angebracht und die Scharniere rechts und schwingt nach aussen. Er hebt den linken Arm, umfasst die Türklinke an der linken Seite der Glastüre, drückt vorsichtig nach unten und zieht daran. *»Mist! Die Türe ist verschlossen! Also dann auf die brachiale Tour! Zwei Schüsse durch die Scheibe! Für meine Spezialmunition kein Problem!«*

Er nimmt einen Schritt Abstand von der Glastüre, dreht sich auf dem linken Fuss gegen die Mitte der Türe. Die Desert Eagle mit beiden Händen umfassend, ziel er auf Samantha Wong und zieht den Abzug durch. Ein ohrenbetäubender Knall, als die Hochgeschwindigkeitspatrone den Lauf verlässt. Krachend schlägt das Projektil mitten auf die Glastüre. Irritiert starrt Velasquez auf das deformierte Projektil, das in einem kleinen spinnennetzartigen Fleck mitten in der Scheibe steckte.
»Verdammt! Das ist Panzerglas der höchsten Sicherheitsstufe!«, durchfährt es Velasquez heiss, als er die Kugel im Glas stecken sieht. Er bemerkt, wie Samantha Wong erschrocken auf die Türe blickte. Die andere Frau hatte, wie aus dem Nichts, eine Pistole in der rechten Hand, die genau auf seine Stirn gerichtet ist. Er bemerkt auch die zwei Männer, die im Wohnbereich erscheinen. Jeder eine Pistole in der Hand. Er lässt die Arme sinken und denkt. *»So ein Mist! Was nun?«* Unsicher blickt Velasquez nach links und rechts. Auf beiden Seiten stürzen je zwei, bis an die Zähne bewaffnete Männer in Kampfmontur aus dem Unterholz und stürmen auf das Blockhaus zu.

»Henrique Velasquez! Bleiben sie stehen und lassen sie die Waffe fallen! Hände hinter den Kopf und keine Bewegung!«, hört er einen der Männer brüllen, der eben im Begriff ist die Treppe hoch zu stürmen.

Blitzschnell gibt er je drei Schuss nach links und rechts ab. Dann dreht er sich um seine Achse und stürzt sich mit einem beherzten Sprung über die Brüstung der Terrasse. Er federte seinen Sprung mit den Knie ab, schnellte sich nach vorne und rollt sich über seine rechte Schulter ab. Keine Sekunde später ist er auf den Füssen und sprintet in südlicher Richtung auf den Rand der Lichtung zu.

»Velasquez! Bleiben sie stehen oder wir schiessen! Sie haben keine Chance!«

Ertönt dieselbe Stimme in seinem Rücken.

»Mist! Mist! Mist! Die haben mich doch erwartet! Wie konnten die wiss...« Velasquez rennt weiter, als ein Schuss ertönt und die Erde zu seiner Linken aufbricht. Er schlägt einen Haken nach rechts auf den nahen Waldrand zu. Er hört einen weiteren Knall, als ihn ein Schlag wie ein Dampfhammer zwischen den Schulterblättern trifft. Velasquez gerät ins Stolpern. Ein kleiner roter Punkt blitzt auf seinem Hinterkopf auf, als er noch versuchte sein Gleichgewicht wieder zu finden. Dann wird es schlagartig zuerst rot und dann schwarz um ihn, als eine Kugel seinen Schädel durchschlägt und sein Gehirn in eine graue Masse leblosen Gewebes verwandelt.

Bill Harmundson dreht sich langsam um, als er hört wie hinter seinem Rücken die Türe aufgestossen wird. Er senkt seinen rechten Arm. Aus dem Lauf der Darpa 2020 in seiner Hand kräuselt sich ein dünner Rauchfaden im schwachen Wind. Nachdem Velasquez auf ihn und seine Männer gefeuert hatte und über die Brüstung sprang, ist Harmundson die Treppe hoch geeilt und hatte von der erhöhten Position den ersten Warnschuss auf den Fliehenden abgegeben. Als Velasquez unbeirrt weiter rannte, platzierte er zwei Zielmarkierungen mit dem Laser der Darpa und die "Smart-Bullet" traf das Ziel trotz der schnellen Bewegung Velasquez'. Charles und Marc sind aus der Türe auf die Terrasse getreten, während Cheryl bei Samantha bleibt und sich um die noch sichtlich geschockte Samantha kümmerte.

»Hallo, Bill! Gerade noch rechtzeitig! Schade, dass wir Velasquez nicht mehr vernehmen können!«,

bemerkte Charles mit ausdrucksloser Miene.

»Freut mich auch dich zu sehen, Charles! Konnte leider nicht anders! Er wäre uns sonst entwischt!«,

antwortet Bill, während er die Pistole ins Halfter zurück steckte. Dann geht er auf Charles und Marc zu und schüttelt ihnen mit festem Griff die Hand.

»Hi, Marc! Lange nicht mehr gesehen! Wie läuft's denn so, als *Special Agent*?«

Marc grinste, zeigt auf die beschädigte Glastüre und meint.

»Wie du siehst, wird es uns nicht langweilig, Bill! Ebenfalls schön euch wieder zu sehen! Was treibt Team2 denn sonst noch so?«

Bill zeigte auf seine drei Männer, die sich inzwischen zu ihnen gesellt hatten.

»Och! Wenn wir nicht gerade "böse Jungs" erledigen, warten wir, bis der "General" oder Charles wieder etwas Spannendes auf Lager haben! Ansonsten weisst du ja inzwischen wie es so läuft! Trainieren, trainieren, trainieren!«

Charles räusperte sich.

»Ich will euer "Schwätzchen" ja ungern unterbrechen, Bill! Aber wir hätten da noch einige dringende Dinge zu erledigen! Nämlich - *die Welt retten*! Und dein Team wird dabei auch ein Rolle spielen!«,

meinte er halb scherzend, dann zeigte er mit dem Daumen hinter sich, wo Cheryl immer noch bemüht ist Samantha Wong zu beruhigen. Bill Harmundson nickte verstehend.

»Okay! Ich bin vom "General" schon ins Bild gesetzt worden! Ihr seid mit dem "Interview" mit der Dame noch nicht fertig! Dann lasst euch nicht aufhalten! Wir kümmern uns um die sterblichen Überreste von dem "Herrn" da unten!«

Er zeigte in Richtung von Henrique Velasquez' leblosen Körpers.

»Macht das, Bill! Wenn ihr das erledigt habt, kommt ihr ins Haus! Wir werden zuerst etwas essen, bevor wir mit Samanthas Befragung weiter fahren!«,

erwiderte Charles. Bill und sein Team begeben sich auf die Lichtung und Charles und Marc treten in den Wohnbereich zu Cheryl und Samantha. Sie setzen sich zu den zwei Frauen.

»Haben sie sich von dem Schreck schon erholt, Samantha?«, fragte Charles und blickt ihr direkt in die Augen. Sie bejaht durch leichtes Kopfnicken, sieht ihn an und murmelt.

»Sie hätten mich schon aufklären können, dass die Scheiben aus Panzerglas sind! Ich bin ja eigentlich nicht schreckhaft, aber es hätte mich zumindest etwas beruhigt!«

Mit Unschuldsmiene meinte Charles nur trocken.

»Ich glaube ich habe das im Trubel der Ereignisse vergessen zu erwähnen! Entschuldigen sie das Versäumnis, Sam!«

Ein schwaches Lächeln umspielt ihre Lippen.

»Akzeptiert! Kann ja vorkommen, dass man so eine *unbedeutende* Sache vergisst zu erwähnen!«

44

Fairfax - Greys Genetic Institute

Adrian und Sally Bowles haben sich auf ihre Sitzgruppe zurück gezogen. Während Sally sich mit dem Safehaus am Swan Point Creek in Verbindung setzten will, grübelte ihr Vater über einen endlos scheinenden Computerausdruck der die Buchstabenabfolge aus Kukul Kans Botschaft zeigte. Obwohl Sally ihn immer wieder drängt, er solle doch die Daten auf einem der Tablets prüfen - das sei doch viel einfacher - bevorzugt Adrian Bowles den physischen Papierausdruck. *»Ich kann mich besser auf ein Problem konzentrieren, wenn ich es in Händen halte!«*, entgegnete er jedes Mal und Sally hatte es in der Zwischenzeit aufgegeben ihn auf die neuesten Techniken einzustimmen.

Gerade als Sally die Verbindung zum Safehaus aufbauen will, leuchtet auf ihrem Tablet die Nachricht, dass sich Abel per Videogespräch bei ihr meldet. Sally schnippt mit zwei Fingern, um Adrian auf sich aufmerksam zu machen und deutet auf den grossen Flachbildschirm an der Wand gegenüber ihrer Sitzecke. Dann schaltet sie den Anruf Abels auf den Monitor und nimmt das Gespräch an. Abel hatte sich so nah an die Kamera gebeugt, dass sie nur zwei riesige Augen über seiner markanten Nase sehen können. Sally musste schmunzeln. Abel konnte es einfach nicht lassen, auch in ernsten Situationen den Humor nicht zu verlieren.

»Hi, Abel! Oder soll ich besser sagen - Hallo, Nase? Was hast du zu berichten, dass du noch zur Heiligen Lunchzeit anrufst?«,

fragte Sally neugierig.

»Hi, Sally! Guten Tag, Adrian! Ich kann euch mit Stolz

mitteilen, dass es meiner Wenigkeit und meinem getreuen "Golem" gelungen ist, Kukul-Kans "Buchstabensalat" - pardon - Code in lesbaren Text zu verwandeln!«,

berichtete ein sichtlich mit sich zufriedener Abel.

»Und haltet euch fest! Sitzen tut ihr ja schon! Der Text ist tatsächlich in *Englisch* abgefasst! Wenn auch in einer Form, wie sie schon der gute alte *Shakespeare* verwendete! Aber immerhin in verständlichem Englisch!«

Abel machte eine Kunstpause, in der er extra und quälend langsam einen Schokoriegel auspackte und ein grosses Stück abbeisst.

»Abel! Sei so gut und ein braves Kerlchen! Spanne uns nicht unnötig auf die Folter! Ich müsste nämlich noch dringend mit Charles über den Stand der Dinge in Swan Point sprechen!«

Abel schluckte sofort den Bissen runter und fährt leicht errötend fort.

»Sorry, Sally! Well! Der Code, beziehungsweise der Text ist relativ umfangreich! Ich muss gestehen, ich habe nur den Anfang gelesen. Was ich jedoch mit Bestimmtheit sagen kann! Es handelt sich *nicht* um irgendeine clevere *"Bauanleitung"* zur Veränderung von menschlicher DNA und Erlangung *"Ewigen Lebens"*! Wenn ihr mich fragt, sind die *"ollen"* Atlanter zwar technisch auf höchstem Niveau gewesen! Aber den Trick, die DNA so zu manipulieren, dass Glieder und Organe nachwachsen, man zu "Superman" wird und nicht mehr altern soll, hatten die auch nicht drauf!«

Abel holte Luft und Adrian stellt die Frage.

»Was meinst du damit, Abel? Heisst dies, das Ganze ist irgendein "Schwindel", den sich die Altvorderen geleistet haben?«

Abels Blick richtet sich auf Adrian, dann schüttelt er den Kopf.

»Nein, Adrian! Schwindel? So würde ich das nicht nennen! Wenn ihr den Text, oder nennen wir es die *"Botschaft"*, lest, werdet ihr merken, dass man durchaus vom Geheimnis des "Ewigen Lebens" sprechen kann! Am besten, ich sende euch jetzt die gesamte "Übersetzung" auf euren Server! Lest und staunt! Ciao!«

Wie üblich hatte Abel die Verbindung einfach gekappt und gleichzeitig leuchtete ein kleines Fenster in der Mitte des Flachbildschirms auf - "Got new message!". Sally schüttelte amüsiert den Kopf und tippte ein paar Befehle auf ihrem Tablet.

»Jetzt bin ich aber gespannt, was der "grosse" Kukul-Kan da hinterlassen hat?«,

wendet sie sich an ihren Vater, der sie schon erwartungsvoll ansieht. Eine lange Textdatei erscheint auf dem Monitor. Sie ist tatsächlich in Englisch abgefasst und Abel, oder eher sein "Golem", hatte sich sogar die Mühe gemacht vom Alt-Englischen ins aktuell gebräuchliche Englisch zu transkribieren. Adrian und Sally beginnen interessiert zu lesen und mit jedem weiteren Satz steigt ihr Erstaunen über den Inhalt der "Botschaft".

Kukul-Kans Botschaft

Ich Kukul-Kan, die quantenphysikalisch generierte Version meines gesamten Geistes, übermittle dem, der sich Charles Roberts nennt, folgende Botschaft.

Es begab sich in meiner Heimat genannt "Atlantis" in einer Zeit, die wir die "Goldene Aera" nennen! Das Wissen und die Macht unseres Volkes, das einst von den Sternen kam, ist zu solcher Grösse angewachsen, dass die Völker diesseits und jenseits der Säulen des Herakles ihren Tribut ohne Murren und Widerstand an unseren Herrscher "Basileos" dem Dritten entrichten. Zugleich ist er auch Namensgeber unserer Metropole "Basilea". Basileos ist jedoch so weise, diese Völker nicht durch Eroberung und Krieg zu unterjochen. Nein! Basileos bietet als Gegenleistung den Menschen dieser Völker Wissen, Schutz, Nahrung und Wohlstand. Obwohl er über gewaltige Heere und Flotten unzähliger Schiffe gebietet, sind diese nur zum Schutze des eigenen und der angegliederten Völker.

Obwohl von einem Dichter namens "Homer" gegenteiliges

berichtet wird, sind wir - die Atlanter - ein friedfertiges Volk! Wohl gemerkt - Homer hatte mit seiner Schilderung durchaus Recht. Doch was er nicht wusste ist, dass wir ihm die Eingebung zur Niederschrift seiner Schilderung durch unsere Technik der Quantenverschiebung vermittelt hatten.

Unsere Kultur hat im Laufe seiner Entwicklung - die einige Äonen dauerte - so grosse Fortschritte erfahren, dass wir mit Hilfe der unbeschränkten Energie, die wir durch die Sonne, den Winden und der Meere gewinnen, die Nacht zum Tage machen! Wir sind in der Lage die Schwerkraft zu überwinden und können uns mit Maschinen in die Luft erheben und von Kontinent zu Kontinent reisen. Durch die Verwendung von Sand in seiner gereinigten und veränderten Form, sind wir in der Lage untereinander zu kommunizieren, ohne gesprochenen Worte zu benutzen. Entfernung spielt für uns keine Rolle. Ob unser Herrscher Basileos mit einem getreuen im fernen Angkor oder in Thiuhacan ein Problem erörtern möchte, wird dies auf Basis der Wellen ermöglicht!

Ich - Kukul-Kan - bin oberster Karnak im Wissenschaftsrat von Atlantis. Ich selbst habe die Aufgabe unser Wissen mit den Völkern dieses Planeten zu teilen! Aus diesem Grund sendete unser gepriesener Herrscher Basileos mich und meine Assistenten aus, auf jedem Kontinent den Samen für eine Hochkultur zu säen, die im Einklang mit der Natur und Umwelt für "Ewiges Leben" sorgen soll. Nachdem ich in dem Land mit dem langen Fluss die Zivilisation mit dem Namen "Ägypten" initiiert hatte, zog ich und meine Getreuen auf den Kontinent, den man "Americana" bezeichnet. Dort verhalfen wir den Völkern der Olmeken, Mayas, Inkas und Atzteken und weiteren mehr zu ihren Hochkulturen. Der dies liest, wird sich fragen - wie ist das möglich, wo wir doch das Geheimnis des "Ewigen Lebens" nicht kennen? Es ist nicht unser Fleisch, unsere Organe, unser Körper, der die Zeit überdauert!

Nein! Es ist unser Wissen, unser Geist - manche nennen es auch die "Seele" - die in Form von Impulsen gespeichert ist.

Auf Plättchen aus Silizium oder in Kristallen von geschliffener Form. Darum ist es mir - Kukul-Kan - möglich, Jahrhunderte und Jahrtausende zu "existieren" und unser Wissen an jede Kultur, auch die eure, weiter zugeben. Doch seid gewarnt! Nicht jede von uns beeinflusste Hochkultur hatte es verstanden mit dem von uns geschenkten Wissen richtig umzugehen. So auch geschehen mit dem Volk der Maya. Nach unserem Vorbild - also dem von Atlantis - erschufen sie die prachtvollsten Bauten in ihren Städten.

Sie schufen ein Gemeinwesen, das nach strengen Regeln und solider Organisation aufgebaut war. Wie ihr wisst, hatten sie meinen Namen zu ihrer höchsten Gottheit erhoben. Doch dies war nicht meine Absicht und ist ohne meine Billigung geschehen. Denn weder ich - noch meine Gefährten - sind überirdische Wesen. Und schon bald begannen sie viele weitere Götter zu verehren, brachten ihnen Menschenopfer und verkannten so den Sinn des wahren Daseins. Wir haben immer wieder versucht ihnen beizubringen im Einklang mit der Natur zu leben und mit den Ressourcen sorgsam umzugehen.

Jedoch im Laufe der nächsten Jahrhunderte betrieben die Maya immer mehr Raubbau, bis es schlussendlich zum Versiegen der Ressourcen führte und somit zum Untergang dieser Zivilisation. Und ebenso verfuhren zahlreiche Kulturen auf allen Kontinenten und begründeten so ihren eigenen Untergang!

Bis heute hat es die Menschheit nicht erreicht, sorgsam mit dem Planeten umzugehen, der doch die einzige Welt darstellt auf dem der Mensch in Frieden leben kann! Der Egoismus nimmt immer mehr überhand. Das Denken für die Gemeinschaft gerät immer mehr in den Hintergrund. Jeder ist sich selbst der Nächste und nur auf seinen Vorteil bedacht. Kein Jahrhundert ist vergangen, in dem nicht Krieg, Hunger und Elend vorherrschten! Auch wir - das Volk von Atlantis - strebten in den Anfängen nur nach Macht und Reichtum. Auch wir sandten unsere Heere und Seestreitmächte aus, um zu Erobern und Reichtümer anzuhäufen. Wie schon Homer aufgezeichnet hatte, stimmt es, dass unser Volk gefürchtet war. Auch wir strebten nach Unsterblichkeit und auch ich, als oberster Wissenschaftler, war auf der Suche nach einem Weg zur Unversehrtheit, Stärke und dem Aufhalten des Alterns. Bis zu dem Zeitpunkt unter der Ägide von Basileos dem Dritten, der eine Umkehr der bisherigen Doktrin einleitete.

Sein erklärtes Ziel war - das Leben im Einklang mit der Natur, dem sorgsamen Umgang mit den natürlichen Ressourcen der Erde und einer Gemeinschaft der Menschheit, in der jede und jeder denselben Wohlstand erleben darf. Das "Ewige Leben" sollte für jede und jeden durch unsere Technik der "Geistesauslagerung" möglich sein. Zu diesem Zweck erschufen wir - die Wissenschaftler und Gelehrten - die "Geistesübertragungs-Maschine". Mit deren Hilfe konnten wir die elektrischen Impulse des menschlichen Gehirns - mit all den darin gespeicherten Information - in den Quantenraum übertragen. Ich selbst und meine Assistenten haben uns als erste Versuchsobjekte zur Verfügung gestellt. Und wie ihr in einer unserer Rückzugsstätten unter dem Tempel des Jaguars sehen konntet, wurden unsere Versuche von Erfolg gekrönt!

Und genau dieses ist, was wir gemeinhin als das Geheimnis des "Ewigen Lebens" nennen. Denn nur so ist es möglich das Wissen eines Individuums immer während zu bewahren.
Ihr werdet euch jetzt fragen, warum in eurer Zeit nicht viele mehr im Zustand eines "Quanten-Avatars" in Erscheinung treten? Wie einst Homer - durch meine Gedankenimpulse inspiriert - berichtete, geschah das Unerwartete ohne jegliches Vorzeichen.

Wir hatten soeben den Versuch der Übertragung meines "Geistes" abgeschlossen und bereiteten schon weitere "Übertragungen" vor, als ein urgewaltiges Beben unseren Kontinent erfasste. Von solcher Gewalt und Stärke, dass selbst die massivst gebauten Gebäude in der Metropole erschüttert wurden und etliche zum Einsturz brachten. Als ich aus einem der Fenster unseres Forschungszentrums blickte, musste ich erkennen, dass uns nichts und niemand noch retten konnte. Überall öffneten sich riesige Klüfte, die Erde brach auf und verschlang ganze Häuser und Ländereien. Die Erde bebte unablässig und neigte sich am fernen Horizont. Mit Schaudern erblickte ich eine Wasserwand, so hoch wie der höchste unserer Berge. Unaufhaltsam, alles verschlingend, raste die Wasserwand über unsere Metropole und direkt auf mich zu. Und dann war alles vorbei. Mein irdisches Dasein und das Abermillionen anderer war mit einem Wimpernschlag ausgelöscht. Aber mein "Ich" im Zustand des Quantenraumes schwebte über allem. Wie aus der Höhe einer unserer Flugdiskusse sehe ich unter mir nur noch aufgewühltes weiss schäumendes Wasser. In allen Richtungen bis an den fernen Horizont ist nichts mehr von unserer einstigen Heimat Atlantis zu sehen. Und somit zog ich mich im Quantenzustand zurück - in den Kristallspeicher, der unter dem später darüber erbauten Jaguar Tempel verborgen lag. Dort wartete ich, bis jemand Würdiger käme, um das Geheimnis des "Ewigen Lebens" zu ergründen. Und dann kam ein Mann aus fernen Landen, genannt Charles Roberts, und erwies sich als würdig diese Botschaft zu empfangen.

Nachdem sie zu Ende gelesen hatten, sitzen Sally und Adrian in Gedanken versunken schweigend da. Den Blick immer noch auf den Bildschirm gerichtet. Dann tippt Sally auf ihr Tablet und die Textdatei auf dem Bildschirm erlosch. Sie blickte zu ihrem Vater und klopft mit dem Zeigefinger auf die Oberfläche des Couchtisches. Adrian wendet seinen Blick vom Flachbildschirm zu Sally, die zu reden beginnt.

»Dad? Weilst du wieder unter den Lebenden? Gut! Wenn ich mir die *"Botschaft"* so durch den Kopf gehen lasse, hat uns der *"gute"* Kukul-Kan ganz schön in die Irre geführt!«

Adrian runzelte die Stirn.

»Wie meinst du das, Sally?«

»Nun! Wir sind immer davon ausgegangen, diese Wissenschaftler von "Atlantis" hätten eine Lösung auf Basis der *Genveränderung* gefunden, um die Regeneration, Ausdauer und Stärke zu fördern und vor allem das Altern zu verhindern! Wir dachten doch, damit sei das Geheimnis des "Ewigen Lebens" gemeint? Richtig?«

Adrian nickte und Sally fährt fort.

»Stattdessen erläutert Kukal, dass die Menschen im Einklang mit der Natur leben sollten! Natürlich hat er Recht! Wenn wir in der jetzigen Zeit nicht möglichst bald umdenken, könnte es durchaus sein, dass die Menschheit sich demnächst selber ausrottet! Was er uns mitteilt ist doch eher *philosophisch* zu betrachten?«

Sally nimmt einen Schluck Wasser und ergänzt.

»Und was das *"Ewige Leben"* anbelangt, kann ich die Erläuterungen Kukals nachvollziehen! Wie du sicher schon gehört oder gelesen hast, arbeiten einige Forscher daran den menschlichen "Geist", oder besser gesagt, den Inhalt unseres Gehirns "anzuzapfen" und in Bits und Bytes umzuwandeln?«

Sally sieht Adrian forschend an, der bejahend nickt.

»Und wie ich mich mit eigenen Augen überzeugen konnte - du erinnerst dich - die Vorfälle im Tempel auf Yucatán? Haben es die "Atlanter" offensichtlich wirklich erreicht die "Seele" des Menschen in einen, wie auch immer zu nennenden, binären Code abzuspeichern und durch Quantenphysik quasi "unsterblich" zu erhalten! Und darum taucht in der Geschichte immer wieder der Begriff "Ewiges Leben" auf! Noch sind unsere technischen Möglichkeiten nicht soweit. Aber ich bin überzeugt, dass es in den nächsten Jahren gelingen wird solches zu erreichen!«

Wiederum nickte Adrian und hörte seiner Tochter weiter stumm zu.

»Wie es auch uns, auf dem Gebiet der Gentechnik, gelingen wird, bestimmte Krankheiten - oder besser gesagt - Gendefekte zu korrigieren!«

Sally blickte auf ihre Armbanduhr und meint.

»Genug philosophiert! Ich muss jetzt wirklich mit Charles sprechen! Du weisst, ich möchte mehr über die *"wichtigen"* Informationen erfahren, die Samantha Wong anscheinend geliefert hat!«

Adrian winkte ab.

»Kein Problem, Sally! Mach nur! Mich interessiert es übrigens ebenso, *was* bei der Befragung von Samantha Wong heraus gekommen ist!«

Sally nimmt ihr Smartphone und tippt auf die Kurzwahl von Charles Gerät.

»Du kannst mithören, Dad!«,

sagte sie und schaltet auf Freisprechen. Sie vernehmen die Töne des Verbindungsaufbaus und dann hören sie die sonore Stimme von Charles Roberts.

»Sally, Darling! Schön dich zu hören! Was hast du für ein Begehr? Lechzt du schon nach meinen starken Armen?«

Sally beeilte sich, Charles vor weiteren, doch eher intimen, Gesprächsinhalten abzuhalten und sagte schnell mit leicht geröteten Wangen.

»Charles! Ich habe auf Freisprechen geschaltet und Dad hört mit!«

Adrian beisst sich auf die Zähne, um nicht laut zu lachen und beobachtete amüsiert, wie Sally sich bemühte einen geschäftsmässigen Ton anzuschlagen.

»Also, Charles! Ich wollte mich erkundigen, *wie* die Befragung der Wong läuft? Gibt es schon irgendwelche Erkenntnisse bezüglich der Pläne Rick Vandorps?«

»Einen Moment, Sally! Ich ziehe mich schnell auf die Terrasse zurück, dann kann ich ohne Zuhörer berichten!«,

antwortete er. Sie hören nun ein paar Nebengeräusche, dann meldete sich Charles wieder.

»So! Jetzt kann ich euch ungestört erzählen, was hier in den letzten Stunden abgelaufen ist! Eines kann ich vorab schon sagen - *langweilig* war es nicht!«

Dann berichtete er Sally und Adrian ausführlich über die

Geschehnisse im Safehaus. Als er geendet hatte, sagte eine Weile keiner ein Wort.

»Sally? Seid ihr noch dran?«,
erkundigte sich Charles und sie merkten an seinem Tonfall, dass ihm vor allem der Angriff Velasquez zu denken gibt. Sally hatte sich wieder gefasst und bemerkte.

»Wow! Wirklich nicht langweilig bei auch da oben am Swan Point Creek! Aber auch bei uns ist so einiges zu vermelden!«
Sie erzählte von dem Code der "Botschaft", die Abel knacken konnte und erklärte ihm in kurzer Form den Inhalt.

»Ich sende euch den Text ins Safehaus, Charles! Dann könnt ihr euch in voller Länge mit dem Gedankengut Kukul-Kans auseinander setzen! Braucht ihr noch Unterstützung?«
Charles Antwort kommt umgehend.

»Nein, Sally! Im Moment noch nicht! Marc und ich werden jetzt die Befragung von Samantha Wong fortsetzen!«
Sally blickte ihren Vater enttäuscht an, doch Charles beeilte sich fort zu fahren.

»Nicht, dass ich dich nicht schnellst möglich wieder sehen möchte, Sally! Im Gegenteil! Aber ich will zuerst die Ergebnisse des Interviews und die Auswertung der Daten abwarten! Es kann sein, dass wir dann sehr schnell reagieren! Dann musst du sowieso zu uns stossen! Und auf dem Weg hierher oder eventuell auf die Andrews Air Base, sammelst du Fred und Patrik Fitzpatrik auf! Dann ist Team1 komplett!«
Sallys Miene hellt sich wieder auf.

»Du hast Recht, Charles! Also fühl der Wong jetzt richtig auf den Zahn! Roger and out!«
Charles verabschiedete sich von den beiden und Sally schaltete ihr Smartphone aus. Adrian tätschelte mit einer Hand ihr Knie und meint belustigt.

»Siehst du, *Special Agent* Sally Bowles! Du kommst noch früh genug zu deinem Einsatz! Lass uns jetzt eine Kleinigkeit essen!«

45

Swan Point Creek - Safehaus

Alle sitzen am Esstisch und gönnen sich nach der Aufregung ein ausgiebiges, wenn auch verspätetes Frühstück. Obwohl Bill Harmundson und sein Männer, Adam Peatty, Frank Vargas und Mikael Burowski, die Vorfälle auf Yucatán mit erlebt hatten und wussten, was für eine Rolle Samantha Wong spielte, liessen sie sich nichts anmerken und behandelten sie mit zurückhaltender Freundlichkeit. Sie sind eben in ein angeregtes Gespräch über die Ereignisse der letzten Stunde vertieft, als sich Charles Smartphone, das er neben sich auf dem Tisch liegen hatte, anfängt zu vibrieren. Er blickt kurz auf das Display, hebt das Gerät hoch und steht auf.

»Entschuldigt! Da muss ich ran gehen! Es ist Sally und vielleicht etwas Wichtiges!«

Marc schaut kurz hoch, fängt an zu grinsen und meint tot ernst.

»Ja natürlich, deine Sally! Kann man verstehen, dass man da an sie "ran" gehen muss!«

Er erntet einen gespielt giftigen Blick von Charles, der sich in Richtung Terrassentüre begibt. Er nimmt das Gespräch an und spricht leise ins Mikrofon. Dann verlässt er den Wohnbereich und geht auf die Terrasse, während er weiter spricht. Marc sieht Cheryl verschwörerisch an, dann zu Team2 und feixt.

»Ja, ja! Unser Charles und seine Sally! Zwei Turteltäubchen, wie sie im Buche stehen!«

Er erntet ein Stirnrunzeln von Samantha Wog und einen gespielt bösen Blick von Doc Cheryl.

»Du Blödmann! Du solltest es ja am besten wissen, Marc! Bist glücklich verheiratet und hast eine süsse Tochter!«

Cheryl wendet sich an Samantha.

»Hören sie nicht auf Special Agent Miller! Er ist und bleibt ein Scherzkeks!«

Aus irgendeinem unbestimmtem Gefühl hatte Doc Cheryl vermieden zu erwähnen, dass Sally und Charles heiraten wollen. Sie hören, wie sich die Terrassentüre öffnet, drehen sich alle zu Charles, der sein Gespräch beendet hatte und wieder in den Wohnraum zurück kommt. Er bleibt mitten im Raum stehen, als er bemerkt, dass ihn alle erwartungsvoll ansehen.

»Was? Habt ihr noch nie einen telefonierenden Mann gesehen?«,

frotzelte Charles, während er von einer zum anderen schaut und sein Blick auf Marc hängen bleibt, der nur mühsam ein Lachen unterdrücken kann.

»Aha! Mister Miller, unser spezieller Spezial Special Agent, hat wieder einen seiner Scherze zum Besten gegeben! Stimmt's?«

Der Angesprochene machte sich klein und trägt eine unschuldige Miene zur Schau.

»Aber genug der Scherze!«

Charles klärte sie kurz über den Inhalt des Gesprächs mit Sally und über die "Botschaft" Kukul-Kans auf, dann wendet er sich an Samantha und Marc.

»Samantha! Darf ich sie bitten Mr. Miller und mir zu folgen! Wir werden jetzt das "Interview" fortführen! Ich hoffe doch sehr, dass sie uns jetzt die versprochenen Daten liefern werden?«

Charles geht in Richtung Ausgang, während Samantha und Marc sich erheben und ihm folgen.

Vor der Türe zum "Comcent" bleibt Charles stehen.

»Marc! Gehst du mit Samantha schon in das "Interview-zimmer"! Ich muss noch einen Anruf tätigen und komme gleich nach!«

Charles wartete, bis die zwei im Verhörraum verschwunden sind, dann legte er seine Hand auf den Scanner und tritt ins

"Comcent". Er grüsst Mike und geht zielstrebig auf den grossen Bildschirm zu. Er sieht Abel Mankowski, der gerade im Begriff ist einen Schokoriegel zu vertilgen.

»Hallo, Abel! Wie ich sehe brauchst du wieder einen kleinen Energieschub?«,

spricht er in das Mikrofon der Konsole.

Abel blickt mit vollen Backen in die Kamera und grinst verlegen.

»Hi Charles! Du weisst, nach der Aufregung von heute, benötigen Genies wie ich viel Treibstoff für die kleinen grauen Zellen!«

Charles kommt direkt auf den Punkt.

»Du hast unser erstes "Interview" mit Samantha Wong mit verfolgt und aufgezeichnet?«

Abel nickt eifrig und wischt sich ein paar Schokokrümel von den Lippen.

»Und? Was ist deine Meinung? Oder anders herum gefragt! Was hat die Auswertung "Golems" von den Dingen, die uns Samantha Wong erzählt hat, ergeben?«

Auf Charles Frage trägt Abel eine wichtige Miene zur Schau und erläutert mit ernster Stimme.

»Golem und ich können bestätigen, dass alle Antworten von Samantha Wong - in diesem Fall die Befragte - und ich betone, *alle Antworten* - der Wahrheit entsprechen! Bis auf ein paar minimale Ungereimtheiten, die durch den physischen und psychischen Zustand und durch die extreme Belastung der letzten Tage zurück zu führen sind! Auch die optische Auswertung der Gesichtsmimik hat keinerlei Anzeichen ergeben, dass die Befragte die Unwahrheit gesagt hätte! Na? Zufrieden?«

Abel hat sein für ihn untypischen Redeschwall sichtlich ermüdet. Eine Dose Energydrink erscheint vor seinem Mund und er leert sie in einem Zug. Charles amüsiert sich immer wieder über Abels Angewohnheit, zu jeder passenden und unpassenden Gelegenheit, Schokoriegel und Energydrinks in sich hinein zu stopfen und zu schütten.

»Danke, Abel! Das hilft uns beim folgenden Interview weiter! Zeichne bitte weiterhin alles auf und lass es von deinem Freund "Golem" auswerten!«

Charles will sich noch verabschieden. Abel hat aber, wie üblich die Verbindung schon unterbrochen.

»Dir auch noch einen schönen Tag, Abel!«,

murmelte Charles vor sich hin, während er aufsteht und auf die Türe zu steuert.

Im Verhörraum angekommen, setzen sie sich wieder auf die Plätze, die sie zuvor inne hatten. Charles konsultierte sein Tablet, tippte einige Befehle und ruft das Protokoll der ersten Befragung auf. Mike hatte in der Zwischenzeit den Inhalt des ersten Gesprächs in eine Datei umgewandelt, die nun als Text zur Verfügung steht. Nachdem er auf das Ende ihrer Unterhaltung geblättert hat, blickt Charles zu Samantha und erläutert.

»Samantha! Bevor wir unterbrochen wurden, haben sie uns erzählt, dass Rick Vandorps kleiner Finger der linken Hand wieder fast vollständig nachgewachsen sei? Wenn auch schwer zu glauben, nehme ich einmal an, dass ihre Aussage der Wahrheit entspricht?«

Samantha nickt kurz.

»Ja, Sir! Das hat sich wirklich so zugetragen, wie ich es gesagt habe! Ich kann natürlich nicht mit Bestimmtheit erklären, ob dies ursächlich mit der Substanz "Axo2.02" zusammen hängt! Es kann ebenso gut eine andere Erklärung dafür geben!«

Die dunkle Scheibe des Flachbildschirms erwachte zum Leben und zeigt Doc Cheryls Gesicht, die inzwischen die Befragung im angrenzenden Raum mit verfolgte.

»Charles! Entschuldige die Unterbrechung! Ich möchte zu der Aussage Samanthas noch etwas hinzufügen. Es ist durchaus im Bereich des Möglichen, dass diese ominöse "Substanz" lediglich der Auslöser, also "Trigger" in der DNA Vandorps war! Das heisst - er hatte schon eine veränderte Sequenz in seiner DNA, die die Regeneration ermöglichte! Mit anderen Worten - es handelt sich hier um eine *einmalige* oder sehr *seltene* Laune der Natur!«

Charles überdachte Cheryls Worte.

»Danke, Cheryl! Das ist natürlich eine einleuchtende Variante und ich habe auch schon in diese Richtung gedacht! Wie ich euch erzählt habe, hat sich ja heraus gestellt, dass die "Botschaft" nicht das Geringste mit Genmanipulation zu tun hat!«

Er wendet sich wieder an Samantha.

»Bevor wir zu ihren Daten kommen, würde mich, beziehungsweise, uns interessieren, *was* sie zu den Vorkommnissen vor neun Monaten auf Yucatán berichten können! Insbesondere zu dieser "schrägen" Versammlung und der Präsentation Vandorps in der unterirdischen Anlage? Damals zeigte er doch seinen Adepten einige Filmsequenzen? Sie erinnern sich? Ich meine die mit dem abgetrennten und dann nachwachsenden Arm! Oder die mit dem Klon von Adolf, der Armierungseisen wie Gummi verbog! Und die mit dem Klon, der ohne Anstrengung, wie ein Wilder, stundenlang rennt ohne zu ermüden?«

Samantha senkte leicht den Blick, dann schaut sie Charles und Marc direkt an. Ein Lächeln umspielt ihren Mund, als sie die beiden aufklärt.

»Ja! Sicher erinnere ich mich! Ich war ja - genauso wie sie - auch anwesend! Nun! Das Ganze war ein clever eingefädelter *"Fake"*! Diese Filmsequenzen wurden von einem Special Effects Studio extra für Vandorps Pläne gedreht! Mit den heutigen Filmtechniken ist es überhaupt kein Problem mehr, solche Szenen glaubwürdig zu produzieren!«

Charles unterbricht Samantha.

»Was wollte Vandorp denn damit bezwecken?«

»Er hatte zwei Gründe, Special Agent Roberts! Erstens wollte Vandorp seine Anhänger bei Laune halten! Und er hatte und hat noch sehr, sehr viele Gefolgsleute, die ihm folgen und denen er die Errichtung eines *"Vierten Reiches"* versprochen hat! Und Zweitens! Um seine Investoren - alles Nachkommen aus der Ecke von ehemaligen Nazigrössen - zufrieden zu stellen und bei der Stange zu halten! Sie müssen dazu wissen! Die Forschung, der Ausbau von FEP-9 und die Entwicklung der VGC-2020 verschlangen Unsummen! Diese Gelder konnte er nicht einfach so aus seinen legalen Unternehmen abzweigen, ohne dass es Verdacht erregt hätte! Darum hatte er einen geheimen Fond gegründet, der von oben genannten Investoren laufend gespeist wurde!«

Charles und Marc haben aufmerksam zugehört, als Marc sie fragt.

»Sam! Aber was sollte denn das Ganze? Wenn dies alles ein gross angelegter Schwindel war oder ist, *warum* hat sich Vandorp denn die Mühe gemacht diese Genmanipulations-Maschine - diese VGC-2020 - in aller Öffentlichkeit, als die Sensation auf dem Gebiet der Gentechnik anzupreisen?«

Samantha lächelte wissend.

»Das ist relativ einfach zu erklären, Marc! Rick Vandorp verfügt über ein grenzenloses Ego! Für ihn gibt es nur eine Option - ich will immer der *Beste* sein! Ich will *bewundert* werden! Das ist die eine Seite seiner Psyche! Im Übrigen kann er durchaus auch menschliche Regungen an den Tag legen! Dazu müsste ich weiter ausholen! Nur so viel! Er hat mich davor bewahrt im Drogensumpf auf der Gosse zu verrecken! Ich meine das wörtlich! Aber das ist schon lange her und wie gesagt - eine andere Geschichte! Die andere Seite Vandorps ist jedoch ein ganz profanes Element seines "Ichs"! Nämlich - *Rache*!«

Marc sieht Samantha verwundert an.

»Rache? Warum und wofür?«

Samantha nimmt einen Schluck Wasser und meint.

»Kennen sie die Familiengeschichte Vandorps, oder besser gesagt, der "Vondorfs" alias "Von Gehlendorfs"?«

Marc und Charles nicken bejahend.

»Dann ist die Erklärung simpel! Wie er es schon an der Versammlung in der "Fabrik" deutlich zur Sprache brachte - sie erinnern sich? Es geht ihm um Rache an der angeblichen "Schmach", die seinem Grossvater und seinem Vater widerfahren ist! Obwohl das ja in der Form eigentlich gar nicht stimmt! Das Exil in Mani auf Yucatán haben sich die Vondorfs freiwillig ausgesucht! Und das aus den Allmachts-Fantasien seines Grossvaters und Vaters bis dato nichts geworden ist, kann er auch niemand anderem in die Schuhe schieben! Nur! Wer, wie er, in einer von "braunem Gedankengut" geprägten Umgebung aufgewachsen ist, sieht natürlich nicht mehr über den Tellerrand seines Weltbildes hinaus!«

Sam macht eine Pause, die Charles für eine Zwischenfrage nutzt.

»Sagen sie mir eines, Samantha! Warum haben sie bei Vandorps Plänen mitgemacht? Und sind sogar so weit gegangen den Mord an einem unserer Agenten anzuordnen? Geschweige von der Tatsache, uns beide ebenfalls aus dem Weg räumen zu lassen?«

Samantha senkte kurz den Blick, während sie sich ihre Antwort sorgfältig überlegte.

»Ich habe dies schon einmal gesagt, Special Agent Roberts! Ich bereue mein Handeln zutiefst! Wenn sie, als 16-jährige aus der Gosse geholt werden und sich dann auch noch in ihren „Retter" verlieben! Und wenn sie fast zwanzig Jahre in der engsten Umgebung eines Rick Vandorp, der zu einer der reichsten Männer zählte, ein neues, von jeglichem Luxus geprägtem Leben leben! Dann verschiebt sich das Urteilsvermögen, ob etwas richtig oder falsch ist leider zu ihren Ungunsten! Ich habe schlicht weg an das geglaubt, was mir gesagt wurde es sei richtig es zu tun! Dazu gehört auch, dass ich nicht mehr einschätzen konnte, ob der Mord an ihrem Kollegen oder an ihnen beiden gerechtfertigt ist! Tut mir wirklich aufrichtig leid!«

Samantha hat die letzten Worte nur noch stockend über die

Lippen gebracht und es glänzte verdächtig in ihren noch leicht geschwollenen Augen. Charles und Marc hatten schweigend zugehört und lassen ihre Erklärungen einen Moment wirken.

»Wie schon einmal gesagt, Samantha! Wir nehmen ihre Entschuldigung vorerst an! Und lassen sie das Special Agent Roberts jetzt mal auf der Seite! Hier haben sie meinen Tablet Computer! Ich möchte jetzt von ihnen die ergänzenden Daten! Wie sie selber sagten, sollten wir nicht zu viel Zeit verlieren, wenn wir Vandorps Pläne durchkreuzen wollen!«

Er schiebt das Gerät zu ihr rüber. Sie nimmt es entgegen und sagte.

»Danke, Charles! Was muss ich tun, um eine Verbindung zu meiner Cloud zu erhalten?«,

fragt sie.

»Einfach auf das Logo der CISMA tippen! Dann geben sie ihre Zugangsdaten ein! Noch eins! Jeder ihrer Schritte und Eingaben wird registriert - klar?«

Samantha bejahte und öffnete die Verbindung zum Netz. Sie tippte die URL zu der abgesicherten Cloud. Ein Fenster öffnete sich mit der Aufforderung die Hand aufzulegen. Sie legt ihre Handfläche auf das Feld. Ihre biometrischen Daten werden gescannt und der Zugang zu Samanthas persönlichem Speicherplatz gewährt.

»An welche Adresse sollen die Daten gesendet werden?«,

erkundigte sie sich.

»Verschieben sie den Ordner einfach auf das Icon der CISMA! Die Daten werden dann automatisch verschlüsselt und auf unseren Server überspielt!«,

erklärte Charles und Samantha tat, wie ihr geheissen. Sie schiebt das Tablet wieder zu Charles.

»Abel? Du hast alles mitverfolgt? Kannst du die neuen Daten mit den schon vorhandenen abgleichen und uns so schnell wie möglich übermitteln?«

Abel, der über die verborgenen Lautsprecher mitgehört hatte, bestätigte kurz. Charles blickt einen Moment ins Leere und meint dann.

»Warten wir auf die Ergebnisse! Eine Frage noch, Samantha? Sind sie über die Pläne Vandorps im Bild?«

Sie muss sich die Antwort nicht lange überlegen.

»Nur so viel, Charles! Er plant einen persönlichen "Rachefeldzug"! Ich hatte nicht die Zeit alle Dokumente im Detail zu studieren! Es hat irgend etwas mit einem Element aus dem Periodensystem zu tun - es heisst *"Hafnium"* und hat die Ordnungszahl 72! Und wie ich bei der Teilnahme an einer Demonstration auf der Isla Huemul sehen konnte, ist das "Zeug" äusserst gefährlich und stellt eine echte Bedrohung der Menschheit dar!«

46

Argentinien - Isla Huemul - FEP-X

Rick Vandorp blickte Dr. Kammer skeptisch an, überlegte eine Weile und wiederholt Kammers Worte.

»Sie sind also der Meinung, dass die Regeneration meines kleinen Fingers nur ein zufällige Laune der Natur sei?«

Er hebt seine linke Hand und betrachtete den kleinen Finger mit zur Schau gestellter Selbstgefälligkeit von allen Seiten. Dr. Kammer nickte beflissen und ergänzte beschwichtigend, da er einen Wutanfall Vandorps befürchtete.

»Nun Mr. Vandorp, Sir! Ich würde es vielleicht nicht einfach Zufall nennen! Ich bin zu dem Schluss gekommen, dass ihre DNA sowieso besondere Merkmale enthält! An einer uns noch unbekannten Stelle ihrer DNA befindet sich eine Sequenz oder mehrere, die diese Regeneration auslöst! Dabei kann es sein, dass diese Sequenzen nur für das Nachwachsen des kleinen Fingers an der linken Hand zuständig sind! Es kann aber auch sein, dass diese Sequenzen eine generelle Regeneration abgetrennter Gliedmassen und Organe bewirken!«

Kammer schluckt einmal leer, bevor er schnell weiter redet.

»Ich hoffe nur, Sir! Dass sie nicht versuchen werden, das durch praktische Versuche zu ergründen? Ob nun die Verabreichung der Substanz „Axo2.02” für das Auslösen dieser Sequenzen verantwortlich ist, kann ich weder bestätigen noch verneinen! Auf jeden Fall gehören sie - Mr. Vandorp, Sir - zu den Menschen mit einer ausserordentlich seltenen, wenn nicht sogar *einmaligen* Veranlagung!«

Vandorp runzelte die Stirn, dann hebt er eine Augenbraue

verstehend und meint mit einem irren Funkeln in den Augen.

»Das bedeutet, ich bin eine *einzigartige* Mutation auf der Erde - wenn nicht gar im Universum! Das ist doch auch nicht zu verachten, mein lieber Kammer! Das bedeutet aber auch! Dieser vermeintliche Code mit dem Geheimnis des „Ewigen Lebens" ist den Speicherplatz nicht wert auf dem er geschrieben ist?«

Kammer rollte verlegen mit den Augen.

»Nun, Sir! Wir sind bisher nur zu der Erkenntnis gelangt, dass es sich um irgendeinen verschlüsselten Code handelt! Den konnten wir bisher leider nicht knacken und es geht wohl auch nicht um Sequenzen der DNA! Das muss ich leider bestätigen! Ja! Sie haben Recht, Sir! Dieser Code bringt uns keinen Schritt weiter!«

Kammer verstummte. Vandorp blickte durch die getönte Glaswand des Konferenzraumes in die weitläufige runde Halle. Sein Augenmerk gilt besonders der einen Hälfte mit den Einrichtungen der Gentechnik.

»Das bedeutet! Das Projekt „Axolotl" ist gestorben! Stimmt doch, Dr. Kammer?«

Kammer nickte nur stumm. Vandorp wendet sich an Dr. Schmied.

»Schmied! Wie weit sind sie mit den Arbeiten für Operation „Genesis"?«

In Dr. Schmieds gelangweiltem Gesicht glimmt ein gekünsteltes Lächeln auf. Seine ganze Mimik lässt darauf schliessen, dass er Dr. Kammers Eingeständnis und damit dessen Niederlage vollends genoss und auskostete. Er hüstelte affektiert und beginnt betont wichtig zu sprechen.

»Mr. Vandorp, Sir! Ich kann ihnen, als meinem Vorbild und Führer, mit Genugtuung mitteilen - es ist alles für die Operation „Genesis" vorbereitet!«

Schmied machte einen Kunstpause, hebt arrogant sein Kinn und fährt mit einem auf Dr. Kammer gerichteten hämischen Blick fort.

»Da das Projekt „Axolotl" meines Kollegen nun gescheitert ist, wird „*Genesis*" umso mehr zum gewünschten Erfolg führen!«

Schmied streicht über sein schütteres Haar, rückte seine Nickelbrille zurecht und konsultiert sein Notebook.

»Wir haben die „Pakete" versendet und alle sollten in den nächsten 24 Stunden an ihrem Bestimmungsort ausgeliefert werden! Die Aktion wird um 17:15 beziehungsweise 18:15 in den jeweiligen Zeitzonen Mitteleuropäischer Zeit ausgelöst!«

Ein zufriedenes Leuchten klimmt in Vandorps Augen auf und mit einer fahrigen Handbewegung gebietet er Schmied weiter zu sprechen.

»Nach der Aktion „Werbepaket" werden innert 48 Stunden die „Container" an den festgelegten Orten deponiert sein! Unsere Gewährsleute sind schon dementsprechend instruiert worden! Die „Container" können sie dann von hier aus in beliebiger Reihenfolge aktivierten!«

Dr. Schmied tippte auf sein Notebook und zeigt dann auf das vor Vandorp liegende Tablet.

»Jedem „Container" ist ein eigener Aktivierungscode zugewiesen, der nur durch sie, Sir, mittels Fingerabdruck aktiviert werden kann! Nach der Aktivierung ist ein Beenden des Countdowns - der auf 72 Stunden eingestellt ist - nur durch ihren Fingerabdruck möglich! Entweder an dieser Konsole, die nur mit diesem Schlüssel zu öffnen ist! Oder von einer identischen Konsole in ihrem Arbeitszimmer!«

Schmied zieht eine stabile Kette aus seiner Sakkotasche, an der ein kleiner Schlüssel baumelte. Er übergibt Vandorp den Schlüssel, der ihn kurz in der Hand wiegt und ihn dann in der Brusttasche seines Anzugs verschwinden lässt. Er wirft einen Blick auf die Konsole. Einer Säule ähnlich, quadratisch im Grundriss und einem Meter Höhe, die rechts neben ihm vor der Glaswand im Boden verankert ist. Vandorp fixiert Dr. Schmied.

»Sehr gut gemacht! Müssen wir sonst noch etwas beachten, Dr. Schmied?«, sagte er in einlullendem Tonfall. Schmied fühlte sich geschmeichelt, zumal er den Triumph auskosten konnte, seinem Kollegen Kammer eins ausgewischt zu haben. Er dachte schon daran, was er alles mit den fünf Millionen Dollar anstellen würde, die ihm Vandorp bei Gelingen von Unternehmen „Genesis" zusätzlich zum vereinbaren Honorar bezahlen wollte. In seiner Euphorie hatte er nicht bemerkt, dass sich Adolf von seinem angestammten Platz hinter Vandorp stehend entfernt hat und lautlos hinter seinen Stuhl getreten ist. Vandorp lächelte Schmied liebenswürdig an und nickte kaum merklich. Bevor Dr. Schmied überhaupt die Chance hat zu realisieren was passiert, hat Adolf seine linke Hand unter sein Kinn gelegt, mit der rechten seinen Hinterkopf umfasst und dem überrumpelten Mann mit einer schnellen Drehbewegung das Genick gebrochen. Ein hässliches Knacken ist im Raum zu hören, gefolgt von einem Poltern, als der leblose Körper Dr. Schmieds auf den Boden rutschte. Dr. Kammers Augen sind vor Schreck geweitet, als er das Gesehene verarbeitet. Er will aufspringen und in Panik aus dem Raum flüchten. Ein trockenes „Plopp" und ein roter Punkt bildet sich auf seiner Stirn. Kammer stürzt durch den eigenen Schwung nach links auf den Boden und bleibt regungslos liegen. Ein Rinnsal dunklen Blutes bildete langsam eine Pfütze um seinen Kopf. Ruhig steckte Adolf seine Pistole mit Schalldämpfer in das Schulterhalfter zurück und wendet sich seinem Mentor zu. Der hatte das Ganze mit gelangweiltem Interesse verfolgt.

»Ich mochte diesen Schmied von Anfang an nicht! Ein arroganter aufgeblasener Wicht! Aber wie heisst es so schön, Adolf! Der Schmied hat seine Schuldigkeit getan, der Schmied kann gehen! Lass doch bitte diese Sauerei entfernen und instruiere dein Team! Wir verfahren, wie geplant! Du weisst *was* als Nächstes zu tun ist?«

Vandorp wischte sich ein scheinbar vorhandenes Staubkorn aus dem Augenwinkel und nimmt Adolfs stumme Bestätigung zufrieden zur Kenntnis. Er steht auf, verlässt den Konferenzraum, ohne die beiden toten Wissenschaftler eines

Blickes zu würdigen. Er durchquert die runde Halle durch den Mittelgang und begibt sich über die geheime Treppe hinauf in seine privaten Räume im hinteren Teil der Rundkuppel. Im Wohnbereich seiner elegant eingerichteten Suite setzt er sich an den grossen Schreibtisch, auf dem lediglich zwei grosse Flachbildschirme stehen. Mit einer Handbewegung aktiviert er beide und eine Tastatur in der Tischplatte leuchtet mit rötlichen Tasten auf. Nachdem er ein paar Befehle eingetippt hat, sind auf den Bildschirmen einige Liveübertragungen verschiedener Kameras eingeblendet. Alle zeigen verschiedene Bereiche der runden Halle und decken praktisch jeden Winkel ab. Er beobachtet, wie Adolf aus dem Konferenzraum kommt und die in der Halle beschäftigten Mitarbeiter aufforderte ihm zu folgen. Sie versammeln sich im Mittelgang und Vandorp kann mithören was Adolf verkündete.

Er erklärte den Mitarbeiter, es handle sich um eine Evakuierungsübung. Adolf geht zu dem breiten Stahltor, die die Halle vom Fluchttunnel abtrennte. Er drückt einen grossen rot markierten Hebel nach unten und die zwei Flügel des Tores gleiten nach links und rechts zur Seite. Mit einer Handbewegung bedeutet er den Mitarbeitern sich in den Tunnel zu begeben. Als der Letzte in der Öffnung verschwunden ist, betätigt Adolf erneut den Hebel und die beiden Torhälften schliessen sich wieder. Adolf sieht direkt in eine der Kameras und Vandorp registriert das kaum wahrnehmbare Nicken seines Adepten. Ein anderer Bildausschnitt zeigt die Übertragung aus dem Inneren des Fluchttunnel. Die Schar der Mitarbeiter steht etwas verloren in der Nähe des Tores und ihnen ist eine gewisse Verunsicherung anzumerken. Eine orangefarbene Notbeleuchtung spendet nur notdürftig etwas Licht und lässt die Gesichter der Frauen und Männer, die ab und zu den Kopf in die Richtung der Kamera heben, gespenstisch fahl aussehen.

Vandorp tippt erneut einen Befehl auf der Tastatur. Im Abstand von zwanzig Metern zum Stahltor schieben sich zwei weitere Stahltore links und rechts aus der Wand. Als die

Gummidichtungen der Torflügel aufeinander treffen, ist ein schmatzendes Geräusch zu hören. Die Frauen und Männer realisieren nun, dass sie eingeschlossen sind. Rufe und spitze Schreie werden laut. Einige der Männer trommeln mit den Fäusten gegen die Stahltore. Andere schlagen die Hände vors Gesicht. *»Ja! Liebe Mitarbeiter! Euer Arbeitsverhältnis ist hiermit beendet!«*, dachte Vandorp mit dem Anflug eines Schmunzelns. Dann verengen sich seine Augen zu schmalen Schlitzen und er tippt auf die Enter-Taste.

»Adios Amigos!«, murmelt er halblaut.

Aus unsichtbaren Düsen zischte ein feiner Nebel in den abgetrennten Tunnelabschnitt. Mit einem grimmigen Lächeln beobachtete Vandorp, wie einige der Mitarbeiter gegen die Decke zeigen und in panischer Angst vergeblich versuchen an die Düsen zu gelangen. Eine Sekunde später greifen sich die Menschen an die Kehle, beginnen zu röcheln und zu husten. Sie verdrehen die Augen, sinken auf die Knie und nach einer halben Minute ist alles vorbei. Die Körper der Frauen und Männer liegen leblos, mit in Agonie verrenkten Gliedern, teilweise übereinander, am Boden. *»Nicht schlecht! Dieses neue Giftgas, dass der gute Dr. Kammer so nebenbei für mich entwickelt hat!«*, erinnert sich Vandorp. Er aktivierte die starke Absaugvorrichtung und verfolgte auf einem der Bildschirme das Fenster mit der Prozentangabe, das anzeigte, wie sich der Giftgasanteil verringert und sich die Atmosphäre wieder atembar normalisierte. Nach kurzer Zeit ertönt ein optisches und akustisches Signal - „Dekontamination abgeschlossen!". Vandorp betätigt die Gegensprechanlage-

»Adolf! Die Luft ist wieder rein! Du kannst mit deinem Team in Aktion treten! Und keine Spuren!«

Adolf bestätigt mit nach oben gestrecktem Daumen. Zufrieden lehnt sich Vandorp zurück, legte die Fingerspitzen seiner Hände in Rautenform aneinander und murmelt.

»Dann beginnen wir jetzt mit Phase 1 von „Genesis"!«

47

Swan Point Creek - Safehaus

Nach quälend langen Minuten des Wartens, meldete sich Abel auf dem Videokanal. Sein Gesicht auf dem grossen Monitor ist sichtlich blasser als sonst. Er schluckte einmal leer und beginnt mit stockender Stimme zu sprechen.

»Hallo, Leute! Ähem, Wow! Was uns Samantha Wong da geliefert hat ist äusserst explosiver Sprengstoff! Und, Leute! Ich meine dies *wörtlich*!«

Er machte eine Pause und leerte eine Dose Energydrink in einem Zug.

»Sorry! Hatte selten so eine ausgetrocknete Kehle wie heute! Ich sende such die Daten sofort!«

Er schaut nach unten, dann wieder in die Kamera.

»Nur so viel! Wie wir ja schon wissen und auch gesehen haben, ist es Vandorp, oder besser gesagt, einem gewissen *Dr. Erwin Schmied* gelungen, Gerald Bolsters Forschungsansätze mit diesem *Hafnium 72* zu vervollkommnen! Schmied konnte das *Isotop 178m2* derart anreichern, dass es auf 50 Gramm Masse die Sprengkraft von zweitausend fünfhundert Tonnen TNT entwickelt! Was wir auch schon vermutet haben, beziehungsweise wissen, ist, dass dabei auch Gammastrahlen freigesetzt werden, die fast alles durchdringen und jegliches Leben im näherem Umkreis auslöschen!«

Charles und Marc schauen sich an und nicken sich zu. Sie hatten Abels Videoaufzeichnung des Spionagesatelliten noch zu gut in Erinnerung.

»Nun! Wie schon in den unvollständigen Daten Samantha Wongs, taucht der Name *Operation „Genesis“* gleich mehrfach auf! In Kürze! Vandorp plant, etliche sehr grosse „Hafniumbomben“ in verschiedenen Hauptstädten zur Explosion zu bringen! Wobei grosse nicht falsch zu verstehen ist! Eine Kugel von einem Kilogramm Gewicht entspricht *fünfzigausend* Kilo oder 50 Kilotonnen TNT! Ist also einfach zu verbergen! Und nur zum Vergleich! Das entspricht fast dem vierfachen der Atombombe, die über *Hiroshima* abgeworfen wurde!«

Abel verstummte und alle im Verhörraum und im „Comcent“ schweigen mit bestürzten Mienen. Charles fasste sich als Erster wieder.

»Abel! Gibt es Hinweise *welche* Städte das Ziel sind? Und wie gross sind diese „Bomben“, beziehungsweise mit *wie* vielen Opfern ist zu rechnen?«

Abel blickt zur Seite und liest etwas auf einem seiner Monitore.

»Genau kann ich das noch nicht sagen, Charles! In den Dokumenten wird die „Grösse“ dieser Sprengkörper mit 3mc erwähnt! Daraus kann man schliessen, dass eine dieser „Bomben“ *drei* Kilogramm wiegt! Nach „Golems“ Berechnungen würde ein Sprengkörper dieser Grösse - und als Beispiel - in Manhattan, New York City platziert, über zwei Millionen Tote fordern! Dies nur aufgrund der Explosion! Durch den Fallout an Gammastrahlen müssten wir die Zahl gegen sechs Millionen nach oben korrigieren!«

Sie hören ein Piepsen in Abels Kommandobrücke und er spricht kurz mit jemand. Das Bild wechselte abrupt und das markante Gesicht General Vanderbilts erscheint.

»Special Agents! Wie sie eben von Mr. Mankowski gehört haben, ist die Lage sehr, sehr ernst! Ich will nichts beschönigen! Wenn es uns nicht gelingt Vandorp zu stoppen, wird die Welt in ein unvorstellbares Chaos gestürzt! Und nichts wird mehr so sein, wie es vorher war! Ich habe soeben mit unserem Präsidenten gesprochen! Er erwartet unser unverzügliches Eingreifen und erteilt uns - ab sofort -

uneingeschränkte Vollmachten! Um seine Worte zu zitieren - *»Stoppen sie diesen übergeschnappten Nazi!«* - koste es was es wolle! Special Agent Roberts! Ich erteile ihnen die Führung zu dieser Operation! Viel Glück! Danke!«

Vanderbilts Gesicht verschwindet und Abel ist wieder im Fokus der Kamera.

»Du hast den General gehört, Charles! Ich wünsche euch auch viel Glück und werde euch, so gut ich dies von hier aus kann, mit allem unterstützen was ihr braucht! Übrigens! In den Dokumenten von Samantha Wong befinden sich auch detaillierte Pläne der Anlage FEP-X auf der Isla Huemul! Ich habe von „Golem“ ein 3D Modell erstellen lassen! Vielleicht hilft das euch!«

Abel kappte die Verbindung und auf dem Bildschirm erscheint eine umfangreiche Datei. Charles wendet sich an Samantha.

»Haben sie von den Plänen mit diesen „Hafnium-Bomben“ gewusst, Sam?«

Sie schüttelte den Kopf und meint.

»Nein, Charles! Was er genau im Schilde führt, hat er mir nicht mehr erzählt. In letzter Zeit vertraute er nur noch Velasquez und natürlich Adolf - sonst keinem! Warum er allerdings Velasquez ans Messer lieferte ist auch mir schleierhaft! Und wenn ich irgend etwas zum Fall Vandorps beitragen kann, lassen sie mich sie unterstützen!«

Charles fixiert sie einen Moment, blickt zu Marc Miller, der unmerklich nickte.

»Ich komme darauf zurück, Sam! Ihre Kenntnisse der Anlage auf Huemul können uns tatsächlich von Nutzen sein!«

Dann spricht Charles ins Leere.

»An alle! Wir versammeln und jetzt sofort im Wohnraum zum Briefing!«

Als sich alle im Wohnbereich versammelt haben, betrachtete Charles die Anwesenden zuerst ohne ein Wort zu sagen. Am Esstisch hatten sich Bill und seine drei Teamkollegen nieder gelassen. Ebenso haben sich Fred, Jack sowie Miguel Ruiz und Diego Diaz zu ihnen gesellt. Cheryl, Samantha, Marc und Mike haben sich auf dem Ledersofa und den Sesseln verteilt. Alle Augenpaare sind auf Charles gerichtet, der in der Mitte des Wohnraums stehen bleibt. Er aktiviert mit seinem Tablet den grossen 72-Zoll Flachbildschirm, der an der Wand links neben dem Durchgang angebracht ist.

Mittels des Tablets ruft er ein PDF-Dokument auf den Bildschirm, das die erste Seite eines Berichtes zeigte. In grossen Lettern steht nur ein einziges Wort auf der Seite - *Genesis*. Charles scrollt zur nächsten Seite und alle lesen mit wachsendem Unbehagen, was dort aufgezeichnet ist. Der Bericht ist ab und zu mit Diagrammen, Skizzen und Statistiken durchsetzt. Als Charles zur letzten Seite gelangt, ist die Stille so vollkommen, dass man ein Staubkorn auf den Holzboden aufschlagen gehört hätte. Bill Harmundson hebt die Hand und fragt mit stoisch ruhigem Tonfall.

»Well, Charles! So wie sich das darstellt, sollten wir uns wohl schnellstens bemühen den Weltuntergang zu verhindern! Hast du eine Idee, wie wir das bewerkstelligen können?«

Charles blickt zu Samantha Wong.

»Samantha! Ihrer Meinung nach? *Wo* könnte sich Rick Vandorp und seine Genossen im Moment aufhalten? Und *wie* will er diese Operation „Genesis“ leiten, beziehungsweise auslösen?«

Alle Blicke sind auf Samantha gerichtet, die ohne den geringsten Zweifel erklärte.

»Ich bin mir zu hundert Prozent sicher, dass Rick Vandorp die Operation von der *Isla Huemul* aus steuern wird! Dort laufen alle Fäden seines Netzwerkes zusammen! Und dort befinden sich auch alle Forschungseinrichtungen, Server und seine kleine Privatarmee!«

Marc Miller erkundigte sich.

»Sam? Wie viel Mann stark ist seine Truppe?«

»Adolf ist der Leiter der Truppe und diese umfasst gut und gerne ein Dutzend aufs Beste ausgebildete und bewaffnete Kämpfer! Dazu kommen noch die vier Söldner, die für die Bewachung des Inalco Haus zuständig sind!«

Bill meldet sich wieder zu Wort.

»Miss Wong, Samantha, wenn sie erlauben? Wie gelangen wir ungesehen auf diese Insel?«

Bevor Samantha antworten konnte, sagte Charles, während er die 3D Simulation von FEP-X auf den Bildschirm einblendete.

»Abel hat uns an Hand der technische Pläne und Grundrisse, die wir ebenfalls Sam zu verdanken haben, ein dreidimensionales Modell der Anlage erstellt! Dazu hätte ich noch eine Frag, Sam? Warum haben unsere Satelliten diese Anlage bisher nicht entdecken können?«

Samantha zeigte auf das 3D Modell.

»Was sie hier sehen, ist der unterirdische Teil der Anlage, die sich zum Teil aus bestehenden Bauten des Dr. Paul Richter und aus neu erstellten Bereichen zusammensetzt! Alles ist sehr solide aus armiertem Beton gebaut. Zum Teil mit bis zu zwei Meter dicken Wänden und Decken! Der oberirdische Teil ist in dieser Simulation nicht sichtbar! Dabei handelt es sich um einen runden Kuppelbau von fünfundzwanzig Metern Durchmesser! Da das gesamte Dach bepflanzt wurde, ist er von der Luft und auch vom See aus nicht zu sehen! Der Bau ist offiziell, als Wohnhaus deklariert. Ein Teil in der linken Hälfte ist mit Unterkünften für die Mitarbeiter und Söldner eingerichtet. Es gibt eine grosse Küche und Sanitäranlagen! Im hinteren grösseren Teil ist Vandorps Suite untergebracht!«

Samantha weist auf eine Stelle im 3D Modell.

»Hier ist eine massive Stahltüre, die von der runden Halle zu einem zehn Meter langen Gang führt. Eine schmale Treppe endet an einer gut getarnten Türe etwa in der Mitte eines Korridors. Der verbindet den Eingangsbereich mit dem hinteren Teil der Kuppel!«

Samantha bittet Charles das 3D Modell um 90 Grad zu drehen.

»Was sie hier sehen, ist ein grosses Stahltor! Es schliesst die Halle zu einem rund 300 Meter langen sogenannten „Fluchttunnel“ ab. Der wurde noch zu Dr. Richters Zeiten angelegt und mündet in einer kleinen Bucht am Nordende der Insel! Vom See aus ist der Eingang zum Tunnel praktisch nicht zu sehen. Das Tor hier ist getarnt und sieht, durch einen modellierten Betonüberzug, wie die Felsen in der Umgebung aus! Der Tunnel diente ursprünglich zur Versorgung der Rundhalle und ist gut drei Meter breit und hoch!«

Bill Harmundson meldet sich durch Handzeichen.

»Wenn ich das richtig beurteile, Samantha! Ist das eigentlich die Stelle, an der man in die Anlage eindringen könnte? Ist das Tor an der Bucht und das zur Halle in irgendeiner Form überwacht? Und wäre auch ein Angriff durch den Kuppelbau möglich?«

Samantha wendet sich zu Bill und zeigt mit dem Finger auf den Bildschirm.

»Die Tore sind nicht speziell gesichert, da der Tunnel nur während der Umbauphase der bestehenden Anlage genutzt wurde! Durch den Tunnel konnte im Geheimen das nötige Baumaterial angeliefert werden, während oberirdisch und mit Genehmigung der Behörden Bariloches, Vandorps „Rückzugs-Oase“ errichtet wurde! Um ihre Frage korrekt zu beantworten, Commander Harmundson! Der Tunnel wird, seit dem die Arbeiten abgeschlossen sind, nicht mehr benutzt und ist somit die beste Möglichkeit unbemerkt einzudringen! Ein Angriff über den geheimen Zugang der Kuppel halte ich zwar für möglich, jedoch auch viel riskanter!«

Bill nickte knapp, sieht zu Charles Roberts und fragt.

»Charles? Was meinst du zu Samanthas Ausführungen?«

Der überlegt kurz und verkündet.

»Ich meine, wir sollten in *zwei* Wellen die Insel infiltrieren!«

Charles ruft eine Satellitenaufnahme der Isla Huemul auf den

Bildschirm. Mittels seinem Tablet zeichnet er einen roten Pfeil an der Stelle der Bucht über das Bild der Insel.

»Wir werden in der Nacht angreifen! Welle eins, bestehend aus Team1 unter meinem Kommando sowie Samantha und Tenente Diaz, wird von Bariloche aus kommend einen grossen Bogen um die Insel schlagen! Dann nähern wir uns von der Nordseite der Bucht!«

Er zeichnete einen zweiten Pfeil.

»Bills Team2 und Commandante Ruiz werden im Süden über den Landungssteg zum Kuppelbau vorrücken!«

Charles wendet sich an Miguel Ruiz.

»Miguel! Können sie ein paar Mann ihrer besten Agenten aufbieten? Die uns unbemerkt auf die Insel bringen?«

Ruiz bestätigte und meint ergänzend.

»Kein Problem, Charles! Lassen sie mich nachher kurz mit unserer Zentrale sprechen! Ich werde auch veranlassen, dass die benötigte Anzahl an Elektro-Speedbooten vorbereitet sind! Wir haben eine ganz neue Version. Die haben eine grosse Reichweite, sind für Radar fast nicht zu orten und vor allem - erreichen eine hohe Geschwindigkeit!«

Charles klärte Ruiz auf.

»Danke, Miguel! Das hilft uns lautlos an die Insel ran zukommen! Wir haben zwar ähnliche Boote in unserem Arsenal! So ist jedoch das logistische Problem des Transports nach Bariloche schon gelöst! Hat noch jemand eine Frage?«

Charles blickt in die Runde. Adam Peatty hebt die Hand.

»Ich würde gerne eines wissen, Charles! Wenn wir auf Vandorp, Adolf und seine Söldner treffen! Was geschieht dann mit ihnen?«

Charles muss nicht lange überlegen und sagt nur drei Worte.

»Ausschalten! Für immer!«

Samantha zuckte kurz zusammen, drehte den Kopf zu Charles und für den Bruchteil einer Sekunde flackerte ein unergründliches Funkeln in ihren Augen auf. Bill Harmundson meldet sich noch einmal zu Wort.

»Charles? Als wir vorhin den seligen Henrique Velasquez geborgen haben und seine sterblichen Überreste unten im Kühlraum deponierten, ist mir etwas aufgefallen! Und zwar, dass „Henry" einen Tarnanzug der neuesten Generation anhatte! Wo er den her hat ist mir schleierhaft, denn die sind - Erstens - streng geheim und nur bei einigen, durch die DARPA ausgesuchten, Eliteeinheiten im Gebrauch - und Zweitens - sind die Dinger sündhaft teuer! Drittens - könnten wir solche Ausrüstung für diesen Einsatz bestens gebrauchen! Vor allem die „Tarnkappen"-Funktion würde uns einen entscheidenden Vorteil verschaffen!«

Charles nickt.

»In der Tat, Bill! Wir sind darauf schon vorbereitet. Daryl Smith hat diese Anzüge schon länger im Arsenal der CISMA! Wir werden jeder einen bekommen! Unser Bestand reicht für Team1 und Team2! Leider reicht es nicht für die anderen! Ist das ein Problem, Miguel?«

Commandante Ruiz verneint.

»No, Charles! Wir sind bestens ausgestattet! Ohne „Stealth" - aber sehr effektiv!«

»Gut, Miguel! Zudem wird jeder von Team1 und 2 zusätzlich zu seiner Glock x19 mit einer Darpa-2020 ausgestattet!«

Charles fängt den Blick von Marc auf, der kaum merklich mit den Augen in Richtung Ausgang deutete. Charles blickte demonstrativ auf seine Uhr.

»Es ist jetzt 14:10 Uhr! Wir machen eine kurze Pause! Ich muss jetzt noch Sally und Fred informieren!«

Marc ist schon aufgestanden und geht langsam zum Durchgang. Charles folgt ihm wie zufällig und trifft ihn vor der Türe zum „Comcent". Ohne ein Wort, geht Marc in den Raum und wartete, bis auch Charles eingetreten ist. Er bittet Mike, er möchte einen Moment draussen warten und auf keinen Fall jemand hineinlassen. Als sich die Türe hinter ihm schloss, wendet sich Marc an Charles, der ruhig abwartete.

»Mein lieber Freund! Hast du vorhin bei der Aufzählung der Namen nicht *eine* Person vergessen? Du weisst schon, *wen* ich meine?«

Charles gestattete sich den Anflug eines Lächelns und meinte dann ernst.

»Mein lieber Marc! Nein! Ich habe unseren Freund vom KI6 *nicht* vergessen! Selbstverständlich begleitet er uns auf dieser Mission! Das ist mit dem General und seinem Vorgesetzten so vereinbart. Lass es mich einmal so sagen! Patrik Fitzpatrik ist mein *Trumpf-Ass* im Ärmel!«

Marc schaute Charles etwas entgeistert an.

»Versteh ich nicht ganz, Charles!«

Charles setzte sich auf einen der Drehstühle.

»Ganz einfach! Ausser Fred, dir und mir und natürlich die wenigen in der Zentrale, weiss hier im Haus keiner, dass Patrik existiert! Also ist er meine „Trumpfkarte“ für alle Fälle! Und glaub mir! Patrik hat echt was drauf! Hab es in London selbst miterlebt!«

Marc setzte sich ebenfalls und Charles erklärte ihm, warum er sich für die Geheimniskrämerei entschieden hat.

Nachdem er geendet hatte, schaut Marc nachdenklich ins Leere, dann tippt er mit dem Zeigefinger auf den Bildschirm, der den verwaisten Verhörraum zeigt.

»Ich hoffe, dass du dieses eine Mal nicht Recht behältst! Aber ich muss eingestehen! Ich hatte und habe immer noch so ein Gefühl in der Magengegend! Und wie heisst es so schön! Dein Bauch lügt nicht! Und wie nun weiter?«

Charles zieht die Tastatur zu sich und tippt einige Tasten.

»Zuerst Sally und Fred anrufen!«

Kurz darauf steht die Konferenzschaltung und auf dem Bildschirm sind Sally und Fred in zwei Fenstern zu sehen.

»Hallo ihr zwei! In Kürze! Sally! Du begibst dich unverzüglich zur CISMA Zentrale. Dort wirst du mit Fred alle Ausrüstung, die ich euch aufzähle, zusammenstellen und anschliessend auf meinen Bescheid warten! Habt ihr das soweit verstanden?«

Sally und Fred bestätigen ohne weitere Erklärungen zu verlangen und unterbrechen die Verbindung. Charles klopft Marc auf die Schulter.

»Dann lass uns zu den anderen gehen! Ich könnte einen heissen starken Kaffee jetzt vertragen!«

48

Berlin - Pariser Platz - 18:15

Es verspricht ein schöner und angenehmer Abend zu werden. Ende Mai sind die Tage um diese Jahreszeit schon wieder länger und es ist noch angenehm warm und hell. Zahlreiche Menschen bevölkern die Plätze beidseits des Brandenburger Tores in Berlin. Einheimische und Touristen aus aller Herren Länder schlendern unter dem geschichtsträchtigen Bauwerk hindurch. Sei es in Richtung über den *Pariser Platz* und *Unter den Linden* oder entgegen gesetzt zur *Strasse des 17ten Juni*, wo in der Ferne, ganz oben auf der *Siegessäule*, der Friedensengel in goldenem Glanz erstrahlt.

Ein stetes Gemurmel, Sprachfetzten und Lachen bilden die tonale Kulisse. Es werden unablässig Selfies geknipst. Das Tor von hinten, das Tor von vorne oder das weltberühmte Hotel Adlon und die Botschaft der Vereinigten Staaten von Amerika, sind beliebte Motive, die dann im Nirwana des digitalen Bilderchaos verschwinden.

Karen Miller steht auf dem Gehsteig links neben dem offiziellen Eingang zur amerikanischen Botschaft. Sie blickt gerade auf ihre Armbanduhr, denn sie hatte sich um viertel nach sechs Uhr mit ihrer Bekannten zum Dinner verabredet. Diese arbeitete erst seit Kurzem als administrative Assistentin in der Botschaft.

Die Uhr, ein exklusives Designerstück, hatte Karen Miller an diesem Nachmittag in einem noblen Uhrengeschäft an der Friedrichstrasse erstanden. Obwohl mit digitaler Anzeige ausgestattet, ist die Uhr von besonders ausgefallenem Design und Karen war sofort von ihr angetan. Sie freut sich schon jetzt, die erstaunten und sicher auch neidischen Gesichter ihrer Freundinnen in den Staaten zu sehen, wenn sie denen ihre neueste modische Errungenschaft präsentierte.

Karen Miller hatte sich extra von dem steten Touristenstrom zurückgezogen und ist in den Schatten des imposanten Botschaftsgebäudes getreten.

Die digitalen Ziffern springen in dem Moment von 18:14 auf 18:15, als ein grell gelbes Licht den Asphalt vor ihren Füssen aufleuchten lässt. Instinktiv dreht sich Karen Miller um und das Letzte was sie sieht ist, wie sich zwei der ebenerdigen Fenster wie eine Blase aufblähen. Innert einem Sekundenbruchteil platzen die Fenster auf und glühende Glasscherben, kantige Trümmer und Metallteile werden heraus geschleudert. Sie merkt nicht mehr, dass ein speerartiges, glühendes Metallstück in ihr rechtes Auge eindringt und ihren Schädel glatt durchschlägt.

49

London - St. George Street - 17:15

Er ist nur ein kleines Licht im Gefüge der Residenz des mexikanischen Botschafters in Paris. Obwohl Juan Rodrigo Perez mit einem Diplomatenpass und der dementsprechenden Immunität ausgestattet ist, ist er eigentlich nur eine bessere Schreibkraft.

In seinem Büro, das er mit Inez Martinez, einer drallen, immer zu auffällig geschminkten Mitvierzigerin teilt, blickt Juan auf die fünf Uhren an der gegenüber liegenden Wand. Eine davon zeigt die aktuelle Zeit in Mexico City, eine andere die lokale Zeit vor Ort. *»Nur noch zwei Minuten, dann kann ich endlich Feierabend machen! Natürlich ist Inez schon wieder früher als erlaubt zu ihrem neuen »Amant« abgehauen!«*

Denkt Juan und betrachtete dabei das elegante Schreibgerät, das er heute Morgen per Post zugesandt bekommen hatte. Der Stift war in einem einfachen Umschlag verpackt gewesen. Nur eine kleine Karte mit der Aufschrift *»With compliments. Prodnav Pen Inc.«* ist beigefügt. Es ist nicht das erste Mal, dass Juan solche Kugelschreiber oder Ähnliches erhalten hat. Er nannte schon eine kleine Sammlung dieser Werbegeschenke sein Eigen und freute sich jedes Mal aufs Neue, wenn er wieder etwas zugesendet bekam. Dieses Exemplar, das er jetzt in seinen Fingern drehte, während er darauf wartet, dass die Uhr 17:15 anzeigt, ist ein besonders schönes Stück. Etwas grösser und schwerer, als die herkömmlichen Kugelschreiber, ist auch dieser in goldenen Lettern mit seinem Namen personalisiert.

Juan blickt kurz auf die Uhr mit der Lokalzeit, - der Zeiger ist soeben auf viertel nach Fünf gesprungen, als er erstaunt eine winzige, rote LED am Ende seines Stiftes aufleuchten sieht. Juan Rodrigo Perez merkte nicht mehr, wie sich sein Büro in eine glühende Trümmerlandschaft verwandelte.

50

Rom - Via S. Martino della Battaglia - 18:15

Hanne Wegener - Botschaftsangehörige der Bundesrepublik Deutschland - ist zuständig für die korrekte Verteilung der täglich eingehenden Postsendungen. Obwohl sicher nicht die Wichtigste im diplomatischen Dienst, machte sie ihre Arbeit mit der ihr angeborenen Gründlichkeit.

An diesem sonnigen Morgen, mit der eigenen Atmosphäre Roms, wunderte sich Hanne Wegener über die fünf identischen Umschläge, die auf ihrem Verteilertisch lagen. In jedem dieser Umschläge befand sich offensichtlich der gleiche Inhalt. Soviel konnte sie mit ihrer Erfahrung fühlen. Da jeder Brief mit dem Namen eines ihr bekannten Mitarbeiters der Botschaft adressiert ist, dachte sie sich nichts weiter dabei. Lediglich zur Sicherheit liess Hanne Wegener einen der Briefe auf ihren Inhalt durchleuchten. Man solle nicht sagen können, dass sie ihre Arbeit nicht gewissenhaft erledigt.

Hans Gerber, der Mann am Röntgengerät, gab ihr den Umschlag zurück und bemerkte nur lapidar.

»Alles im grünen Bereich, Hanne! Ist nur wieder so eine dieser Werbesendungen mit diesen Kugelschreibern! Du weisst schon, diese Dinger die mit deinem Namen bedruckt sind! Aber gut sind die, das muss man schon lassen. Übrigens, wie wär‘s mit einem Drink nach Feierabend? Lade dich natürlich ein - sagen wir um viertel nach Sechs?«

Hanne errötete leicht und nickte nur mit dem Kopf. Sie ist von Natur aus sehr schüchtern, obwohl sie mit ihren 45 Jahren eine noch überaus attraktive Frau ist. Sich aber immer ein bisschen zu bieder kleidet. Hanne ging in ihr Büro zurück. Dann schiebt sie das kleine Wägelchen mit der zu verteilenden Post durch die verzweigten Korridore vor sich her.

Nach einer guten halbe Stunde hatte sie die gesamte Post, auch die fünf Werbebriefe, an die verschiedenen Mitarbeiter verteilt. Was Hanne Wegener nicht ahnen konnte. Sie wird ihr Date mit Hans Gerber nicht mehr erleben.

Punkt 18:15 erschüttern - zeitgleich - fünf verheerende Explosionen das Botschaftsgebäude. Der komplette rechte Teil des Bauwerks, in dem sich auch Hanne Wegeners Büro befand, fiel in sich zusammen. Die Rettungskräfte, die kurz darauf eintreffen, wunderten sich über die restlose Zerstörung.

51

London - Nine Elms Lane SW11 - 17:15

Er blickt auf das Zifferblatt seiner goldenen Blancpain Armbanduhr. Soeben springt der kleine Zeiger auf fünfzehn Minuten nach fünf Uhr abends.

Edward Myers, der vor der imposanten amerikanischen Botschaft an der Nine Elms Lane auf seinen Geliebten Paul Wagner, einem jüngeren Diplomaten im Auswärtigen Dienst wartete, denkt erfreut, dass sein Geliebter jetzt endlich den wohlverdienten Feierabend antreten kann. Zusammen mit Wagner will er heute Abend im Soho um die Häuser ziehen. Myers hatte sich für ihn extra hübsch gemacht. Er wollte Paul mit einer besonderen Ansage überraschen.

Edward Myers blickt erstaunt an sich hinunter und wunderte sich über die seltsam glitzernde Glasscherbe mit den blutigen Rändern, die aus seiner Brust ragte. Erst jetzt hört er das ohrenbetäubende Donnern und ein gewaltiger Schlag trifft ihn, wie ein Dampfhammer in den Rücken. Der Körper Myers, aus dem schon alles Leben gewichen ist, wurde mitten auf die Strasse geschleudert und von einem gerade vorbei fahrenden Bus der London Transport überrollt.

52

Argentinien - Isla Huemul - FEP-X - 14:17

Rick Vandorp fährt das Betriebssystem runter und schaltet den Bildschirm auf seinem Schreibtisch aus. Er blickt auf seine Armbanduhr. *»14:17! Sehr gut! Vor zwei Minuten sollten die „Pakete" ihren Zweck erfüllt haben!«*, überlegte er. Soeben hatte er seine Videobotschaft beendet und lehnt sich für einen Augenblick selbstzufrieden in seinem Ledersessel zurück. Er schliesst die Augen und resümiert in Gedanken. *»Jetzt ist endlich meine Stunde der Vergeltung gekommen! Wenn das Feuer über die Städte hereinbricht, wird die Ehre der Von Gehlendorfs wieder hergestellt sein und endlich werden wir Genugtuung finden!«* Er verzieht den Mund zu einem schiefen Grinsen, als ihm die Parallele zu den Worten seines Wahlspruchs in den Sinn kommt. *»E - F - V - G! Ja! Ehre - Feuer - Vergeltung und Genugtuung! So steht es auf meiner Fahne geschrieben! Und zu gerne hätte er die Gesichter all derer gesehen, die mich gezwungen haben unterzutauchen und jetzt mit meiner Rache konfrontiert werden!«*

Er öffnete seine Augen, steht auf und geht zu der aus teurem Tropenholz getäfelten Wand. Auf Knopfdruck öffnet sich ein Teil der Verkleidung und gleitet zur Seite. Eine gut ausgestattete Bar und darüber ein grosser Flachbildschirm werden sichtbar. Grosszügig füllte Vandorp einen edlen Kristallschwenker mit einem Ron Aniejo voll. Dann setzte er sich in einen der Sessel der Sitzgruppe, die einen Teil seines Arbeitszimmers beherrscht. Er schnuppert genüsslich das fruchtig scharfe Aroma des Rums und nimmt einen grossen Schluck. Das wohlige Brennen in seiner Kehle lässt ihn geniesserisch die Augen schliessen.

»*Cheers! Auf „Genesis"!*«, denkt Vandorp, dann betätigt er die Fernbedienung und schaltet den Flachbildschirm ein. Er wählt den Nachrichtensender der BBC und lehnt sich entspannt zurück. Gerade werden die Bilder des Anschlags auf London gezeigt und eine hysterische Reporterin spricht schnell und fast nicht verständlich ihren Kommentar in das Mikrofon. Vandorp schaltet den Ton aus und zappt sich durch verschiedene Sender. Auf allen Kanälen sind die ähnlichen Bilder zu sehen. Er hört ein Klopfen und dreht den Kopf in Richtung der Türe zu seinem Arbeitszimmer. Er weiss, dass es sich nur um eine Person handeln kann und ruft.

»Adolf, komm rein!«

Adolf betritt den Raum, bleibt mit durchgedrücktem Kreuz an der Türe stehen, den massigen Schädel nach vorne gerichtet und verkündet knapp.

»Sir, Mr. Vandorp, Sir! Befehl ausgeführt!«

Vandorp winkte ihn zu sich und bedeutet er solle sich setzen.

»Sehr gut, Adolf! Mein treuer Gefährte!«

Er wischte sich eine imaginäre Träne aus dem Augenwinkel.

»Du bist der Einzige auf den ich mich wirklich verlassen kann! Hast du und deine Männer dafür gesorgt, keine Spur von meinen leider von uns gegangenen Mitarbeiter zu hinterlassen?«

Adolf, sehr unbequem auf der Vorderkante des Sessels sitzend, drückte erneut seinen Rücken durch und verkündet in unterwürfigem Tonfall.

»Ja, Sir! An der Stelle ausserhalb der Bucht beim Tunnelausgang ist der Lago Nahuel Huapi besonders tief! Haben sie noch weitere Befehle, Sir?«

Vandorp, in aufgeräumter Stimmung, zeigt auf die Bar.

»Hol dir etwas zu Trinken, Adolf! Bevor ich den Countdown für „Genesis" auslöse, schauen wir uns meine Ansprache noch einmal an! Ich möchte deine Meinung hören, wie du sie findest?«

Er greift zu dem Tabletcomputer auf dem Beistelltischchen

neben sich und startet mit einem Tastendruck die Aufzeichnung seines „Ultimatums" vom Server. Wie der Präsident eines Landes, der die Rede zur Lage der Nation verliest, hatte sich Vandorp in Szene gesetzt. Seine Hände hat er flach auf der vollkommen leeren Schreibtischplatte gefaltet. Der Hintergrund zeigt nur die mahagonifarbene Holzverkleidung mit einem geometrisch angeordneten Rautenmuster. Seine stahlblauen Augen blicken direkt in die Kamera. Bevor er die Ansprache an seinem Computer aufnahm, hatte sich Vandorp den Bart abrasiert, die schwarze Farbe aus den Haaren gewaschen und so sein ursprüngliches Aussehen wieder angenommen. *»Ja! So kennt man Rick Vandorp! So sieht ein wahrer Führer aus!«*, schiesst es ihm durch den Kopf und bewundert selbstverliebt seine stechend blauen Augen, die ihn aus dem grossen Bildschirm direkt anblicken. Der Vandorp auf dem Bildschirm schliesst für eine Sekunde theatralisch die Augen, öffnet sie wieder und beginnt mit seiner bekannt sonoren Stimme zu sprechen.

»Verehrter Mister President der Vereinigten Staaten von Amerika! Sie sind soeben in den Genuss meiner kleinen Demonstration gekommen, die ich in England, Deutschland und Italien veranstaltet habe!«

Eine Kunstpause.

»Um 17:15 und 18:15 der jeweiligen Zeitzone haben sich einige *bedauerliche* Detonationen ereignet! Allesamt in den Botschaften der Vereinigten Staaten von Amerika, von Mexiko und von Deutschland! Was vielleicht, wie eine Verkettung unglücklicher Umstände aussehen mag, ist kein Zufall! Mr. President! Ich - *Rick Vandorp* - bin für diese Explosionen verantwortlich!«

Wieder eine Kunstpause. Vandorp greift ins Off und zeigt dann einen Stift in die Kamera. Der unterscheidet sich nicht von einem Werbekugelschreiber. Vielleicht etwas länger und dicker.

»Was sie jetzt vermutlich denken, Mr. President! *Warum zeigt er mir einen Kugelschreiber?«*

Mit dem Zeigefinger deutet er auf den Stift.

»Dieses wunderbare Gerät, ist eine Meisterleistung der Technik! Vor allem ist es aber eine kleine, aber sehr effektive „Bombe“! Und dieses unscheinbare Gerät entwickelt eine Sprengkraft, die 50 Kilo TNT entsprechen! Sie werden sich nun fragen - *wie* ist das möglich?«

Er legte den Stift beiseite, faltet die Hände zu einer Pyramide, stützt kurz sein Kinn auf, als wenn er angestrengt überlegt und fährt in sachlichem Ton fort.

»Diese Explosionen waren nur eine kleine Demonstration! Hervor gerufen durch ein Element das ich *„Hafnyit“* nenne! Es handelt sich dabei um einen neuartigen Sprengstoff, der schon in kleinsten Mengen eine enorme Energie speichert und bei Zündung auch wieder frei setzt! „Hafnyit“ wird aus dem *Isotop 178m2* von Hafnium 72 gewonnen. Einem Element aus dem Periodensystem! Nebst der ungeheuren Energie, wird bei der Explosion von „Hafnyit“ auch *Gammastrahlung* freigesetzt! Diese Strahlung dringt in grossem Umkreis auch durch fast alle Wände und löscht alles Leben aus!«

Vandorp lässt die Worte wirken und legt seine Hände wieder flach auf den Schreibtisch.

»Warum erzähle ich ihnen das, Mr. President? Ganz einfach! Wir haben - das sind meine getreuen Mitstreiter und ich - in vier ausgesuchten Hauptstädten jeweils eine „Hafnyit-Bombe“ platziert! Jede von denen hat eine Sprengkraft die *vierzig* Hiroshima-Atombomben entspricht! Nach unseren Berechnungen beträgt der Radius der Explosion in etwa zwei Kilometer! Der Radius des Fallouts an Gammastrahlen dürfte jedoch zehn Kilometer in den ersten zehn Minuten betragen! Sie können sich selber vorstellen, mit *wie* vielen Menschenleben unmittelbar nach der Explosion und der anschliessend freigesetzten Gammastrahlung zu rechnen ist! Um ihnen die Wirkung einer Menge von „nur“ zehn Gramm „Hafnyit“ zu demonstrieren, sehen sie sich nun das kurze

Video an!«

Das Bild wechselt von Vandorp zu einer kargen unspektakulären Felslandschaft. Ein paar Sekunden lang ist nur die Ebene zu sehen. Dann erscheint, wie aus dem Nichts, ein greller, blendender Lichtblitz. Die Ebene wölbt sich hoch, wie eine umgekehrte Suppenschüssel. Eine riesige Säule aus Erdreich, durchmischt mit Felsen und rotglühenden Brocken steigt in die Höhe und formt sich zu einer Pilz-förmigen Wolke, ähnlich einer Atombomben Explosion. Zwei Sekunden später ist die Wolke in sich zusammen gefallen. Jetzt ist in dem sich verziehenden Staub ein grosser Krater sichtbar. Vandorp erklärte im Off.

»Der Krater hat einen Durchmesser von über Fünfzig Meter! Eine Tiefe von Zwölfeinhalb Meter und sprengte gut und gerne 2 Tausend Kubikmeter Masse aus der Erde!«

Auf dem Video ist zu sehen, wie eine Kamera langsam auf den Krater zufährt. Das Kameraobjektiv schwenkt über den Kraterrand und zoomt den unteren Bereich des Kraters näher. Auf dem Boden des Kraters ist eine glasige, leicht schimmernde Substanz zu sehen. Vandorp doziert weiter:

»Das, was sie hier auf dem Grund des Kraters sehen, Mr. President! Ist die Auswirkung der enormen Temperaturen, die im Moment der Detonation freigesetzt werden! Das Erdreich, der Sand und das Gestein sind geschmolzen!«

Das Video endet und Vandorp ist wieder zu sehen. Mit einem Lächeln blickte er gedankenverloren kurz nach oben und sagt dann in spöttischem Tonfall.

»Eindrücklich! Nicht wahr, Mr. President? Jetzt haben sie sicher eine Vorstellung, was eine grosse Menge von „Hafnyit" bewirken kann!«

Er wiegt den Kopf leicht hin und her und fährt fort.

»Was sie nicht vergessen dürfen, Mr. President! Was werden sich zum Beispiel die Regierungen von *China* und *Russland* denken, wenn bei ihnen in einer Grossstadt aus heiterem Himmel eine unserer Bomben hochgehen würde? Richtig! Die denken, sie werden von den USA angegriffen und werden umgehend mit einem Atomschlag antworten!«

Vandorp lässt eine weitere Antwort offen, dann greift er wieder ins Off und hebt einen kleinen würfelförmigen Gegenstand in die Kamera. Nur ein kleiner roter Knopf ragt aus einer Seite des Streichholzschachtel kleinen schwarzen Würfels. Mit einer theatralischen Geste hebt er den Würfel mit spitzen Finger in der linken Hand.

»Und nun, Mr. President! Passen sie gut auf!«

Mit dem rechten Zeigefinger drückt er den roten Knopf. Auf dem Bildschirm wird unter seinem Konterfei eine Zeitangabe eingeblendet - 72:00:00 - die sofort im Sekundentakt rückwärts zu laufen beginnt.

»Mr. President! Sie haben - ab jetzt - noch knapp *zweiundsiebzig* Stunden Zeit, um meine Forderungen zu erfüllen! Und die ist wie folgt!«

Vandorp macht eine extra lange Kunstpause. Seine anfänglich zur Schau gestellte freundliche Miene, verändert sich zu einem finsteren Ausdruck.

»Ich verlange - meine Rehabilitation für *alle* vergangenen Taten, die mir zu Unrecht angelastet wurden! Ich verlange - die Rückgabe *aller* beschlagnahmten Güter und Unternehmen! Ich verlange - vollkommene Straffreiheit! Und ich verlange - ein bescheidenes Schmerzensgeld in Höhe von einhundert Milliarden Dollar!«

Wieder eine kurze Pause.

»Sollte meinen Forderungen nicht innert zweiundsiebzig Stunden entsprochen werden, sind in einer ersten Phase die vier Hauptstädte - welche auch immer das sein mögen - dem Untergang geweiht! Und geben sie schon jetzt den Versuch auf, die „Hafnyit-Bomben“ finden zu wollen!«

Mit einer fahrigen Geste deutete Vandorp auf den eingeblendeten Countdown.

»Tik, Tak! Die Zeit läuft, Mr. President! Ich melde mich in vierundzwanzig Stunden wieder bei ihnen und teile ihnen mit, in welcher Form sie mir die Erfüllung meiner Forderungen

mitteilen können!«
Vandorp greift ins Off und die Aufzeichnung stoppt.

Er schaltete den Flachbildschirm aus, steht auf und geht zur Bar, um sich ein Quantum des vorzüglichen Rums nach zu schenken. Er sieht zu Adolf, der immer noch in der unbequemen Haltung auf der Sesselkante sitzt.

»Entspann dich, Adolf! Ich möchte jetzt deine Meinung zu meiner Ansprache hören! Und ich bitte um die Wahrheit!«
Adolf entspannt sich tatsächlich, so gut er das eben vermochte. Rutschte ein paar Zentimeter auf die Sitzfläche, aber immer noch mit kerzengeradem Rücken.

»Bei allem Respekt, Sir, Herr Vondorf! Ich bin von tiefster Überzeugung, dass die so wunderbar gewählten Worte ihre Wirkung nicht verfehlen werden!«
Vandorp wartet, ob Adolf noch etwas hinzufügt. Dann sieht er ein, dass dies für seinen Adepten schon fast einem Redeschwall gleich kommt und er keine weiteren Worte erwarten kann.

»Also sollten wir jetzt diese Botschaft an den verehrten Mr. President senden! Das meinst du doch damit?«
Adolf richtet seine Augen auf seinen Schöpfer.

»Ja, Sir!«,
sagt er kurz und bündig. Vandorp seufzt leicht genervt, nimmt einen grossen Schluck, geht zu seinem Schreibtisch und setzt sich. Er fährt die Dienstprogramme wieder hoch und öffnet den Datenordner mit der Aufzeichnung. Nachdem er ein spezielles Mailprogramm gestartet hatte, schreibt er nur ein einziges Wort in den Textbereich - „GO". Anschliessend tippt er eine kryptische Empfängeradresse in das entsprechende Feld, fügte die mp4-Videodatei in den Anhang und tippt auf das Feld - „Senden". Die E-Mail wurde nun automatisch im 128bit-Modus verschlüsselt und durch einen weiteren Schlüssel an den Empfänger gesendet. Vandorp legt seine Hände auf die Tischplatte, holte einmal tief Luft und starrt gebannt auf den Bildschirm. Nach einer für ihn gefühlten Ewigkeit, in der Tat vergingen nur ein paar Sekunden, ertönte ein „Ping" und ein

kleines Fenster zeigte an - „Mail gelesen“. Ein weiteres „Ping“ ertönt - „Sie erhalten eine Nachricht“ - und im Eingangsordner wurde die eingehende Email angezeigt.

Mit leicht zittrigen Finger öffnete er die Nachricht, die nun, automatisch entschlüsselt, angezeigt wird. Sie besteht ebenfalls aus einem einzigen Wort - „DONE“. Seine Miene entspannte sich und ein Ausdruck des Triumphes breitete sich auf seinem Gesicht aus.

»Mein lieber Adolf! Es ist vollbracht! Ich werde in die Geschichte eingehen, als der Mann, der die Vereinigten Staaten in die Knie gezwungen hat!«

Adolf zieht nur eine Augenbraue hoch und wunderte sich nicht über den leicht irren Blick seines Schöpfers. Er kannte diesen Ausdruck zu Genüge und im Prinzip ist es ihm auch egal. Was immer sein Herr tut oder befiehlt, hat sicher seine Berechtigung. Seine Pflicht ist der bedingungslose Gehorsam im Dienst der höheren Ziele.

53

Swan Point Creek - Safehaus - 14:45

Charles und Marc verlassen das „Comcent“ und gehen wieder in den Wohnbereich. Inzwischen hatte sich die ganze Mannschaft mit Kaffee oder Softdrinks versorgt und ist in kleinen Gruppen in angeregte Diskussionen vertieft. Charles und Marc bedienen sich am Kaffeeautomaten und gesellen sich zu Bill Harmundson und Miguel Ruiz, die sich gerade über die Vorzüge der Darpa Pistole unterhielten. Bill sieht Charles fragend an.

»Hast du Sally und Fred informiert?«

Gerade als Charles sich zu dem Gespräch äussern will, meldete sich sein Smartphone mit dem aufdringlichen Klingelton, der anzeigte, dass sich der General persönlich meldete. Charles nimmt den Anruf entgegen und während er dem General schweigend zuhört, bedeutete er Doc Biden mit Handzeichen, sie solle einen Nachrichtensender auf den Flat Screen aufrufen. Mit stummen Mundbewegungen vermittelt er ihr, sie BBC-One anzuwählen. In London ist es durch die Zeitverschiebung inzwischen schon kurz vor sechs Uhr Abends und BBC-One sendet gerade eine Liveübertragung aus der St. George Street. Eine sichtlich schockierte Reporterin, namens Mandy Warden, berichtete mit stockender Stimme.

»Ich befinde mich hier an der Nine Elms Lane. Um 17:15 Uhr hat sich in der Botschaft der Vereinigten Staaten eine verheerende Explosion ereignet! Wie es zu der Detonation gekommen ist, konnte bisher nicht ermittelt werden! Erste Vermutungen sprechen von mindestens fünf Todesopfern.

Darunter ist ein Mann, der laut Augenzeugen vor der Botschaft gewartet hatte und durch Trümmerteile getötet wurde!«

Während Charles dem General noch immer mit zusammen gekniffenen Augen stumm zuhörte, beobachtet er und alle im Raum den weiteren Bericht. Die Reporterin presste einen Finger auf ihren Ohrhörer und ihre Miene veränderte sich von Unglauben zu blankem Entsetzen.

»Wie mir soeben mitgeteilt wurde, ereignete sich eine zweite Explosion in der mexikanischen Botschaft hier in London sowie je eine weitere Detonation auf die amerikanische Botschaft in Berlin und die deutsche Botschaft in Rom!«,

berichtete sie mit Tränen in den Augen.

»Ja, Sir! Ich habe verstanden, Sir!«

Beendete Charles das Gespräch mit dem General und wendet sich an die angespannt wartenden Frauen und Männer. Cheryl hatte den Ton der Liveübertragung inzwischen ausgeschaltet. Auf dem Flat Screen sind nun abwechslungsweise Bilder aus den verschiedenen Städten zu sehen, die das Ausmass der Zerstörungen zeigen. Alle sehen Charles mit fragendem Blicken erwartungsvoll an.

»Das war der General persönlich! Und wenn der anruft, ist die Lage mehr als ernst!«

Charles, das Gehörte immer noch verarbeitend, holt einmal tief Luft und schildert, was der General berichtet hatte.

»Ihr habt die Bilder der Nachrichten gesehen! Der General hat mich informiert, dass die Explosionen zeitgleich erfolgt sind. Und zwar jeweils präzis um 17:15 beziehungsweise 18:15 Uhr der jeweiligen lokalen Zeitzone. Betroffen sind die Botschaften der USA in Berlin und London, von Deutschland in Rom sowie der von Mexiko in London. Das ist aber noch nicht alles! Man rechnet mit zig Opfern!«

Alle schweigen für einen Moment, um das Gehörte zu verdauen.

»Das ist sicher kein Zufall, sondern ein gezielte Aktion!«,

bemerkte Marc.

»Weiss man schon Näheres über die Umstände, *wie* es zu den Anschlägen gekommen ist?«

Stellte Bill Harmundson die berechtigte Frage.

»Nein, Bill! Es ist noch zu früh und die Ermittler vor Ort sind noch an der Auswertung der Trümmer. Was jetzt jedoch schon fest steht, ist die Tatsache, dass es sich um *Hafnium* Sprengkörper gehandelt haben muss! Dafür spricht die an allen Orten registrierte, massiv erhöht aufgetretene Gammastrahlung! Dies erschwert zugleich auch die Rettungs- und Aufräumarbeiten, da die Helfer nur in speziellen Strahlenschutzanzügen zu den Explosionsherden vordringen können!«,

entgegnete Charles. Marc klopfte etwas nervös mit seinem Zeigefinger auf die Tischplatte.

»Das bedeutet doch, dass diese Anschläge eindeutig auf Vandorps Konto gehen? Nur! Was bezweckt er damit? Das widerspricht doch seinen ursprünglichen Plänen den »Supersoldaten« zu erschaffen?«

»Ein richtiger Einwand, Marc! Ich weiss es auch nicht! Vielleicht sind seine Forschungen zur Genmanipulation gescheitert oder in eine Sackgasse geraten? Vielleicht will er jetzt mit anderen, viel rabiateren Mitteln das „Vierte Reich" auferstehen lassen? Vielleicht ist er aber auch ganz einfach total übergeschnappt?«,

erklärte Charles mit ratloser Miene. Bill hatte bisher ruhig zugehört, als er sich zu Wort meldet.

»Und wie geht es jetzt weiter?«

Charles zuckte mit den Schultern, als sein Smartphone zum zweiten Mal klingelte. Er nimmt das Gespräch an, hört kurz zu und kappt die Verbindung. Er bedeutet Doc Cheryl, sie solle den Ton des Flat Screens wieder einschalten. Auf dem Bildschirm erscheint das markante Gesicht von General Vanderbilt. Seine ansonsten wettergegerbte Haut schient um einige Nuancen blasser zu sein, als er sich an die Frauen und Männer wendet.

»Ladies! Gentlemen! Die Lage ist sehr ernst! Soeben hat die

Regierung der Vereinigten Staaten, beziehungsweise unser Präsident eine Botschaft erhalten. Rick Vandorp hat sich gemeldet! Er stellt den USA ein Ultimatum! Er verlangt seine uneingeschränkte Rehabilitation, die Kontrolle über seine Unternehmungen zurück und, wie er sich ausdrückte, ein „Schmerzensgeld" in Höhe von 100 Milliarden Dollar!«

Marc schnappte nach Luft, klopfte mit der Faust auf den Tisch, während Bill nur indigniert eine Augenbraue hob.

»Ich wusste es! Der Kerl ist total übergeschnappt! Wie will er das bewerkstelligen, dass unsere Regierung auf seine Forderungen eingehen?«

Der General beantwortete Marcs Frage umgehend.

»Ganz einfach, Special Agent Miller! Wenn seine Forderungen nicht erfüllt werden, will er die Vereinigten Staaten und noch weitere mehr ins totale Chaos stürzen! Soweit wir das hier in Washington verstanden haben, will er, nach Ablauf einer Frist von zweiundsiebzig Stunden, in verschiedenen nicht näher genannten Hauptstädten eine seiner, wie er es nannte, „Hafnyit-Bomben" zur Explosion bringen! Jede mit einer Sprengkraft der Stärke von vierzig Hiroshima Atombomben! Das ist nun also der Zeitpunkt, wo er seinen Plan „Genesis" in die Tat umsetzen will!«

»Und jetzt? General Vanderbilt, Sir! Was können wir dagegen unternehmen?«,

erkundigte sich Charles.

»Ich hatte Rücksprache mit unserem Präsidenten! Wie sie vielleicht alle wissen, ist die CISMA nur ihm Rechenschaft schuldig. Also! Der Präsident hat der CISMA grünes Licht, beziehungsweise »Carte blanche« erteilt. Wir sollen alles Nötige unternehmen, um Vandorp an seinem Vorhaben zu hindern und ihn auszuschalten! Special Agents Roberts und Commander Harmundson! Sie werden unverzüglich mit Team1 und Team2 aufbrechen und diesem Vandorp das Handwerk legen! Des Weiteren habe ich mit ihrem Direktor gesprochen, Commandante Ruiz und Tenente Diaz! Sie werden unsere beiden Teams bei den weiteren Aktionen unterstützen! Danke!«

Der General unterbricht die Verbindung und der Bildschirm wechselt wieder zum Startmodus. Charles wendet sich an die Frauen und Männer.

»Das ändert die Sachlage vollkommen! Wir werden *sofort* aufbrechen! Start von der Andrews Air Base! Cheryl, Jack und Mike fahren mit uns und anschliessend zurück in die Zentrale! Während des Fluges werden wir unser Vorgehen im Detail festlegen! Unsere Gulfstream steht noch immer dort auf Abruf bereit! Wenn ich mich nicht irre, Miguel! Sollte eure Dassault ebenfalls noch dort auf sie warten? Noch Fragen?«

Commandante Ruiz nickte und ergänzt.

»Aus irgendeinem unbestimmten Gefühl habe ich die Crew gebeten zu warten, bis wir wieder nach Hause fliegen würden! Und der Amigo deines Vaters hat uns die Maschine solange überlassen, wie wir sie brauchen würden!«,

bemerkte Ruiz mit einem Blick zu Marc Miller. Charles drängte zur Eile und während sich alle zu den SUV's in die Garage begeben, telefonierte er unterwegs mit Sally.

»Sally! Ganz kurz! Die Alarmstufe steht auf Rot! Ich wiederhole - Rot! Du hast sicher schon von den Anschlägen in Europa gehört! Vandorp dreht langsam durch und hat der Regierung ein Ultimatum gestellt! Wir haben noch zweiundsiebzig Stunden, um ihn zu stoppen! Wo er die „Hafnium-Bomben" hochgehen lassen will, wissen wir nicht! Wir sind jetzt auf dem Weg zur Andrews Air Base! Wir treffen in circa dreissig Minuten dort ein! Du kommst auch direkt dort hin! Benütze die Sirene und Blaulicht, dann solltest du es in fünfunddreissig Minuten schaffen! Ich kontaktiere Fred, damit er direkt zur Air Base kommt! Also, beeile dich!«

Charles unterbricht die Verbindung und während er im ersten der SUV's Platz nimmt, kontaktiert er Fred MacMillan.

»Fred! Alarmstufe Rot! Du hast sicher schon von Vandorps

Ultimatum gehört! Wir haben also knapp zweiundsiebzig Stunden Zeit! Sally kommt direkt nach Andrews! Schnapp dir den Hubschrauber und bring das Equipment mit! Dann bist du sicher vor uns dort! Verstanden?«

Fred antwortet, wie aus der Pistole geschossen.

»Und was ist mit unserem Freund *Patrik*?«

»Ja, ja! Bring den „Koffer" auch mit!«

Fred hatte sofort begriffen.

»Ach, ja! Den „Koffer" meinst du! Wird erledigt. Bis dann! Ende!«

Die drei SUV's preschen mit hoher Geschwindigkeit die enge Naturstrasse den Berg hinunter. Trotzdem die schweren Wagen sich in den Kurven bedenklich neigen, haben die Fahrer ihre Fahrzeuge im Griff. Die Insassen werden ordentlich durch geschüttelt und sind froh, als sie in der Ebene auf normal ausgebaute Strasse kommen. Sie haben jetzt die Sirenen und die Rot und Blau blinkenden Warnlichter eingeschaltet und schlängelten sich in rasender Fahrt durch den, um diese Zeit zum Glück, nicht allzu dichten Verkehr.

Keine zwanzig Minuten nach ihrem Aufbruch von Swan Point kommen die Fahrzeuge mit quietschenden Reifen vor dem bewachten Tor der Andrews Air Base zum Stehen. Jack, der den vordersten Wagen steuerte, hält dem Wachhabenden seinen Dienstausweis unter die Nase und bemühte sich, um einen möglichst ruhigen Tonfall.

»Special Agent Jack Warner! Öffnen sie bitte unverzüglich die Schranke, Sergeant! Wir sind im Auftrag des Präsidenten der Vereinigten Staaten unterwegs!«

Der Wachhabende - laut Namensschild - Sergeant McCoy - wirft einen Blick auf den Ausweis, nickte und erwidert.

»In Ordnung, Sir! Wir haben sie schon erwartet! Man hat uns gerade eben informiert! Und würde es ihnen etwas ausmachen, diese nervtötenden Sirenen auszuschalten, Sir?«, meinte der Sergeant mit einem Grinsen und hielt sich demonstrativ die Ohren zu. Jack dankte und entschuldigt sich, während er die Sirene abschaltet. Sergeant McCoy lässt die Schranke öffnen, salutiert und schaut den drei schweren SUV's nach, die im Eiltempo an ihm vorbei gerauscht sind.

Keine Minute später halten sie vor der CISMA Gulfstream an. Daneben ist die Dassault Falcon ebenfalls schon in Parkposition. Fred MacMillan ist tatsächlich schon vor ihnen eingetroffen und hatte einige Soldaten der Air Base rekrutiert. Mit wild gestikulierenden Armen und Händen, befolgen sie seine Anweisungen und verladen zahlreiche Aluminiumboxen und Koffer in die beiden Flugzeuge. Die Mannschaft steigt aus den Wagen und wartete, während Charles auf Fred zugeht. Als er ihn erreicht hat, wirft er einen Seitenblick auf die in der Gruppe stehende Samantha Wong und blinzelte kurz.

»Hi, Fred! Hat also geklappt mit dem Hubschrauber! Hast du den „Koffer" dabei?«

MacMillan verzieht keine Miene, blickt auch kurz zu Samantha und meint mit gedämpfter Stimme, obwohl ihn die Truppe auf diese Distanz nicht hören kann.

»Ja! Der „Koffer" ist schon im Heckbereich der Gulfstream „verstaut"!«

Charles nickt und zeigt auf die wartenden Frauen und Männer.

»Dann warten wir nur noch auf Sally! Ich werde dann die Mannschaft auf die Flugzeuge verteilen! Auf jeden Fall reise ich mit Samantha Wong in der „Falcon"!«

Charles wollte noch etwas hinzufügen, als er das stetig lauter werdende jaulende auf- und abschwellende Sirenengeheul vernimmt. Verwundert beobachtet er, wie ein schwarzer Escalade mit „Festbeleuchtung" und infernalischem Lärm um die Ecke eines Hangars driftet. Er rast mit hoher Geschwindigkeit auf die Jets zu und kommt mit einem Quietschen, knapp zwei Meter vor ihm, abrupt zum Stehen. Die Sirene verstummt, die Warnlichter erlöschen und langsam öffnet sich die Fahrertüre. Wie wenn dies zu ihrer alltäglichen Fahrroutine gehören würde, steigt Sally Bowles lässig aus dem Wagen. Sie schüttelt - wie in einem schlechten Werbespot für Shampoos - gespielt affektiert ihre aschblonden Haare und bewegt sich mit wiegenden Hüften auf Charles zu. Sie bleibt eine Handbreit vor ihm stehen, blickt ihm tief in die Augen und verkündet mit einem Lächeln.

»Hallo, Special Agent Roberts, Sir! Special Agent Bowles meldet sich zum Einsatz! Und echt geil, so mit Sirene und Bling-Blinglicht durch die Gegend zu kutschieren! Wollte ich schon immer einmal machen und deine Karre ist ja wirklich der Hammer, Darling! Übrigens! Du kannst den Mund wieder schliessen! Sieht nicht so toll aus!«

Dann gibt sie dem verblüfften Mann einen Kuss auf die Lippen, ohne sich um die anderen zu kümmern. Sie grüsste Fred beiläufig über Charles Schulter hinweg. Der musste sich zusammen reissen, um nicht vor Lachen los zu prusten und sagte so ernst es ging.

»Special Agent Sally Bowles! Schön dich zu sehen! Und wirklich Klasse - dein Auftritt eben! Steht dir gut!«

Charles hatte sich wieder gefasst, schiebt Sally etwas von sich und zeigt auf die Frauen und Männer, die Sallys Auftritt ebenso amüsiert verfolgt hatten.

»Sally! Genug gescherzt! Kurze Begrüssung und dann ab in die Flugzeuge!«

Sally hebt die Hand salutierend an die Stirn.

»Aye, Sir! Yes, Sir, yes! Begrüssen und ab durch die Mitte!«

Sie gehen zu den Wartenden und Sally begrüsste zuerst Bill, Adam, Frank und Mike von Team2 ganz besonders herzlich mit festen Umarmungen. Dann schüttelte sie Tenente Diaz und Miguel Ruiz die Hand. Ruiz ist sichtlich angetan von Sallys Erscheinung und begutachtet sie mit dem Kennerblick eines feurigen Südamerikaners. Marc ist dies nicht entgangen, knufft Ruiz in die Seite und raunte ihm zu.

»Olà, Amigo! Schlag dir etwaige Avancen aus dem Kopf! Die Dame ist vergeben, verlobt und bald verheiratet! Und zwar mit dem durchtrainierten jungen Mann da!«

Er zeigte auf Charles, der neben Sally steht. Ruiz grinste

verlegen.

»Ertappt, Amigo Marc! Aber du musst zugeben - Sally Bowles ist absolute Klasse!«

Sally begrüsste noch Jack, Mike und Doc Cheryl und bleibt dann vor Samantha Wong stehen. Diese hatte wieder eine Sonnenbrille auf, um ihre immer noch sichtbaren Spuren von Vandorps „Behandlung“ zu verbergen. Sally hatte sich geschworen professionell zu bleiben und trotzdem wogte eine kurze Welle der Wut in ihr hoch. Sie schluckte das mulmige Gefühl hinunter und streckte Samantha die Hand entgegen.

»So schnell sehen wir uns also wieder, Miss Wong! Ich habe gehört, dass sie uns wirklich tatkräftig mit sehr wichtigen und hochbrisanten Informationen versorgen konnten! In der Tat sind sie also fast das weibliche Pendant, das vom *Saulus* zum *Paulus* geworden ist!«,

bemerkte Sally mit einem nicht verhohlenen ironischen Unterton. Samantha schob ihre Sonnenbrille nach oben auf die Stirn und blickt Sally aus ihren noch leicht verfärbten und geschwollenen Augen direkt an.

»Dr. Bowles! Ich bin in religiösen Themen nicht so bewandert! Aber ich nehme an, ihre Metapher ist nicht unbedingt als Kompliment aufzufassen? Ich kann ihre Haltung mir gegenüber durchaus verstehen, auch wenn wir im Moment quasi im selben Boot sitzen und wohl oder übel am selben Strick ziehen sollten!«,

antwortete Samantha, nicht ohne unterschwellige Spitzigkeit. Charles findet es an der Zeit eine mögliche Eskalation der zwei Frauen zu unterbinden und wandte sich in strengem Ton an alle Mitglieder der Mission.

»Leute! Genug der „Freundlichkeiten“ ausgetauscht! Es ist Zeit für den Abflug! Wir teilen uns wie folgt auf die Flugzeuge auf! Team2, Marc und Sally fliegen mit der CISMA Gulfstream! Fred, Miguel und Diego sowie Samantha und ich mit der Falcon! Alles klar? Dann, Ladies und Gentlemen, einsteigen bitte!«

Während die anderen zu den zugewiesenen Jets gehen, ist Sally noch stehen geblieben und zupfte Charles am Ärmel.

»Hallo, mein Freund! Warum fliegen *wir* zwei nicht zusammen? Warum *du* mit der Wong? Du willst wohl mit ihr rumschäkern?«

Charles drehte sich zu ihr um, greift mit beiden Händen ihre Schultern und schaut ihr in die Augen.

»Hör zu, Darling! Ich habe meine Gründe für diese Aufteilung! Und, nein! Nichts mit „Schäkern"! Du wirst den Grund in der Gulfstream vorfinden und Marc wird dir und auch den anderen alles erklären! Ok?«

Sally sieht in seinen Augen, dass es ihm ernst ist und nickte nur. Dann trennen sie sich und jeder geht zu seinem Flugzeug. Kurz darauf erhalten die zwei Maschinen ihre Startfreigabe. Donnernd fegen sie nacheinander über die Startbahn und heben im steilen Steigflug in den wolkenlosen Himmel über Washington D.C.

54

Washington D.C. - White House - Oval Office

Im Oval Office des Weissen Hauses ist die Hölle los. Der Präsident läuft vor seinem Schreibtisch auf und ab, tobt und brüllt wie ein Stier. Vor einer halben Stunde hatte er die an ihn gerichtete Botschaft Vandorps erhalten.

»Wie kommt diese Ausgeburt eines ehemaligen Nazis dazu, mir - dem Präsidenten der mächtigsten Nation auf diesem gottverdammten Planeten - ein solch unverschämtes „Ultimatum" zu stellen? Faselt von Rehabilitation und sonstigem Bullshit und fordert auch noch 100 Milliarden Dollar „Schmerzensgeld"! Ha! Wofür denn? Der Scheisskerl hat doch genug Dreck am Stecken, um für Jahrhunderte eingebuchtet zu werden!«

Schwer schnaufend bleibt er einen Moment stehen und fixiert die einzige Person, die sich noch in dem ovalen Raum befindet, bevor er sein Auf- und Abgehen wieder aufnimmt.

»Und dann droht mir dieser „Möchtegern-Diktator" auch noch mit einem möglichen nuklearen Schlagabtausch zwischen den führenden Atommächten! Und *ich* solle die Schuld daran tragen, wenn ich die Forderungen nicht erfülle! Haben sie das gehört? Ich - und nur ich - soll schuld sein!«

Dann tigerte er wieder hin und her, schüttelt ab und zu seinen Kopf mit der hellblond gefärbten Mähne, wie ein verärgerter Löwe.

»Ich verlange sofortige Erklärung, was sie zu tun gedenken, General Vanderbilt? Wie sehen ihre Pläne zur Abwendung dieser, für *mich* unerträglichen Situation aus?«

Er bleibt vor seinem Schreibtisch stehen und funkelte den

General aus weiss umrandeten Augen herrisch an. Seine ansonsten Sonnenstudio gebräunte Haut ist einige Nuancen blasser als sonst, fällt Vanderbilt auf.

General Clark C. Vanderbilt, Leiter der CISMA, sitzt auf einem der zwei Couches, die der Präsident sonst für Besprechungen mit seinem Stab oder ausgesuchten Gästen benutzt. Ausser ihm hatte der Präsident keine weiteren Berater zu sich beordert. *»Wenigstens hält er sich diesmal an die absolute Geheimhaltung der Existenz meiner Organisation!«*, denkt General Vanderbilt. Er hat dem Wutausbruch ruhig und geduldig zugehört und blickte jetzt zu seinem obersten Dienstherren auf. Er wunderte sich nicht, dass dieser, trotz dem Ernst der Lage, sein Smartphone aus dem Jackett gezogen hatte und einen seiner berüchtigten Kommentare auf Twitter verfasste.

»Mr. President, Sir! Mit Verlaub! Sie sollten diese Bedrohung absolut *ernst* und vor allem *nicht* persönlich nehmen! Es geht hier schlicht und einfach um den Fortbestand der Menschheit, wie wir sie heute kennen! Sollte eintreten, was Rick Vandorp androht, würden die daraus resultierenden Folgen die Welt in die Steinzeit zurück befördern oder im schlimmsten Fall auslöschen! Dann ist auch nichts mehr mit Twittern oder so!«

Vanderbilt hatte seine Meinung ruhig vorgetragen, konnte sich den kleinen Seitenhieb auf die Unart des Präsidenten, zu jeder passenden und unpassenden Gelegenheit ein Tweet zu verfassen, jedoch nicht verkneifen.

Der Präsident stutzte, hält mit Eintippen inne und legt sein Smartphone auf den Schreibtisch. Vanderbilt schmunzelte innerlich, als er bemerkt, dass „Mr. President“ die Anspielung gar nicht realisiert hat.

»Wie meinen sie das, General? Mit *persönlich* nehmen und so? Der Kerl hat doch *mir* dieses Ultimatum zukommen lassen? *Mir* persönlich!«

Er geht auf die unbesetzte Couch zu und setzt sich Vanderbilt genau gegenüber.

»Überlegen sie, Mr. President! Bei allem Respekt vor ihrer „Persönlichkeit", geht es Vandorp nicht um *sie* als Mensch und Individuum! Sondern nur um das *Amt*, das sie im Moment wahrnehmen! Es geht nicht um eine *Person*! Es geht um diese Nation - die Vereinigten Staaten von Amerika!«

Vanderbilt machte bewusst eine Pause, um zu ergründen ob sein Gegenüber den Sinn seiner Worte verstanden hatte. Die Miene des Präsidenten hellte sich etwas auf.

»Ja natürlich, General! Genau so ist es - es geht nicht um *mich*! Aber trotzdem - *was* können sie mir über den Stand der Dinge berichten? Den ganzen Sermon mit diesem „Haftimum" Zeug ist mir zu technisch! Können sie diesen Verrückten stoppen?«

Vanderbilt studierte für eine Sekunde sein Gegenüber und dachte bissig. *»Und bevor sie zum Präsidenten der USA gewählt wurden, haben sie frisch fröhlich Geschäfte mit diesem „Verrückten" getätigt und ihn, um seines immensen Reichtums willens, kräftig hofiert!«* Ohne sich seine Gedanken anmerken zu lassen, erklärte er geduldig.

»Mitglieder meiner Organisation, des englischen KI6 und des argentinischen Geheimdienstes sind schon auf dem Weg, um Vandorp und seinen Helfern das Handwerk zu legen! Wir werden auf jeden Fall verhindern, dass auch nur eine dieser „Hafnium-Bomben" gezündet wird!«

Der General beobachtet die Reaktion des Präsidenten ganz genau und wunderte sich nicht, als dieser nachfragt.

»General! Wieso mischen sich die Engländer und die aus Argentinien in dieser Sache ein?«

Er hatte so etwas erwartet und erklärte mit leicht ungeduldigem Ausdruck in der Stimme.

»Bei allem Respekt, Mr. President! *Sie* selbst haben auf meine Anfrage hin, der Zusammenarbeit mit den erwähnten Diensten zugestimmt! «

Er sieht Vanderbilt mit überraschtem Blick an und brummt.

»Ach so! Habe ich das? Dann wird das ja wohl auch die richtige Entscheidung meinerseits gewesen sein!«

Vanderbilt rückte nach vorne zur Sitzkante der Couch und beugte sich ein wenig zu ihm hin.

»Mr. President! Ich rate ihnen dringend! Gehen sie zum Schein auf Vandorps Forderungen ein! Versprechen sie ihm, was immer er verlangt! Wir benötigen diese Zeit, um ihn zu Fall zu bringen! Und wir brauchen jetzt von ihnen sofort die uneingeschränkte Zustimmung, also die „Carte Blanche", für alle Schritte unseres weiteren Vorgehens! «

Der Präsident verarbeitete Vanderbilts Worte.

»Ok! Hiermit erteile ich ihnen in meiner Eigenschaft als oberster Oberkommandierender aller Streitkräfte der USA, diese „Karte Blansch" - wie auch immer sie das nennen!«

Der General steht auf, sieht auf den verblüfften und etwas verwirrten Mann hinunter und bemerkt trocken.

»Sorry, Mr. President! Ich muss mich jetzt um unsere Operation kümmern! Es gilt die Welt zu retten! Ich halte sie natürlich auf dem Laufenden, Sir!«

Der Präsident blickte kurz zu ihm hoch, nickt mit dem Kopf und macht eine fahrige Handbewegung Richtung Türe. General Vanderbilt verlässt das Oval Office und lässt einen etwas ratlos vor sich hin starrenden Präsidenten zurück.

55

CISMA Jet - 10'000 Meter Flughöhe

Die Gulfstream der CISMA hatte die Reiseflughöhe von dreissigtausend Fuss erreicht.

»Ladies und Gentlemen! Hier spricht Angus, euer Pilot! Sie dürfen jetzt die Sitzgurte lösen und ihre Wünsche unserer bezaubernden Valerie, genannt „Val“ mitteilen! Wir werden unser Ziel in knapp zehn Stunden erreichen! Geniessen sie den Flug!«

Ein Knistern und der Bordlautsprecher verstummt. Team2 sitzt gemeinsam in einer der Vierersitzgruppen auf der linken Seite. Marc und Sally haben sich in der rechten niedergelassen. Valerie die Flugbegleiterin kommt aus der Bordküche im Heckbereich und erkundigt sich bei ihren Fluggästen nach deren Wünschen. Sally und Marc bestellen sich ein Glas Champagner, während Team2 eiskaltes Bier vorzieht. Während Valerie ihre Getränke zubereitet, wanderte Marcs Blick immer wieder in den Heckbereich. Das ist Sally natürlich nicht entgangen und versteht seine Blicke offensichtlich falsch.

»Marc, mein lieber Freund und Agentenkollege! Du kannst anscheinend nicht genug von Val's - zugegeben äusserst appetitlichem - Anblick kriegen! Ich erinnere dich und sage nur - Jessy und Sarah Mae!«

Marc schreckt hoch und sieht Sally für eine Sekunde konsterniert an. Dann legte er seine Hände flach auf den schmalen Tisch, der zwischen ihnen im Kabinenboden verankert ist. Er beugte sich nach vorne, fängt an zu grinsen und flüstert in verschwörerischem Ton.

»Meine liebe Sally und Agentenkollegin! Zugegeben Val ist

ein lecker Anblick für jedes Männerherz! Und ich wette hier und jetzt, dass unser feuriger Freund Miguel Ruiz sofort Feuer und Flamme für sie wäre! Aber nichts ist so, wie es scheint! Du weisst, ich bin meiner Jessy treu ergeben und liebe meine Tochter über alles!«

Marc macht bewusst eine Pause und Sally zieht skeptisch eine Augenbraue hoch. Sie kennt Marc inzwischen so gut, dass sie ahnt, dass da noch etwas im Busch ist.

»Rück schon raus damit, Marc! Was möchtest du mitteilen? Charles hat auch schon so kryptische Andeutungen gemacht, als ich ihn darauf ansprach, warum er nicht mit mir, sondern mit der Wong fliegen will!«

Val brachte ihre Getränke und stellte auch noch eine Schale mit Knabberzeug auf den Tisch.

»Danke, Val! Zuvorkommend wie immer!«

Strahlte Marc sie an, nimmt sein Glas und hebt es hoch.

»Auf gutes Gelingen! Auf dass wir die Welt von Vandorp und Konsorten befreien werden! Cheers!«,

verkündete Marc und nimmt einen grossen Schluck. Sally tut es ihm gleich und auch die Männer von Team2 prostete den zwei mit ihren Bierflaschen zu. Marc stellte sein Glas auf den Tisch und sagt jetzt ernst zu Sally.

»Also, Sally! Warum Charles mit Samantha Wong reist und du mit meiner Wenigkeit vorlieb nehmen musst, hat zwei Gründe! Erstens - möchte er einen offenen Konflikt zwischen euch zwei *Alpha-Ladies* vermeiden! Wir haben ja alle euren verbalen Schlagabtausch vor dem Start mitbekommen!«

Sally wollte schon protestieren, aber Marc gebot ihr mit der Hand weiter zu zuhören.

»Und Zweitens - das ist der eigentliche und wahre Grund! Ist sein *Trumpf* im Ärmel bei diesem bitteren Spiel!«

Sally sieht Marc verständnislos an, während der noch einen Schluck nimmt, dann die rechte Hand hebt und nach hinten in den Heckbereich winkt. Sally will sich gerade umdrehen, als ein Schatten neben ihr auftaucht und ein grosser attraktiver Mann neben ihr stehen bleibt. Marc zeigt auf den Mann und erklärt vergnügt.

»Sally, voila! Darf ich vorstellen! Das *Ass* in Charles' Ärmel oder ganz einfach *Commander Patrik Fitzpatrik* vom englischen KI6! Und bitte keine lustigen Bemerkungen zu seinem Namen! Komm Patrik - setz dich zu uns!«

Fitzpatrik streckt Sally die Hand hin. Etwas verwirrt nimmt sie an und Patrik haucht formvollendet einen Kuss auf ihren Handrücken. Natürlich ohne Berührung seiner Lippen auf ihrer Haut.

»Es freut mich ausserordentlich ihre Bekanntschaft zu machen, Doktor Special Agent Bowles!«,

sagt er leicht scherzend.

»Charles hat mir in London viel von ihnen erzählt! Er hat aber verschwiegen, dass seine Verlobte so selbstbewusst und attraktiv ist! Sie verzeihen mir diese Worte, aber ich konnte ihre Ankunft auf dem Flugfeld durch das Kabinenfenster beobachten! Sehr interessant!«

Sallys Wangen röteten sich ein wenig, während sich Patrik neben Marc hinsetzte.

»Freut mich ebenfalls, Commander Fitzpatrik! Und zu viel des Lobes ist bekanntlich ungesund! Bitte nenn mich einfach Sally! Ok!«

Valerie brachte Patrik einen Schwenker mit goldgelbem Single Malt und er schnupperte geniesserisch daran.

»Sehr gerne - also, Sally! Und Marc übertreibt ein wenig! Ich habe wegen meinem „lustigen" Namen keine Probleme! Cheers!«

Nun kann Sally ihre Neugier nicht mehr bezwingen und drängt Marc weiter zu erklären. Marc wendet sich an Team2 und zeigt auf Fitzpatrik.

»Bill! Könnt ihr auch gleich mithören? Patrik gehört bis auf weiteres offiziell zum Team1!«

Als sich Marc der vollen Aufmerksamkeit sicher ist, erläutert er das Vorgehen von Charles Roberts.

»Charles hat mich gebeten, euch über die Rolle von Patrik in unserem Plan aufzuklären! Ausser ihm, Fred und mir, wissen nur noch der General, Patriks Chef und Abel, dass er uns bei dieser Operation unterstützt! Darum haben wir ihn auch, durch Fred, von allen Mitgliedern der Operation unbemerkt in die Gulfstream bringen lassen! Der wichtigste Punkt für diese Geheimniskrämerei ist jedoch - Samantha Wong weiss *nichts* von Patriks Existenz!«

Während Marc noch einen Schluck nimmt, fragt Sally forschend.

»Aber! Wenn uns doch Samantha Wong diese hochbrisanten Informationen und Dokumente geliefert hat? Und da sie ja nicht zu übersehen von Vandorp auf Übelste „vermöbelt" wurde? Und zu guter Letzt - von diesem Velasquez eliminiert werden sollte? Also! *Warum* soll sie dann von Patrik nichts wissen?«

Marc blickt in die Runde.

»Du hast in gewisser Weise Recht, Sally! Laut deinen Argumenten könnte man annehmen, dass Samantha - wie du so schön sagtest - vom Saulus zum Paulus geworden ist! Charles, und auch ich, sind jedoch der Meinung, dass es verfrüht und auch gefährlich wäre, ihr voll und ganz zu vertrauen! Er nennt es vorausschauende Vorsicht! Ich nenne es „Bauchgefühl"! Also spielt Patrik die Rolle des „unsichtbaren" Trumpfs in unseren Händen! Er kann damit unerkannt und uneingeschränkt, quasi hinter den feindlichen Linien, operieren! Könnte man das in etwa so ausdrücken, Patrik?«

Patrik hatte sich Marcs Ausführungen ruhig angehört, ab und zu an seinem Glas genippt und nickt.

»Aye, Marc! In etwa so könnte man das umschreiben! Wie wahr!«

Bill Harmundson steht auf, geht zu Patrik, sieht auf ihn runter und streckt ihm die Hand hin.

»Im Namen von Team2! Willkommen im Club! Ich bin Bill! Und diese drei „Ganoven" da drüben sind - Adam, Frank und Mikael!«

Patrik umfasste Bills Hand und drückte sie kurz. Bill verzieht leicht seinen Mund und sagte.

»Aber hallo, Patrik! Dein Händedruck! Nicht von schlechten Eltern für einen Briten! Ich glaube, wir sollten uns einmal im Armdrücken messen!«

Patrik lächelte nur und erwidert.

»Wenn du unbedingt den Kürzeren ziehen möchtest? Bitte schön! Jederzeit!«

Marc sagte schnell.

»Spart euch eure Kräfte für die Operation auf! Wenn alles vorüber ist, könnt ihr immer noch solche „Macho“-Spielchen veranstalten! Lasst uns zuerst etwas essen! Anschliessend besprechen wir unseren Einsatz!«

56

Falcon Jet - 10'000 Meter Flughöhe

In der Falcon 7X, die von einem Geschäftspartner George S. Millers - Marcs Vater - Commandante Ruiz zur Verfügung gestellt wurde, sitzen sich Charles und Samantha in der komfortablen Zweiergruppe der üppig ausgestatteten Kabine des Businessjets gegenüber.

Miguel Ruiz, Diego Diaz und Fred MacMillan haben es sich auf der Sitzgruppe bequem eingerichtet. Die drei unterhalten sich angeregt leise über die Vorzüge der „Darpa-SB2019". Fred hatte ein Exemplar der Pistole auf den höhenverstellbaren Couchtisch gelegt und erklärte den zwei argentinischen Agenten die technischen Einzelheiten der hochmodernen Waffe. Er zeigt mit dem Zeigefinger auf den Lauf mit der geschlitzten Mündung und dann auf die am hinteren Ende der Waffe angebrachten Laserzieloptik.

»Siehst du das Teil hier, Miguel? Das ist ein voll justierter Ziellaser, der durch eine spezielle Elektronik gesteuert wird! Die optischen Signale werden innert Nanosekunden von der Mündung nach hinten geleitet und geben die Informationen an die „Smart-Bullet" weiter, die sich in der Zündkammer befindet!«

Diego Diaz tippt auf den Griff der Pistole.

»Hier im Griff ist doch das Magazin eingerastet? Wie viele „Smart-Bullets" fasst dieses und wie präzise reagieren die?«

Fred hebt die Waffe hoch, wirft das Magazin aus und zeigt es in die Runde.

»Das Standardmagazin fasst acht Patronen! Das erscheint im

Vergleich zu unseren Glock x19 mit regulär 13 Schuss relativ wenig! Ihr müsst jedoch wissen, dass praktisch jeder Schuss einen Treffer bedeutet!«

Miguel und Diego sind sichtlich beeindruckt. Miguel erkundigt sich und tippt sich an die Schläfe.

»Noch einmal fürs Protokoll! Wie genau funktioniert denn diese Munition?«

Fred klickt eine der Patronen aus dem Magazin. Er zeigt die zu herkömmlicher 9mm Munition doch deutlich grössere Patrone.

»Die genauen technischen Details kann ich euch nicht erklären! Die sind streng geheim! Ich weiss nur so viel! Herkömmliche Munition wird durch Zündung von Pulver in der Hülse abgefeuert, die das Projektil aus dem Lauf befördert! Diese Patronen funktionieren auf dem Prinzip einer „Rail-Gun"!«

Miguel und Diego runzeln die Stirn fast gleichzeitig.

»Ich verstehe nicht ganz, was du damit meinst?«

Fred drehte das Projektil langsam zwischen zwei Fingern und betrachtete es fasziniert.

»Das „Rail-Gun" Prinzip basiert darauf, dass kein Pulver zur Zündung mehr verwendet wird, sondern das Projektil durch einen hoch energetischen elektromagnetischen Impuls aus dem Lauf getrieben wird! Die benötigte elektrische Spannung wird durch eine Hochleistungs-Ionenbatterie erzeugt! Diese wird zusätzlich durch einen Spannungsemitter gespeist, der die natürliche Spannung eines Menschen in Hochspannung umwandelt! Die Schusskadenz der Pistole wird theoretisch mit *tausend* Schuss in der Minute angegeben! In der Praxis werden aber nur Einzelfeuer oder Feuerstösse von drei Schuss angewendet!«

Die zwei Agenten schauen ungläubig und Fred schmunzelt, als er weiter erläutert.

»Zur Funktion des Lasers im Zusammenspiel mit den „Smart-Bullets"! Du richtest den roten Laserpunkt auf das Ziel und betätigst den Abzug! Was nun geschieht, spielt sich im Nanosekundenbereich ab! Auch wenn sich dein Ziel blitzschnell in irgendeine Richtung bewegen würde - ist es schon zu spät! Die Daten der Lasermarkierung werden an die „Smart-Bullet“ in der Kammer weitergeleitet und in der integrierten sub miniaturisierten Schaltung des Projektils verarbeitet. Die Patrone - man könnte es auch Minirakete bezeichnen - wird durch den Lauf gejagt und sucht sich selbständig ihr Ziel! Bewegung des Ziels, Windverhältnisse und andere Faktoren werden automatisch berechnet und ausgeglichen und somit kann das Projektil ihren Kurs korrigieren - ähnlich einer Cruisemissile!«

Miguel und Diego sind sichtlich beeindruckt. Fred klickt die Patrone wieder ins Magazin und schiebt es in den Griff zurück. Mit einem verschmitzten Ausdruck hält er Miguel die Pistole hin.

»Nimm sie mal in die Hand, Miguel! Und dann zielst du auf mich und drückst ab!«

Der glaubte sich verhört zu haben, nimmt die Waffe aber entgegen, wiegt sie in der Hand und sieht Fred unsicher an.

»Das ist nicht dein Ernst, Fred! Ich werde doch nicht auf dich zielen, geschweige denn abdrücken! Nebst dem ist es sowieso nicht ratsam irgendeine Waffe in einem Flugzeug abzufeuern!«

Fred insistierte grinsend.

»Doch, doch! Mach nur! Vertrau mir einfach, Miguel!«

Der zielte zwar nicht auf Fred sondern ins Leere und zieht den Abzug durch! Nichts geschieht. Er drückt noch einmal den Abzug durch und wieder passiert nichts. Fred nimmt ihm die „Darpa“ ab und zeigt auf den oberen Teil des Gehäuses. Dort leuchtete eine kleine rote LED.

»Genauso wie unsere Glock x19, ist die „Darpa“ mit einem Handerkennungssensor ausgestattet! Nur der autorisierte Träger, in diesem Fall bin das ich, kann die Waffe abfeuern!«

Zur Demonstration legte Fred seine Hand um den Griff und

nun leuchtet eine grüne LED am Gehäuse auf.

Charles beobachtete amüsiert Samantha Wong, die ihren Blick immer wieder zu der Gruppe diskutierender Männer schweifen lässt. Er bemerkte auch, dass sie versuchte Einzelheiten des Gesprächs aufzuschnappen.

»Na, Samantha? Ist doch ganz interessant? Ein typisches Gespräch unter Männern, die darauf brennen ihre „Spielzeuge" auszuprobieren!«

Samantha blickte zu ihm und erkundigt sich.

»Kriege ich auch so ein „Spielzeug", wenn wir auf der Insel landen? Ich würde mich mit so einem *Ding* doch sehr viel sicherer fühlen!«

Charles lächelte unergründlich und entgegnet.

»Tut mir leid, Samantha! Noch ist mein Vertrauen in sie nicht so gross! Eine „Darpa" werden sie ganz sicher *nicht* bekommen! Und über eine andere Waffe werde ich erst vor Ort entscheiden! Also sollten sie sich vorerst darum bemühen nicht in die Schusslinie zu geraten!«

Ein Anflug von Enttäuschung huschte über ihr Gesicht. Sie lehnte sich in dem weichen Ledersessel zurück und saugt die Luft hörbar ein.

»Ja, ja - ich weiss! So ist das eben! Vertrauen muss man sich erst hart erarbeiten!«

Aus dem Heckbereich kommt Mercedes mit einem Tablett zu den beiden und stellte ihnen unaufgefordert ein Glas mit perlendem Champagner auf den Tisch.

»Eine kleine Erfrischung für unsere Gäste! Ich serviere ihnen den Lunch in etwa einer halben Stunde! Wäre ihnen das Recht, Mr. Roberts?«

Charles nickte und bedankt sich. Mercedes bringt die anderen Gläser zu der Herrenrunde und begibt sich wieder diskret ins Heck. Charles nimmt sein Glas, hebt es hoch und lässt es an das von Samantha klirren.

»Lassen sie uns auf die Zukunft anstossen, Samantha! Wenn

alles planmässig abläuft, könnten sie in absehbarer Zeit ein neues besseres Leben anfangen!«

Sie beugte sich nach vorne nimmt ihr Glas vom Tisch und hebt es Charles mit leicht zitternder Hand entgegen. Etwas kraftlos haucht sie.

»Ja! Das wäre zu schön um wahr zu sein! Ich würde mir ein Leben ohne Ängste und Bedrohungen nur zu gerne vorstellen, Charles!«

Sie trinken einen Schluck und irgendwie spürte er, dass Samantha etwas schwer belastete, was sie loswerden wollte.

»Sam! Ich merke, dass sie mir etwas mitteilen möchten! Also! Frei von der Leber weg! Was ist los?«

Samantha blickte aus dem Kabinenfenster, ohne die vorbei ziehenden Wolkengebilde wahr zunehmen. Dann senkt sie leicht das Kinn und fängt mit stockender Stimme an zu erzählen.

»Bei der Befragung im Safehaus habe ich ihnen angedeutet, dass mich Rick Vandorp vor dem sicheren „Krepieren" in der Gosse bewahrt hatte?«

Charles nickte und sagt aufmunternd.

»Nur zu, Sam! Erzählen sie! Wir haben noch sehr viel Zeit, bis zu unserer Landung in Bariloche!«

Sie nimmt einen tüchtigen Schluck, blickt Charles direkt in die Augen und beginnt zu erzählen.

In der nächsten halben Stunde schildert sie Charles ihr Martyrium in jungen Jahren in dem Waisenhaus ausserhalb Londons. Vom versuchten Missbrauch durch den Heimleiter. Wie der sie, als damals 15-jährige an die chinesische Patin verkaufte. Wie sie nach einer Versteigerung an einen brutalen Freier aus der Oberschicht ihrer Jungfräulichkeit beraubt wurde und anschliessend zur Prostitution gezwungen worden ist. Sie erzählte Charles, der nun mit uneingeschränktem Interesse zuhörte, davon, wie man sie bewusst drogenabhängig machte. Und wie sie schliesslich nur noch dem nächsten Schuss entgegen vegetierte und dafür ihren Körper billigst verkaufen muss. Bis sie von der skrupellosen chinesischen Patin, als nicht mehr verwendungsfähig, auf die Strasse gejagt wird. Und betonte, dass sie eigentlich noch Glück im Unglück hatte, da andere Mädchen einfach in der Themse entsorgt wurden.

Sie stockt, als die Erinnerung wieder in ihr aufsteigt, leerte ihr Glas in einem Zug und schliesst kurz die Augen. Als sie sie wieder öffnet, bemerkt Charles den Glanz in den leicht geröteten Augen und ihren von Tränen verschwommenen Blick. *»Also, wenn Sam mir hier jetzt etwas vorspielt, ist sie reif für den Oscar! Hören wir mal was noch kommt!«*, durchzuckt es ihn und lauscht weiter ihrer Geschichte. Sie ist jetzt an dem Punkt, wo sie in London auf der Strasse lebt und durch kleine Diebstähle versucht ihre immer stärker werdende Sucht zu finanzieren. Wie die Dealer ihren keinen Stoff mehr auf Kredit geben. Selbst die schäbigsten Freier ihren ausgemergelten Körper verschmähen und sie so durch die Strassen der City streift. Sie erzählt Charles, dass sie kurz davor ist sich umzubringen, als sie eine letzten Versuch startet, um an Geld zu kommen und auf dem Strand einem Mann die Brieftasche klauen will.

»Und dieser Mann ist kein Geringerer, als *Rick Vandorp*! Und sie können es mir glauben oder nicht! Er war damals - vor zwanzig Jahren - ein ungeheuer menschenfreundlicher und eloquenter Mann! Trotzdem ich ihn beklaut hatte, erkannte er sofort meine verzweifelte Situation!«

Samantha verstummte und holte tief Luft, dann schweigt sie, nach Worten suchend eine Weile. Charles nutzt die Pause und orderte bei Mercedes noch zwei Glas Champagner und eine Flasche Wasser. Samantha hatte sich etwas gefangen und nimmt dankbar einen Schluck Wasser. Sie schaut Charles wieder an und er bemerkte, dass ihr Make-up durch die Tränen etwas zerlaufen ist und die Verfärbung ihrer lädierten Augen wieder zum Vorschein kommt.

»Entschuldigen sie, Charles!«,
sagte sie leise und er schüttelte nur den Kopf und meint.

»Schon gut, Sam! Reden sie erst weiter, wenn es ihnen wieder darum ist!«

Sie nickte und fährt dort weiter, als Vandorp sie ins Savoy Hotel mitnimmt. Sie anschliessend nach mit Amerika nimmt und in einer ihm gehörenden Suchtklinik aufpäppeln lässt. Mit Staunen hört Charles ihr zu, als sie berichtet, dass er ihr nach erfolgreichem Entzug ein Ausbildung höchsten Anspruchs ermöglichte und sie nun über einen Master in Economics und IT-Wissenschaften verfügt. Freimütig erzählte sie von der Zeit in der sie den absoluten Luxus genoss, den ihr einer der reichsten Männer der Welt bieten konnte. Sie dies jedoch nicht im Übermass ausnutzte. Sie kommt nur leicht ins Stocken, als sie Charles berichtet, dass sie sich eines Tages haltlos in ihren Gönner verliebte, er aber immer noch - wie die ganzen Jahre zuvor - keinerlei Anstalten machte dies auszunutzen.

»Und dann ist es eines Tages doch dazu gekommen und wir sind ein Paar geworden! Aber keine Person wusste von unserer Beziehung! Und nach aussen hin - sei es geschäftlich oder bei Anlässen der sogenannten High-Society - sind wir immer Rick Vandorp mit seiner *Ziehtochter* geblieben!«

Sie erzählt von ihren ausgedehnten Reisen und dass sie immer mehr Einblick in seine Unternehmen gewann. Schlussendlich gibt Samantha offen zu, dass sie Rick Vandorp komplett hörig war und sie von sich selbst meint, den Bezug zur Realität verloren zu haben.

»Und das ist auch der Grund, warum ich mir damals auf Yucatán keine Gedanken über das Richtige oder Falsche meiner Handlungen machte!«

Ihrer Offenheit zollte Charles innerlich Respekt, ohne es sich anmerken zu lassen. Sie nimmt einen Schluck Champagner, schaut den aufsteigenden Luftbläschen im Glas zu und zieht dann tief die Luft ein. Sie stellt das Glas auf den Tisch.

»Charles?“

Sein Name, eher wie eine Frage von ihr ausgesprochen, lässt ihn aufhorchen. *»Da ist noch etwas im Busch?«*, denkt er und nickt ihr auffordernd zu. Sie zieht noch einmal die Luft ein,

»Ich habe ihnen jetzt meine Geschichte erzählt, wie es bis zu den Ereignissen von letztem Jahr gekommen ist! Das ist leider noch nicht alles!«

»Nur zu, Sam! Raus damit! Dann geht es ihnen sicher besser!«

Er merkte, dass es sie eine enorme Anstrengung kostete ruhig zu bleiben und fast schon schluchzend quillt es nun aus Samanthas Mund.

»Beim Briefing heute Morgen im Safehaus, als ich euch am 3D Modell über die unterirdischen Anlage und der Sicherung der Insel allgemein berichtete, habe ich nicht die volle Wahrheit gesagt!«

Charles Hellhörig geworden, sagt nur knapp.

»Ich höre!«

Mit leicht heiserer Stimmlage eröffnet sie.

»Ich hatte ursprünglich die Idee - und so habe ich das auch mit Vandorp abgesprochen - *fingiert* vom Inalco Haus zu flüchten! Ich wollte mich dann von ihren Leuten abholen lassen, um so die CISMA zu infiltrieren! Ich wollte ihre geplanten Schritte gegen Vandorp ausspionieren und sie ihm dann übermitteln! Dann wollten wir einen Angriff der CISMA provozieren und sie so in eine tödliche Falle locken! Auch sollte ich der CISMA falsche Informationen und Dokumente liefern und sie so in die Irre führen! Nun! Kurz nachdem ich ihm meine Pläne mitgeteilt hatte, ist es bei ihm wieder zu einem extrem heftigen psychotischen Schub gekommen! Das Resultat haben sie an mir gesehen! Und dass er mich schlussendlich eliminieren wollte - hat mir vollends die Augen geöffnet! Darum habe ich mich entschlossen alle Karten auf den Tisch zu legen, Charles!«

Für eine Weile ist nur das verhaltene Brummen der Triebwerke zu hören. Auch die drei Männer haben inzwischen schweigend und mit grossem Interesse Samanthas Erzählung zugehört.

Charles blickt Samantha streng an.

»Ist das jetzt wirklich *alles*, Sam?«

Sie blinzelte und man merkt ihr an, dass sie kurz vor einem Zusammenbruch steht.

»Im Prinzip ja, Charles! Nur noch zwei Sachen! Alle Informationen, Daten und Dokumente, die ich geliefert habe, sind *Originale* und *echt*! „Genesis“ ist *kein* Fake! Dann ist da noch die Sache mit dem Fluchttunnel! Ich weiss allerdings nicht genau, um *was* es sich handelt! Aber Vandorp hatte erst kürzlich nachträglich noch etwas am Eingang zur Rundhalle einbauen lassen! Ich meine damit, wir sollten uns an dieser Stelle äusserst vorsichtig vorwagen! Und mehr kann ich nun nicht mehr dazu beitragen! Und ich schäme mich aufrichtig, Charles!«

Nach den letzten Worten bricht ihre ganze Willenskraft in sich zusammen. Ihre Schultern fangen an zu beben und Samantha kann die aufgestaute Anspannung nicht mehr unterdrücken. Hemmungslos beginnt sie zu schluchzen. Sie schlägt die Hände vors Gesicht, wiegt den Kopf haltlos hin und her und weint bittere Tränen. Charles ist über den plötzlichen Zusammenbruch nicht erstaunt, da er sich gut vorstellen kann, in welcher Anspannung sie sich seit ihrer Flucht befunden hat. Er steht auf, stellt sich neben sie, legt die Hände auf ihre Schultern und redet beruhigend auf sie ein.

»Komm, Sam! Lass uns nach hinten gehen! Dort kannst du dich hinlegen!«

Fast willenlos lässt sich Samantha zu dem Liegesessel führen. Sie legt sich hin, blickt Charles aus Tränen überströmten Augen an und hauchte nur ein Wort.

„Danke!«

Mercedes bringt eine weiche Decke, legt sie über Samantha, die vor Erschöpfung auf der Stelle einschläft. Charles geht wieder zu seinem Platz, setzt sich, blickt zu der Männerrunde und schnauft.

»Wow! Das ist starker Tobak! Ich stelle fest - da ist tatsächlich jemand vom Saulus zum Paulus geworden! Da bin ich aber auf Sallys Reaktion über die Entwicklung der Dinge gespannt!«

Er lehnte sich in seinem Sessel zurück, nimmt noch einen Schluck Champagner und schliesst die Augen.

57

Falcon Jet - 10'000 Meter Flughöhe

Charles registrierte eine karge Landschaft, die sich vor ihm ausbreitet und bis an den fernen Horizont reicht. Vereinzelt sind grössere und kleine Felsbrocken, in einem wahllosen Muster, auf dem glühend heissen ausgedörrten Boden verteilt. Einige spärliche, halb verdorrte Gewächse fristen da und dort ihr tristes Dasein. Kein Windhauch ist zu spüren und schon bald läuft ihm der Schweiss in Strömen am Körper runter.

»Wo bin ich hier? Diese Gegend ist ja die reinste Gluthölle!«, dachte Charles und dreht sich 360 Grad um die eigene Achse. Überall das gleiche Bild, die gleiche Einöde. Kein Ton, kein Geräusch ist zu hören. Nicht einmal sein stossweiser Atem dringt an seine Ohren. Am fernen Horizont regte sich etwas. Knapp über dem Boden, in der flimmernden Luft nur schemenhaft zu erkennen, wird das Gebilde immer grösser. Er kann jetzt erkennen, was sich da in wabernden Bewegungen auf ihn zu bewegt. Es ist das entstellte Gesicht einer, wie es scheint einstmals wunderschönen Eurasierin. »Das ist doch Samantha Wong! Wo kommt die denn her? Werde ich immer kleiner und schrumpfe oder wird sie immer grösser?«, schiesst es Charles Roberts panisch durchs Gehirn. Das Gesicht vor ihm hat die Höhe eines fünfstöckigen Hauses, als sich ihr Mund öffnet und sie ihn aus einer zahnlosen Höhle anspricht. Die Stimme seltsam verzerrt.

»Sieh genau hin, Special Agent Roberts! Und begreife!«
Das riesige Gesicht vor seinen Augen verpuffte in einem rötlich violetten Nebel und löste sich komplett in Nichts auf. Er ist wieder allein, möchte laufen. Seine Füsse gehorchen

ihm aber nicht und sind wie festgeklebt. Vor ihm wölbte sich, immer grösser werdend, der Boden langsam in die Höhe und platzt wie eine riesige Seifenblase auf. Glühende Brocken und geschmolzenes Gestein wälzen sich auf ihn zu. Er versucht verzweifelt zu fliehen. Ist aber wie fest geschweisst auf der Stelle verharrend. Eine unsichtbare Woge trifft ihn mit voller Wucht und er spürt, wie sich sein Körper in die einzelnen Atome aufteilt. Er schliesst die Augen. Ein weisser Lichtblitz - stärker als tausend Sonnen - blendet ihn durch die geschlossenen Lider.

»Charles, hilf mir! Bitte, bitte, hilf mir!«,
vernimmt er eine ihm vertraute Stimme. Er schlägt die Augen auf und befindet sich in einem bunkerartigen Raum. In drei Meter Entfernung liegt vor ihm - nackt auf einem Stahltisch festgeschnallt - seine Sally! Sie rüttelt an ihren Fesseln und sieht ihn aus flehenden Augen an. Er will zu ihr, sie befreien und bemerkt mit Entsetzen, dass auch er gefesselt ist. Die Hände und Füsse mit rostigen Eisenringen an einer Wand verankert ist er unfähig sich zu rühren. Ein Stahltüre öffnet sich und ein, in einen schwarzen Umhang gehüllter, gesichtsloser Mann betritt den Bunker. Er tritt zu der nackten Frau, deren Gesicht nun plötzlich das Antlitz Samantha Wongs angenommen hat. Mit einer affektierten Bewegung legte der Mann, jetzt in der Uniform eines SS-Schergen, einen Stift in der Grösse eines Kugelschreibers auf den zum Bersten angespannten Bauch der Gefesselten.

»Verräterinnen werden mit ihrem Leben bezahlen müssen!«, brüllte der Mann der verängstigten Frau entgegen. Dessen nicht vorhandenes Gesicht hat jetzt die Züge Rick Vandorps angenommen. Charles erkennt sofort, dass es sich bei dem Stift, um eine der kleinen „Hafnyit-Bomben" handelt und schreit.

»Vandorp geben sie auf! Sie haben keine Chance!«
Der wendet sich nun ihm zu. Sein Antlitz ist nunmehr eine verzerrte Fratze aus deren Mundwinkel grünlicher Speichel auf den Boden tropft und kleine Löcher in den Beton frisst. Er zieht einen kleinen Schlüssel an einer silbernen Kette aus seiner

Uniformtasche und hält diesen in die Höhe. Wie ein Pendel schwingt der Schlüssel an der Kette hin und her.

»Tik, Tok! Die Zeit läuft, Special Agent Roberts!«,

brüllte die Karikatur Vandorps, die sich langsam in den Avatar Kukul-Kans verwandelte und ihm ruhig mitteilt.

»Nur dieser Schlüssel und der rechte Zeigefinger kann das Verderben noch aufhalten! Merke dir das gut, der der sich Charles Roberts nennt!«

Charles rüttelte an seinen Fesseln und will sich losreissen, als der Stift auf dem Bauch der nackten Frau, die wieder wie Sally Bowles aussieht, explodierte.

»Nein, nein! Es ist nicht zu spät!«,

schreit er verzweifelt, bevor ihn die Glutwelle verschlingt.

Charles öffnete verwirrt die Augen und blickt direkt in das besorgte Gesicht von Fred MacMillan, der sich sehr nahe über ihn gebeugt hat. Er hatte ihn sanft an der Schulter geschüttelt und erkundigt sich.

»Hallo, mein Freund! Wieder unter den Lebenden? Du hast im Schlaf geschrien! Wohl schlecht geträumt?«,

fragte Fred, während er sich aufrichtet und Charles ein Glas Wasser hinhält. Der nimmt dankbar einen grossen Schluck und wiegt seinen Hals hin und her. Die unbequeme Haltung während seines kurzen Schlafs, hatte eine unangenehme Verspannung aufgebaut. Er blickte nach hinten und bemerkt, dass Samantha noch immer tief schläft. Er räusperte sich und bedeutet Fred sich zu ihm zu setzen.

»Ich hatte einen wirklich seltsamen Alptraum, Fred! Wie lange habe ich denn geschlafen? Es kommt mir wie eine halbe Ewigkeit vor!«

Fred setzt sich und winkt ab.

»Nur kurz, Charles! Vielleicht fünf Minuten! Dafür hast du dich dauernd hin und her gewälzt und am Schluss laut aufgeschrien! So etwas wie - Nein! Es kann nicht zu spät sein!«

Charles nimmt noch einen tüchtigen Schluck und holt tief Luft.

»Im Traum sind mir Samantha, Rick Vandorp und Sally erschienen! Ich fühlte mich hilflos in einer öden Ebene gefangen, die dann explodierte und mich verschlingt! Dann bin ich in einem Bunker und sehe Sally! Gefesselt auf einem Stahltisch - nackt! Vermutlich ist das die Erinnerung, was ihr auf Yucatán widerfahren ist! Vandorp erscheint. Zuerst ist es nur ein Mann ohne Gesicht! Er droht mit einem dieser „Hafnium-Stifte“ und Sally verwandelt sich in Samantha!«

Fred hörte interessiert zu und meint.

»Das sind alles Bruchstücke vergangener Erlebnisse, die dein Gehirn verarbeitete!«

Charles nickt.

»Ich weiss, Fred! Das merkwürdige ist jedoch der Schluss meines Albtraums! Vandorp, oder eher eine verzerrte Karikatur von ihm, zieht einen kleinen Schlüssel an einer Kette hervor und schwingt ihn wie ein Pendel! Er droht, die Zeit sei abgelaufen und verwandelte sich in den Avatar *Kukul-Kan*! Du weisst schon - den virtuellen „Atlanter“ in dem Tempel auf Yucatán? Und dieser teilte mir wie folgt mit. *Nur dieser Schlüssel und ein Zeigefinger könnten den Untergang aufhalten!* Oder so ähnlich! Dann explodiert der Stift - jetzt auf Sallys Bauch - und du weckst mich!«

Fred schweigt eine Sekunde, zieht die Stirn kraus und meint.

»In der Tat! Ein seltsamer Traum! Das mit dem Schlüssel und die Aussage des Avatars ist schon merkwürdig!«

Charles überlegte und erklärt Fred, was er vermutet.

»Ich bin der Ansicht - das ist kein Zufall! Es wäre durchaus im Bereich des Möglichen, dass mir Kukal eine Botschaft in mein Unterbewusstsein gesendet hat. Wir sollten den Hinweis mit dem Schlüssel und dem Finger im Hinterkopf behalten! Vielleicht ist uns das noch von Nutzen? Träume sind ja bekanntlich nicht immer Schäume! Übrigens! Solange Samantha noch schläft, möchte ich gerne über unsere Pläne mit euch sprechen!«

Die beiden stehen auf und begeben sich zu Ruiz und Diaz. Nach einer intensiven, aber kurzen Diskussion, in der Charles die Aufgaben von Miguel Ruiz Gruppe erläuterte, begibt er sich in den Heckbereich und bittet Mercedes, ihnen jetzt den Lunch zu zubereiten. Anschliessend geht er zu der schlafenden Samantha und berührte sanft ihre Schulter.

»Sam, aufwachen! Zeit für eine kleine Stärkung!«
Schlaftrunken öffnet sie mühsam ihre verquollenen Augen und blinzelt zu Charles hoch.

»Hast du dich etwas erholt, Sam?«,
fragt er und lässt ihr Zeit in die Realität zurück zu kehren. Sie schwingt langsam ihre Beine über die Kante des Liegesessels, setzte sich auf und vertreibt mit einem Kopfschütteln die Spinnweben in ihrem Hirn.

»Es geht so, Charles! Habe auch schon besser geschlafen! Die Erinnerungen haben mich doch mehr mitgenommen, als ich erwartet hätte! Aber danke, dass du mir zugehört hast! Es hat mir sehr geholfen einmal freimütig darüber reden zu können!«
Charles hält ihr die Hand hin und hilft ihr auf die Beine. Noch etwas wackelig fragt Samantha.

»Darf ich mich zuerst noch etwas frisch machen? Ich fühle mich, wie wenn ich durch die Mangel gedreht worden bin!«
Er nickt verständnisvoll und sie geht hinten an der Bordküche vorbei in den kleinen Toilettenraum. Nach kurzer Zeit kommt Samantha zu ihrem Platz und setzt sich. Ihr Gesicht mit dezentem Make-up versehen, lässt fast nichts mehr von der vergangenen Anspannung erahnen.

Mercedes servierte zuerst den beiden eine Mahlzeit, die einer gehobenen Küche alle Ehre macht und versorgt anschliessend auch die drei Männer in der Sitzgruppe. Samantha und Charles geniessen schweigend ihr Essen, während sich die Männerrunde leise angeregt über irgend ein technisches Thema unterhalten. Charles legte sein Besteck auf den Teller, nippt an seinem Glas mit dem dunkelrotem aromatischem Wein.

»Darf ich dich noch etwas fragen, Sam? Du hast uns erzählt, dass sich Vandorp seine geheimen Projekte von „Investoren“ finanzieren liess! Hast du Kenntnis davon, um *wen* es sich da namentlich handelt? Ich finde, wir sollten auch diesen Neonazis das Handwerk legen!«

Sie hatte inzwischen ihren Teller auch geleert und blickte kurz aus dem Kabinenfenster. Drehte sich wieder zu Charles und nickt.

»Ja! Bevor er sein Vertrauen nur noch Henrique Velasquez schenkte, habe ich für ihn die finanziellen Transaktionen geregelt! Leider konnte ich diese Daten in der Eile meiner Fluchtvorbereitung nicht mehr kopieren! Aus dem Gedächtnis könnte ich vereinzelt sicher einige Namen nieder schreiben! Aber bei den wichtigen Details, wie Adressen, Bankverbindungen und so weiter, muss ich passen!«

Sie überlegte kurz, tippte mit dem Finger auf die Tischplatte und meint.

»Wenn ihr bei der CISMA die Möglichkeit habt - und ich gehe davon aus - euch in die Server Vandorps zu „hacken“, dann kann ich zumindest soweit helfen, indem ich euch die Zugangscodes und Passwörter liefern kann!«

Charles muss nicht lange überlegen.

»Das ist für uns kein Problem, Sam! Unser IT-Spezialist ist dafür bekannt, sich in jedes System „einzuklinken“! Du musst uns nur diese Passwörter liefern, dann haben wir diese „Neonazi-Investoren“ am Haken! Und jetzt lass uns ein bisschen über Erfreulicheres sprechen! Wir werden in zwei Stunden landen und haben noch genug Zeit. Wie soll zum Beispiel deine Zukunft aussehen, wenn diese Geschichte vorbei ist und man dich rehabilitieren würde? Und erzähl mir noch einmal, was für Fähigkeiten du dein Eigen nennst?«

In der nächsten halben Stunde klärte Samantha Charles darüber auf, dass sie, wie schon erwähnt, einen Master in Business

Economics besitze. Zusätzlich habe sie IT-Wissenschaften studiert, sich jedoch nicht damit beschäftigt ihr Wissen dazu zu benutzen, um in Computersysteme einzudringen. Nebst den höchsten Graden in einigen asiatischen Kampfkunstarten, ist sie auch sehr versiert im Umgang mit Waffen unterschiedlichster Art. Charles hörte interessiert zu und registrierte für sich, dass man Samantha Wong keinesfalls unterschätzen durfte. Auch wenn sie im Moment sehr angeschlagen wirkte.

»Danke für deine Informationen, Sam! Ich werde mir diese genau merken! Und jetzt entschuldige mich! Wir landen in etwas über einer Stunde in Bariloche und muss noch einige Dinge vorbereiten!«

Er steht auf, geht zu Fred und flüsterte ihm ins Ohr. Dann begibt er sich in den Heckbereich in die Bordküche und bittet Mercedes, sich für eine Weile zu der Männerrunde zu setzen, da er ungestört ein vertrauliches Gespräch führen muss. Sie lächelt verstehend und tat, wie ihr geheissen. Derweil hatte sich Fred gegenüber zu Samantha gesetzt und meinte in aufgeräumter Stimmung.

»Sam! Ich bin Fred! Freut mich, dass es dir besser geht! Charles meinte, du könntest etwas Unterhaltung mit einem „alten“ Kämpfer brauchen!«

Ein Lächeln breitete sich auf ihrem Gesicht aus.

»Sehr gerne, Fred!«

Während Samantha und Fred sich angeregt zu unterhalten anfangen, plauderte Mercedes charmant mit den zwei argentinischen Agenten. Unübersehbar zeigte Miguel Ruiz sein gesteigertes Interesse an Mercedes und flirtete unverhohlen mit ihr. Was anscheinend auf Gegenseitigkeit beruhte, wie Charles mit einem Schmunzeln bemerkt. Nachdem er den Trennvorhang zugezogen hatte, setzt er sich auf den klappbaren Notsitz in der Bordküche. Er tippt auf seinem Smartphone die Kurzwahl zu Sallys Gerät. Nach einigen Piepstönen vernimmt er die vertraute Stimme in seinem Ohr.

»Charles, Darling! Schön von dir zu hören! Wie geht es euch

in der Falcon? Seid ihr vor oder hinter uns? Angus hat soeben durchgegeben, das wir in etwa fünfzig Minuten landen!«

Er überschlägt ihre Information und meint.

»Sally, Darling! Dann müsstet ihr *vor* uns fliegen und zehn Minuten früher in Bariloche eintreffen! Bitte schalte jetzt auf Lautsprecher! Ich habe euch Wichtiges mitzuteilen! Sind Marc und Patrik bei dir am Platz?«

Sally bejahte.

»Dann sag Bill, er soll sich zu euch setzen und mithören!«

Er vernimmt ein Knistern, Rascheln und undeutliche Worte, dann ein Klacken und wieder Sallys Stimme.

»Ok, Charles! Das Smartphone liegt auf dem Tisch! Bill sitzt jetzt auch bei uns! Du klingst so ernst! Was gibt es denn so Wichtiges?«

Er grüsste kurz Marc, Patrik und Bill. Dann beginnt er mit ruhiger Stimme zu berichten. Er erzählte von der langen Unterhaltung mit Samantha Wong und in groben Zügen ihre Leidensgeschichte in jungen Jahren. Von ihrem Leben mit Rick Vandorp und wie es zu ihrer Flucht gekommen ist. Er erwähnt die neuesten, wichtigen Informationen für ihre Operation. Auch über die Anlage und den Tunnel, die sie ihm noch geliefert hatte. Er lässt auch Samanthas Zusammenbruch nicht unerwähnt und dass er der Meinung ist, dass sie ihnen, mit ihren Fähigkeiten, durchaus noch nützlich sein kann. Als er geendet hat, entsteht eine längere Pause, in der die vier am anderen Ende die Informationen zuerst verarbeiten müssen. Patrik Fitzpatrik ist der Erste, der sich meldet.

»Well, Charles! Wie mir scheint, hat sich die Lady nun wirklich dem „Guten" zugewendet! Ich bin schon gespannt ihre Bekanntschaft zu machen!«

Charles schmunzelte bei dem Gedanken, wenn Sam und Patrik sich begegnen würden und sagte trocken.

»Damit musst du leider noch warten, Patrik! Ich bleibe vorerst bei meiner Taktik, dich im Hintergrund zu behalten! Solange bis ich mir zu hundert Prozent sicher bin!«

Sally meldet sich zu Wort und stichelt.

»Ha! Hab ich's doch gewusst! Mein Zukünftiger nimmt extra den anderen Flieger um „anbändeln" zu können! Kaum lässt man ihn aus den Augen, lässt Special Agent Roberts die „Puppen" tanzen!«

Sally prustete lachend los, um dann zu ergänzen.

»Sorry, Charles! Das musste sein! Kleiner Scherz am Rande! Du hast Recht! Solange Patrik im Hintergrund bleibt, haben wir einen Trumpf in der Hand, der entscheidend sein könnte! Aber gut zu wissen, dass deiner Meinung nach, Samantha Wong geläutert ist! Ihr bisheriges Leben und ihr Schicksal waren sicher keine Vergnügungsreise! Ich hoffe trotzdem, dass du Recht behältst? Also? Wie weiter?«,

stellte sie Charles zur Rede.

»Wir treffen uns in einer Stunde am Bariloche Airport! Ich spreche noch mit Miguel Ruiz, wie wir von dort aus weiter vorgehen! Sally! Schalt bitte den Lautsprecher aus! Ich habe noch etwas!«

Er vernimmt ein Knistern und wieder ihre Stimme.

»Ist ausgeschaltet! Was noch, Charles?«,

fragt sie etwas unsicher.

»Och! Nichts Wichtiges mehr! Nur - dass ich dich liebe!«

Bevor Sally antworten kann, unterbricht er die Verbindung.

58

Argentinien - Bariloche Airport

Am späten Nachmittag landete die Gulfstream der CISMA mit quietschenden Reifen auf dem Aropuerto Internacional de Bariloche Tte. Luis Candelaria. Am Ende der Landebahn wartete schon ein Lotsenfahrzeug, um die Maschine zur Parkposition zu leiten. Der knallgelb bemalte Jeep ist schon älteren Datums und wirkte wie ein Relikt aus der Nachkriegszeit. Der Jeep lotste die G650 zu einem abseits des Terminals gelegenen Parkfeld. Der Jeep hält an und der Lotse weist Angus über Funk an, auf der rechten Seite der grossen Betonfläche einzuparken. Zwei Männer in schwarzen Overalls weisen den Jet mit ihren roten Stableuchten ein. Die Triebwerke laufen mit einem säuselnden Geräusch aus, als die G650 zum Stillstand kommt.

»Ladies und Gentlemen! Ich bedanke mich, dass sie wieder einmal die „Angus-Air" für ihre Reise gewählt haben und wünsche ihnen einen angenehmen Aufenthalt im pittoresken Städtchen Bariloche!,

scherzte Angus bei seiner Durchsage mit fröhlicher Stimme. Val hat sich schon an der Eingangstüre postiert. Als sie durch das kleine Fenster sieht, wie der eine der Männer den Daumen hebt, öffnet sie die Kabinenluke und lässt die Treppe ausfahren.

»Also, dann wollen wir mal! Bariloche wir kommen! Sally! Bitte nach ihnen, Mam!«,

lässt Marc fröhlich verlauten.

»Und du, Patrik! Begibst dich husch, husch auf die Toilette! Und bleibst dort brav sitzen! Im Ernst! Lass dich ja nicht am Kabinenfenster blicken! Du kannst ja mit unserer charmanten

Valerie in der Bordküche einen auf unsere Mission heben!«
Dabei macht Marc ein eindeutige Handbewegung und zwinkert mit einem Auge. Sally knuffte ihn auf den Oberarm.

»Du immer mit deinen Scherzen! Verwirrst den armen Patrik noch total! Im Ernst! Viel Glück, Patrik! Wir sehen uns hoffentlich bald wieder! Und vor allem gesund und munter!«

Sally geht zu Patrik, umarmte ihn und drückt ihn kurz und fest an ihre Brust.

»Das hoffe ich auch! Sally, Marc! Man sieht sich!«,

sagte Patrik grinsend, dreht sich um und verschwindet durch den Trennvorhang in die Bordküche. Team1 ist schon ausgestiegen, während Sally und Marc sich noch von Val verabschieden.

»Das du es weisst! Wir haben die Anweisung vom General, hier auf euch zu warten! Und zwar rund um die Uhr! Also! Packt diese Mistkerle! Vor allem den *einen*!«

Marc bedankte sich für die Information und sagt nur noch.

»Wir werden uns redlich bemühen deinen Wunsch zu erfüllen! Ciao, Val!«

Sie steigen die Treppe hinunter auf die etwas ramponierte Betonfläche und gehen zu Team2, das sich mit den zwei Overall-Männern unterhält. Bill wendet sich Sally und Marc zu und zeigt mit der Hand auf die zwei Männer.

»Das ist Capitan *Marcos Rodrigues* und Tenente *Gianni Pincon*! Die beiden gehören zu Miguels „Verein" und zeigen uns, wo wir warten sollen, bis Charles' Maschine eintrifft! Um unsere Ausrüstung brauchen wir uns nicht zu kümmern! Gianni wird sie anschliessend mit diesem Handkarren zu uns bringen!«

Marc deutete eine Verbeugung an, salutierte etwas salopp mit seiner rechten Hand und zeigt auf Sally.

»Senores Agentes! Buenos Dias! Darf ich vorstellen! Agentes Speciales Dotor Sally Bowles und Marc Miller!«

Die etwas verblüfften Agenten salutieren ebenfalls, jedoch sehr zackig und korrekt. Capitan Rodrigues machte eine schwungvolle einladende Handbewegung und kommentierte mit einem schelmischen Grinsen.

»Es ist mir eine Ehre! Die *Agentes Speciales* in Bariloche empfangen zu dürfen! Bitte die Herrschaften mir zu folgen!«

Die Gruppe nimmt ihre Umhängetaschen mit den persönlichen Effekten hoch. Rodrigues geht ihnen voraus und sie folgen ihm auf einem Schotterweg, der schon bessere Tage gesehen hatte, in Richtung eines grossen flachen Gebäudes. Auf dem Weg dorthin feixte Sally.

»Da haben sich aber zwei Scherzkekse gefunden! Marc und Marcos! Das lustige Duo!«

Marc lässt nur so etwas wie ein Grunzen hören. Die Gruppe wird um die Ecke des Gebäudes geführt. Das entpuppt sich, als ein schon in die Tage gekommener Lagerschuppen. Rodrigues öffnete eine Türe, die mit einem verwitterten Schild - *Entrada Prohibito* - versehen ist. Sie betreten einen grossen Raum, der früher vermutlich als Lager für Waren aller Art gedient hatte. Jetzt sind alle Lagerregale entfernt worden. Die Wände sind in einem Beigeton gestrichen, die auch schon bessere Tage gesehen haben. Nur ein kleines Fenster neben der Eingangstüre spendete etwas Tageslicht. Der Boden ist mit einem abgewetzten Linoleumbelag in hässlichem Olivgrün ausgelegt. An der Decke sind die obligaten Neonröhren in drei Reihen montiert. Wovon einige zwischendurch mit einem nervösen Flackern erloschen und wieder ansprangen. Die Möblierung besteht lediglich aus zwei grossen runden Holztischen. Die sind zusammen geschoben und bilden eine Acht. Ringsum stehen etliche Klappstühle aus olivfarbenem Metall. An der linken Wand befindet sich eine Art Werkbank, die sich über die gesamten Breite der Wand erstreckt. Zur Freude der Eintretenden, sind die Tische nicht so leer wie die Werkbank, sondern mit reichlich Getränken, Sandwiches und argentinischen Tapas bestückt. Sally sieht sich in dem Raum um. *»Typisch militärischer Look!«* Kommt es ihr in den Sinn. Adam Peatty, zuerst geschockt über das karge Innere, begutachtete hocherfreut die Tische und sagt überschwänglich.

»Genau, was ich jetzt brauche! Wo Wein und Leckerei, da lass dich nieder!«

Marc zieht Sally am Ärmel und bemerkte.

»Spartanisch, nüchtern, eben Militär oder Geheimdienst! Aber das da auf den Tischen sieht verlockend aus!«

Sie setzen sich an einen der Tische und bedienen sich von der Getränkeauswahl und den Snacks. Rodrigues entschuldigte sich und meint er wolle Pincon mit ihrer Ausrüstung helfen. An einem Sandwich kauend, betrachtet Marc die kleine Truppe und fragt unverhofft in die Runde.

»Wusstet ihr eigentlich, dass Bariloche kurz nach Ende des Zweiten Weltkrieges unwiderstehlicher Anziehungspunkt für ehemalige Naziverbrecher war?«

Bill und sein Team tauschen fragende Blicke aus und Frank Vargas sagte nur.

»Genaues weiss ich nicht! Aber ich habe schon mal von so was gehört!«

Sally, die diese Geschichte kennt, verdreht nur kurz die Augen.

»Erzähl doch mal, Marc!«,

forderte Bill ihn auf. In dem Moment öffnet sich die Türe. Rodrigues und Pincon schieben den Handkarren durch die Öffnung. Sie rollen damit zu der langen Werkbank und platzieren die verschiedenen Alukoffer und Kisten nebeneinander darauf.

»Wir werden jetzt noch auf die andere Maschine warten! Wenn es ihnen Recht ist, Señor Agente Special Miller?«,

sagte Rodrigues grinsend und die beiden schoben, ohne eine Antwort Marcs abzuwarten, den Handkarren wieder durch die Türe. Marc sieht zu der sich schliessenden Türe und dreht sich wieder zum Tisch.

»Wo bin ich stehen geblieben? Ja! Argentinien, ich sollte besser sagen, der damalige Presidente Perõn[1] - man könnte ihn auch als Diktator bezeichnen! Der sympathisierte

1 Juan Perón wird 1946, 1951 und 1973 zum Präsident Argentiniens gewählt

unverhohlen mit Adolf Hitler, seiner Ideologie und den „braunen“ Gedanken des „Dritten Reiches“! Nach Kriegsende flüchteten zahlreiche Nazis aus dem damals von den Alliierten besetzten Deutschland! Mit Vorliebe in Länder in Südamerika und vor *allem* Argentinien! Mit zahlreich meine ich - alleine hier nach Argentinien - ungefähr neuntausend Personen!«

Adam Peatty, der Elektronikspezialist, hebt den Kopf.

»Das ist aber eine Menge! Und *alle* in Bariloche?«

Marc schüttelt den Kopf.

»Nein, Adam! Die haben sich auf das ganze Land verteilt. Zum Beispiel auch in *Misiónes* an der Grenze zu Paraguay! Dort soll sich sogar *Martin Bormann* alias Juan Keller rum getrieben haben?«

Marc ist jetzt richtig in seinem Element und man merkt ihm den leidenschaftlichen Historiker an.

»Nun! Hier in Bariloche haben sich einige sehr üble Nazis niedergelassen! Übrigens! Alle mit dem Segen von Señor Perõn, der die Typen quasi mit offenen Armen in sein Land gelassen hat!«

Marc hatte nun das ungeteilte Interesse der Männer von Team2 und Sally beobachtete amüsiert, wie Marc voller Eifer dozierte.

»Es lebt hier in Bariloche auch ein Historiker, der mit vollen Überzeugung in seinem Buch schreibt - Adolf Hitler und seine Eva seien mit einem U-Boot der Kriegsmarine nach Argentinien geflüchtet! Übrigens! War auch der russische Marschall *Grigori Schukow*[2], der mit seinen Truppen Berlin erobert hatte, zeit seines Lebens der Meinung, dass Hitler nicht tot sei, sondern untergetaucht!«

Marc Miller nimmt einen Schluck seines Softdrinks und fährt fort.

»Zurück zu Hitler und Bariloche! Es heisst, er habe mit seiner Eva den Lebensabend im sogenannten „Inalco Haus“ verbracht, das etwa fünfzig Kilometer nördlich von Bariloche

---

2 Schukow leitete im März 1945 die Eroberung Berlins

liegt. Es ist nicht verwunderlich, dass Vandorp mit seiner Gesinnung für „Braunes“ diese Villa gekauft hat, die eine gewisse Ähnlichkeit mit Hitlers *Berghof* am Obersalzberg aufweist!«

Bill sieht Marc skeptisch an.

»Du meinst das aber nicht im Ernst? Das mit Hitler und so?«

Marc kann sich ein Grinsen nicht verkneifen.

»Ich gebe nur wieder, was man hier in der Gegend so munkelt, Bill! Ob das der Wahrheit entspricht, kann ich nicht beurteilen! Auf jeden Fall gibt es etliche Zeitzeugen, die aussagen und sogar schwören, dass sie den „Führer“ hier gesehen hätten! Ja sogar mit ihm gesprochen hätten! Nun zu eigentlich etwas viel Wichtigerem! Ist auch für unsere Mission interessant! Was wisst ihr über die *Isla Huemul*, die wir heute Nacht betreten werden?«

Allgemeines Kopfschütteln bei Team2 und Frank Vargas meint dazu.

»Eigentlich nur, dass der irre Vandorp die Insel für seine niederen Zwecke benutzt! Und, - dass er da seine Anlage verbirgt! Und natürlich von dem Kuppelbau!«

Marc stellte eine wichtige Miene zur Schau und antwortet.

»Die „Kuppel“ ist das eine, Frank! Der Rest das andere! Dazu muss ich kurz ausholen. Anno 1947 holte Perõn einen Dr. *Richard Richter* ins Land, der angeblich am Atomprogramm der Nazis mitgearbeitet habe! Dieser Dr. Richter ist Perõn um den Bart gestrichen und hatte ihm versprochen einen Kernfusions-Reaktor zu bauen! Perõn ist von Richter und dem Gedanke begeistert, nebst den USA und der UdSSR zur Atommacht aufzusteigen! Er lässt sich von Richter blenden und erteilt ihm einen „Blankoscheck“! Und das ist wörtlich zu verstehen! Der „gute“ Doktor wählt die Isla Huemul, als Basis für sein „Atomprogramm“ und lässt dort etliche, zum Teil riesige massive Gebäude errichten! Und natürlich liegt eine gediegene Villa für ihn auch noch drin! Um es kurz zu machen! Dr. Richter ist ein Blender und Schwindler und versenkt bis zum Abbruch des „Atomprogramms" zweiundsechzig Millionen Dollar in das niemals realisierte Projekt!«

Mikael Burowski schnappt nach Luft und keucht.

»Zweiundsechzig Millionen Dollar? Das wären nach heutiger Kaufkraft, sage und schreibe das Zehnfache!«

Marc nickt bestätigend.

»Nun! Um auf den Punkt zu kommen! Das Projekt wird gestoppt. Dr. Richter verschwindet von der Bildfläche und die Gebäude auf der Insel werden komplett leer geräumt! Die verfallen zu Ruinen und sind bis zur Schliessung vor einem Jahr eine echte Touristenattraktion! Übrigens! Gilt das auch für Bariloche selber! Wenn ihr die Architektur betrachtet, glaubt ihr in irgend einen Ort in Bayern oder Franken zu sein!«

Bill Harmundson setzt eine fragende Miene auf.

»Das mag ja schön und gut zu sein, Marc! Aber wie sieht es auf dieser Insel aus? Ich meine Gelände, Vegetation und so weiter?«

Marc entnimmt seiner Umhängetasche ein Notebook, klappt es um 360 Grad zu einem Tablet auf und öffnet eine Datei. Es handelt sich um eine hoch auflösende Satellitenaufnahme, die ihm Abel Mankowski übermittelt hatte und den aktuellen Zustand von heute Morgen zeigte. Marc vergrösserte die Aufnahme zu einem Ausschnitt, der den südlichen Teil der Insel zeigt. Gestochen scharf sind darauf Einzelheiten bis zur Grösse eines Suppentellers zu erkennen. Er dreht das Notebook, schiebt es vor Team2 und zeigt auf die Vergrösserung.

»Hier unten an dieser Bucht befindet sich der Landesteg, an dem ursprünglich die Besucher von den Zubringerbooten aus die Insel betraten! Ein Fussweg, hier noch gut zu erkennen, führt an einem kleinen Empfangsgebäude neueren Datums vorbei. Dann befindet sich zur rechten noch eine alte Grabstätte, in dem der Kazike *Güemul* bestattet worden sein soll! Ein Kazike ist so etwas, wie der Häuptling der Ureinwohner dieser Insel und bedeutet soviel wie - „Person von höherem Rang“ oder auch einfach „Tyrann“! Von diesem Häuptling *Güemul* ist auch der Namen der Insel abgeleitet! Dann führt der Fussweg, jetzt schon von der Flora überwuchert, zu den Ruinen hinauf! Hier in diesem Bereich befindet sich die „Villa“ des Dr. Richter und hier ein Gebäude, das als *Despersa Herreria* bezeichnet wird!«

Marc verschiebt den Ausschnitt mehr nach Norden.

»Das da wird als Zwillings-Gebäude bezeichnet und hier das Chemische Labor! Hier weiter oben steht das, als *Edificio Reactor* bekannte Gebäude. Es ist sehr gross! Mit gut fünfzehn Meter hohen und sehr dicken Mauern! Diese Ruine ist auch komplett leer und man ist sich nicht schlüssig, zu was das Gebäude eigentlich gedient hatte! Es sind zwar noch Betonfundamente vorhanden, die darauf schliessen lassen, dass hier zwei sehr grosse Generatoren standen!«

Marc zeigte den Männern noch die restlichen Ruinen.

»Etwa hier müsste sich die getarnte Kuppel Vandorps befinden!«

Er hat den Ausschnitt weiter nach Norden verschoben und auf der Satellitenaufnahme ist nur dichte Vegetation zu erkennen. Bill starrte auf das Display, hebt den Kopf und sagt verblüfft.

»Da ist gar nichts zu erkennen? Nur Bäume und Buschwerk! Ich glaube diese dichte Vegetation könnte für uns einerseits von Vorteil sein, anderseits aber auch Probleme verursachen! Ich denke da an Hinterhalte durch Vandorps Söldnertruppe!«

Marc nickte und erklärt.

«Ich bin der Meinung, wir warten bis Charles Maschine gelandet ist! Samantha Wong und Miguel Ruiz können uns dann sicher noch mehr über die Verhältnisse auf dieser geheimnisvollen Insel berichten!«

Am runden Tisch breitet sich Schweigen aus und alle sind in ihre eigenen Gedanken zur bevorstehenden Aufgabe versunken. Ein aufdringlicher Klingelton störte die Ruhe und Sally bemühte sich eilends ihr Smartphone aus der Tasche zu kramen. Sie nimmt den Anruf an, hörte eine Weile zu, was der Anrufer sagte und unterbricht das Gespräch, ohne ein Wort gesagt zu haben.

»Das war Charles! Sie landen in einer Minute!«,

klärte sie die Runde auf, als schon das heulende Geräusch eines sich nähernden Düsenflugzeugs zu hören ist. Ein jaulendes Quietschen der aufsetzenden Reifen dringt an ihre Ohren und das Dröhnen der Turbine im Umkehrschub entfernte sich wieder leiser werdend, als die Maschine zum Ende er einzigen Start- und Landebahn des Bariloche Airports rollte.

Dann schwillt das Geräusch der Turbinen wieder an, als der Jet auf der Runway am Lagerschuppen vorbei zieht. Die Triebwerke verstummen und es herrscht wieder Ruhe. Sally und Marc stehen auf und gehen durch die Türe auf die Betonfläche vor dem Lagerschuppen. Trotz des späten Nachmittags ist es für diese Jahreszeit noch angenehm warm. Eine leichte Bise bläst von Norden und macht, durch die frische Luft, den für Flugplätze typischen Geruch nach Kerosin, Gummiabrieb und aufgewärmten Asphalt etwas erträglicher. Sie wollen eben um die Ecke des Lagerschuppens gehen, als ihnen, angeführt von Charles und Samantha, die zweite Gruppe entgegen kommt. Am Ende schieben Rodrigues und Pincon den voll bepackten Handkarren mit ihrer Ausrüstung.

»Hallo, ihr zwei Hübschen! Ein Empfangskomitee wie es sich gehört!«,

verkündet Charles aufgestellt, fasste Sally um die Hüfte, zieht sie zu sich und küsst sie kurz auf die Wange. Samantha steht etwas verlegen daneben und blickt mit hochgezogenen Augenbrauen zu Marc Miller. Der witzelt.

»Das ist bei den zwei langsam zur Gewohnheit geworden, Sam! Die können Arbeit und Privates einfach nicht mehr trennen! Aber schön euch zu sehen! Hattest du einen guten

Flug, Sam?«
Sie wirkte etwas verunsichert, da sie nicht abschätzen konnte, ob Marc und Sally von ihrem Geständnis und dem nachfolgenden Zusammenbruch wussten und meinte unverfänglich.

»Danke der Nachfrage, Marc! Sehr angenehm! Das Essen war hervorragend und für Unterhaltung war auch gesorgt! Mit eurem Freund Fred und vor allem mit Charles, konnte man über alles sprechen!«

Sally bemerkte die etwas kryptische Umschreibung, löst sich aus Charles Umarmung und streckte Samantha die Hand hin.

»Charles hat uns über sein Gespräch mit dir aufgeklärt, Samantha! Also reden wir Klartext! Für dich bin ich die Sally! Und ich hoffe ich kann mich auf Charles Urteilsvermögen verlassen!«

Die beiden Frauen schütteln sich die Hände und schliessen einen vorläufigen Burgfrieden. Sie begeben sich zu dem provisorischen Aufenthaltsraum im Lagerschuppen. Nach eingehender Begrüssung mit viel Hallo, Händeschütteln und Schulterklopfen, setzen sich die Neuankömmlinge an den zweiten runden Tisch. Auf dem liegt ebenfalls eine Anzahl Getränke und jede Menge Verpflegung bereit. Rodrigues und Pincon hieven die Aluminiumkoffer und Kisten zu den anderen aus der Gulfstream auf die Werkbank und bleiben, mit auf den Rücken verschränkten Armen, stramm stehen. Miguel Ruiz winkte die zwei zu ihnen an die Tische.

»Setzt euch auch zu uns! Ich möchte, dass ihr mithört, wie wir heute Nacht vorgehen werden! Es kann sein, dass wir auf Abruf eure Hilfe benötigen!«

Nachdem die zwei sich dazu gesellt haben, ergreift Marc das Wort.

»Charles! Wenn du gestattest? Kurz vor eurer Ankunft habe ich mit Team2 über die Isla Huemul gesprochen!«

Sally konnte sich einen Kommentar nicht verkneifen.

»Gesprochen! Sagst du? Marc hat doziert, wie wenn er eine

Vorlesung vor einer Meute angehender Historiker halten würde!«,

bemerkte sie spöttelnd. Marc geht nicht auf Sallys Stichelei ein. Er kennt sie zu gut, um zu wissen, dass sie das nicht abschätzig meinte.

»Nun denn! Sally hat Recht! Ich habe Team2 über die Geschichte der Isla Huemul informiert. Vor allem darüber, wie es aktuell dort aussieht und wie es um die Ruinen und das Gelände bestellt ist! Am Schluss sind wir an dem Punkt gewesen, wo ich der Meinung bin, dass uns Miguel vielleicht noch detaillierter über die Insel Auskunft geben kann! Einen Moment, ich möchte euch das auch bildhaft zeigen!«

Marc nimmt sein Convertible Notebook zur Hand, richtet es auf die Wand vor den Tischen und fragt Manuel Pincon.

»Manuel! Könntest du bitte diese drei Leuchten ausschalten! Geht das?«

Der nickte stumm, steht auf und löscht die Neonröhren. Die Wand liegt jetzt im Halbdunkel und Marc schaltet das Notebook ein. Aus einer kleinen Linse an der Seite leuchtet ein lichtstarker Strahl auf und projizierte das Satellitenbild der Isla Huemul gestochen scharf an die Wand.

»Das ist der letzte Bildausschnitt von Abels Aufnahmen der Insel, den ich Bill und seinem Team gezeigt habe! Stand - heute Morgen 10:37 Uhr! Am unteren Rand ist noch das „Laboratorio" zu erkennen. Darüber - also gegen die Nordküste - sehen wir...?«

Marc blickte amüsiert in die Runde. Fragende Mienen spiegeln sich in den Gesichtern.

»Wir sehen was? Nichts! Stimmt nicht ganz! Ich hätte sagen sollen - wir sehen vor lauter Wald die Bäume nicht mehr!«

Marc markierte eine Stelle weiter oben im Bild mit einem roten Fadenkreuz.

»Etwa hier! - 300 Meter von der Nordbucht mit dem Tunneleingang entfernt - soll sich die Kuppel Vandorps befinden? Und wo wir eben „nichts“ sehen, ist diese äusserst sorgfältig und gut getarnt! So gut, dass selbst Abels *Super-Spionage-Alleskönner-Satellit* diese bisher nicht entdecken konnte! Ich bin aber überzeugt, dass jetzt, wo wir wissen, dass sie sich auf der Insel befindet, Abel diese auch mit einer seiner Scanning-Möglichkeiten aufspüren kann!«

Marc verschiebt den Bildausschnitt wieder nach Süden bis zum Landesteg.

»Was mich etwas irritierte! Auf dieser Aufnahme ist der Landesteg verwaist!«

Er überblendet zu einer identischen Aufnahme. Auf dieser ist ein grosse dunkelgraue Yacht zu erkennen.

»Diese Aufnahme wurde zur selben Zeit am Tag zuvor aufgenommen! Sie zeigt eine Yacht, die am Landesteg vertäut ist! Ich stelle also die Frage - *wo* ist die heute? Und um *was* für einen Typ handelt es sich?«

Er fixierte Samantha.

»Das kann ich erklären! Es handelt sich um die *„Axolotl3“*, eine Majestic 56! Achtzehn Meter lang und sehr schnell! Und ich vermute, dass Vandorp sie zum *Inalco Haus* geschickt hat! Manchmal wird sie aber auch für Transporte von Waren von Bariloche zur Insel benutzt! Dann müsste sie dort im Hafen aufzuspüren sein!«

Marc Miller nickte und wechselt das Bild wieder zum aktuellen Stand.

»Danke, Sam! Ich werde Abel beauftragen, den Standort der Yacht ausfindig zu machen! Nicht, dass wir unangenehme Überraschungen erleben! Und jetzt kommst du ins Spiel, Miguel! Wir wissen, dass die Insel seit fast einem Jahr durch die Behörden von Bariloche für Besucher gesperrt ist! Nebst den Richter Ruinen gibt es auch noch einige Gebäude und Einrichtungen, die für den Tourismus erstellt wurden! Richtig?«

Marc sieht Miguel fragend an und der nickt bestätigend.

»Nun deckt sich die Schliessung mit dem Gerücht, beziehungsweise dem Zeitpunkt, als Vandorp die Insel gekauft habe! Stimmt doch, Sam?«

Auch Samantha bestätigte und ergänzt.

»Das ist nicht nur ein Gerücht, Marc! Er hat sie ja, wie wir wissen, tatsächlich gekauft! Genauso wie das Inalco Haus! Und zwar für eine so absurd hohe Summe, dass die Stadtväter Bariloches seine damit verknüpfte Bedingung zur Schliessung für Besucher gar nicht ablehnen konnten! Er lässt die Kuppel bauen und deklariert sie, als seinen persönlichen Rückzugsort! Die damit verbundenen Arbeiten bescherten den heimischen Handwerkern plötzlichen Wohlstand, denn Rick, äh Vandorp, bezahlte diese ausserordentlich fürstlich und weit über den gängigen Preisen!«

Charles stellt eine berechtigte Frage.

»Sam? Wie konnte er denn die Errichtung der geheimen Bereiche bewerkstelligen?«

Sie zeigt auf die Projektion der Insel.

»Alle Materialien, die offensichtlich für die - zugegeben äusserst extravagante - Architektur und Inneneinrichtungen eines exzentrischen Milliardärs aussah, liess er von den Einheimischen errichten und herstellen! Die geheimen Bauarbeiten und Gerätschaften, vor allem in der unterirdischen Anlage, wurde von getreuen und fanatischen „braungesinnten" Spezialisten heimlich und des Nachts ausgeführt! Dazu wurde das gesamte Material durch den „Fluchttunnel" angeliefert!«

Marc ergreift wieder das Wort.

»Eines, was mich und sicher auch alle hier im Raum schon lange interessiert, Sam? Wie konntet ihr, ich meine Vandorp, Adolf und du, die letzten zwölf Monate unerkannt hier in der Gegend agieren?«

Samantha lächelte und zeigt mit dem Finger auf sich.

»Schon mal etwas von *Verkleidung* gehört, Marc? Wir

veränderten unser Äusseres! Wie du siehst, habe ich mir die Haare rötlich gefärbt! Vandorp und Adolf haben sich ebenfalls die Haare gefärbt und zwar Schwarz! Dazu liessen sie sich noch Bärte wachsen! Nicht lang - einfach im Stil der Latinos! Rick Vandorp trug zusätzlich immer eine Sonnenbrille! Und das Wichtigste! Wir hatten natürlich falsche Pässe! Ausgestellt von einer Vertrauensperson in den Behörden von Misiónes! Also eigentlich „echte“ argentinische Dokumente, aber eben mit *falschen* Namen! Vandorp nannte sich sinnigerweise *Don Rico Dopueblo*! Nomen est Omen! Aus Adolf wird *Alphonso* und aus mir wurde die *Doña Sandrine Feng*!«

Alle staunten über Samanthas Erklärung. Charles wendet sich an Miguel Ruiz.

»Könntest du uns jetzt über die Situation auf der Insel aufklären? Ich möchte anschliessend unseren Angriff im Detail besprechen!«

Er blickte auf seine Uhr.

»Wir werden die Mission um Null-Einhundert Uhr starten! Wir haben also noch sieben Stunden!«

Miguel wandte sich an Marc.

»Kannst du uns noch einmal die Südseite der Insel und zwar die Richter Ruinen zeigen? Danke, Marc! Wie ihr seht sind sechs kleinere und auch sehr grosse Ruinen über das Gelände verteilt! Ein direkter Weg, den Vandorp hat anlegen lassen ist Vegetations frei! Alle anderen Wege, die ursprünglich für die Besucher angelegt wurden, sind inzwischen wieder fast vollständig überwuchert! Das ist auf der einen Seite für uns von Vorteil! Wir können uns dadurch besser unbemerkt zur Kuppel vorarbeiten! Anderseits müssen wir damit rechnen in Hinterhalte zu geraten! Ein grosser Vorteil für uns ist natürlich, dass wir des Nachts angreifen und Vandorp keine Ahnung von unserer Mission hat. Wir können also das Überraschungsmoment für uns nutzen! Zudem ist Halbmond und somit ist es unter den Bäumen fast stockdunkel! Mehr kann ich im Moment dazu nicht sagen!«

Charles erhebt sich, nimmt sein Tablet zur Hand und verlinkt es mit Marcs Notebook. Er verkleinert den Bildausschnitt, bis die gesamte Insel zu sehen ist. Dann legt er zwei rote Pfeile über das Bild und erläutert.

»Wie ich schon im Safehaus demonstriert habe, werden wir an zwei Angriffspunkten auf der Insel landen! Und zwar zeitgleich! Codename für unsere Mission - *Ghost*! Team1 - Deckname *Scylla* - landet in der Bucht mit dem Tunnel und Team2 - Deckname *Charybdis* - an diesem Strand, fünfzig Meter links von der Stelle mit dem Landesteg!«

Charles holte ein Earset aus der Hosentasche und zeigt es in die Runde.

»Zusätzlich zu den in den Tarnanzügen eingebauten Kommunikationsmittel, verwenden wir diese Earsets! Damit sind alle jederzeit miteinander verbunden! Des Weiteren hat unser Daryl Smith die Tarnanzüge mit der „Mimikry-Funktion" etwas modifiziert und eine verbesserte Version unserer „WITUs" in den linken Unterarm integriert! Für alle die das „WITU" noch nicht kennen. Das ist die Abkürzung für „*Wearable Intercom Tracker Unit*" und hat Sally, Marc und mir, bei der Unternehmung auf Yucatán vor einem Jahr, gute Dienste geleistet! Die genauen Funktionen zeige ich euch anschliessend, wenn wir unsere Ausrüstung überprüfen! Noch Fragen?«

Als keiner darauf antwortet, sagt Charles.

»Dann ruhen wir uns jetzt für zwei Stunden aus!«

59

Argentinien - Bariloche Airport

Nachdem sich jede und jeder aus den zwei Teams die Zeit in unterschiedlicher Weise vertrieben hat, ist es inzwischen Abend geworden und die Dämmerung kündigte die kommende Nacht an. Charles blickte mehrmals auf seine Uhr, geht dann zu Sally und Marc. Die sich vor der langen Werkbank stehend, gerade über den Vor- und Nachteil einer Mission bei Halbmond unterhalten. Er tritt nahe zu ihnen und sagt so leise, dass nur sie ihn verstehen können.

»Ich verschwinde jetzt für zehn Minuten! Wenn jemand nach mir fragen sollte, sagt ihm, ich müsste noch etwas Wichtiges im Flugzeug holen und mit Angus besprechen!«

Er zwinkerte mit einem Auge und Sally und Marc haben sofort verstanden was er meinte. So unauffällig wie möglich näherte sich Charles der Türe. Er vergewisserte sich, dass gerade niemand auf ihn achtete und schlüpfte schnell ins Freie.

Mit schnellen Schritten begibt er sich zu den zwei auf dem Parkfeld stehenden Jets. In der jetzt schlagartig herein gebrochenen Nacht sind die Maschinen nur noch als dunkle Silhouette zu erkennen. Auf den Rumpfseiten sind, wie eine Perlenkette, die gelblich leuchtenden Kabinenfenster zu sehen. Er geht zu der Gulfstream der CISMA, steigt die paar Stufen der Einstiegstreppe hoch und klopft zweimal kurz und dreimal lang an das kleine Fenster der Kabinentüre. Die Luke geht auf und Valeries Gesicht erschient in der Öffnung,

»Hallo, Charles! Ich habe gesehen, dass ihr wohlbehalten gelandet seid! Komm rein in die gute Stube! Patrik und Angus debattieren gerade über die Unterschiede und Vorzüge der verschiedenen Scotch Whiskys! Pardon! Es heisst bei diesen Connaisseurs natürlich *Single Malt*!«

Charles tritt in die Kabine und nachdem Valerie die Luke wieder geschlossen hatte, sagte er.

»Hallo, Val! Das sind Debatten, die nur eingefleischte Wasserverächter führen können! Ich hoffe der englische Gentlemen hat dich nicht zu sehr gelangweilt?«

Valerie verneinte lächelnd.

»Nein, nein, Charles! Im Gegenteil! Ich muss feststellen, dass Patrik ein äusserst amüsanter und belesener Zeitgenosse ist! Ich könnte mich schon an den gewöhnen!«

Charles bemerkte das seltsame Glitzern in ihren Augen, als sie Patrik erwähnte und dachte. *»Hoppla! Ich glaube fast, die gute Val hat es erwischt!«* Sie gehen zu den zwei Männer, die in einer der Sitzgruppen eben heftig darüber diskutieren, ob es erlaubt sei, einige Tropfen stilles Wasser in einen 12-jährigen Single Malt zu geben.

»Nein, nein und nochmals nein, Patrik! Das grenzt schon fast an Blasphemie! Auf gar keinen Fall Wasser! Pur - ohne Eis! Nur Banausen schütten *literweise* Wasser in solch edle Getränke!«,

ereiferte sich Angus mit hochrotem Gesicht und klopfte mit der flachen Hand auf den schmalen Tisch. Patrik, die Ruhe selbst, wollte gerade zu einer Erwiderung ansetzen, als er Charles erblickt, der trocken einwirft.

»In dem Fall muss ich Patrik Recht geben, Angus! Ein paar Tropfen möglichst gutes stilles Wasser können die Blume und den Abgang eines Single Malt erheblich steigern! Sei gegrüsst alter Kamikaze!«

Er klopfte Angus, der mit dem Rücken zu ihm sitzt und ihn im Eifer des Gefechts nicht bemerkt hatte, kräftig auf die Schulter. Angus dreht sich zu ihm um und fängt schallend an zu Lachen.

»Ok! Ich gebe mich der Übermacht geschlagen! Gegen zwei Verschwörer habe ich kein Brot! Setz dich „alter“ Junge!

Und trink etwas! Zum Beispiel so einen Göttertrank?«
Er zeigte auf sein Glas mit der goldgelben Flüssigkeit. Charles schüttelt den Kopf.

»Danke für das Angebot! Aber du weisst ja! Nie vor einer heiklen Mission! Nicht alle bei der CISMA haben es so gut, wie überbezahlte Piloten-Asse! Im Ernst! Ich muss mit Patrik sprechen! Aber ein Mineralwasser nehme ich schon gerne!«
Val verschwindet in der Bordküche und bringt ihm das Wasser.

»Soll ich mich zurück ziehen, Charles?«,
fragt Angus zaghaft.

»Nein schon gut! Bleib ruhig sitzen! Ich muss nur kurz mit Patrik über seinen Einsatz sprechen!«
Charles hat sich neben Angus gesetzt und erklärte Patrik in den nächsten fünf Minuten, was er zu tun hatte. Zum Schluss sagte er noch.

»Wenn ich gegangen bin, wartest du noch fünf Minuten und begibst dich zu dem Raum gegenüber dem Lagerschuppen. Der Koffer mit deiner Ausrüstung ist bereits dort deponiert! Ein Agent unter Miguels Kommando namens *Ignacio* wird dich dort abholen und zur Küste bringen! Seine Erkennungsparole lautet - „Loch Lomond"! Soweit alles verstanden, Patrik!«
beendete Charles seine Instruktionen. Er blickte auf seine Breitling.

»Jetzt ist aber höchste Zeit zu den anderen zurück zu gehen! Sonst könnte mein „Verschwinden" allzu sehr auffallen! Valerie! Kannst du mir bitte noch die Umhängetasche holen, die dir Fred vor dem Start übergeben hatte?«
Valerie geht eilig in die Bordküche und holt die Tasche. Charles nimmt sie entgegen, grüsste wortlos und verlässt die Gulfstream.

Am Lagerschuppen angekommen, späht er durch das kleine Fenster neben der Eingangstüre in Innere. Er wartete einen günstigen Moment ab, dass keiner zur Türe blickt und schlüpft geräuschlos in den Raum. Beiläufig schlendert er zu Sally und

Marc, die immer noch an der Werkbank stehen und sich leise unterhalten. Nur eine Person verfolgte aufmerksam, wie sich Charles zu den beiden begibt. Samantha runzelte leicht die Stirn und ein aufmerksamer Beobachter hätte das misstrauische Aufblitzen in ihren Augen bemerkt. Sie beobachtet, wie sich Charles Roberts flüsternd mit den zwei unterhält. Wie Marc Miller einen verstohlenen Blick zu ihr wirft und nickte, während Sally Bowles verneinend den Kopf schüttelt. *»Was hat das wohl zu bedeuten? Die drei unterhalten sich doch offensichtlich über mich?«*, dachte Samantha irritiert. Charles redete nun offensichtlich leise auf Sally ein, die danach kurz nickte und einen kurzen Blick auf Samantha riskiert. Charles drehte sich zu den an den Tischen verteilten Teams und beginnt mit fester Stimme zu sprechen.

»Leute! Alle mal herhören! Es ist Zeit! Wir werden jetzt alle unsere Ausrüstung in Empfang nehmen und überprüfen! Bitte zuerst Team1 unter meinem Kommando! Dazu gehören - Sally, Marc, Fred, Diego und Samantha! Fred! Komm bitte zu uns zur Werkbank! Für Diego und Sam steht leider keiner unserer „Chams“ zur Verfügung! Jedoch haben wir für die beiden eines der alten WITUs!«

Charles wartet, bis die drei sich zu ihnen gesellt haben. Dann deutet er auf die vier Aluminiumkoffer, die rechts von ihm in einer Reihe liegen.

»Jeder öffnet bitte einen Koffer!«

Die Deckel werden aufgeklappt und Charles entnimmt aus seinem Koffer ein Bündel in der Grösse einer Aktentasche. Er entrollt das Bündel und zeigt allen ein Ding, das aussieht wie ein schwarzer Overall.

»Das ist einer der brandneuen Kampfanzüge der DARPA!«

Er macht bewusste eine Pause und studiert die Mienen der zwei Teams. Frank Vargas hebt die Hand, deutete auf das schwarze unscheinbare Gebilde in Charles Händen und kommentiert.

»Mit Verlaub, Chef! Wenn du mich fragst, ist das Ding da nichts weiter als ein schwarzer Overall für Automechaniker oder so!«

Er erntete verhaltenes Lachen von seinen Teamkollegen, während Charles ihn ruhig fixierte und antwortet.

»Nun, mein lieber *Francisco Vargas*! Erstens - nenn mich nicht Chef! Wenn schon, denn schon lieber Boss! Zweitens - dieser „unscheinbare" Overall hat im Gegensatz zu deinem Automechaniker-Outfit einige entscheidende Unterschiede! Das *Ding* ist aus einem besonderen mehrlagigen Material gefertigt! Zum einen, ist es bis zu einem Kaliber .10 APC kugelsicher! - und zwar überall! Also alle durch dieses Material geschützten Bereiche, wie Arme, Beine, Brust und so weiter! Zudem ist das Material der obersten Schicht aus hauchdünnen speziellen Hohlfasern gewebt! Durch einen vor der Brust und im Rücken eingewebten Mini-Scanner wird die Umgebung abgetastet und an einen im Anzug integrierten Rechner gesendet. Dieser steuert die Kolorierung unseres *„Chamäleon-Dress"* - kurz *„Chams"* genannt und wechselt je nach Umfeld die Farben und simuliert die Strukturen der Umgebung! Somit macht dich dieser „Automechaniker-Overall" praktisch unsichtbar! Du kannst dich hoffentlich noch an den Kampfanzug von Henrique Velasquez erinnern! Ähnliche Technik - aber viel besser!«

Frank blickte etwas verlegen nach unten und brummt.

»Sorry, Charles, Boss! Hab's ja nicht so gemeint! Und - nein! Ich habe „Henrys" Outfit nicht vergessen!«

Charles bittet nun Marc den Kampfanzug zu halten und zeigt mit dem Zeigefinger auf den Hüftbereich.

»Eigentlich ist das kein Overall, sondern ein Zweiteiler! Hier im Gürtelbereich lässt sich der Anzug teilen! Die Hose und das Oberteil werden durch einen neuartigen Verschluss zusammen gehalten!«

Er presst kurz mit dem Finger auf ein kleines Feld an der Stelle, wo sich üblicherweise eine Gürtelschnalle befindet. Die Hose löste sich vom Oberteil und fällt zu Boden. Allgemeines Gelächter, als Marc das Oberteil vor Schreck fast fallen lässt.

Charles zeigt auf den linken Unterarm des Oberteils.

»Hier! Im Ärmel, hat Daryl Smith unser Chef-Techniker, die verbesserte Version der „WITUs“ integriert. Das Display besteht jetzt aus einer biegsamen OLED-Folie, die sich an die Anatomie des Trägers anpasst! Mit 4 Zoll Diagonale hat es eine 4k HD Auflösung und passt sich automatisch an die Helligkeit der Umgebung an! Die integrierten Schaltkreise der Elektronik sind direkt in das Material des Anzugs eingearbeitet!«

Charles zeigte mit dem Finger auf die Sensorfelder am unteren Rand des Displays.

»Das »Handling« ist bewusst einfach gehalten! Der Sensor links ist - Nummer *Eins*. Er zeigt den Weg, ähnlich einem Navi im Auto! Ein blinkender roter Punkt zeigt auf den durch den CISMA-Satelliten übermittelten Karten der Umgebung an, wo ihr euch gerade befindet! Sensor Nummer *Zwei* - zeigt die Distanz zum Ziel! Sensor *Drei* - sendet ein Tracking-Signal, das euren Standort auf einen Meter genau anzeigt! Das Signal ist für den Notfall gedacht und nur von Abel zu orten!«

Charles zeigt auf die zwei Sensoren rechts.

»Sensor *Vier* - ist zum Schalten der normalen Funktionen, also Uhr, Kompass, Datum und so weiter. Sensor *Fünf* - schaltet eine Audio- und Videoverbindung zu diesen acht Geräten - und *nur* zu diesen! Die Kamera ist oberhalb des Displays untergebracht. Daher haltet beim Sprechen das Display vor euer Gesicht! Marc! Dreh bitte das Oberteil einmal um und zeige uns die Rückseite!«

Marc zeigt die Rückseite, an der oben beim Kragen ein Beutel artiges Teil hinunter hängt.

»Das Teil hier - ist eine Sturmhaube! Diese bietet ebenfalls den „Chamäleon“-Effekt, somit nur unser Gesicht nicht „getarnt“ wäre! Wenn jetzt jeder von Team1 bitte den Kampfanzug überziehen würde. Ich werde dann die weiteren Funktionen erklären!«

Samantha hebt ein wenig die Hand und erkundigt sich.

»Charles? Ich sehe hier vier Koffer, also vier Ausrüstungen! Mich eingerechnet wäre Team1 doch sechs „Mann" stark? Ich möchte nicht despektierlich klingen, aber meine Jeans und die helle Bluse sind ja wohl nicht die ideale „Tarnung" für eine nächtliche Mission?«

Er blickte zu Samantha und mustert sie von oben bis unten.

»In der Tat, Sam! Nicht unbedingt Missions gerecht! Wie ich schon erwähnte, haben wir leider nur acht dieser Anzüge! Ich habe dich aber nicht etwa vergessen und lass dich sicher nicht in dieser Kleidung durch die Gegend spazieren! Miguel Ruiz hat dafür gesorgt, dass du einen ihrer Kampfmonturen erhälts! Stimmt's Miguel?«

Miguel bejaht und zeigt auf einen grossen Schrankkoffer, der in einer Ecke der Lagerhalle steht und bisher keinem aufgefallen ist. Inzwischen haben Sally, Marc und Fred die Kampfdress übergezogen und auch Charles beginnt sich anzukleiden. Er zieht die Sturmhaube über den Kopf. Nun ist, bis auf einen schmalen Streifen um die Augen, sein Gesicht verdeckt.

»Auch die „Kapuze" ist an die Chamäleon-Tarnung angeschlossen! Das Material über der Mund- und Nasenpartie ist luftdurchlässig, jedoch *nicht* kugelsicher! Das ist meiner Meinung nach kein Nachteil und somit zu vernachlässigen! Somit bleibt nur unsere Augenpartie „ungetarnt"! Zu diesem Zweck kann das Klappvisier über die Augen gelegt werden. Es handelt sich um eine dünne, aber sehr stabile Folie, die von aussen dunkel eingefärbt ist, aber optimale Sicht von Innen garantiert! Zudem ist ein Restlichtverstärker eingebaut der mittels Sprachbefehl ein- und ausgeschaltet wird!«

Charles hebt den rechten Unterarm abgewinkelt nach vorne. Auf der Oberseite, knapp hinter dem Handgelenk, ist ein längliches flaches Gebilde befestigt.

»Am rechten Unterarm ist die Multifunktionsleuchte angebracht - kurz MFL genannt! Sie kann wie eine normale leuchtstarke Taschenlampe verwendet werden! Nichts Besonderes! - denkt jetzt sicher der eine oder die andere? Zu Unrecht! Dieses kleine Wunderwerk der Technik ist zudem in der Lage, als Wärmebildkamera eingesetzt zu werden! Und! - sie kann auch mit Hilfe einer abgewandelten Form von Röntgenstrahlen durch bis zu einen Meter dicke Wände „leuchten"! Die Funktionen werden - wie übrigens auch die „WITUs" - durch Sprachbefehl gesteuert!«

Keiner machte mehr Scherze und ihre Mienen zeigten, dass sie sichtlich beeindruckt sind.

»Die Sprachsteuerung wird zuvor auf das persönliche Stimmenprofil kalibriert und kann dann nur noch vom Träger des „Chamäleon-Dress" aktiviert werden! Nun, zu den „WITUs"! Einige kennen es schon! Allerdings nicht mit den jetzt verfügbaren zusätzlichen Funktionen! Zuerst zu den neuen!«

Charles hebt den linken Unterarm so, dass alle das Display im Blick haben.

»Neu ist eine biometrische Einheit integriert! Diese zeigt die wichtigsten Vitalfunktionen des Trägers an! Also, Puls, Blutdruck und Sauerstoff-Sättigung! Diese Vitalfunktionen werden verlinkt und können von jedem der Teams abgerufen werden und somit anzeigen, wer noch einsatzfähig ist oder Hilfe benötigt! Eine weitere Funktion zeigt an, ob sich chemische oder biologische Kampfstoffe in der Atmosphäre befinden! Allerdings hat die Sturmhaube nicht die Funktion einer Gasmaske!«

Charles spricht leise einen Befehl und vor den Augen der Teams löste sich sein Körper in Luft auf. Lediglich durch ein irisierendes Flimmern um seine Körperkontur, konnte man erahnen, wo er sich befindet. Nur die Hände, scheinbar wie eigenständige Wesen in der Luft schwebend, verraten, dass es sich bei dem Schemen, um einen Menschen handelt. Zehn Sekunden später erscheint Charles Körper wieder, wie von Geisterhand. Charles wedelte mit den Händen.

»Ihr habt bemerkt, dass eigentlich nur noch meine Hände gut zu sehen sind, wenn am „Chams“ die Tarnung eingeschaltet ist! Das Problem bei der Entwicklung des „Chams“ ist der Umstand, dass unsere Glock x19 und die „Darpas“ mit Fingerprintsensoren ausgestattet sind! Darum haben die Ingenieure einen neuen Weg gesucht - und gefunden! Anstelle des Fingerabdrucks, der beim Tragen von Handschuhen von Sensoren nicht mehr gelesen werden kann, wird jetzt das bei jedem Menschen vorhandene leichte elektrische Spannungsfeld erfasst! Man hat heraus gefunden, dass diese Spannungsenergie ebenso individuell ist, wie die Papillen an den Fingern! Der Vorteil - diese Spannung- manche nennen es auch die „Aura“ - kann auch durch das Gewebe eines Handschuhs gelesen werden!«

Charles hatte während seiner Erläuterung ein Paar schwarze Handschuhe aus seinem Koffer gefischt, übergestreift und zeigte sie in die Runde.

»Nun kommen wir zu unserer Bewaffnung!«

Er greift erneut in den Koffer und holt einen schwarzen Waffengurt hervor. Er schnallt ihn um und deutet auf seine rechte Hüfte.

»Hier auf der rechten Seite steckt meine „Darpa“ im Schnellziehholster! Auf der linken Seite sind je zwei Taschen mit Reserve-Magazinen für die „Darpa“ und die Glock x19! Hinten links sitzt der flache Behälter für die Hochleistungsbatterie, die alle Systeme im Anzug versorgt! Die Stromübertragung zum Anzug - ungefährliche 12 Volt Niederspannung - erfolgt kontaktlos!«

Charles holt eine Glock x19 aus dem Koffer und zeigt, wie man diese in das integrierte Halfter unter der linken Achselhöhle fixieren kann.

»Das ist also unsere Standard Ausrüstung! Auf die, für jede Aufgabe individuelle Ausrüstung, wie Sturmgewehr, Maschinenpistolen, Sprengmittel, Kampfmesser und so weiter, brauche ich nicht einzugehen! Jeder weiss am besten, was er für seine Aufgabe benötigt!«

Es wurden keine Fragen mehr gestellt und während der nächsten Viertelstunde sind alle mit ihrer Ausrüstung beschäftigt. Charles beobachtete, wie sich Samantha geschickt die Kampfmontur überzieht und in die Kampfstiefel mit den geräuschdämpfenden Sohlen schlüpfte. Sie knotete ihr langes Haar zusammen und verbirgt sie unter einem schwarzen Barett. Sie spürte instinktiv, dass sie beobachtet wird. Drehte sich um und blickt zu Charles Roberts. Mit dem Finger zeigte sie auf den Kampfgürtel mit dem leeren Holster, zuckt mit den Schultern und sieht ihn fragend an. Charles schmunzelte, greift in seinen Koffer und holt ein Glock x19 und zwei Reservemagazine hervor. Er geht zu Samantha, streckte ihr die Waffe und Magazine hin und sagt beiläufig.

»Mit besten Grüssen von Sally und Marc! Ich konnte die beiden überzeugen, dass es sinnvoll ist, über zusätzliche Feuerkraft zu verfügen und man dir gefahrlos eine Waffe anvertrauen kann! Ich habe nämlich schon bemerkt, wie du unsere „leise" Diskussion argwöhnisch verfolgt hast! Also enttäusch mich nicht, Sam Wong! Übrigens ich empfehle dir noch ein Kampfmesser und ein, zwei der Blendgranaten!«

Charles drehte sich um, geht zu seinem Team und lässt die sprachlose Samantha hinter sich. Er beobachtet noch einige Minuten, wie sich alle mit ihrer Ausrüstung beschäftigen. Ruiz in voller Kampfmontur, eine Heckler & Koch Maschinenpistole in der linken Hand, kommt zu ihm und meldet.

»Charles! Alle sind jetzt bereit! Für die Fahrt zum Ort, wo die E-Boote auf uns warten, benötigen wir gut vierzig Minuten! Wir werden nicht durch Bariloche fahren, sondern die Umgehungsstrasse benützen! Wenn wir um Null-Einhundert ablegen wollen, müsste ich jetzt unsere Fahrzeuge aufbieten?«,

erklärte Ruiz.

»Ok, Miguel! Dann lass die Fahrzeuge jetzt kommen!«
Ruiz entfernte sich ein paar Schritte, zieht ein kleines Funkgerät aus einer Tasche seiner Kampfweste und spricht in stakkato artigem Tempo auf Spanisch leise in das Gerät. Er drehte sich um und zeigt fünf Finger der rechten Hand.

»Leute! In fünf Minuten kommt unser „Schuttle" zu den E-Booten! Haltet euch bereit!«,
unterbricht Charles die Unterhaltung seiner Truppe.

60

Argentinien - Playa Perito Moreno

Schweigend, zum Teil am Tisch sitzend, zum Teil stehend, warten die Frauen und Männer, als sich das Funkgerät von Miguel Ruiz quäckend meldet.

»Die Fahrzeuge stehen jetzt vor dem Lagerschuppen!«, verkündet er in die Runde und die Truppe wunderte sich, dass sie kein Motorengeräusch gehört hatten.

»Zuerst Team2! Geht so schnell wie möglich in das Fahrzeug! Nicht, dass unfreiwillige Beobachter uns bemerken! Dann ist Team1 an der Reihe!«,

forderte Charles die Truppe auf. Auf ihren Gummisohlen vollkommen geräuschlos, schlüpfen Bill Harmundson, gefolgt von seinen Teammitgliedern aus der Eingangstüre. Nach zwei Minuten folgte ihnen Charles‘ Team1. Als Sally und Marc die Fahrzeuge sehen, die im gelblichen Zwielicht vor dem Lagerschuppen stehen, haben sie gleichzeitig den Gedanken eines „Dejà vues“. Sie bleiben wie angewurzelt stehen. Sally fasste Charles, der weiter gehen wollte, am Ärmel und deutet auf die zwei grossen Fahrzeuge. Man merkt ihr an, dass sie sich beherrschen muss, um nicht laut los zu prusten. Zu Charles und Marc gewendet, sagt sie im Flüsterton.

»Ich meine, da erlaubt sich euer neuer Freund Miguel einen Scherz? Kommt euch das nicht irgendwie bekannt vor?«

Sie zeigte mit der Hand auf das für ihr Team bestimmte Fahrzeug. Vor ihnen steht ein mitgenommen aussehender Mercedes Minibus, den anscheinend nur noch der Rost zusammen hält. Die Karosserie, in einem verblichenen Gelb lackiert, mit unzähligen Kratzern und Beulen, hatte auch schon bessere Tage gesehen. Auf der Seite prangte ein, in bunten Buchstaben aufgemalter, Firmenname - „Pescados Azul Ltda“. Rechts davon ist ein lachender Fisch im Comicstil aufgepinselt. Charles und Marc sagen im Chor.

»Dejà-vue! Mexiko lässt grüssen!«

Miguel Ruiz hatte die Worte in seinem Earset mitgehört und ist aus seinem Transporter gestiegen. Das Fahrzeug von Team2, ein gleiches Modell von Mercedes, sieht genauso desolat aus, nur dass die Grundfarbe ein ausgebleichtes Schweinchenrosa ist. Er sieht, dass Team1 immer noch vor dem Mercedes steht und kommt zu ihnen.

»Wie ich sehe gefallen euch unsere „Wonder-Trucks“?«, meinte Ruiz mit einem schelmischen Blick.

»Oh, ja! Miguel Ruiz, Commandante! Wer hätte auch was anderes erwartet! Nur das Beste ist für uns gut genug! Ich hoffe nur, dass wir die Fahrt überstehen, sofern wir es überhaupt schaffen ohne Schaden aus dem Flughafengelände raus zu kommen!«,

spöttelte Marc und zieht demonstrativ beide Augenbrauen fragend hoch.

»Und was mich noch interessieren würde, Miguel? Warum haben wir eigentlich die Wagen nicht gehört?«

Miguel macht eine einladende Geste, geht zum Van und öffnet die Schiebetüre.

»Ladies und Gentlemen! Bitte einzutreten und Platz zu nehmen! Geniessen sie die Fahrt! Und um deine Frage zu beantworten, Marc! Die Fahrzeuge sind mit einem Hybridantrieb ausgerüstet! Im Elektromodus ideal zum Anschleichen! Im normalen Motorbetrieb, dank Turbokompressor und rund 450 PS, auch extrem schnell! So um die 220 km/h!«

Er drehte sich um und geht zu seinem Fahrzeug. Sally drängte sich vor und blickt ins Innere des Mercedes.

»Hab ich‘s doch geahnt! Wie in Mexiko! Die typische geheime Geheimdienst Verarsche! Aussen pfui und innen hui!«

Und schon ist Sally im Inneren des Fahrzeugs verschwunden.

Die anderen folgen ihrem Beispiel und steigen nacheinander ein. Charles, als Letzter, schliesst die Schiebetüre und blickt um sich. Ein gediegener Innenraum mit acht bequemen Ledersitzen, kleinen Ausklapptischchen und hinten einem eingebauten Kühlschrank. Indirektes Licht aus OLED Paneelen verbreitete eine angenehme Atmosphäre. Erst von innen ist zu erkennen, dass auch zwei grosse Fenster vorhanden sind und Sicht nach draussen gewähren. Wie bei regulären Linienbussen mit Werbeaufschriften üblich, sind die Fenster von aussen mit einer Spezialfolie überzogen worden. Sally und Marc haben die erste Sitzreihe in Beschlag genommen und stellen eine zufriedene Miene zur Schau. Charles überblickte kurz sein Team und versicherte sich, dass alle eingestiegen sind. Er grüsst den Fahrer, der nur stumm nickte und setzt sich auf den Beifahrersitz.

Die leicht verzerrte Stimme von Miguel Ruiz ertönt aus einem Lautsprecher im Armaturenbrett.

»Santos? Por favor! Vamos a la playa!«

Santos, der Fahrer, schaltet die Beleuchtung des Innenraumes aus und presst seinen Daumen auf die Startertaste. Geräuschlos setzt sich der Mercedes in Bewegung. Er fährt leicht schaukelnd über den holprigen Schotterweg, der zu der Erweiterungsfläche vor dem Parkfeld der zwei Jets führte. Er biegt auf dem provisorisch betonierten Platz nach links ab und kurz darauf passieren beiden Fahrzeuge die Grenze des Flughafengeländes und scheren auf die Strasse Richtung Bariloche ab. Sie kommen an dem hell erleuchteten Terminal vorbei, passieren den grossen Kreisel und als die Vans auf die Strasse nach Bariloche - der Route Nacional #80 einbiegen - schaltet Santos den Antrieb auf den Verbrennungsmotor um. Ein sonores tiefes Brummen zeugt von der Leistung die unter der Motorhaube steckte.

Kurz nach Mitternacht herrscht nur mässiger Verkehr von und zum Flughafen. Kurz darauf biegen sie von der Route #80, die an der Küste entlang nach Bariloche führt, nach links ab und fahren auf der Umgehungsstrasse #40 weiter. Nur noch spärlich sind um diese Zeit Autos unterwegs und die beiden Mercedes kommen schnell voran. Vereinzelte Strassenlaternen spenden spärliches Licht, das in langen Intervallen immer wieder durch die Frontscheibe und die Seitenfenster flackerte. Charles dreht sich zum Innenraum und sieht die geisterhaft fahlen Gesichter seines Teams im diffusen Licht des Halbmondes. Samantha und Fred MacMillan, die sich gegenüber an einem kleinen Tischchen sitzen, unterhalten sich leise angeregt. Sally, Marc und Diego Diaz haben die Augen geschlossen und scheinen zu dösen. Charles versucht gar nicht erst mit Santos, ihrem Fahrer, ins Gespräch zu kommen. Kurz nach ihrer Abfahrt vom Flughafengelände, hatte er eine unverbindliche Frage an ihn gerichtet und nur ein mürrisches Brummen geerntet. Seitdem sitzen sie schweigend nebeneinander. Santos steuerte konzentriert den Wagen und achtete auf die dunkle Strasse vor ihnen. Charles ist in seinen Gedanken auf die bevorstehende Mission versunken. Als sie an einem Ortsschild vorbei fahren, das Charles auf die Schnelle nicht entziffern konnte, knisterte der Lautsprecher.

»Charles! Wir haben soeben die Ortsgrenze passiert und werden in fünf Minuten bei den Booten eintreffen!«,

vernimmt er Miguels Stimme. Er dreht sich zu seinem Team.

»Leute! Aufgewacht! Wir kommen in fünf Minuten an! Also! Macht euch bereit!«

Sally klappte blitzartig die Lider auf und macht grosse Augen.

»Schon da? Gemein! Ich war wohl völlig weggetreten! Auf einer einsamen Insel - nur mit dir, Charles! Und wir haben...! Aber lassen wir die Details!«,

murmelte sie und setzt sich gerade auf. Gespannt blicken alle aus den Fenstern und versuchen sich ein Bild der Örtlichkeit zu machen. Das Motorengeräusch hört auf, als Santos wieder auf Elektro-Antrieb schaltete. Nur noch ein leises Abrollgeräusch und Knirschen der Reifen auf altersschwachem Asphalt ist zu hören, als sie durch den Ort ihrem Ziel entgegen rollen.

61

Argentinien - Bariloche Airport

Zur gleichen Zeit, in rund achtunddreissig Kilometer Entfernung, rollt ein schwarzer Tesla SUV geräuschlos auf den schmalen Hof zwischen den zwei Lagerschuppen auf dem Flughafengelände Bariloches. Er hält ohne einen Laut vor einer schmalen verwitterten Türe. Ein schlaksiger Mann, komplett in Schwarz gekleidet, stiegt aus dem Fahrzeug und geht auf leisen Sohlen zu der Türe. Er klopfte dreimal kurz und zweimal lang. Die Tür öffnete sich nur einen schmalen Spalt breit. Kein Licht dringt nach draussen und eine tiefe Stimme sagte nur ein Wort auf Spanisch.

»Parola?«

Der Mann antwortete flüsternd ohne zu zögern.

»Loch Lomond!«

Die Türe springt ganz auf und ein grosser dunkler Schemen lässt den Mann vor der Öffnung einen Schritt zurück weichen. Das Schemen tritt durch die Öffnung und lächelte den etwas eingeschüchterten Agenten von Miguel Ruiz freundlich an. In einer beiläufigen Bewegung lässt er seine Pistole unter der Achsel verschwinden.

»Sie sind *Ignacio*, nehme ich an? Erfreut sie zu sehen! Es war ziemlich einsam und kalt in diesem Kabuff!«,

sagte Patrik Fitzpatrik zu dem Agenten, der offensichtlich ausser seinem Namen, dem Sinn von Patriks Worten nicht ganz folgen konnte. Fitzpatrik klopfte ihm mit der freien Hand auf die Schulter, zeigte auf den Tesla und meint.

»Ignacio! Tu e io! A la playa! Urgente! Presto - oder wie auch immer man bei euch sagt?«

Ignacio nickt verstehend und will Fitzpatrik die Stofftasche in seiner linken Hand abnehmen. Der wehrte ab und geht zum SUV, öffnet die hintere Türe und wuchtet die schwere Tasche auf den Rücksitz. Er geht um den Wagen herum, setzte sich auf den Beifahrersitz und wartet, bis sein Fahrer eingestiegen ist. Ignacio drückt den Starterknopf und tritt aufs Gaspedal. Mit einem Satz schiesst der schwarze Tesla nach vorne und beschleunigte rasant. Nach dem sie den Kreisel ausserhalb des Flughafens passiert hatten und auf die RN #80 eingebogen sind, schaltete Ignacio das blinkende Blaulicht oberhalb des Armaturenbretts ein. Mit halsbrecherischer Geschwindigkeit bretterte der Wagen über die gut ausgebaute Strasse. Fitzpatrik hob eine Augenbraue leicht an, blickte kurz zu seinem Fahrer und stellt beruhigt fest, dass der ein Könner seines Fachs ist und den schnellen Wagen absolut beherrschte.

»Kommen an inne kurze Zeit, Señor Loch Lomond!« Radebrechte Ignacio, der anscheinend von Ruiz nicht über Patriks richtigen Namen informiert worden war, während er ein einsames Fahrzeug, wie der Blitz überholte. *»Na! Ich hoffe doch, dass wir vor allem heil ankommen!«*, dachte Patrik, jetzt doch etwas nervös geworden über den kamikazehaften Fahrstil Ignacios.

62

Argentinien - Lago Nahuel Huapi

Lautlos fahren die zwei Mercedes Vans eine unbeleuchtete schmale Strasse entlang, biegen nach rechts ab und kommen mit knirschenden Reifen zum Stehen. Im Scheinwerferlicht kann Charles durch die Frontscheibe ein Gebäude erkennen, das auf beiden Seiten von hohen Bäumen flankiert ist. Rings um den Parkplatz bilden Bäume und Büsche eine Lichtung. Ruiz meldet sich über Lautsprecher.

»Wir sind da, Charles! Das Gebäude vor uns, gehört zum Yacht Club Bariloche und ist nicht bewohnt! Bitte alle auszusteigen!«

Kurz darauf stehen die zwei Teams auf dem mit Kies belegten Parkplatz vor den Fahrzeugen. Am Tag für die Besucher reserviert, die am *Playa Perito Moreno* die Freizeit geniessen wollen, ist der Platz zu dieser späten Stunde vollkommen verwaist. Die Scheinwerfer der Fahrzeuge sind ausgeschaltet und nur noch der hoch am Nachthimmel stehende Halbmond spendete sein fahles Licht. Hell genug, dass man fast noch Zeitung lesen könnte, jedoch alle Farben zu einem gelblichen Grauton verblassten lässt.

Marc Miller schaut gebannt nach oben zum Halbmond, der einen sphärischen Anblick bietet. Ein leicht gelblicher Hof bildete einen fast perfekten Kreis um den Erdtrabanten.

Vereinzelte nebulöse Wolkenfetzen ziehen von Ost nach West über das ansonsten sternenklare Firmament. Ab und zu schiebt sich eines der feinen Gespinste über den Mond, was ihm ein noch unwirklicheres Aussehen verleiht. Bill und Charles zählen noch einmal die Mitglieder ihrer Teams, während Miguel in sein Funkgerät flüsterte. Charles konsultiert sein WITU - 00:50 - zeigt das Display. Er schaut zu seinem Team und bemerkt die weissen Schwaden, die sie beim Ausatmen verursachen. Zu dieser Jahreszeit kann es, vor allem in der Nähe des Wassers, am Lago Nahuel Huapi noch empfindlich kalt sein. Sally und Samantha machen einen ziemlich unglücklichen Eindruck.

»Hätte man nicht eine Heizung in diese „Chamäleon-Dinger" einbauen lassen können?«,

moserte Sally leise vor sich hin.

»Hätten man können, Sally! Aber wie heisst es so schön! Kälte hält den Geist wach und erhöht das Denkvermögen!«,

konterte Marc, der neben den zwei Frauen steht. Miguel Ruiz räusperte sich demonstrativ und wendet sich an die Frauen und Männer.

»Bitte folgt mir! Die Boote warten am Strand hinter dem Gebäude auf uns!«

Sie folgen Ruiz und gehen an dem Gebäude zwischen den Bäumen vorbei. Als die Truppe auf den Kieselstrand tritt, bietet sich ihnen ein phantastischer Anblick. Die Oberfläche des Sees ist heute Nacht spiegelglatt und reflektierte das Mondlicht in einer glitzernden Tönung, die aussieht wie geschmolzenes Blei. In zwei Kilometer Entfernung verdunkelte sich die Wasseroberfläche und eine fast schwarze Masse erhebt sich bedrohlich aus den Tiefen des Sees - die Westseite der *Isla Huemul.*

»Mein lieber Schwan! Der Anblick erinnert mich an das Gemälde „Die Toteninsel" von Arnold Böcklin dem Jüngeren! Ich hoffe nur - Nomen ist hier nicht gleich Omen?«,

zischte Marc leise durch die Zähne. Für ein paar Sekunden sogen alle das unwirkliche Bild in sich auf, dann ist der Zauber verflogen und Ruiz deutete nach vorne ans Ufer.

»Und das dort drüben sind die „Kähne", die uns sicher zur „Toteninsel" bringen!«

Vor ihnen, mit dem Bug auf den Kieselstrand gezogen, liegen zwei sechs Meter lange, sehr breite schwarzgraue Gebilde, die entfernt an Zodiac Schlauchboote erinnern. Nur viel kantiger.

Vor den Booten haben sich jeweils zwei Männer in schwarzer Kampfmontur postiert. Ruiz winkte den Teams, sie möchten ihm folgen und ging die zehn Meter zu den vier Männern. Er begrüsste sie leise. Diese nicken stumm zu den Teams. Miguel Ruiz erklärte.

»Das sind unsere neuesten Elektro-Boote, kurz EAC genannt! EAC steht für *Electric-Attack-Craft*! Die Boote sind gut sechs Meter lang und zwei Meter breit. Die Form mit den Kanten und Winkeln ist so gewählt, dass ihre Flächen Radarstrahlen reflektieren und diese somit praktisch unsichtbar machen! Bis zu acht voll ausgerüstete Kämpfer finden in halb liegender Position auf den Sitzen Platz! Der Antrieb erfolgt voll elektrisch und benutzt das Prinzip der Wasserjets! Spitzengeschwindigkeit 45 Knoten, also fast 84 km/h! Wie ihr seht, kann das EAC durch den geringen Tiefgang und den propellerlosen Antrieb auch in sehr seichten Gewässern operieren! Das zu den Booten! Für Team1 steuert Capitan *Julio Pelez*! Das Boot für Team2 wird von Capitan *Carlos Alvarez* bedient! Die Bootsführer erwarten nun deine Befehle, Charles?«

Charles stellte sich zwischen die zwei EACs, konsultierte sein WITU und an alle gerichtet, sagte er.

»Es ist jetzt genau zwei Minuten vor „Null-Einhundert“! Team2 hat die kürzere Distanz zum Landepunkt, als wir von Team1! Capitans Pelez und Alvarez? Ich möchte koordiniert mit beiden Teams *gleichzeitig* landen! Können sie die Landungen so abstimmen?«

Die beiden Agenten versicherten, dass das kein Problem sei.

»Dann bitte alle in die Boote! Und anschnallen nicht vergessen!«,

endete Charles und macht eine einladende Geste. Eine Minute später sind beide Teams auf die Boote verteilt. Die Bootsführer starten die Wasserjets und schalten auf Umkehrschub. Die zwei am Ufer verbleibenden Agenten schieben die EACs am Bug an und sofort schwimmen die zwei Boote auf der glatten

Oberfläche des Sees langsam vom Ufer weg. Sie wenden die Boote mit dem Bug zur Insel und geben langsam Gas. Immer schneller werdend, gleiten die zwei EACs lautlos über den See. Mit genauem Kurs West haltend ihrem Ziel entgegen.

Dreihundert Meter vor der Küste der Insel trennen sich die Boote. Alvarez steuert sein Boot die Geschwindigkeit drosselnd, in nordwestlicher Richtung auf das Ziel zu. Während dessen Capitan Pelez die Geschwindigkeit deutlich erhöhte und mit 40 Knoten, genau nach Norden ausgerichtet, einen Kilometer entlang der Insel hoch bretterte. Er vollführte einen Bogen um die nördliche Spitze der Insel und steuerte, langsamer werdend, die Landezone an. Die beiden Bootsführer redeten leise über ihre Headsets miteinander und werfen immer wieder einen Blick auf den Monitor, der die genaue Position der beiden EACs anzeigte. Fast gleichzeitig schrammen die Boote mit ihrem Bug auf den Kieselstrand der beiden Landepunkte.

63

Washington D.C. - White House - Oval Office

General Vanderbilt sitzt ruhig auf der Couch im Oval Office und beobachtet den Präsidenten aus den Augenwinkeln. Der sitzt an seinem Schreibpult, fährt sich ab und zu durch die Haartolle oder trommelt nervös mit seinen Fingern auf die in den Schreibtisch eingelassene Lederfläche. *»Aha! Mr. President ist gestresst! Ich kann es ihm nicht verdenken!«*, überlegt Vanderbilt. Im Moment ist nichts mehr von der scheinbar stoischen Ruhe zu spüren, die sein Dienstherr normalerweise bei öffentlichen Auftritten an den Tag legte. Der General riskierte einen Blick auf seine Armbanduhr. *»Genau 15:28 Uhr! In zwei Minuten sollte es soweit sein!«*, sinnierte er und dachte an die vergangene Stunde. Punkt 14:30 ging auf dem persönlichen Twitteraccount des Präsidenten eine Kurznachricht ein. *»Kontakt 15:30! Rückverfolgung zwecklos!«*

Natürlich überwachte die CISMA jeden erdenklichen Kommunikationskanal, der direkt zum Präsidenten führte. Abel und sein „Golem" sind in höchster Alarmbereitschaft, nachdem die erste Videobotschaft Vandorps eingegangen ist. Vanderbilt Abel hat angewiesen, nach Eingang des Tweets, den Ursprung der Nachricht zurück zu verfolgen. Obwohl sich Vanderbilt keine grossen Hoffnungen machte, fand er es zumindest einen Versuch wert. Und wie er vermutete, musste Abel eingestehen, dass es nicht möglich sei den Absender des Tweets zu orten. Die digitale Spur verlief sich irgendwo in Südamerika im Sand, da zur Übermittlung nacheinander mehrere Prepaid-Handys benutzt wurden. Der General ist sowieso der Ansicht, es sei müssig die Quelle von Vandorps Kommunikationswegen zu suchen. Die

CISMA wusste eh schon, *wo* sich Vandorp aufhält. Vielmehr galt es jetzt der Mission „Ghost" so viel Zeit wie möglich zu verschaffen, damit sie Vandorp rechtzeitig unschädlich machen konnten.

Der Präsident blickt nervös zum General und will soeben etwas zu ihm sagen, als vom Flat Screen auf seinem Schreibtisch ein Piepsen ertönte. Vanderbilt ergreift blitzschnell sein Tablet, das er vor sich liegen hatte und tippte auf das Earset in seinem rechten Ohr. Gleichzeitig verlinkte er sein Tablet mit dem Computer des Präsidenten.

»Abel! Es ist soweit! Vandorp meldet sich über den Videochat des Präsidenten! Aufzeichnen und wenn möglich lokalisieren!«

Dann gibt er mit einer Geste dem Präsidenten zu verstehen, den Anruf anzunehmen. Auf dem Monitor und dem Display des Tablets erscheint Vandorps Gesicht. Wie bei der ersten Botschaft sitzt er wieder an dem selben leeren Schreibtisch. Im Hintergrund die Wand mit der geometrischen Holzstruktur.

»Mr. President! Ich freue mich, dass sie meine Nachricht erhalten haben! Ja, ja! Tweets sind schon eine tolle Sache! Aber das muss ich ihnen, als eifrigem Nutzer, nicht sagen!«

Vandorp stockte bewusst und es bereitet ihm offensichtlich Vergnügen zu sehen, wie sein Gesprächspartner Mühe hatte sich zu beherrschen.

»Nun! Mr. President, Sir! Erstens - versuchen sie gar nicht erst - durch *wen* auch immer - die Verbindung verfolgen zu lassen! Unser Gespräch wird schon lange beendet sein, bevor ihre Leute auch nur die ersten Proxyserver gefunden haben! Zweitens - zum Geschäftlichen! Sie hatten vierundzwanzig Stunden Zeit sich eine - und ich hoffe für sie und für den Fortbestand der Menschheit - *kluge* Antwort zu überlegen? Sie kennen meine Bedingungen! Wie lautet ihre Antwort?«

Vandorp faltete die Hände zusammen, stützt sein Kinn lässig auf und lächelte in die Kameralinse. Vanderbilt bemerkt, dass der Präsident äusserste Mühe hatte, nicht laut loszubrüllen und hoffte inständig, er würde sich an seine Empfehlung halten.

»Mister Vandorp! Diesmal können wir uns von Mann zu Mann unterhalten! Was ich sehr begrüsse, da ich ihre erste Botschaft doch eher einseitig in der Kommunikation empfand! Und, ja! Ich habe ihre Forderungen zur Kenntnis genommen und akzeptiere - wohlgemerkt zum Wohl der gesamten Menschheit - *alle*, ich betone, *alle* ihre Forderungen!«

Der Präsident schluckte leer und presste die nächsten Worte mühsam zwischen den Zähnen hervor.

»Was schlagen sie vor, Mr. Vandorp? *Wie* kann ich ihre Forderungen erfüllen?«

Rick Vandorp streicht sich mit zwei Fingern über den Nasenrücken, runzelte etwas die Stirn und antwortet mit unverhohlenem Triumph in der Stimme.

»Ich wusste, dass sie ein vernünftiger Mann sind, Mr. President! Nur zwei kleine Schritte sind noch ausstehend! Erstens - Ich nehme an, sie waren so voraus schauend und haben das Dokument mit ihrer Zusicherung meiner vollständigen Rehabilitation und Straffreiheit schon vorbereitet?«

Der Präsident nickte stumm, nimmt einen Bogen Papier von seinem Schreibtisch und hält es an die Kameralinse im Rahmen oberhalb des Monitors.

»Sehr gut, Mr. President! Ich sehe das Dokument ist auf ihrem offiziellen Briefbogen und schon unterzeichnet! Sie werden das Original-Dokument per Kurier an die Adresse senden, die ich ihnen per Tweet zukommen lasse! Zum Beweis, dass sie persönlich das Dokument in Händen halten, habe ich soeben einen Screenshot aufgezeichnet! Nur zur Sicherheit!«

Vandorp blickt kurz nach unten und tippt mit dem Zeigefinger auf etwas im Off.

»Sie erhalten in drei, zwei, eins - jetzt! - ein E-Mail mit vier Nummern! Auf jede dieser Nummernkonten überweisen sie jetzt sofort je fünfundzwnzig Milliarden Dollar! Ich erwarte die Bestätigung der Transaktionen - sagen wir - innert der nächsten zwei Minuten!«

Vandorp lehnte sich in seinem Ledersessel zurück und schliesst die Augen. Der Präsident sieht fragend zu General Vanderbilt, der ihm aufmunternd zu nickt. Nach kurzem Zögern öffnet der Präsident eine schon vorbereitete Datei und dann die E-Mail mit Vandorps Zahlen. Dann kopiert er die vier langen Zahlenreihen in entsprechende Felder der Datei und fügte in weiteren vier Feldern die geforderten Summen ein. Sein Zeigefinger schwebt nahe über der Enter-Taste. Er holt einmal tief Luft und drückt die Taste vehement nach unten. Ein kleine Feld mit vier länger werdenden Farbbalken zeigte den Fortschritt der Transaktionen an und nach nur fünf Sekunden ertönt ein bestätigendes Signal und der Text - „Transfer complete“ - leuchtete auf. Vanderbilt verfolgte die ganze Aktion auf seinem Tablet, sieht, wie das Fenster geschlossen wird und Vandorp wieder zu sehen ist. Ein Ping ist im Hintergrund zu hören. Er schlägt die Augen auf, beugte sich nach vorne und blickte nach rechts ins Off. Er wendet sich wieder der Kamera zu, ein zufriedenes Schnurren, wie das einer Katze die Milch geleckt hatte, kommt über seine Lippen.

»Besten Dank, Mr. President! Die Transaktionen sind soeben bestätigt worden!«

Seine bis anhin freundliche Miene, verwandelte sich urplötzlich in ein Antlitz grössten Hasses.

»Jedoch! Mr. President of the United States of America! Ich habe mich entschlossen ihnen *trotzdem* eine Lektion zu erteilen!«

Mit hasserfüllten Augen stierte Vandorp in die Kameralinse, er greift ins Off und zeigt, wie bei der ersten Botschaft, den selben kleinen schwarzen Würfel in die Kamera.

»Ich werde vier Hauptstädte dem Erdboden gleich machen, Mr. President, Sir! Welche das sein werden - das überlasse ich ihrer Fantasie! In zwölf Stunden ist der Countdown abgelaufen und danach wird eine komplett neue Weltordnung entstehen! Nur leider ohne sie, Mr. President! Sie haben jetzt noch genügend Zeit darüber nachzudenken, dass man einen Rick Vandorp nicht ungestraft demütigen darf! Leben sie wohl! Falsch - besser ist - Adieu!«

Vandorp drückte theatralisch auf den roten Knopf und augenblicklich wird eine digitale Uhr unten im Bild eingeblendet. Als die Zahlen auf 11:59:30 springen, friert das Bild ein und macht einer schwarzen Fläche Platz.

»Dieser gottverdammte Hurensohn! Er hat mich reingelegt! Mich vorgeführt! Der Nazibastard!«

Brüllte der Präsident lauthals, schlägt mit der geballten Faust auf den Schreibtisch und stierte Vanderbilt aus engen Schlitzaugen an. Sein Teint ist um einige Nuancen dunkler geworden und der General befürchtete schon, dass sein Dienstherr sofort umkippt. Beschwichtigend hebt er beide Hände und sagt mit beruhigender Stimme.

»Mr., President, Sir! Darf ich daran erinnern, dass unsere Mission „Ghost“ in vollem Gange ist! Gut! Wir haben mit mehr Zeit gerechnet! Jetzt könnte es knapp werden, aber ich bin mir sicher, dass wir Vandorp schnappen und wir den Countdown stoppen werden!«

Der Präsident schnauft schwer, geht zur Couch und lässt sich in die Polster fallen. Vanderbilt steht auf und deutet eine Verbeugung an.

»Ich muss mich jetzt um unsere Mission kümmern, Mr. President!«

Der wedelte, mit den Gedanken schon wo anders, mit der Hand und bemerkte nicht, dass der General das Oval Office schon verlassen hatte. Auf dem Korridor greift Vanderbilt zu seinem Smartphone und wählte eine Geheimnummer.

64

Argentinien - Playa Perito Moreno

Zehn Minuten nachdem die beiden EACs mit Team 1 und Team2 von der Playa Perito Moreno abgelegt hatten, biegt der schwarze Tesla geräuchlos auf den Parkplatz ein. Ignacio parkt den Wagen neben den zwei Mercedes Vans.

»Wir angekommen anne Plaza, Senor Loch Lomond!«, wendet er sich an Fitzpatrik und deutete mit dem Zeigfinger auf die Baumreihe. Sie steigen beide aus dem SUV und Patrik sieht sich um. Er zieht eine Augenbraue hoch, als er die zwei Mercedes in Augenschein nimmt. *»Unauffälliger auffällig geht es wohl gar nicht!«*, denkt er kurz und wendet sich an Ignacio.

»Donde este la barca por a mi?«
Ignacio winkt mit der Hand ihm zu folgen und führte Patrik durch die Baumhecke zum Strand. Auch Patrik ist für einen Moment von dem Anblick überwältigt. Dann bemerkte er die zwei schwarz gekleideten Personen, die vom Ufer her auf sie zu kommen.

»Special Agent Fitzpatrik? Ich bin Tenete Lopez und das ist mein Kollege Tenente Vegas! Ihre Kollegen sind vor zehn Minuten in Richtung Isla Huemul aufgebrochen!«,
erklärte Lopez und reichte ihm die Hand.

»Olã, Gentlemen! Erfreut sie zu sehen! Und wie gedenken die Herren, dass ich auf die Insel gelange? Soll ich schwimmen?«,
meinte Patrik scherzend, während er Lopez und Vegas die Hand schüttelte. Lopez setzte ein Grinsen auf und deutete mit seinem Daumen über seine Schulter auf den spiegelglatten See.

»Das wäre durchaus eine Option, Commander Fitzpatrik! Ich befürchte nur, dass sie bei der herrschenden Wassertemperatur schon weit vor der Insel an Unterkühlung sang und klanglos untergehen!«

Lopez wendet sich an Ignacio und bedeutete ihm, er könne sich jetzt zurück ziehen. Patrik schüttelte ihm kurz die Hand, bedankte sich für den *schnellen* Service und Ignacio entfernte sich lautlos. Lopez konsultierte kurz seine Armanduhr und meinte.

» Nein! Im Ernst! In zwei Minuten wird ein, für ihre Mission angemessenes, *Vehikel* hier ankommen!«

Patrik nickte und stellt seine Tasche auf den Kies.

»Dann werde ich mich in der Zwischenzeit auch *angemessen* einkleiden!«

Er nimmt den „Chams" aus der Tasche und streift ihn schnell über seine schwarze Tarnkleidung. Dann schiebt er seine Waffen in die entsprechenden Halfter und schnallt sich die Heckler & Koch Maschinenpistole vor die Brust. Er prüft die Funktion der Chamäleon-Tarnung indem er sie kurz einschaltet. Als Patrik praktisch unsichtbar wird, liessen sich die zwei argentinischen Agenten nichts anmerken.

»Sehr eindrücklich, Commander Fitzpatrik! Ich wünschte, wir könnten auch über solch interessante Ausrüstungen verfügen!«,

bemerkte Lopez trocken, als Patrik die Tarnfunktion wieder ausgeschaltet hatte. Vom Ufer her ist ein leises Klatschen von Wasser zu hören.

»Ihr *Vehikel* ist soeben eingetroffen, Commander!«,

sagte Lopez und deutete mit dem Daumen zum Strand. Patrik hatte kein Geräusch gehört und blickte erstaunt zum Ufer. Ein kleiner schwarzer Schatten hatte sich mit der Spitze auf den Kiesstrand geschoben. Eine dunkle Gestalt richtete sich auf und winkt den drei Männern zu. Sie gehen zu dem Mann, der neben einem kleinen kantig geformten bootsartigen Gefährt steht. Es ähnelte einem Jetski, nur ohne Sitz.

»Commandante Fitzpatrik! Ich bin Tenente Lopez! Freut mich ihre Bekanntschaft zu machen!«

Stellt sich der dritte Mann vor und Patrik stutzte für einen Moment. Der Mann schmunzelte und klärte Patrik sofort auf.

»Sie haben schon richtig gehört, Commander! Ich heisse Pedro Lopez! Und das da ist mein *kleiner* Bruder - Alessandro Lopez!«

Patrik blickte von Pedro zu Alessandro und kann jetzt eine gewisse Ähnlichkeit erkennen.

»Ja dann, verehrte Senores Lopez! Was muss ich über dieses *Ding* da wissen?«

Alessandro Lopez leuchtet mit einer kleinen Stablampe auf das Ein-Mann-Boot. Vorne am Bug befindet sich ein kleines Cockpit. Nur ein grosser Bildschirm leuchtete schwach und zeigte die wichtigsten Funktionen an. Über der kantigen Bugverkleidung ist eine getönte Plexiglasscheibe, als Spritzwasserschutz montiert. Hinter dem Cockpit befindet sich eine Liegefläche, lang genug für eine grosse Person. Dahinter ragte eine Ausbuchtung in die Höhe. Lopez leuchtet auf die Ausbuchtung.

»Das da hinten ist der Elektroantrieb! Er funktioniert wie ein Waterjetantrieb und ist völlig geräuschlos! Der Bootsführer, in diesem Fall sie, liegt vor dem Antrieb auf dem Bauch. Gesteuert wird das Boot mit Hilfe des Joysticks, der sich rechts vom Kontrollbildschirm befinden. Kennen sie sich mit sowas aus, Commandante?«

Patrik bejahte und Alessandro erklärte weiter.

»Auf dem Touchscreen sind alle Funktionen abzulesen und zu betätigen! Sie geben lediglich die Koordinaten der Landestelle ein und das Boot bringt sie selbstständig bis auf zwanzig Meter ans Ziel! Die Geschwindigkeit und Landung selbst, tätigen sie mit dem Joystick! Alles klar?«

Patrik bestätigte und wendet sich an die drei Agenten.

»Besten Dank, Gentlemen! Dann werde ich mich mal auf den Weg machen!«

Patrik verabschiedete sich von den drei Männern und legte sich in das kleine Boot. Alessandro Lopez schiebt den Bug vom Strand und das Boot gleitet auf den See. Patrik startete den

Antrieb und wendet das Boot in Richtung der Isla Huemul.

Nachdem er die Koordinaten seiner Landezone eingegben hatte, nimmt das Boot schnell Fahrt auf. Patrik vernimmt nur das leise Aufklatschen kleiner Wellen am Bug seines seltsamen Gefährts, als dieses mit hoher Geschwindigkeit der dunklen Silhouette der Insel entgegen prescht. *»Nicht schlecht das Ding! Laut Anzeige werde ich in acht Minuten anlanden! Bin gespannt, ob es inzwischen den beiden Teams gelungen ist, in die Anlage einzudringen?«*, dachte Patrik. Nach sieben Minuten rasanter Fahrt über den See, näherte sich das Boot der Westseite der Insel. Ein Icon auf dem Touchscreen leuchtet auf und zeigte ihm an, dass er sich nur noch dreissig Meter vom Ufer entfernt befindet. Bei zwanzig Meter schaltete sich die Automatik ab und Patrik steuerte mit dem Joystick zur Landezone.

Als sich der Bug des Bootes auf den Kiesstrand schob, steht Patrik auf und setzt auf den Strand über. Dann zieht er das Gefährt auf den Strand bis zum nahen Unterholz. Im Schatten eines kleinen Überhangs, verbirgt er das Boot und bedeckt es mit einigem abgeschnittenem Blattwerk.

Patrik setzte sich kurz hin und konsultiert sein WITU. Er ruft die Informationen über die derzeitigen Standorte seiner Kameraden ab. Zuerst von Team2 *»Aha! Hier am Südeende sehe ich Bill Harmundsons Team! Sie streben offensichtlich auf den Kuppelbau zu!«*. Überblickt er die Situation. Dann verschiebt er den Ausschnitt der Karte zum Nordende der Insel und ruft die Daten von Team1 ab. Fünf rote Punkte blinken in der Nähe des Kuppelbaus auf. *»Charles' Team ist anscheinend schon am Ende des Tunnels angelangt! Nur? Warum sind dort nur fünf Punkte? Es sollten doch sechs sein?«*, überlegt Patrik etwas verwirrt. Er vergössert den Ausschnitt um eine Stufe und bewegt den Ausschnitt kreisförmig über die Nordseite der Insel. Er bemerkte einen einzelnen Punkt, der sich von der Landzone Nord in Richtung der Kuppel bewegt. *»Was hat das zu bedeuten? Warum befindet sich ein Teammitglied in diesem Gebiet? Ich muss der Sache auf den Grund gehen! Da ist etwas* *ganz und gar nicht, wie es sein sollte!«*

Patrik steht auf, steigt die kurze Böschung hoch und bahnt sich einen Weg durch das dichte Waldgelände. Immer ein Blick auf die Karte werfend, bewegt er sich auf den einzelnen roten Punkt zu. Der bewegte sich anscheinend sehr schnell durch das Gelände. Sein WITU zeigt an, dass er nur noch etwa einhundert Meter von dem Punkt entfernt ist. Der Punkt bewegt sich plötzlich nicht mehr und verharrt an einer Stelle, zwanzig Meter östlich zu seiner Position. *»Er bleibt stehen! Dann werde ich mir den Kerl einmal genauer ansehen!«*, denkt Patrik und schaltete die Tarnfunktion seines Chams ein. Geräuschlos näherte er sich der Person, die da, keine zehn Meter vor ihm steht. Durch das Nachtsichtgerät sieht er jetzt den grünlichen Schemen der Gestalt deutlich in seinem Visier. Die Gestalt stützte sich mit den Händen auf den Knien ab und atmete schwer.

Nur noch einen Meter hinter der Person stehend, zieht er geräuschlos seine Glock aus dem Halfter. In dem Moment richtet sich die Gestalt auf. Verwundert bemerkte er, dass die Person von kleiner und zierlicher Statur ist. Patrik presst die Mündung seiner Pistole in das Genick der Gestalt.

»Gaanz langsam umdrehen und die Arme nach oben halten! Eine falsche Bewegung und sie sind tot!«

65

Isla Huemul - Landestelle Nord

Team1 ist gerade vom EAC ausgebootet und begibt sich über den schmalen Uferstreifen der Bucht zum Felsenkliff, um den versteckten Eingang des Tunnels zu suchen, als Charles Roberts die Faust hebt und signalisierte zu warten. Die Gruppe kauerte im Schutz der Felsen im tiefen Dunkel. Charles fischte sein Smartphone aus dem Kampfgürtel. Er hebt das Gerät an sein Ohr und hörte dem Anrufer stumm zu. Von Mal zu Mal verfinsterte sich seine Miene, er nickte ein paar Mal und flüsterte eine Bestätigung.

»Ja, Sir! Ich habe verstanden, Over!«

Er unterbricht die Verbindung, schiebt das Gerät zurück in die Gürteltasche und bedeutete seinem Team die Earsets einzuschalten. Er blickt in die fahlen Gesichter.

»Leute! Der General hat mich über den neuesten Stand informiert! Die Lage ist ernst! Sogar *sehr* ernst! Vandorp hat sich, wie vereinbart nach vierundzwanzig Stunden, beim Präsidenten gemeldet! Der hat alle seine Forderungen erfüllt! Nur, dass Vandorp sich nicht an sein Versprechen gehalten hat! Er löste den Countdown für vier „Hafnium-Bomben“ aus! Uns bleiben nur noch knapp elf Stunden und vierzig Minuten, um den Wahnsinnigen zu stoppen!«,

erklärte Charles im Flüsterton. Trotz der Dunkelheit, registrierte er die entsetzten Mienen seines Teams. Fred MacMillan bläst Luft durch die Lippen und keuchte.

»Das ist in der Tat der Hammer! Dieser durchgeknallte Vandorp riskiert tatsächlich, dass ein Atomschlagabtausch zwischen den Supermächten die Menschheit auslöscht!

Meint der denn, er sei auf dieser vermaledeiten Insel sicher?«
Charles überlegt nicht lange.

»Verlieren wir jetzt nicht zu viel Zeit mit Debatten über den psychischen Zustand Vandorps! Ich informiere noch schnell Team2 und dann schlagen wir los!«

Das Gespräch mit Bill Harmundson fällt sehr kurz aus und Charles wendet sich anschliessend an Samantha.

»Sam! Zeig uns, wo sich der Eingang zum Tunnel befindet und wie man ihn öffnen kann!«

Sie steht auf, schaltete ihr Nachsichtgerät ein und geht, mit der Hand über die Oberflächenstruktur streichend, einige Schritte die Felsformation entlang. Nach zehn Metern hat sie gefunden, was sie gesucht hatte.

»Kommt hierher! Hier ist die Stelle, wo der gewachsene Fels in den getarnten Eingang übergeht!«

Marc tritt zu ihr und richtet seine MFL auf die Stelle, verlinkt das Gerät mit den WITUs des Teams und schaltet die Röntgenfunktion ein. Er lässt das Signal über die Stelle gleiten, auf die Samantha mit dem Finger zeigt. Deutlich ist der Übergang von natürlichem Gestein zu einer künstlich scheinenden Oberfläche zu erkennen. In der Tiefe eine abgekantete Nut. Er schaltet auf einen rötlich schimmernden Lichtpunkt um. Jetzt zeichnet sich eine zwei Zentimeter breite Naht ab. Langsam folgt er mit dem Rotlicht der Naht nach oben, dann nach links und wieder nach unten.

»Etwa dreieinhalb auf drei Meter! Genau so, wie Sam es beschrieben hat!«,

flüstert Marc in sein integriertes Mikrofon.

»Wie finden wir jetzt den Öffnungs-Mechanismus, Sam?«,

meldet sich Charles.

»Auf der rechten Seite des Eingangstores, müsste sich eine getarnte Luke befinden! So ich mich erinnere, etwa einen Meter von der Fuge und in etwa einem Meter Höhe! Dahinter sind die Bedienelemente für die hydraulisch betriebene Mechanik!«

Marc schaltete die MFL wieder in den Röntgenmodus und sucht die angegebene Stelle ab. Auf ihren WITUS erkennen sie, dass es sich um eine quadratische Nische handelt. In der bläulich grünen Färbung des Röntgenbildes sind drei grosse runde Taster zu erkennen. Charles bedeutete Marc, er soll den Strahl fokussiert halten, geht an die markierte Stelle und presst seine Hand auf die linke Seite des Quadrats. In gut geschmierten Scharnieren, klappt die kleine Luke lautlos auf. Charles leuchtete mit seiner MFL in die Öffnung. Auf einer schwarzen Metallplatte befinden sich drei runde Tasten, die von hinten schwach beleuchet sind. Oben ist eine grüne Taste mit einem weissen Pfeil bedruckt, der nach oben zeigt. In der Mitte ist ein roter Knopf mit Halbkugel förmigen Oberfläche und unten wieder eine grüne Taste mit einem Pfeil der nach unten weist. Zudem sind rechts davon die drei Tasten auf der Metallplatte in Deutsch beschriftet, die keinen Zweifel offen lassen, welche Funktion sie haben. AUF - STOP - ZU. Liest Charles.

»Dann wollen wir mal! Es kommt mir vor, wie damals im Tempel auf Yucatán!«,

sinnierte Charles. Sally und Marc verstehen sofort, auf was er anspielte. Kurz entschlossen presste er mit dem Zeigefinger auf den oberen Taster. Sie vernehmen ein leises Kratzen, ein Teil des künstlichen Felsen erzittert leicht und von zwei massiven Hydraulikstempeln bewegt, schwingt ein grosser rechteckiger Teil nach oben. Zischend entweicht ein Schwall abgestandener Luft aus der immer grösser werdenden Öffnung. Im 90 Grad Winkel stoppt das tonnenschwere Teil über ihren Köpfen. Marc konnte sich eines Kommentars nicht verkneifen.

»James Bond lässt grüssen! Wie der Eingang zu Blofelds verstecktem Hauptquartier!«

Vor der Gruppe liegt ein stockdunkler Tunnel, der sich in endloser Ferne zu verlieren scheint.

»Sam? Der Tunnel hat doch sicher eine Beleuchtung?«,

fragt Charles nach und sie nickt bestätigend.

»Wir werden uns aber mit den Nachtsichtgeräten vortasten! Sicher ist sicher! Wir gehen jeweils paarweise, versetzt mit zwei Metern Abstand! Marc und ich zuerst! Dann Fred und Sally! Die Nachhut bilden Sam und Diego, da die zwei keine Chams tragen! Und haltet auch Abstand von zwei Meter zum Partner und fünf Meter zur Gruppe vor euch!«

Charles hebt die flache Hand hoch und winkt nach vorne. Vorsichtig schreitet er in die Dunkelheit. Nach zwei Metern folgte ihm Marc und nacheinander verschluckte der Tunnel die sechs Teammitglieder. Im grünlichen Licht ist zu erkennen, dass der Tunnel aus massivem, vermutlich stark armiertem, Beton gegossen wurde. Die Wände zeigten deutliche Spuren des Alters und an manchen Stellen glänzten die Wände und die Decke vom Kondenswasser. Es ist ziemlich kalt und klamm.

»Eindeutig die Bauweise, wie sie die Nazis für ihr Bunkeranlagen im Zweiten Weltkrieg erstellten! Ist ja nicht verwunderlich, wenn man weiss, dass dieser Dr. Richter ein ehemaliger Nazi-Wissenschaftler war!«,

kommentierte Marc.

»Und seht euch die massiven Stahlträger an, die alle zwanzig Meter im Beton eingegossen sind!«

Charles ist sofort klar, warum Marc, der Historiker, weiss wieso der Abstand, der gut dreissig Zentimeter breiten Träger zwanzig Meter beträgt. Auf jedem Träger ist in grossen weissen Ziffern eine Zahl aufgemalt. Schon etwas verwittert und zum Teil von rostigen Schlieren verschmiert, aber noch gut lesbar. Gerade eben sind sie am Träger mit der Nummer „260“ vorbei marschiert. *»Die Zahlen stehen für die Distanz von oder zum Tunnelende!«*, überlegt Charles.

66

Isla Huemul - Landestelle Süd

Fast zeitgleich mit Team1 im Norden, schiebt sich der Bug des EAC von Team2 auf den schmalen Uferstreifen am Südende der Isla Huemul. Schnell verlassen die Teammitglieder das Boot, während Miguel Ruiz den Bootsführer Capitan Alvarez den Befehl erteilte, mit dem Boot in 400 Meter Entfernung vor der Insel zu patrouillieren. Kaum hatte das Boot abgelegt, ist Ruiz mit grossen Schritten zu den nahe am Rand der Vegetation wartenden Kameraden geeilt. Leise flüsternd informierte er Bill Harmundson.

»Alvarez wird an der Westküste Huemuls auf und ab kreuzen und meldet uns sofort, wenn er etwas Verdächtiges entdecken sollte!«

Bill setzte zu einer Antwort an, als sich eine vertraute Stimme in seinem Earset meldet.

»Charles!...«,

setzt er zu einem Satz an und verstummte sofort. Im fahlen Licht des Halbmondes konnten seine Kameraden trotzdem erkennen, wie sich Bills Miene zusehends verfinsterte. Er nickt ein paar Mal und flüstert dann knapp.

»Verstanden! Over!«

Mit versteinerter Miene, wendet er sich langsam dem Team zu.

»Sorry für den Ausdruck, Leute! Aber die Kacke ist gewaltig am Dampfen!«

In knappen Worten schilderte er, was sich vor nicht einmal zehn Minuten im Oval Office abgespielt hatte.

»Uns bleiben - ab jetzt!...«

Er blickt auf sein WITU.

»...noch genau elf Stunden und sechsunddreissig Minuten! Wenn wir den Job bis dahin nicht erledigt haben - *sind wir erledigt!*«

Bill deutete auf das Display seines WITU.

»Charles hat den Countdown auf alle WITUs geschaltet!«

Die Gruppe blickte auf ihre Displays und alle sehen, wie die Zeit unerbittlich zerrinnt.

»Skylla ist soeben in den Tunnel eingedrungen! Charles meinte, sie werden in sechs Minuten das Tunnelende und den Zugang zur Rundhalle erreichen!«,

informierte sie Bill und Frank Vargas sagte.

»Dann mal los, Leute! Mischen wir den Laden auf!«

Harmundson ruft die Satellitenaufnahme auf seinem WITU ab und orientierte sich kurz. Er spricht einen kurzen Befehl und hört sofort Abel Mankowskis Stimme.

»Bill! Ich sehe, ihr seid auf der Insel! Wie kann ich euch helfen?«

»Kannst du uns mit Hilfe der Tracingfunktion zum Kuppelbau führen? Hier in diesem Gestrüpp ist es mehr als duster! Und kannst du uns zeitig warnen, wenn wir auf Wachposten stossen sollten?«,

fragt Bill und Abel antwortete, jetzt auch im Flüsterton.

»Kein Problem, Bill! Tracing ist an! Die Karte könnt ihr mittels Restlichtverstärker fast wie am Tag sehen und die „bösen Jungs" werden per Wärmebildeinspielung über der Karte eingeblendet! Viel Glück!«

Die Verbindung ist gekappt und auf den Displays sehen sie jetzt im typischen Grünton, jedoch sehr klar und deutlich, welchen Weg sie einschlagen müssen. Team2 alias „Charybdis" ist als Gruppe kleiner gelber Punkte an ihrem derzeitigen Standort zu erkennen. Ein kleines rotes Dreieck weist ihnen die Richtung in der sie zu gehen haben.

»Zieht eure Kapuzen über den Kopf, klappt die Visiere runter und schaltet die „Chamäleon-Funktion" ein! Los geht‘s!«,

befiehlt Bill knapp und zieht sich die Haube über den Kopf. Seine Gestalt fängt an zu Flimmern und scheint allmählich zu verschwinden. Ebenso verschwimmen die Körper der anderen mit der Umgebung. Bis auf Miguel Ruiz, der aber vor den Büschen und im Mondschatten in seinem Tarnanzug fast nicht wahrnehmbar ist.

Vorsichtig schleichen sie durch das dichte Unterholz und versuchen dabei möglichst keine lauten Geräusche zu erzeugen. Ihre Gummisohlen dämpfen zwar ihre Schritte, ein Rascheln durch das Streifen von Ästen und Blattwerk ist jedoch fast nicht zu vermeiden. Nach fast dreihundert Meter stösst Charybdis auf die erste der Richter-Ruinen. Sie gehen hinter einer verfallenen und mit Efeu überwachsenen Mauer in Deckung. Harmundson checkt die Karte auf seinem Display.

»Noch vierhundert Meter nach Nordosten! Dort sollten wir auf die Ruine des „Reaktorgebäudes“ stossen!«

Sie benutzen jetzt den schon halb überwucherten ehemaligen Besucherpfad und kommen jetzt wesentlich schneller voran. Noch immer ist alles ruhig. Nur ab und zu ist das Geräusch eines nachtaktiven Tieres zu hören, das vor den ungebetenen „Gästen“ flüchtete.

Acht Minuten später haben sie das Reaktorgebäude erreicht. Düster ragt das Gemäuer hoch über ihren Köpfen auf. Im diffusen Mondlicht verbreitete dieser Ort etwas Unheimliches.

»Noch hundertfünfzig Meter, dann sollten wir auf die Kuppel stossen! Seid ab jetzt alle auf der Hut! Entsichert eure Waffen! Wir versuchen aber trotzdem möglichst lautlos in die Nähe der Kuppel zu gelangen! Ich möchte Vandorp und seine Truppe nicht zu früh aufscheuchen!«,

instruierte Bill und blickt zum wiederholten Mal auf das Display.

»Shit!«,

zischte er und die anderen wussten sofort warum. Ihre Displays zeigten jetzt vier orangefarbene Konturen, die wie aus dem

Nichts erschienen sind und geradewegs auf ihre Position zu steuerten.

»Da marschiert ein Teil von Vandorps Söldner an! Ob die uns wohl entdeckt haben?«,

kommentiert Frank Vargas.

»Ich glaube eher nicht, Frank! Die laufen auf dem gepflegten Weg in Richtung Landesteg!«,

erwiderte Adam Peatty. In dem Moment meldet sich Abel aus der Zentrale.

»Bill! Ich habe soeben die Yacht Vandorps lokalisiert! Die „Axolotl3“ wird in fünf Minuten die Insel erreichen! Ich habe schon Capitan Alvarez angewiesen, sich an der Westküste zu verbergen! Die Koordinaten einer kleinen Bucht, die dafür geeignet ist, habe ich ihm schon übermittelt!«

Bill fluchte innerlich, dann fragte er sachlich.

»Abel! Danke für die Warnung! Weisst du *woher*, beziehungsweise aus welcher Richtung die Yacht kommt?«

Ein leises Knacken durch eine atmosphärische Störung verzerrte Abels Antwort.

»Sie kommt aus Bariloche! Ich konnte sie erst vor einer Minute entdecken, als sie aus einer Halle hinaus gefahren ist! Sehr clever! Darum konnte ich sie im Hafen nicht orten!«

Bill überlegte und erkundigt sich.

»Du kannst uns nicht zufällig sagen, wie viele Personen sich an Bord der Yacht befinden?«

»Zufällig nicht, Bill! Sondern genau! Durch das Wärmebild sehe ich in der Kabine und auf der Flybridge, alles in allem, fünf Personen! Sonst noch was, Bill?«

Der verneint und Abel verstummte.

»Ihr habt es gehört! Ich vermute, das sind die Wachleute aus dem Inalco Haus, die Samantha erwähnt hatte! Warum auch immer Vandorp, die von dort abziehen lässt? Für uns bedeutet das - vier potenzielle Gegner mehr!«

Bill checkte wieder sein Display und fasste einen Entschluss.

»Noch ein paar Meter und die vier von der Kuppel kommen

hier neben der Ruine vorbei! Schnappen wir uns die Typen! Wir haben das Überraschungsmoment auf unserer Seite und sind mit den „Chams“ sowieso im Vorteil! Miguel! Du gibst uns von hier aus Feuerschutz! Aber nur schiessen, wenn es sich nicht vermeiden lässt!«

Miguel postierete sich hinter einer leeren Fensterhöhle der Mauer, die dem Weg zugewandt ist. Die anderen vier Männer verteilen sich blitzschnell links und rechts des Wegs und kauern sich in die Büsche. Im fahlen Licht des Halbmonds und dank der eingeschalteten Tarnung, sind die vier, selbst aus zwei Meter Entfernung, nicht zu entdecken.

Keine Sekunde zu früh, hören sie schon die knirschenden Schritte der vier Söldner, die sich laut unterhalten und sich, nichts ahnend, keinerlei Gedanken über ihre Geräuschentwicklung machen. Mit seinem Nachsichtgerät kann Miguel deutlich die vier Männer erkennen, die um die Ecke der Ruine biegen. Alle sind in Kampfmonturen gekleidet und haben ihre Heckler & Koch Maschinenpistolen an Haken vor der Brust angehängt. Als sich die vier auf der Höhe zwischen Bills und Adams Versteck befinden, geht alles blitzschnell. Von links treten Bill und Adam, lautlos wie Geister der Unterwelt, hinter zwei der Söldner. Von rechts kommen Frank und Mikael aus den Büschen. Und augenblicklich ist es vorrüber.

Die Männer von Team2 packen mit der linken Hand von hinten um den Mund der überraschten Söldner und stossen ihnen mit der Rechten die Klingen ihrer Fairburn-Sykes Kampfmesser tief in den Hals. Ohne einen Laut von sich zu geben, erschlaffen die Körper der Söldner und werden von Bill und seinen Kameraden sofort hinter die Mauer der Ruine gezerrt. Sie legen die Toten längsseits an die Mauer, so dass sie vom Weg aus nicht entdeckt werden können. Während Frank Vargas und Mikael Burowski einige Äste mit viel Laub abschneiden, untersucht Bill die Toten. Bei einem der Männer findet er ein Headset mit Funkgerät. Er nimmt es ihm ab und steckt es in eine Tasche seines Kampfgürtels.

»Das könnte ein Problem werden! Ich hoffe nur, dass diese Patrouille sich nicht regelmässig melden muss!«,

sagte Bill zu niemand bestimmtem, während er zusieht, wie Frank und Mikael die Leichen mit den Ästen bedecken.

»Gehen wir zur Kuppel, bevor die das Fehlen der vier Typen bemerken!«

Kurz darauf ist die Ruine wieder verwaist und Charybdis bewegt sich auf die Kuppel zu.

67

Isla Huemul - Nordseite

Je weiter sie in den Tunnel vordringen, desto kühler wird es und die Mitglieder von Team1 beginnen etwas zu frösteln.

»Puh! Ich hab's ja gesagt! Eine Heizung in diesen *Chams* wäre nicht zu verachten!«

Gibt Sally Bowles zum Besten und pustete demonstrativ eine kleine Wolke kondensierten Atem aus.

»Bitte keine unsachlichen Kommentare, Sally!«

Hört sie Charles in ihrem Earset sagen.

»Leute! Ist euch das auch schon aufgefallen!«

Springt Marc Sally in die Bresche.

»Nach jedem zweiten Stahlträger ist einer, der am Boden und auch an der Decke sein Gegenüber mit einer Art Laufschiene verbindet?«

Er leuchtete mit seiner MFL im Rotlichtmodus an einen der Träger, dann auf den Boden und an die Decke.

»Und beide Träger weisen an der Kante einen seltsamen Wulst auf!«

Marc begibt sich ganz nahe an den Stahl zu seiner Rechten und befühlt mit der Hand den Wulst.

»Das ist ja merkwürdig? Fühlt sich an wie Gummi und gibt etwas nach!«

Die Gruppe ist an ihrer jeweiligen Position stehen geblieben, während Charles zu Marc geht, um sich ebenfalls ein Bild zu machen.

»Sam! Hast du eine Ahnung was das sein könnte?«

Sie blickt auf das Display ihres WITU und meint dann.

»Keine Ahnung, Charles! Ich habe natürlich auch nicht auf

solche Details geachtet und bin sowieso nur ein, zweimal durch diesen Tunnel gegangen!«

Marc untersuchte die Metallschiene am Boden und leuchtete auf die an der Decke.

»Ich glaube ich weiss, was das sein könnte! Ähnliches habe ich schon einmal gesehen! Und zwar anlässlich einer Besichtigung einer ehemaligen unterirdischen Fabrik der Nazis in einem Berg in Deutschland! Die hatten dort ähnliche Konstruktionen eingebaut! Es handelt sich ziemlich sicher um Stahltore, die bei Gefahr oder einem Unfall den jeweiligen Bereich hermetisch abriegeln! Hier sieht man, wenn auch angerostet, deutliche Kratzspuren!«

Charles schüttelt den Kopf und meint.

»Aber warum hier in der Mitte des Tunnels? Das macht doch keinen Sinn?«

Marc hatte die entsprechende Antwort parat.

»Du darfst nicht vergessen, die haben hier mit radioaktivem Material herum gebastelt! Vielleicht darum das übersteigerte Sicherheitsdenken?«

Charles nickte und geht wieder auf seine Position.

»So wird es wohl sein! Gehen wir weiter! Ich meine wir können die Tarnfunktion jetzt ausschalten! «

Auf dem Träger prangte die Zahl 40. Charles hebt die Faust zum Zeichen anzuhalten.

»Noch vierzig Meter bis zum Zugang zur Rundhalle!«

Zwei Minuten später haben Charles und Marc das Ende des Tunnels erreicht. Vor ihnen ragt ein massives zweiflügliges Tor auf. Im Gegensatz zu dem schon in die Jahre gekommenen Tunnel, scheint das Tor neueren Datums zu sein. Marc Miller schaltete seine MFL auf Röntgenmodus und richtet den Strahl auf die deutlich erkennbare Fuge in der Mitte des Tores. Als er den Strahl vom Boden bis zur Decke wandern lässt, erkennen sie auf ihren Displays, dass sich hinter dem Stahl, in regelmässigen Abständen, vier massive Riegel verbergen.

»Fast wie ein Tresor! Aber *wie* ist das Tor zu öffnen?«, murmelte Marc vor sich hin. Er untersuchte zuerst die Zarge aus Stahl an der linken Seite, ohne fündig zu werden. Als er an der rechten Seite den Röntgenstrahl auf etwa einen Meter Höhe richtet, sehen sie es.

»Bingo! Wieder eine quadratische Öffnung mit dahinter verborgenen Tastern! Und daneben ein Feld mit zehn Tasten! Vermutlich zum Eingeben einer Codezahl?«

Das Röntgenbild zeigte auch eine verwirrende Anzahl verschieden dicker Drähte, die nach hinten und rechts ins Nichts zu verschwinden scheinen.

Charles will gerade einen warnenden Ruf zischen, aber es ist schon zu spät. Marc presste, wie zuvor am Tunneleingang, seine Hand auf die linke Seite der Metallplatte. Die Platte springt nach rechts auf und zunächst passiert gar nichts. Charles erklärt Marc, seine Reaktion.

»Sehr unvorsichtig, Marc! Ich will nur sicher gehen, dass wir nicht unbeabsichtigt einen Alarm auslösen!«

Marc will sich gerade für seine Unvorsichtigkeit entschuldigen, als die Neonröhren an der Decke flackernd zum Leben erwachen. Auch die Industrieleuchten im älteren Teil des Tunnels schalten sich eine nach der anderen ein. Sie bilden eine Kette aus Leuchtpunkten, die sich in der Ferne scheinbar im Nichts verliert. Das Team ist durch die plötzliche Helligkeit für einige Sekunden komplett geblendet.

»Sofort die Nachtsichtgeräte ausschalten, sonst riskiert ihr einen schweren Augenschaden!«,

ruft Charles schnell und lauter als gewollt. Perplex blicken sich alle um und blinzeln mit den Augenlidern, um sich an die neuen Lichtverhältnisse zu gewöhnen. Das Team ist genau an den Positionen stehen geblieben, wo sie sich vorher bewegt hatten. Ein knarrendes Geräusch in ihren Rücken lässt sie herum fahren. Wie angewurzelt bleiben die Teammitglieder stehen, als sie beobachten, wie sich mit erstaunlicher Geschwindigkeit links und rechts Stahlwände aus den Trägern schieben.

Als Einzige reagierte Samantha blitzschnell. Sie steht als Letzte des Trupps in rund zehn Meter Entfernung zu den sich schliessenden Torflügeln. Mit katzenhafter Schnelligkeit sprintet sie los. Die Torflügel sind schon bis auf eine Lücke von höchstens siebzig Zentimeter zusammen geschoben. Samantha ist immer noch fast zwei Meter von der Lücke entfernt. Bei ihrem letzten Schritt federt sie in die Knie und stösst sich nach vorne ab. Wie von einem Katapult geschleudert, schnellt ihr Körper in flachem Bogen durch die Luft. Sie dreht sich im Flug auf die Seite, fliegt durch die Lücke und schlägt mit einer Abrollbewegung über ihre linke Schulter hart auf den Betonboden auf. In dem Moment schliessen sich die zwei Torhälften mit einem klackenden Geräusch. Schwer atmend bleibt Samantha benommen liegen, saugt Luft in ihre Lungen und rappelt sich ächzend langsam auf. Sie befühlt ihre Glieder und stellte beruhigt fest, dass sie sich nichts gebrochen oder verrenkt hat.

»Hallo *Skylla*! Könnt ihr mich hören? Ich hab‘s geschafft und bin heil auf dieser Seite angekommen!«

Keine Antwort. Sie versucht es noch einmal. Wieder keine Antwort.

»Charybdis! Hier spricht Samantha! Könnt ihr mich hören? Kann *irgend wer* mich hören?«

Sie tippte mit dem Finger an ihr Ohr und stellt fest, dass ihr Earset weg und auch ihr Nachsichtgerät nicht mehr an seinem Platz ist. *»Ich muss die Dinger bei meinem Abflug oder der unsanften Landung verloren haben!«*, überlegt sie. Dann überprüft sie das zweite Headset und bemerkt erschrocken - eines der dünnen Kabel ist zerrissen..

»Auch das Ding ist hinüber! So ein Pech!«,

murmelt sie und fast einen Entschluss. *»Ich begebe mich so schnell wie möglich zur Kuppel und versuche Charybdis zu finden! Oder ich knöpfe mir Rick gleich selbst vor!«* Überdenkt sie ihre Optionen. Mit grossen Schritten und immer schneller werdend, hetzt sie durch den Tunnel dem Ausgang zu.

Ein klackender Ton und die Torflügel schliessen sich. Team1 ist eingeschlossen. Zum Glück sind alle fünf an aussergewöhnliche Situationen gewöhnt und darin geschult, auch in ausweglosen Lagen nicht in Panik zu geraten. Charles winkt sein Team zu sich. Er bemerkte die erzürnte Miene Sallys und erkundigt sich ohne Umschweife.

»Was ist los, Sally? Ausser, dass wir hier im Moment festsitzen, hast du doch noch etwas, das dich beschäftigt?«

Sally zeigt mit dem Finger auf das geschlossene Tor.

»Habt ihr denn nicht gesehen, wie schnell Samantha Wong reagiert hat? Und wie sie abgehauen ist, als sich das Tor schliesst? Ich wette, die hat genau gewusst, dass hier etwas faul ist! Und ich wette sogar, sie wusste genau was passiert, wenn die Klappe geöffnet wird! Ich erinnere nur an ihre Andeutungen bezüglich dieses Tunnels, die sie während des Briefings im Safehaus gemacht hatte! Und...!«,

ereiferte sich Sally. Charles unterbricht ihren Redeschwall mit scharfer Stimme.

»Halt bitte mal die Luft an, Sally!«

Über seine harschen Worte erstaunt, blickt sie ihn an und hört ihm dann schweigend zu, was er zu sagen hatte.

»Zuerst versuchen wir mit Samantha Kontakt aufzunehmen! Ok?«

Alle nicken bejahend und er tippt an sein Earset.

»Samantha! Skylla ruft Samantha! Antworten!«

Eine Sekunde vergeht, noch eine und nach zehn Sekunden versucht es Charles noch einmal.

»Skylla an Charybdis! Bitte melden!«

Vermutlich durch die stark abschirmende Wirkung der dicken Betonwände, vernehmen sie etwas undeutlich und wie in weiter Ferne eine Stimme.

»Charybdis an Skylla! Kommen! Ich kann euch, wenn auch

sehr schlecht, hören! Wir sind noch etwa einhundert Meter von der Kuppel entfernt! Seid ihr schon in der runden Halle?«

Mit ruhiger Stimme antwortet Charles.

»Nein! Wir sind vor der Eingangstüre und gefangen! Durch irgendeinen Schutzmechanismus, wurde der hinterste Abschnitt des Tunnels abgeriegelt! Nur Samantha ist es im letzten Moment gelungen nach draussen zu gelangen! Allerdings können wir sie nicht anfunken, oder sie uns nicht!«

Ein Knistern und Pfeifen dröhnte in den Earsets des Teams. Charles will einen Satz beginnen, aber die Verbindung ist schlagartig tot.

Stattdessen ertönte eine tiefe Stimme aus verborgenen Lautsprechern. Sie scheint von allen Seiten gleichzeitig zu kommen und widerhallte in dem schmalen Tunnelabschnitt.

»Sieh an, sieh an, *was* wir hier in unserer „Mausefalle“ haben!«

Etwas verzerrt, doch unverkennbar, spricht Rick Vandorp zu ihnen. Das Team blickte in alle Richtungen und versuchte zu lokalisieren woher die Stimme kommt. Marc deutet an die Decke. Sechs kleine vergitterte Öffnungen, ungefähr zehn mal zwanzig Zentimeter messend, sind in regelmässigen Abständen in den Beton eingelassen.

»Richtig erkannt, Mister? Darf ich nun bitten diese lächerliche Maskerade zu beenden und ihre Gesichter zu zeigen! Wie sie bemerkt haben, ist kein Entkommen aus diesem Tunnelbereich! Und ich bin mir ziemlich sicher, wer sich unter diesen komischen Hauben verbirgt! Hab ich Recht, - *Special Agent Roberts?*«

Sally zischte Charles leise zu.

»Hab ich‘s doch gesagt! Woher soll Vandorp wissen, dass du, beziehungsweise wir hier sind? Das kann er nur von Samantha wissen - dieser Verräterin!«

Er ermahnt sie ebenso leise.

»Sei still, Sally! Noch ist nichts erwiesen! Darum sollten

wir sie nicht namentlich erwähnen! Vielleicht ist sie, nebst unserem „Trumpf", doch noch ein weiterer Schachzug in unserem Spiel!«

Sally schnaubte ärgerlich, doch sie fügt sich.

»Du glaubst auch immer wieder an das Gute im Menschen! Ich hoffe es lohnt sich!«

Wieder die Stimme aus dem Lautsprecher.

»Ich warte nicht mehr lange, Roberts! Meine Geduld ist beschränkt!«

Charles gibt mit einem Handzeichnen zu verstehen, der Aufforderung Folge zu leisten und zieht sich die Sturmhaube vom Kopf. Unwillig folgen die anderen seinem Beispiel. Inzwischen stehen sie in einer Gruppe zusammen vor dem Stahltor und sehen sich mit düpierten Mienen um.

»Aha! Siehe da! Da haben wir ja zwei bekannte Gesichter an Mr. Roberts Seite! Zum einen - den guten Mr. Miller! Entschuldigen sie, ich meine natürlich, *Special Agent* Miller! Und wen haben wir denn da? Die reizende Dr. Sally Bowles! Inzwischen sogar ebenfalls - *Special Agent*! Wir hatten ja schon mehrmals das Vergnügen! Die letzte Begegnung war doch bei mir? In meinem Domizil in Mani?«

Sally will soeben eine deftige Antwort geben, als sie Charles Hand um ihren Arm spürte, der sie heftig drückt.

»Lass es, Sally!«,

sagte er beruhigend. Auch er weiss, auf was Vandorp anspielte. Dass er sie demütigte, indem sie sich vor ihm nackt ausziehen musste. Sowie die versuchte Obduktion bei lebendigem Leib durch den verrückten Doktor Gerlach.

»Und dann haben wir noch zwei unbekannte Gesichter in dieser erlauchten Runde! Ich vermute - ebenfalls Agenten? Aber das spielt keine Rolle mehr! In fünf Minuten gehören sie alle der Vergangenheit an und sind nicht mal mehr eine Fussnote in der Geschichte wert!«,

höhnte Vandorp und fährt fort.

»Wie schon meine überflüssigen Mitarbeiter zuvor, werden

sie in den Genuss einer ganz neuen Art von Giftgas gelangen! Sehr effektiv! Ich bin es nämlich leid, wie sie immer wieder meine Pläne sabotieren, Roberts!«

Charles witterte eine kleine Chance, das Unvermeidliche heraus zu zögern.

»Mr. Vandorp! Ich nehme an, sie können mich hören? Und ich nehme weiter an, sie sind trotzdem ein Ehrenmann? Und sie haben doch sicher die Grösse uns *Todgeweihten* einen letzten Wunsch zu gewähren?«

Gespannt wartet das Team auf eine Antwort.

»Natürlich kann ich sie hören, Roberts! Sie haben Recht! Grossmütig wie ich bin, sollen sie einen letzten Wunsch äussern! Ich befürchte jedoch - eine *Henkersmahlzeit* wird es sicher nicht sein!«

Vandorp kicherte über seinen geschmacklosen Scherz.

»Also, Roberts? Was soll ihr Wunsch sein?«

Charles überlegte gut, denn er zweifelt nicht daran, dass Vandorp sie alle sofort eliminieren wird, wenn es ihm nicht gelingt Zeit zu schinden. So besteht zumindest die Möglichkeit, dass Bill Harmundson oder Charles' „Trumpf" es schaffen Vandorp auszuschalten.

»Mr. Vandorp, Sir! Bevor wir das Zeitliche segnen, würde uns alle interessieren! Erstens - Konnten sie und ihre Mitarbeiter den Code des Avatars entschlüsseln? Wir konnten es übrigens nicht! Zweitens - Ich habe gehört, der kleine Finger ihrer linken Hand habe sich komplett regeneriert? Wie ist das möglich? Für mich heisst das doch, sie haben die Substanz gefunden, die solches bewirkt? Drittens - Ich bin wirklich beeindruckt über ihren Erfolg mit dem Element *„Hafnium 72"*! Wie haben sie diese wissenschaftliche Meisterleistung bewerkstelligt? Und Viertens - Ich *bewundere* ihren Mut mit der Operation *„Genesis"* die Menschheit an den Abgrund des Untergangs zu führen! Nur? Wie gedenken sie selber zu überleben?«

Charles hält die Luft an und einige bange Sekunden ist kein Laut zu hören. Er befürchtet schon, seine List sei nicht gelungen, als sie Vandorp wieder hören. Mit unverhohlenem Triumph in der Stimme, beginnt er sehr dezidiert zu sprechen.

»So viele Fragen auf einmal, Roberts! Aber ich will sie gerne beantworten! Zu ihrer ersten Frage! Den Code des Avatars konnten meine Mitarbeiter soweit entschlüsseln, als dass es sich *nicht* um die Sequenzierung einer bestimmten DNA handelt! Nein! Es handelte sich schlicht und einfach um eine Art binären Code! Ich muss jedoch eingestehen, wir konnten den Sinn und Gehalt nicht übersetzen! Schade! Aber unser Dr. Kammer - der Herr hab ihn selig - war der Meinung, es sei irgend ein Text ohne Belang für unsere Forschung! Ihre Frage zu meinem kleinen Finger, der mir durch - sagen wir mal - unglückliche Umstände abhanden kam, kann ich ihnen so erklären! Es handelt sich bei mir - laut Dr. Kammer - um eine *einmalige* Mutation! Angeregt oder ausgelöst durch eine Substanz, die ich vor einem Jahr entwickeln liess, hat dies zur Regeneration geführt!«

Charles bemerkte den deutlich hörbaren Stolz in Vandorps Stimme und hakte ein.

»Demzufolge sind sie also wirklich etwas *Besonderes*, Mr. Vandorp! Mit einer Gabe gesegnet, die sie von jedem *„gewöhnlichen“* menschlichen Wesen abhebt! Gratuliere!«

Gleichzeitig dachte Charles nur an eines. *»Ich muss unbedingt noch mehr Zeit schinden! Koste es was es wolle!«* Vandorp fühlt sich offensichtlich geschmeichelt und erklärte weiter.

»So ist es, Roberts! Nicht nur meine Pläne sind *einmalig*! Auch ich - *Richard Vondorf* - bin *es*! Und in meinen Plänen ist „Hafnium72“ oder wie ich es nenne - *Hafnyit* - ein wichtiger Faktor! Uns ist es gelungen das Isotop *178m2* dermassen mit Energie anzureichern, dass im Vergleich dazu, eine Wasserstoffbombe ein harmloser „Knallfrosch“ ist! Auf die technischen Details brauche ich nicht einzugehen! Die dürften für sie sowieso nicht mehr von Belang sein!«

Vandorp machte eine seiner berühmten Kunstpausen und das Team befürchtet schon das Schlimmste.

»Nun, Roberts! Sie haben sicher meine kleinen Demonstrationen in den verschiedenen Botschaften mitbekommen? Nun stellen sie sich die Wirkung einer grossen „Hafnyit-Bombe“ vor! Gezündet in einer Grossstadt! Das stellt alles bis dahin da Gewesene an Sprengkraft in den Schatten! Zerstörung total! Auf einen Schlag Abermillionen Tote!«

Vandorp hatte sich hörbar in Rage geredet und seine Stimme triefte jetzt vor Enthusiasmus.

»Doch was sind schon ein paar Millionen Tote? Das Wesentliche an Operation „Genesis“ wird der atomare Schlagabtausch zwischen den Supermächten China, Russland und der USA sein! Jede schiebt jeder die Schuld am Erstschlag in die Schuhe und übt sofort Vergeltung! Und dann wird das Feuer über die Erde kommen, wie es die Menschheit noch nie erlebt hat! Das wird die wahre Apokalypse sein! Das *ist* Armageddon!«

Er holte kurz Luft und seine Stimme nimmt einen fanatischen Klang an.

»Nur wir - *die Auserwählten* - werden das überleben! Hier auf Huemul sind wir sicher! Und meine Getreuen in Argentinien, Paraguay und Chile werden in ihren unterirdischen Anlagen ebenso bestens geschützt sein! Nach einer relativ kurzen Zeit ist die Kontamination durch „Hafnyit“ verflogen!«

Charles unterbricht Vandorp in seinem Redeschwall.

»Gestatten sie mir einen Einwand, Mr. Vandorp! Ich glaube einen kleinen Fehler in ihrer Berechnung zu entdecken! Bei einem atomaren Schlagabtausch wird eine ungeheure Menge Radioaktivität freigesetzt! Und die ist bekanntermassen - wie der Reaktorunfall in *Tschernobyl* und der in *Fukushima* gezeigt haben - noch Jahre, wenn nicht Jahrzehnte, so hoch, dass der Mensch in diesen verseuchten Gebieten nicht mehr überleben kann! Und wenn doch, ist mit schwerwiegenden Folgeschäden zu rechnen!«

Vandorp schweigt eine Weile.

»Das mag sein, Roberts! Nur befinden wir uns hier in Südamerika! Weit entfernt von der Gefahrenzone! Also werden wir abwarten und dann eine neue Weltordnung unter *meiner* Führung errichten! Ich bin der Meinung ihre Fragen zu Genüge beantwortet zu haben, Mr. Special Agent Roberts! Ich gebe ihnen jetzt noch eine Minute, um sich gebührend von einander zu verabschieden! Und dann - leben sie wohl!«

Der Lautsprecher verstummte. Charles blickte in die Runde, zuckt mit den Schultern und zieht Sally zu sich.

»Ich glaube das war's! War mir eine Ehre mit euch!«

68

Isla Huemul - Südseite

Noch immer bewegen sich Bill Harmundson und seine vier Leute vorsichtig auf dem überwucherten Trampelpfad in Richtung der Kuppel. Der renovierte Weg, der vom Landesteg direkt zu Vandorps Kuppelbau führt, liegt ein paar Meter rechts von der Gruppe. Ab und zu dringt ein Lichtschein von einer der Lampen der Wegbeleuchtung durch das Unterholz. Nur noch knapp einhundert Meter trennt sie von ihrem Ziel, als sich eine kleine Lichtung vor ihnen auftut. Bill hebt die Faust und alle knien sich am Rand der Lichtung nieder.

»Adam! Kannst du etwas ungewöhnliches entdecken?«, raunt Bill in sein Mikrofon. Adam Peatty, ihr Elektronikspezialist, ist Experte im Aufspüren von verborgenen Sensoren aller Art. Er zieht ein kleines Gerät aus seiner Tasche, schaltet es ein und schwenkte es um 180 Grad über die Lichtung. Verlinkt mit seinem WITU, erscheint auf dem Display die Meldung - *No sensors found.*

»Scheint alles clean zu sein, Bill! Wie weiter?«,
meldete Adam. Bill erteilt die Anweisung.

»Einer nach dem anderen geht über die Lichtung! Mit je fünf Meter Abstand! Frank, du zuerst! Wenn du drüben bist, beobachte die Sichtlinie zur Kuppel und halte deinen Granatwerfer bereit! Los!«

Frank bestätigte und wie eine gespensterhafte Erscheinung huschte sein undeutlicher Schemen über die zwanzig Meter tiefe freie Fläche. Nacheinander schleichen sie, mit gebührendem Abstand, auf die andere Seite. Nur Miguel Ruiz in seinem schwarzen Kampfanzug wartete, bis sich eine kleine Wolke über den Halbmond schiebt und die Lichtung abdunkelte. Blitzschnell rannte er auf die andere Seite und verschwindet im Unterholz. Durch die Vegetation schleichend, kommen sie nach weiteren vierzig Metern an den Rand des Bewuchses. Vor ihnen liegt eine freie Fläche. Zehn Meter tief, endet diese an einer geschwungenen Treppe mit fünf Stufen, die zu einem Podest führte. Das Podest ist einer Glasfront vorgelagert. Für einen Moment sind die fünf von dem surrealen Anblick sprachlos. Es ist der Eingangsbereich zu einem grossen Kuppelbau. Der Bau erinnerte an eine umgedrehte flache Suppenschüssel aus armiertem Beton. Gut neun Meter ragt sie über ihre Köpfe.

Das Podest ist überdeckt von einer geschwungenen Konstruktion, das aus der Luft nicht eingesehen werden kann. Die, aus zierlichen Stahlprofilen luftig wirkende Bauweise, ist mit blickdichtem Glas bestückt, in der sich dunkel der Wald reflektiert. Die Betonkonstruktion des Kuppelbaus schmiegt sich wie ein gewachsener Hügel in die Umgebung. Sie registrieren, dass das gesamte Dach mit Erde bedeckt und mit Bäumen und Büschen bepflanzt ist.

Nur ein schwacher gelblicher Schein im Inneren, ist hinter der Glaswand zu erkennen. Bill vermutet, dass dort eine Türe offen steht. Es knackte in den Earsets.

»Charybdis von Abel! Bitte kommen!«

Bill bestätigt leise.

»Achtung! Von Süden nähern sich vier Individuen eurer Position! Und in der Kuppel kann ich fünf weitere Wärmebilder erfassen! Sie kommen von der Mitte der Kuppel und nähern sich dem Ausgang! Das eigentlich Interessante sind jedoch die zwei Punkte mit der Identifizierung der Operation „Ghost“!«

Harmundson verlangte nach Bestätigung der Information.

»Was heisst *zwei*? Bei einer könnte es sich um Samantha Wong handeln? Skylla steckt im Tunnel fest! Sie konnte als Einzige entkommen! Nur? *Wer* ist dann die andere?«

Abel druckste herum und erklärte schliesslich.

»Schalte bitte den Link zu deinem Team aus!«
Bill wunderte sich über Abels Bitte, tut aber wie geheissen.
»Bei der anderen Person handelt es sich um *Commander Patrik Fitzpatrik* vom britischen KI6! Bisher wissen nur Charles, Sally, Marc und natürlich der „General" von seiner Existenz! Er ist quasi Charles *Trumpf* in diesem bösen Spiel!«
Bill verarbeitet die Information und meinte schliesslich.
»Das könnte uns jetzt tatsächlich aus unseren Schwierigkeiten helfen! Vor allem, da wir nicht wissen, was bei *Skylla* abläuft! Danke Abel! Over!«
Abel unterbricht die Verbindung und Bill konsultierte sein Display. Er wendet sich an sein Team.
»Neue Entwicklung, Leute! Näheres kann ich leider noch nicht sagen! Nur so viel! Wir verhalten uns im Moment vollkommen ruhig! Von Süden kommen vier von Vandorps Leuten zur Kuppel hoch! In der Kuppel sind weitere fünf im Anmarsch! Wir greifen erst ein, wenn es brenzlig wird! Verstanden?«

69

Isla Huemul - Nordseite

So schnell es die Dunkelheit erlaubte, eilte Samantha Wong durch das dichte Unterholz in dem total verwilderten Myrtenwald auf der Nordseite der Isla Huemul. Zum Glück erinnerte sie sich an den ungefähren Verlauf des schmalen Trampelpfades, der von der Bucht zur Kuppel führte. Schon bald merkte sie, dass ihre Kondition doch noch etwas geschwächt ist und muss für einen Augenblick anhalten.

»Ich muss es schaffen zur Kuppel zu gelangen! Ich darf nicht nachlassen, sonst ist es zu spät! Was auch immer Rick da unten vorhat! Es verspricht nichts Gutes zu sein!«, schiesst es ihr siedend heiss durch ihren Kopf und sie hetzt sofort weiter. *»Noch etwa hundert Meter, dann sollte ich auf die Kuppel treffen!«*

Nach fünfzig Meter bleibt Samantha noch einmal stehen und sieht einen gelblichen Lichtschein durch das dichte Blattwerk schimmern. Die Hände auf ihre Knie abgestützt, saugt sie die Frische Waldluft ein, um ihren keuchenden Atem zu beruhigen Sie setzt gerade an vorsichtig weiter zu gehen, als ein leises Rascheln hinter ihrem Rücken sie aufmerken lässt. Sie will sich umdrehen, um nach der Ursache des Geräuschs zu suchen, da spürt sie kaltes Metall hinten am obersten Nackenwirbel. Unschwer erkennt sie, dass ihr die Mündung einer Waffe gegen die Haut gepresst wird und bemerkt, wie ihr die Glock x19 aus dem Gürtelhalfter gezogen wird.

»Gaanz langsam umdrehen und die Arme nach oben halten! Eine falsche Bewegung und sie sind tot!«, vernimmt sie eine männliche Stimme mit deutlich britischem Akzent. Die Worte bewusst gedehnt und sehr leise in ihr Ohr geflüstert. Samantha hebt die Arme weit nach oben und dreht sich wie befohlen langsam um. Durch den diffusen Lichtschein der Kuppel etwas erhellt, kann sie im ersten Moment nur eine grosskalibrige Pistole mit aufgeschraubtem Schalldämpfer erkennen, die scheinbar schwerelos in der Luft schwebend direkt auf ihre Stirn gerichtet ist. In fünfzig Zentimeter Abstand ihre Glock 19x mit nach unten gerichtetem Lauf. Vom Rest der Gestalt kann sie nur einen schemenhaften, fast unsichtbaren Umriss einer sehr grossen Person erkennen. Der Umriss verschwimmt nahezu nahtlos mit der Umgebung der Vegetation und ändert nur ab und zu die Struktur, wenn sich die Person kurz bewegte.

»*Was* zum Teufel machen *sie* denn hier? Sie sind doch *Samantha Wong* und sollten eigentlich bei Charles Roberts und Team1 sein?«,

zischte das Schemen leise und Samantha ist vollends irritiert. *»Der Typ trägt doch einen dieser „Chams"? Wo hat er denn den her? Und spaziert auch noch hier in der Gegend rum, wo eigentlich keiner von den Teams sein sollte?«* Rattern ihre Gedanken. Ohne zu überlegen, lässt sie blitzschnell ihren rechten Arm zu einer Abwehrtechnik der Schiutsu-Kampftechnik nach unten und auf die Pistole zu schnellen, um sie dem Angreifer aus der Hand zu schlagen. Bevor sie den Lauf der Pistole greifen kann, umfasst eine Hand mit stahlhartem Griff ihren Unterarm mitten im Schwung und stoppt abrupt ihren Angriffsversuch. Wie von Geisterhand verschwindet das Schemen und verwandelte sich in einen Mann im dunklen Kampfanzug. Samantha ist kurz sprachlos, blickte auf ihren Unterarm im Klammergriff des Mannes und stottert unsicher.

»Und *wer* - zum Teufel - bitte schön sind denn *sie*? Und was machen denn sie hier mitten im Wald? Und wie ich dem Eton-Tonfall entnehme, sind sie erst noch Engländer?«

Der grosse Mann hat ihren Unterarm losgelassen und streifte sich die Kapuze vom Kopf. Er tritt sehr nahe zu ihr. Im gelblichen Lichtschein kann sie erkennen, dass es sich um einen äusserst gut aussehenden, wenn auch typischen Engländer handelte. Vermutlich aus der Oberschicht, wenn nicht sogar des britischen Adels. Er streckte ihr ihre Pistole hin. Immer noch sehr leise, aber etwas freundlicher sagt er.

»Na, na, na, Samantha Wong! Darf ich mich vorstellen! Commander Patrik Fitzpatrik vom britischen KI6! Und nicht Eton, sondern Sandhurst! Wir hatten noch nicht das Vergnügen! Du kannst die Arme jetzt wieder senken! Hier deine Waffe. Aber im Ernst! Ich wiederhole mich ungern! Aber *warum* bist *du* hier im Wald und nicht bei Charles Roberts Team?«

70

Isla Huemul - Kuppelbau

Samantha nimmt ihre Pistole entgegen und schiebt sie zurück in das Halfter. Dann erzählte sie Patrik in kurzen Worten, was sich am Ende des Tunnels abgespielt hatte. Sie zeigte ihm das abgerissene Kabel ihres Headsets.

»Ich habe bei meiner Flucht leider auch mein Earset und das Nachtsichtgerät verloren! Darum konnte ich weder mit Scylla, noch mit Charybdis in Verbindung treten! Die vermuten nun sicher, ich hätte sie verraten und von der Falle mit den Stahltoren gewusst! Ich kann dir aber versichern, dass dies nicht der Fall ist!«

Patrik überlegt eine Sekunde.

»Das tönt gar nicht gut, Samantha! Ich schätze Scylla steckt in ernsthaften Schwierigkeiten! Wir dürfen keine Zeit verlieren! Hast du eine Idee, wie wir ungesehen in die Kuppel gelangen?«

Ohne zu zögern sagte Samantha.

»Ja! Nebst dem Haupteingang vorne, existiert noch ein weiterer Zugang! Der führt an der Seite der Kuppel in den Wohn- und Arbeitsbereich! Ein zweiter ist hier hinten und führt ins Schlafzimmer!«

Patrik blickte sie skeptisch an.

»Und diese Zugänge sind nicht gesichert oder werden mit Kameras überwacht?«

Samantha schüttelt den Kopf.

»Nein! Nur mit Schlössern, die mit einem Fingerabdruckscanner gesichert sind! Nur Rick und ich haben die Zugangsberechtigung für diese Türen!«

Patrik konnte sich einen Anflug eines Grinsens nicht verkneifen.

»Aha! Ich verstehe!«

Samantha wirkte etwas verlegen und übergeht die Anspielung Patriks.

»Rick fühlte sich auf der Insel so sicher, dass nur der Haupteingang durch Kameras überwacht wird! Und ich vermute, natürlich auch der Zugang durch den Tunnel zur Rundhalle! Patrik? Wir sollten jetzt wirklich keine Zeit verlieren! Und sollten wir nicht Charybdis informieren? Ich habe ein ziemlich ungutes Gefühl was Scylla anbelangt!«

Fitzpatrik nickte und zeigt mit der Hand zu dem schwachen Lichtschein der aus der Kuppel in die Dunkelheit scheint.

»Charybdis informieren wir, wenn wir wissen *was* Vandorp noch alles im Schild führt! Dann mal los! Zeig uns den Eingang!«

Darauf bedacht kein unnötiges Geräusch zu verursachen, überbrücken die beiden mit grossen Schritten die letzten fünfzig Meter. An der Rückseite des Kuppelbaus angelangt, schleichen sie am überwachsenen Bereich entlang, bis sie an eine von Beton überdeckten Glaswand gelangen. Der rechte Teil der Fenster liegt im Dunkeln. Links, wo sich die Rundung der Fenster langsam dem Blick entzieht, schimmerte Licht nach draussen. Samantha schleicht zielstrebig zur Mitte der Glasfront und presst ihren Daumen auf ein kleines dunkel gefärbtes Feld im Glas. Ohne grossen Widerstand gleitet der mittlere, einen Meter breite Teil auf gut geölten Schienen und Aufhängungen nach innen und automatisch auf die rechte Seite hinter die Glaswand. Leise betritt Samantha, dicht gefolgt von Patrik, das im Dunkel liegende Schlafzimmer.

Patrik lässt den fokussierten Lichtstrahl seiner MFL einmal durch den Raum gleiten. Das Schlafzimmer hat den Grundriss eines Dreiecks und an der, der Glaswand gegenüber liegenden Ecke sind zwei Fugen deutlich zu erkennen. Es sind zwei links und rechts in der Ecke bündig in die Wände eingelassene Türen. Samantha zupft Patrik kurz am Ärmel und zeigt stumm nickend auf die linke. Sie gehen leise ganz nah zu der Türe und vernehmen gedämpft eine Stimme, die offensichtlich sehr laut und erregt spricht. Samantha formte mit den Lippen nur ein Wort - *Vandorp* - und deutet auf die Türe. Dann macht sie eine Geste, indem sie mit ihrer Hand über ihr Gesicht streicht. Patrik hat sofort verstanden, worauf sie hinaus will. Er zieht sich die Sturmhaube über den Kopf, klappt das schmale Visier über die Augen und schaltet die „Chamäleon-Tarnung" ein. Samantha greift behutsam nach der Türklinke, presste sie langsam, jedes Geräusch vermeidend, nach unten und öffnet die Türe ein paar Zentimeter. Der einfallende Lichtstrahl blendet beide für eine Sekunde, bis sich ihre Augen auf die neuen Lichtverhältnisse eingestellt haben. Jetzt ist Rick Vandorps Stimme deutlich zu verstehen. Sie hören, wie er gerade mit sehr zufriedenem Ton erklärte.

»Um ihre Neugier auch in diesem Punkt zu befriedigen, Mr. Roberts! Der Countdown kann nur durch mich abgebrochen werden!«

Deutlich ist der Triumph in seiner Stimme zu hören, als er noch ergänzt.

»Nicht einmal die besten IT-Experten werden es schaffen, die Sicherheitsvorkehrungen in meinem System zu knacken! Dazu benötigen sie nämlich *zwei* wesentliche Elemente! Einen *Schlüssel* und meinen *Fingerabdruck*! Und beides trage ich auf mir! Meinen Finger zwangsläufig!«

Vandorp kicherte über seinen schwachen Scherz und fährt dann ernst fort.

»Ich bin jetzt der Meinung ihre Fragen zu Genüge beantwortet zu haben, Mr. Special Agent Roberts! Ich gebe ihnen jetzt noch *eine* Minute Zeit, sich gebührend von einander zu verabschieden! Und dann - leben sie wohl!«

Patrik und Samantha haben genug gehört, um zu wissen, dass sie schnell handeln müssen. Er stösst die Türe mit einem Ruck auf und macht einen grossen Schritt in den hell erleuchteten Raum. Gleichzeitig hat er seine Glock gezogen und richtet sie auf Rick Vandorp. Der steht an seinem Schreibtisch und blickt wie versteinert auf den flimmernden menschlichen Umriss, der unvermittelt in der offenen Türe zu seinem Schlafzimmer steht. Jetzt spricht ihn der Umriss, mit deutlich britischem Akzent, in ruhigem Ton an.

»Nehmen sie ganz langsam die Hände hinter ihren Kopf, Mr. Vandorp! Keine hektischen Bewegungen! Das Spiel ist aus! Game over!«

Vandorps Augen verengen sich zu schmalen Schlitzen, als er hinter dem Schemen die schwarz gekleidete Gestalt erblickt, die jetzt auch in den Wohnbereich tritt.

»*Du*, Samantha? Du *lebst*? Also hatte Henrique doch Recht, als er mich vor dir warnte! Sie ist das schwache Glied in deiner Kette, Rick! Ja! Das sagte er! Und nun stehst du vor mir und hast meine ganzen Ideale verraten!«

Samantha tritt neben das Schemen.

»So ist es, Rick! Aber Velasquez ist nicht mehr der, der dich beeinflussen kann! Er hat leider vor kurzem das Zeitliche gesegnet!«

Der Umriss neben Samantha nimmt Gestalt an und Vandorp sieht einen grossen Mann in dunklem Tarnanzug. Er hält eine Pistole in der Hand. Ohne das geringste Zittern ist die Mündung auf seine Stirn gerichtet. Der Mann kommt auf ihn zu.

»Halten sie die Klappe, Vandorp! Hände hinter den Kopf und weg vom Schreibtisch!«

Den Finger immer noch über der Tastatur schwebend, blitzt ein kurzes Funkeln in Vandorps Augen auf. Sein Finger senkt sich nach unten. Ein Schuss hallte donnernd durch den Raum. Die Hand Vandorps wird zur Seite gerissen und er schleudert, sich um seine Achse drehend, gegen die Wand hinter dem Schreibtisch. Mit hängendem rechtem Arm bleibt er in Schockstarre an die Wand gelehnt stehen. Patrik dreht sich langsam zur Seite. Neben ihm steht Samantha, ihre Glock in der rechten Hand, die immer noch auf Vandorp gerichtet ist. Aus dem Lauf kräuselte ein dünner Rauchfaden, sich langsam nach oben auflösend.

»Gut gezielt, Samantha! Du scheinst nicht das erste Mal mit Schiesseisen zu hantieren!«,

bemerkte Patrik anerkennend und geht zielstrebig auf den Schreibtisch zu. Ein Blick auf den Bildschirm genügt ihm. Aus verschiedenen Perspektiven zeigen drei Fenster den Tunnelabschnitt beim Zugang zur Rundhalle. Das vierte Fenster ist mit einigen Icons bestückt. F1 steht für - *„Gaszufuhr“*. F4 ist das Icon, das er sucht. Er tippt mit dem Finger auf die Taste und spricht in Richtung Monitor.

»An Scylla! Hier spricht Patrik Fitzpatrik, euer Retter aus höchster Not! Ihr könnt eure Testamente wieder zerreissen! Dank Samantha konnten wir den „guten“ Herrn Vondorf noch rechtzeitig vor einer grossen Dummheit abhalten! Ich öffne euch jetzt das Tor zur Rundhalle! Wie ich auf den Überwachungskameras sehe, ist die Halle menschenleer! Kommt so schnell wie möglich hoch! *Charybdis* könnte eure Hilfe gebrauchen!«

Er tippte auf der Tastatur F2. Auf dem Bildschirm beobachtet Patrik zufrieden das sich öffnende Textfeld - „Tor öffnen“. Patrik vergewisserte sich, dass sich das Tor wirklich öffnet und wendet sich an Vandorp. Samantha ist inzwischen um den Schreibtisch gegangen und hat sich in zwei Meter Entfernung zu Vandorp postiert. Die Glock ihn ihrer Hand direkt auf seine Stirn gerichtet. Der hält den Kopf gesenkt, stierte auf seine durchschossene Handfläche, von der ein steter Strom von Blutstropfen auf den Boden tropfte. Langsam hebt er das Kinn und blickt Samantha aus geröteten Augen an. Ein Aufblitzen der Erkenntnis und sein gelähmter Zustand löste sich schlagartig auf. Mit leiser Stimme zischte er bedrohlich.

»Ich habe es eigentlich immer gewusst, Sam! Ihr *asiatisches* Geschmeiss gehört alle eliminiert! Zugegeben! Du hast mir, als „Spielzeug“ für *gewisse* Stunden, manchmal viel Freude bereitet! Das wiegt aber das genetisch minderwertige Material eurer Rasse nicht auf! Nur der *reine Arier* hat auf dieser Welt seine Daseinsberechtigung! Und in weniger als zwei Stunden ist es soweit! Nichts und niemand wird den Triumph der Auserwählten über das Minderwertige aufhalten!«

Vandorp zog pfeifend die Luft ein und umklammert jetzt mit seiner linken Hand die Wunde in seiner Handfläche. Samantha musterte Vandorp von oben bis unten. Ihre Augen von eisiger Kälte, die einen Vulkan zum Einfrieren gebracht hätten.

»Hörst du dir eigentlich selber zu, was für wirres Zeug du daher redest, Rick? Merkst du nicht, dass du eigentlich dringend Hilfe benötigst? Ich habe dich wirklich geliebt, Rick! Ich habe dich sogar so sehr geliebt und bewundert, dass ich mich dazu verleiten liess, Dinge für dich zu tun, die man nicht tun sollte und darf!«

Ein spöttisches Lächeln umspielte Vandorps Mund.

»Du redest von Liebe, Samantha Wong? Ich rede von Spass durch Bezahlung! Aber lassen wir das! Ich würde vorschlagen ihr beide legt jetzt eure Waffen nieder und ergebt euch meinen Männern! Die sind schon auf dem Weg hierher! Und vielleicht lasse ich Gnade walten!«

Fitzpatrik hatte dem surrealen Dialog ruhig zugehört. Er verzeiht etwas den Mund und legt die Stirn in Falten, wie wenn er angestrengt überlegt. Ein Lächeln der Erkenntnis überzieht sein Gesicht und er tritt unverhofft zu Vandorp. Der Lauf seiner Pistole auf die linke Schläfe aufgesetzt, knurrt Patrik mit gefährlich ruhiger Stimme.

»Herr Vondorf! Ich zähle bis drei! Dann deaktivieren sie den Countdown mit dem „Schlüssel" und ihrem gottverdammten Fingerabdruck! Wo und wie auch immer sie das machen müssen!«

Fitzpatrik und Vandorp sind von gleicher Grösse und ihre Gesichter berühren sich fast. Patrik bemerkte den kurzen Seitenblick zu einer bestimmten Stelle auf dem Schreibtisch. Er sieht an der linken Schmalseite eine quadratische Abdeckung aus mattiertem Stahl, die in den Schreibtisch eingelassen ist. Ein eigenartig geformtes Loch ist offenbar für einen Schlüssel gedacht und neben der Abdeckung befindet sich eine dunkle Glasscheibe in der Grösse einer Visitenkarte.

»Aha! Da haben wir ja das „Corpus delicti"! Also bitte, Mister! Treten sie gefälligst in Aktion!«

Patrik registrierte einen weiteren Blick Vandorps zur Seite. Diesmal in eine andere Richtung. Er bemerkt auch das triumphierende Aufblitzen.

»Patrik! Pass auf! Hinter dir!«,

hörte er Samantha laut rufen. Ein furchtbarer Schlag trifft ihn in der Nierengegend. Gleichzeitig duckte sich Vandorp und schnellt blitzartig zur Seite und auf Samantha zu. Mit einem gutturalen Aufschrei vollführt Vandorp eine Finte und schlägt ihr, mit der Drehung seines Körpers und dem Anheben seines rechten Beins, mit dem Fuss die Glock aus der Hand.

Wie ein Geist aus dem Nichts, ist Adolf unbemerkt einen Meter entfernt neben Vandorp und Patrik aufgetaucht Er erkennt sofort den Ernst der Situation, in der sich sein Herr und Schöpfer befindet. Bevor Patrik auf Samanthas Warnruf reagieren kann, ist Adolf mit katzenhafter Gewandtheit zu den zwei Männern gehechtet und versetzte dem Mann in dem seltsamen Kampfanzug einen fürchterlichen Schlag. Von dem Hieb komplett überrumpelt, knickt der grosse Mann in den Knien ein. Das verschafft seinem Herrn die Gelegenheit sich auf die Verräterin zu stürzen. Adolf umfasst das Kinn des Eindringlings mit der linken Hand, um mit der Rechten den Hinterkopf zu greifen und dem Mann, durch eine schnelle Drehbewegung, das Genick zu brechen.

Während dessen ist Samantha für eine Sekunde überrumpelt, als ihr die Pistole aus der Hand geschlagen wird. Die Glock fliegt in hohem Bogen durch die Luft und landet mit schepperndem Klirren an der Fensterfront, wo sie ein spinnennetzartiges Splittermuster im Glas hinterlässt und auf den Boden knallt.

»Nicht schlecht, Rick! Anscheinend warst du mir ein

gelehriger Schüler? Aber du bist noch immer - nicht gut genug für mich!«,

zischte Samantha bedrohlich und nimmt eine Angriffsposition ein. Erstaunt bemerkte sie, dass die Wunde in Vandorps Handfläche aufgehört hatte zu bluten. *»Dann ist wohl etwas dran! Rick verfügt tatsächlich über eine spezielle Regenerationsfähigkeit! Fast wie damals auf der „Efrari", als er sich den kleinen Finger abgesäbelt hat!«* Schiesst die Erinnerung in ihr hoch. Vandorp federte leicht in den Knien, die Finger seiner Hände wie Raubtierkrallen verkrümmt und stösst sich vom Boden ab. Samantha hat seine Körpersprache genau beobachtet und ist auf seinen Angriff vorbereitet. Kurz bevor er sie erreicht, dreht sie sich wie ein Torero seitlich nach rechts, packte blitzschnell seinen rechten Arm und reisst ihn nach unten. Durch seinen eigenen Schwung und die erzwungene Abwärtsbewegung seines Arms, kracht er - Gesicht voran - auf den Teakholzboden. Sein Arm, den Samantha immer noch festhält, wird nach hinten und nach oben verdreht. Ein hässliches Knacken hallt durch die Suite, als der Knochen aus dem Schultergelenk springt. Vandorp jault vor Schmerz wie ein Wolf und versucht sich weg zu drehen. Doch Samantha, seinen Arm immer noch fest im Griff, rammt ihm das linke Knie ins Kreuz und nagelt ihn so auf dem Boden fest.

»Ich habe es dir doch eben gesagt, Rick! Du bist immer noch nicht gut genug, um gegen mich zu bestehen!«,

faucht sie ihm ins Ohr, als sie sich ganz nah zu ihm runter beugte und gleichzeitig mit der linken Handkante auf seine Halsschlagader schlägt. Vandorp verdreht die Augen, sein Körper erschlafft und er verliert das Bewusstsein. Sie lässt seinen Arm los und dreht sich zu Patrik und Adolf, der soeben zu seinen Genickbrecher ansetzt. Doch er hat nicht mit einem Gegner wie Fitzpatrik gerechnet. Der lässt seine Arme nach unten hängen. Die Glock immer noch in seiner rechten Hand. Er lässt seinen ganzen Körper erschlaffen. Durch die plötzliche Gewichtsverlagerung rutscht Adolfs Hand von seinem Hinterkopf. Bevor er nachfassen kann, strafft sich Patrik wie eine Feder. Sein Arm mit der Pistole vollführt eine Bogenbewegung nach oben und der Lauf der Waffe trifft Adolf mit voller Wucht ins rechte Auge. Sein Augapfel wird zerquetscht und in einer Reflexbewegung will er sich noch an die verletzte Stelle fassen. Dann kippt er wie ein gefällter Baum nach hinten und bleibt auf dem Rücken liegen. Patrik dreht sich um und blickte zu Samantha und Vandorp. Er fängt an zu grinsen und deutet auf den am Boden Liegenden.

»Alle Achtung! Den hast du aber sehr schnell ausgeknockt, Sam! So was lernt man aber nicht in der Abendschule?«

Während sie den kurzen Schlagabtausch zwischen Patrik und Adolf beobachtet hatte, ist sie langsam aufgestanden. Sie deutet ihrerseits auf Adolf.

»Zuerst dachte ich der englische Gentleman könnte meine Hilfe gebrauchen! Adolf ist nämlich ein ganz schlimmes Kaliber! Aber ich sehe, du kannst ganz gut auf dich selber aufpassen, Patrik! Auch da lernt man offensichtlich nicht in der Abendschule!«,

erwiderte Samantha und ist sichtlich von seinen Fähigkeiten beeindruckt.

»Und nein! Nicht die Abendschule! Sondern unerbittliche und endlose Trainigsstunden mit asiatischen Kampfkunstmeistern!«

Sie zeigt auf die zwei Bewusstlosen.

»Und was machen wir jetzt mit den beiden? Für immer ausschalten?«

Patrik tritt um den Schreibtisch zu Samantha und blickt auf Vandorp hinunter. Dann geht er auf die Knie, drehte den Körper auf den Rücken und untersucht sämtliche Taschen an Vandorps Kleidung. In der Brusttasche wird er fündig und zieht mit spitzen Fingern eine silberne Kette, an der ein Schlüssel hängt, hervor.

»Da haben wir ja das „gute“ Stück! Jetzt gilt es nur noch den Countdown zu stoppen!«

Ein Poltern an der Türe lässt die beiden zusammen zucken.

»Hallo! Herr Vondorf, Sir! Ist bei ihnen alles in Ordnung?« Hören sie eine, durch die Tür gedämpfte, tiefe Männerstimme auf Deutsch fragen. Patrik blickt auf sein Display und erkennt darauf fünf Wärmebildschemen der Söldner Vandorps, die sich im Eingangsbereich befinden. Einer der Männer steht vor der Türe.

»Das hat uns gerade noch gefehlt!«,
kommentierte Patrik in bemerkenswert ruhigem Ton.

»Scylla und Charybdis! Wir könnten hier drin etwas Hilfe gebrauchen! An der Türe zur Suite haben sich fünf böse Jungs versammelt! Und die hegen keine guten Absichten! Übrigens! Vandorp und Adolf sind in unserem Gewahrsam! Sam und ich brauchen nur etwas Zeit, um den Countdown zu stoppen! Over!«

Patrik hatte gar nicht daran gedacht sich mit seinem Namen zu melden. *»Die können sich denken, wer ihnen die frohe Botschaft sendete!«* Kommt es ihm in den Sinn.
Er ignorierte das Klopfen an der Türe und registrierte beiläufig, dass von draussen Schüsse zu hören sind.

»Sam! Komm! Hilf mir Vandorp zum Schreibtisch zu tragen! Wir brauchen ihn dort! Na, ja! Eigentlich nur seinen Finger! Aber wir sind ja keine Barbaren!«

Samantha hatte sofort verstanden, auf was er anspielte und beide gehen zu dem am Boden ausgestreckten Körper. Mit gemeinsamen Kräften tragen sie den erstaunlich schweren Mann zum Schreibtisch. Sie hieven ihn in sitzender Position auf den Ledersessel.

»Sie zu, dass der Typ nicht vom Sessel rutscht, Sam! Ich schau mir mal das Abbruchprozedere für den Countdown an!«

Samantha hält den Bewusstlosen an den Schultern fest und beobachtete Patrik. Der nimmt den Schlüssel, schiebt ihn in das Loch auf der Abdeckplatte. Er dreht den Schlüssel im Uhrzeigersinn und auf der Glasscheibe neben der Abdeckung leuchten Buchstaben auf. In kleiner grüner Schrift steht auf Deutsch die Aufforderung - *„Identifizierung“* - und eine ovale Kontur leuchtet unter den Buchstaben auf.

»Aha! Da haben wir den „Fingerzeig“, was zu tun ist!, murmelte Patrik und blinzelte Samantha mit einem Auge zu. Er nimmt Vandorps rechte Hand, zieht sie zu der kleinen Glasscheibe und presst den Zeigefinger auf die ovale Markierung. *„Zugang gewährt“* - leuchtet die Bestätigung auf dem kleinen Display und die dicke Stahlplatte schwenkt langsam nach oben, bis sie im 90 Grad Winkel verharrt. Darunter sehen Patrik und Samantha einen grossen roten Halbkugel förmigen Knopf. Darüber ist eine digitale Anzeige eingebaut, die in diesem Moment von 00:36:01 auf 00:36:00 springt.

»Oho! Nur noch sechsunddreissig Minuten bis zum grossen Bumms! Da sind wir aber keine Minute zu früh! Samantha! Darf ich bitten! Ich bin der Meinung, dir gebührt die Ehre das Knöpfchen zu drücken!«

Patrik zeigte mit dem Finger auf den Knopf und blickt sie aufmunternd an. Sie zieht einmal tief die Luft ein, hebt die flache Hand über den roten Knopf und schliesst kurz die Augen. Mit einem Ausatmen presst sie die Hand auf die rote Halbkugel. Ein hohes Piepsen und die Zeitanzeige bleibt bei 00:35:35 stehen. Sie sieht auf den Monitor. Auf dem Flachbildschirm auf Vandorps Schreibtisch leuchtet ein Fenster auf. Es ist eine Liste mit den Koordinaten der vier „Hafnium-Bomben“. Vor jeder Zeile sind grün leuchtende Kästchen, die eines nach dem anderen auf Rot wechseln. Über der Liste stehen die Worte *„Countdown abgebrochen“*. Halb unter dem Bildschirm verborgen entdeckt Samantha einen Schreibstift. Gedanken verloren nimmt sie ihn auf, begutachtet ihn von allen Seiten und steckt ihn in die Brusttasche von Vandorps Sakko.

Sie drehte sich zu Patrik, umarmt ihn spontan und gibt ihm einen Kuss auf den Mund. Dann blickt sie in seine Augen hoch.

»Danke, Patrik! Was geschieht jetzt eigentlich mit Vandorp und Adolf?«

Er will schon antworten, da ertönt ein Stakkato von Schüssen und das dumpfe Wummern einschlagender Granaten aus der Eingangshalle. In die Tür zur Suite schlagen etliche Kugeln ein und zerfetzen die aufwändige Intarsien-Arbeit auf der Innenseite. Patrik zieht Samantha am Arm mit sich, während er gezielt einige Schüsse auf die Türe abgibt. In dem Moment, als er sie durch die Schlafzimmertüre zerrt, erschüttert ein ohrenbetäubender Knall den Raum und die Eingangstüre fliegt aus den Angeln. Zwei Söldner, mit Maschinenpistolen bewaffnet, stürmen in die Suite und geben ziellos Salven tödlicher Projektile ab. Die Kugeln krachen in die Bar und in den grossen Flachbildschirm. Ein Regen aus scharfkantigen Glassplittern, gemischt mit verschieden farbigen Flüssigkeiten ergiesst sich auf den Boden.

»Herr Vondorf, Sir?«

Hören Samantha und Patrik einen der Söldner brüllen. Patrik überlegt nicht lange.

»Hast du noch irgend etwas dabei, das uns jetzt nützen könnte?«,

raunte ihr Patrik zu. Im Lärm des Kugelhagels, der auf den Durchgang zum Schlafzimmer abgefeuert wird, machte Samantha das Daumen hoch Zeichen. Sie greift in ihre Tasche am Kampfgürtel, zieht zwei runde Behälter in der Grösse einer Ein Deziliter Dose hervor und zeigt sie Patrik.

»Keine schlechte Idee von Miguel Ruiz, Blendgranaten einzustecken!«

Übertönte sie den Lärm. Patrik nimmt einen der Behälter und hält mit der linken Hand drei Finger hoch. Sie hat verstanden und zeiht schon den Sicherungsstift aus der Blendgranate, Auch Patrik entsichert seine, dann hält er wieder drei Finger hoch und klappt einen nach dem anderen auf seine Handfläche. Gleichzeitig werfen sie die Granaten um den Türrahmen. Drei Sekunden später kracht es laut und ein Lichtblitz, heller als die Sonne, erleuchtet für eine Sekunde das Schlafzimmer taghell. Patrik und Samantha warten nicht erst auf die Reaktion aus dem Wohnbereich. Ohne Zögern reisst Patrik die rechts liegende Türe auf und stürmt, dicht gefolgt von Samantha in den dahinter liegenden Korridor. Durch die dezente indirekte Beleuchtung ist der Gang in halb schummriges Licht getaucht. Die Wände sind mit edlem Holz getäfelt, der Boden ist mit teurer Teppichware ausgelegt.

»Hier in dem Korridor befindet sich auch der getarnte Zugang zur Rundhalle, die sich unter uns befindet!«,

erklärte Samantha Patrik, während sie sich mit gebührender Vorsicht der entgegen gesetzten Türe nähern. Etwa in der Mitte des Gangs, hörte Patrik ein scharrendes Geräusch hinter der Holzverkleidung. Er bedeutet Samantha stehen zu bleiben. Er zieht seine Darpa aus dem Gürtelhalfter und reicht ihr seine Glock. Samantha musste ihre Pistole in der Suite zurück lassen und verfügte jetzt nur noch über ihre Kampfmesser. Sie tippte auf ihr WITU und programmierte die Waffe auf ihren biometrischen Handabdruck um. Er hält einen Finger an die Lippen und stellt sich mit dem Rücken an die Wand gegenüber der, aus dem er das Geräusch gehört hatte. Sie tut es ihm gleich und beide richten ihre Waffen auf die Holzwand. Ein Teil der Holzverkleidung gleitet nach innen und verschwindet zur Seite. Eine hell erleuchtete Öffnung wird sichtbar und sie hören eilige Schritte eine Treppe hoch kommen. In der Öffnung erscheint der flimmernde Umriss einer Gestalt, die den Arm hebt und schnell sagte.

»Leute! Senkt eure Waffen! *Wen* habt ihr denn erwartet? Etwa Vandorps Monsterarmee? Schön euch zu sehen!«

Das Flimmern erlischt und Marc Miller steht mitten in der Öffnung. Er tritt in den Korridor und nacheinander folgen ihm die anderen von Team1. Patrik und Samantha, ihre Pistolen gesenkt, blicken sich an und sagen fast gleichzeitig.

»Ja! Hätten wir uns denken können! *Wen* haben wir eigentlich erwartet?«

Patrik ergänzte.

»Ist ja logisch! Ich habe doch gesehen, dass die Rundhalle

menschenleer war!«

Sally Bowles tritt zu Samantha, legt ihr die rechte Hand auf die Schulter und drückt sie leicht.

»Ganz ehrlich, Sam! Ich dachte schon, du hättest uns absichtlich in die Falle im Tunnel tappen lassen! Tut mir Leid für meine vorgefasste Meinung! Bitte entschuldige! Übrigens! Dein Sprung durch das sich schliessende Tor! Alle Achtung! Das war filmreif!«

Samantha fasste mit ihrer Rechten Sallys Hand auf ihrer Schulter und drückte sie ebenfalls.

»Danke für deine Aufrichtigkeit, Sally! Ich habe mir schon gedacht, dass ihr in diese Richtung spekuliert! Da ich mein Earset verloren hatte und auch das Headset futsch ist, konnte ich weder euch, noch Charybdis oder sonst wen erreichen!«

Charles mischte sich ein.

»Mädels! Für Erklärungen und so, habt ihr noch genug Zeit! Aber erst, wenn wir das hier zu Ende gebracht haben! Da hinter der Türe wird immer noch gekämpft! Wir sollten Charybdis nicht zulange warten lassen! Patrik? Was ist mit Vandorp und Adolf?«

Patrik schilderte kurz, was in der Suite vorgefallen ist. Dass sie den Countdown abbrechen konnten und dass Vandorp und Adolf immer noch bewusstlos gewesen sind, als sie sich ins Schlafzimmer zurück ziehen mussten. Charles verdaute die Neuigkeiten und kommt zum Entschluss.

»Patrik, Sally und Sam! Ihr kommt mit mir! Wir gehen durch das Schlafzimmer zurück in die Suite! Marc, Fred und Diego! Ihr geht zur Eingangshalle und unterstützt Charybdis!«

71

Isla Huemul - Südseite

Gut verborgen im Unterholz vor der Kuppel, verhalten sich Bill und sein Team vollkommen ruhig. Durch sein Fernglas beobachtete Harmundson, was im Eingangsbereich vor sich geht. Undeutliche dunkle Umrisse bewegen sich in dem gelblichen Lichtschein. Er vergrössert den Bildausschnitt seines Okulars um zwei Stufen und erkennt fünf Männer. Zwei von ihnen untersuchen eine Türe auf der rechten Seite. Die anderen drei gehen auf die Glasfront zu und treten durch die automatische Schiebetüre auf das Podest. Bill wirft einen Blick auf sein WITU-Display. Die vier aus dem Süden kommenden Punkte sind nur noch etwa fünfzig Meter von der Kuppel entfernt.

»Leute! Haltet euch bereit! Ich vermute, dass es sehr bald zum Feuerzauber kommt! Entsichert eure Waffen!«,

raunte Bill in sein Headset. Die vier Söldner biegen in dem Moment um die Ecke und betreten die freie Fläche vor der Treppe. Noch bevor der Trupp die Stufen erreicht, ruft einer der Männer den Dreien auf dem Podest zu.

»Albert! Hast du etwas von Kampfgruppe „Krähe“ gehört? Eigentlich hätten wir in Höhe der Reaktor-Ruine auf sie stossen müssen!«

Der Angesprochene verneinte.

»Nein, Gerold! Ich habe Herwig schon mehrmals angefunkt! Aber jedes Mal keine Antwort erhalten!«

Der Söldner namens Gerold überlegte eine Weile.

»Da ist etwas faul, Albert! Ihr drei bleibt hier beim Eingang! Wir durchkämmen das Gelände in der näheren Umgebung!

Irgendwo muss Gruppe „Krähe“ sein? Herr Vondorf hat doch ausdrücklich befohlen, in der jetzigen Phase von Operation „Genesis“ äusserst wachsam zu sein! Also Leute! Bildet eine Schützenreihe! Wir beginnen mit dem Unterholz auf dieser Seite!

Während Albert und seine zwei Kameraden den Eingang sichern, geht Gerold mit seinen drei Männern, nach allen Seiten sichernd, langsam auf das Unterholz zu, in dem sich Team2 verborgen hält. Als sie nur noch fünf Meter entfernt, mit ihren Stablampen vom Boden in das Gebüsch leuchten, raunt Bill Harmundson in sein Headset.

»Leute! Feuer frei!«

Die Waffen von Team2 rattern mit ohrenbetäubendem Getöse los. Gegen die gezielten Schüsse hatten die vier Söldner Vandorps keine Chance. Sie werden von dem unerwarteten Kugelhagel überrascht und einer nach dem anderen wird nieder gemäht. Die drei bestens trainierten Söldner auf dem Podest reagieren jedoch blitzschnell. Schon nachdem der erste Schuss gefallen ist, haben sie sich flach auf das Podest geworfen und sind von unten fast nicht mehr zu sehen. Sie erwidern sofort das Feuer. Ein Stakkato aus ihren Maschinenpistolen ertönt und die Kugel fetzen Äste und Blattwerk aus dem Unterholz gegenüber der Treppe. Bill Harmundson hat schon das Feuer einstellen lassen, um ihre Position durch ihre Mündungsblitze nicht zu verraten.

»Frank! Alles ok? Könntest du dein „Lieblings-Spielzeug“ in Aktion treten lassen?«,

sagte Bill vollkommen ruhig und Frank bestätigt.

»Aye, Sir! Granatwerfer einsetzen!«

Ein Krachen und ein merkwürdiges Ploppen sind aus Franks Position zu hören, als er hintereinander dreimal seinen M203 Granatwerfer abfeuerte. Fast zeitgleich explodieren die kleinen Granaten an ihrem Ziel. Zwei auf dem Podest liegenden Söldner wurden förmlich pulverisiert. Nur einer von ihnen entgeht dem direkten Beschuss und wird durch die Wucht der Explosion durch die Eingangstüre ins Innere der Kuppel geschleudert.

»Charybdis! Wir stürmen den Eingang! Los, los!«,
brüllte Bill und gibt sich keine Mühe mehr leise zu sein. Während er den Befehl schreit, ist er aufgestanden, bricht durchs Unterholz und stürmt, seine Darpa im Anschlag über die freie Fläche auf die Treppe zu. Dicht gefolgt vom Team, das, mit fünf Meter Abstand zueinander, über den Kies rennt. Mit zwei grossen Sätzen springt Harmundson auf das Podest und wirft eine Blendgranate durch die offen stehende Glastüre. Ein Knall und ein Lichtblitz. Adam und Mikael postieren sich links und rechts vom Eingang und sicher mit ihren Maschinenpistolen. Frank Vargas richtet sein MFL in den Eingangsbereich. Er lässt den Lichtstrahl kurz in der Halle kreisen. Nur noch der Söldner, der hinein geschleudert wurde, sitzt an einer Wand und hält die Hände vor seine geblendeten Augen. Frank erledigt ihn mit einem Schuss aus seiner Glock. Ansonsten ist die Halle leer. Durch die Öffnung, an der sich die zwei Männer Vandorps zu schaffen gemacht hatten, scheint helles Licht.
In der Mitte der Halle öffnet sich unvermittelt eine Türe und Frank und Bill richten ihre Waffen auf das neue Ziel.

»Ho, ho, ho! Hallo Charybdis! Nicht so voreilig!«
Hören die beiden Marcs unverkennbare Stimme.

72

Isla Huemul - Vandorps Suite

Mit der gebührenden Vorsicht nähern sich die vier der offen stehenden Türe des Schlafzimmers zum Wohn- und Arbeitsbereich. Charles hatte seine Darpa aus dem Halfter gezogen. Patrik, Sally und Samantha, ihre Glocks bereit, folgen ihm. Sie verteilen sich links und rechts vom Türrahmen. Charles gibt Patrik ein Zeichen er solle ihn sichern. Neben dem Durchgang warten sie mit dem Rücken zur Wand einige Sekunden. Es ist ausnehmend ruhig. Kein Geräusch ist aus der Suite zu hören. Auch der Schusswechsel und die Explosionsgeräusche der Granaten aus der Eingangshalle sind verstummt und es herrscht eine gespenstische Stille. Vorsichtig lugt Charles um die Ecke in die Suite. Dann betritt er beherzt den Raum und meldet.

»Ihr könnt reinkommen! Hier ist niemand!«

Seine drei Begleiter betreten ebenfalls den Wohnbereich und in der Türöffnung zur Eingangshalle sehen sie Bill Harmundson und Frank Vargas, die erstaunt auf die Überreste der gesprengten Türe blicken.

»Hallo, ihr vier! Ich bin froh euch gesund und munter zu sehen!«,

bemerkte Bill mit einem erfreuten Grinsen.

»Da hat aber einer grobes Geschütz aufgefahren!«

Er zeigt auf die Trümmer der Türe, der Bar und den vollkommen zerstörten Flachbildschirm.

»Bill, Frank! Ich vermute ihr habt den Rest der „Bande“ ausgeschaltet? Und ich hoffe, bei eurem Scharmützel sind alle heil geblieben?«

Bill nickte und dreht sich kurz zur Eingangshalle.

»Ja! Alle putzmunter! War keine grosse Sache! Aber hier drin vermisse ich etwas Entscheidendes! Marc hat mir erzählt, Sam und Patrik hätten Vandorp und Adolf schachmatt gesetzt! Nur sehe ich hier drin - ausser uns - keine Menschenseele!«

Inzwischen haben sich alle Mitglieder von Team1 und Team2 im Wohnbereich der Suite versammelt.

»Sam, Patrik? Als ihr euch ins Schlafzimmer zurückziehen musstet! Wo genau waren da Vandorp und Adolf?«

Patrik schüttelt irritiert den Kopf.

»Vandorp lag in seinem Sessel und Adolf neben dem Schreibtisch am Boden! Dann kamen die zwei Söldner rein gestürmt und ballern wie wild um sich! Stimmt doch, Sam?«

Sie bestätigte Patriks Schilderung und fügt hinzu.

»Vandorp ist an der rechten Hand verletzt und war völlig weg getreten! Adolf lag dort am Boden! Durch Patrik vollkommen ausgeknockt! Und wo die zwei Söldner abgeblieben sind ist mir schleierhaft!«

Charles überlegte, sieht sich im Wohnbereich um und meint.

»Bill! Du gehst mit Team2 hinunter in die Rundhalle! Fred zeigt dir den Weg! Untersucht alles genau! Ich möchte wissen, ob es noch andere verborgene Zugänge oder Räume in dieser Anlage gibt! Hat Mikael genügend C4 Sprengstoff dabei? Ich will dafür sorgen, dass niemand mehr diese Anlage für seine üblen Machenschaften missbrauchen kann! Adam! Du bleibst hier oben und untersuchst den Computer Vandorps auf Hinweise zu seinen Plänen! Und setz dich mit Abel in Verbindung, damit er dich unterstützen kann! Miguel und Diego! Könntet ihr den EACs Bescheid sagen, dass wir in einer Stunde am Landesteg abgeholt werden? Wir untersuchen in der Zwischenzeit diese Suite! Irgendwo müssen die vier abgeblieben sein!«

Bill, Fred, Frank und Mikael verlassen den Raum und begeben sich zur Rundhalle. Miguel Ruiz und Diego Diaz ziehen sich vor den Eingang der Kuppel zurück. Adam geht zum Schreibtisch, setzt sich auf den Sessel und studierte die Betriebsoberfläche auf dem Bildschirm. Charles wendet sich an Samantha.

»Zeig uns bitte, wo Adolf gelegen hat! Und hast du eine Idee, ob es hier im Raum eine Versteckmöglichkeit gibt?«

Samantha schüttelt den Kopf.

»Wenn du so etwas, wie einen „Panicroom" meinst? Nein! Gibt es meines Wissens nicht! Nur diese Eingangstüre, die Glasschiebetüre dort bei der Sitzgruppe und der Zugang zum Schlafzimmer!«

Charles sieht sich noch einmal um. Sein Blick bleibt auf der geschlossenen Glastüre bei der Sitzgruppe hängen.

»Ich glaube kaum, dass die vier sich durch diese Türen aus dem Staub gemacht haben! So angeschlagen, wie Vandorp und Adolf sind, würden sie in der Dunkelheit des Waldes nicht weit kommen! Und wohin sollten sie sich überhaupt absetzen?«

Die fünf begeben sich zum Schreibtisch und Samantha deutet auf die Blutspritzer am Boden.

»Hier hat Adolf gelegen! Und auf dem Sessel sass Vandorp!«

Patrik geht zur Eingangsöffnung und untersuchte den Türrahmen. Er wirft einen Blick in die Eingangshalle. Dann studiert er die Wand mit dem seltsamen geometrischen Muster. Er peilt die Holzverkleidung von der Seite an und kneift ein Auge zusammen. Er vergewissert sich noch einmal durch einen Blick in die Eingangshalle.

»Leute! Ich glaube das könnte des Rätsels Lösung sein!«

Charles, Sally, Marc und Samantha sehen Patrik fragend an. Der deutet auf die Türöffnung, dann auf die Holzverkleidung.

»Wenn ich die Winkel der Wände vergleiche, also den hier und die der Eingangshalle, ist mir Folgendes aufgefallen! Die Wände verlaufen nicht parallel zueinander, sondern bilden einen Winkel, der sich von hier aus gesehen zusehends verbreitert! Das bedeutet! Ich stand etwa dort an der Stelle der Wand, wo ich Vandorp im Clinch hatte! Und links davon hat mich Adolf angegriffen. Dort ist genug Abstand für einen verborgenen Raum oder was auch immer!«

Marc Miller geht zu der Stelle an der Holzwand und deutet darauf.

»Du meinst etwa hier, Patrik?«

Der bejahte und Marc untersucht die Wand mit seiner MFL. Im Röntgenmodus deutlich sichtbar, zeichnet sich hinter der Vertäfelung ein Mechanismus ab. Marc schaltet die MFL ab und betrachtet eingehend die Holz-Ornamentik. An einer Stelle fällt ihm eine leichte Verfärbung der Holzoberfläche auf. Er blickt fragend zu Charles, der nur kurz nickt. Mit dem Zeigefinger drückt Marc auf die Stelle. Das kleine Holzquadrat sinkt für ein paar Millimeter nach innen. Geräuschlos verschiebt sich ein Tür grosses Element der Täfelung nach hinten und gleitet auf die rechte Seite hinter die Wand. In der Öffnung ist ein diffuser Lichtschein zu sehen, der eine kleine quadratische Plattform beleuchtet, die gut einen Meter im Quadrat misst. Marc deutet mit der Hand auf die Öffnung.

»Ladies und Gentlemen! Voila!«

Er streckte vorsichtig seinen Kopf in die Öffnung und sieht um die Ecke nach links.

»Ich kann eine Treppe erkennen, die steil nach unten führt! Ansonsten ist niemand zu sehen! Es ist alles ruhig!«

Charles stellt sich auf die Plattform und untersucht den Abgang. Die Wände und die Decke scheinen vor nicht allzu langer Zeit aus Beton gegossen worden zu sein. Die Stufen der Treppe sind aus vorgefertigten Betonelementen. Alles ist in einem hellen, fast weissen Grauton gestrichen. Eine einzige Industrieleuchte spendete etwas Licht. In der zur Öffnung gegenüber liegenden Wand bemerkt er die Fugen einer schmalen Türe. *»Das ist der Zugang vom Eingangsbereich zu diesem versteckten Abgang! Ich vermute, dass sich Adolf durch diese Geheimtüre in den Wohnbereich schleichen konnte!«*, überlegt Charles und wendet sich zu den anderen.

»Wir gehen hinunter! Ich und Patrik zuerst! Dann Sally und Samantha! Marc! Du deckst uns den Rücken!«

Charles schickt sich soeben an die Treppe hinunter zu steigen, als eine tiefe Stimme in ihren Rücken ertönt.

»Leute! Einen Moment noch! Ich muss euch etwas zeigen! Bill meinte, es ist vielleicht wichtig!«

Fred MacMillan ist in die Suite gekommen und wedelt mit etwas in seiner Hand.

»Da unten - in der Rundhalle - haben wir keine weiteren Verstecke, Gänge oder Ähnliches gefunden! Dafür das da!«

Er ist zu der Öffnung gekommen und zeigt einen Kugelschreiber in die Runde. Vielleicht etwas dicker und länger, als ein normaler Stift. Ansonsten sieht er aus, wie die Werbekulis, die massenhaft versendet werden. Samantha erkennt den Stift sofort wieder und deutet darauf.

»So ein Ding habe ich hier auf dem Schreibtisch gefunden! Ich dachte der gehöre Vandorp und habe den Stift aus lauter Gewohnheit in die Brusttasche seine Sakkos geschoben!«

Fred schwenkte den Stift zwischen zwei Fingern hin und her und setzte eine wissende Miene auf.

»Nur, dass es sich bei diesem Ding hier - *nicht* um einen Kugelschreiber handelt! Er schreibt - das haben wir ausprobiert! Aber nachdem wir einige Aufzeichnungen und Dateien gefunden und durch gelesen haben, sind wir auf den wahren Zweck gestossen!«

Marc verzeiht sein Gesicht und rollt mit den Augen.

»Mach es nicht so spannend, Fred! Wir haben nicht mehr viel Zeit!«

Fred deutete mit dem Finger auf eine kleine dunkle Perle am oberen Ende des Stiftes.

»Seht ihr das da? Das ist eine LED! Und wenn die Rot aufleuchtet - ist es schon zu spät! Das Ding hier, ist eine kleine, aber sehr effektive „Hafniumbombe“!«

Sprachlos blicken alle auf den Stift in Freds Hand.

»Laut den Aufzeichnungen, oder besser gesagt, der Bedienungsanleitung, wurden diese Dinger für die Anschläge in den Botschaften benutzt! Gezündet werden sie durch ein individuelles GPS-Signal! Das Signal ist für jeden einzelnen Stift separat verschlüsselt! Es können aber auch ganze Gruppen von Stiften auf einmal gezündet werden! So wie bei den Botschaftsanschlägen geschehen! Diesen hier haben wir schon entschärft und unschädlich gemacht!«

Noch immer schauen sie ungläubig auf den Stift. Erstaunt, dass ein so kleines Gerät, eine solch verheerende Wirkung haben kann. Allen sind die Bilder der Zerstörungen in den Botschaften noch zu gut in Erinnerung.

»Danke für die Information, Fred! Sobald sie die Sprengladungen angebracht haben, rufst du Team2 wieder nach oben! Dann wartet ihr hier auf uns! Adam! Versuche heraus zu finden, ob noch mehr dieser verhängnisvollen Stifte im Umlauf sind! Und wir schnappen uns jetzt Vandorp und Adolf!«

Fred bestätigt und gesellt sich zu Adam, der den Computer und die Server Vandorps untersuchte.

73

Isla Huemul - U-Boot Station

Charles gibt seiner Gruppe ein Zeichen und sie beginnen die steile Treppe hinunter zu steigen. Am Ende der Treppe angelangt, stehen sie am Anfang eines Tunnels, der sich scheinbar endlos in der Ferne verliert. Der Tunnel scheint älteren Datums zu sein. Die Wände sind nur roh, mittels einer Verschalung aus groben Brettern, in Beton gegossen. An manchen Stellen sind Spuren von eingetretenem Wasser zu erkennen. Der Boden ist ebenso flüchtig ausgeführt. Aus der linken Wand neben der letzten Treppenstufe verlaufen zwei dicke Kabel knapp unterhalb der Decke den Tunnel entlang. Der Tunnel ist hier etwa zwei Meter breit und zweieinhalb Meter hoch. Im Abstand von fünfundzwanzig Meter versuchen schwach leuchtende Deckenlampen etwas schummriges Licht in die Dunkelheit zu bringen.

»Dieser Tunnel stammt eindeutig noch aus Dr. Richters Zeiten! Ich würde meinen, von Anfang der Fünfziger Jahre!«, bemerkte Marc, während die Gruppe langsam dem Verlauf des Tunnels folgte. Nach hundert Metern stossen sie auf eine altersschwache Stahltüre mit einem langen Verschlusshebel. Die Türe steht offen. Vorsichtig betreten sie einen düsteren Raum, der notdürftig durch eine einzige Lampe erhellt wird. Fünf mal fünf Meter messend, ist der Raum an beiden Seiten mit verrosteten Eisengestellen bestückt. Die Gestelle sind leer und deren Zweck lässt sich nicht mehr feststellen. Auf der gegenüber liegenden Seite befindet sich eine identische Stahltüre. Auch diese steht offen und dahinter scheint sich der Tunnel fort zu setzen. Sie betreten diesen Abschnitt, der in der gleichen Bauweise ausgeführt ist. Nach weiteren fünfundsiebzig Metern, hebt Charles die Faust und bedeutet der Gruppe anzuhalten. Alle verharren in ihrer Position.

»Habt ihr das auch gehört?«,

flüsterte Charles und deutet auf das Ende des Tunnels. Dort ist ein heller Schein zu erkennen. Undeutlich sind klirrende Geräusche und das Plätschern von Wasser zu hören.

»Da vorne muss sich das Ende des Tunnels befinden! Haltet eure Waffen schussbereit! Leise vorrücken!«,

raunte Charles in sein Earset. Geräuschlos näherte sich die Gruppe, bis auf ein paar Meter, dem Ende des Tunnels. Jetzt sind deutlich Stimmen und das Klirren von Metall auf Metall zu vernehmen. Charles und Marc schleichen sich links und rechts an das Ende und lugen durch die Öffnung. Sie erkennen ein, in den Fels gehauenes, hell erleuchtetes Gewölbe. Circa acht Meter breit und gut und gern fünfzehn Meter lang, ist dieser Teil eindeutig neueren Datums.

»Das darf doch nicht wahr sein!«,

flüstert Marc in sein Earset.

»Kommt dir das nicht auch bekannt vor, Charles? Das ähnelt doch dem Hangar von Vandorps Yacht? Wie vor einem Jahr, nur diesmal auf dem Land!«

Charles weiss worauf Marc anspielte. Vor einem Jahr hatten sie vor der Küste Yucatáns die Yacht Vandorps geentert und sind dabei auf einen geheimen Hangar tief im Bauch des Schiffes gestossen. Dort hatte Vandorp sein ultra modernes Stealth-U-Boot gelagert. Mit dem ist ihm, Adolf und Samantha, damals die Flucht gelungen.

»Du hast Recht, Marc! Wie auf der „Efrari2“! Samantha! Hast du gewusst, dass er das U-Boot hier gebunkert hat?«

Sie flüstert in ihr Earset.

»Nein! Er hat mir immer versichert, dass das Boot beim Transport vom Strand in Panama nach Misiónes beschädigt worden sei und er es verschrotten liess!«

Charles schaltete die Kamera seines WITU ein und richtet sie auf die Szenerie im Gewölbe, damit die zwei Frauen und Patrik sich auch einen Überblick verschaffen können.

Vor ihnen erstreckt sich ein Plattform von drei Meter Tiefe, die an einem, in der Mitte des Gewölbes eingelassenem, Becken endete. Auf der Plattform sind auf der linken und rechten Seite etliche grosse Holz- und Metallkisten gestapelt. Im Becken dümpelte, der aus der Wasserlinie ragende Teil des futuristisch anmutenden U-Boots. Links und rechts des Beckens verlaufen breite Betonstege und an den Wänden befinden sich etliche technische Gerätschaften, stählerne Schaltkästen und Einbuchtungen. Zwei Männer, die Söldner die mit Vandorp entkommen sind, hantierten an Kabeln und Schläuchen herum, die sie vom U-Boot ausklinkten. Vandorp, noch leicht schwankend, ist eben im Begriff durch die Luke ins Innere des Bootes zu klettern. Ihn an einem Arm stützend, kommt Adolf ihm zu Hilfe.

»Höchste Eisenbahn, Leute! Die wollen abhauen! Stoppen wir die Bande!«,

raunte Charles und tritt als Erster leise aus der Öffnung. Sally und Samantha postieren sich rechts von ihm. Marc und Patrik links. Ihre Waffen auf die vier Männer gerichtet, ruft Charles laut und deutlich.

»Rick Vandorp! Das Spiel ist endgültig aus!«

Mit vor Überraschung geweiteten Augen, blickte Vandorp zu den fünf überraschend aufgetauchten Personen, die sich vor der Öffnung des Tunnels verteilt hatten. Die Pistolen auf ihn, Adolf und seine Söldner gerichtet.

»*Sie*? Sie schon wieder, Roberts!«,

stammelte Vandorp mit wutverzerrtem Gesicht. Adolf, im Begriff seinem Herrn in die Luke zu helfen, drehte sich ebenfalls zu der lauten Stimme um. Die rechte Seite seines Gesichts blutverschmiert, das verletzte Auge notdürftig mit einigen Klebestreifen über einer Lage Mullbinden abgedeckt, glotzte er emotionslos aus seinem gesunden Auge auf die Gruppe aus Frauen und Männern. Die zwei Söldner reagieren augenblicklich. Sie lassen die Kabel und Schläuche fallen und greifen blitzschnell nach ihren Maschinenpistolen. Einer hechtete hinter einen der Stahlschränke, der andere geht in die Knie und beide eröffnen sofort das Feuer. Während Charles Vandorp angesprochen hatte, haben Patrik und Marc die zwei genau im Auge behalten. Ein roter Lichtpunkt leuchtete auf der Brust des knienden Söldners auf und einen Sekundenbruchteil später zerfetzte die Smart-Bullet den Torso des Mannes. Der Kugelhagel des anderen, zwingt die Gruppe hinter den Kisten in Deckung zu gehen. Holz- und Metallsplitter pfeifen über ihre Köpfe. Patrik lugt vorsichtig um die Ecke einer Kiste. Ein weiterer Feuerstoss lässt ihn den Kopf zurück ziehen, als die Projektile in das Holz einschlagen. Dann hört er ein metallisches Klicken. Dem Söldner ist die Munition ausgegangen.

»Charles! Marc! Gebt mir Feuerschutz!«,
schreit Patrik und stürmte sofort aus seiner Deckung. Mit gezielten Schüssen nageln die zwei den Söldner hinter seinem Stahlschrank fest. Patrik sprintete auf der gegenüber liegenden Seite über den Betonsteg, bis er freies Schussfeld hatte. Er kniete nieder, richtet die Darpa auf den Söldner und zieht den Abzug durch. Ohne einen Laut von sich zu geben, dreht sich der Mann um die eigene Achse und stürzt in das Becken. Das kurze Feuergefecht hatte Vandorp genügend Zeit verschafft, um in das U-Boot hinunter zu steigen. Adolf hat sich ebenfalls in die Luke gezwängt und sich aus der Deckung den Angreifern zugewendet. Er hat eine Pistole aus einer Tasche gezogen. Mit gezielten Schüssen auf die Kisten, hinter der die Gruppe kauerte, verhindert er, dass sich Charles und Marc, als auch Sally und Samantha aus der Deckung wagen. Der offene Lukendeckel deckte Adolf von der Schusslinie Patriks ab, der ab und zu einen gezielten Schuss versuchte zu platzieren. Als Adolf seine letzte Patrone verschossen hatte, zieht er eine zweite Pistole. Er hebt seinen linken Arm und will die Einstiegsluke schliessen. Samantha hatte das Ganze aufmerksam beobachtet und steht plötzlich hinter ihrer Deckung auf. Mit fester Stimme sagt sie.

»Adolf! Denk nicht mal daran die Luke zu schliessen! Eure Fahrt ist hier zu Ende!«

Sally greift an ihre Hüfte und will sie zurück halten.

„Sam! Was machst du da? Geh in Deckung!«

Samantha blickt zu Sally und lächelte schmallippig.

»Keine Angst, Sally! Ich weiss genau was ich tue!«

Sie tritt hinter der Kiste hervor und geht langsam auf den Rand der Plattform zu. Ihren rechten Arm mit der Glock locker an der Seite nach unten gerichtet. Adolf starrte mit seinem unverletzten Auge auf sie. Keinerlei Regung zeigt sich in seinem blutüberströmten Gesicht. Die Pistole in seiner Hand ist auf Samanthas Kopf gerichtet. Er zieht den Abzug durch und blickt dann erstaunt auf die Waffe in seiner Hand. Eine kleine LEd leuchtete rot oberhalb des Griffes.

»Adolf! Man sollte *nie* die Pistole anderer Leute an sich nehmen! Das war's dann wohl!«

Erstaunt blickte Adolf von der Pistole in seiner Hand zu Samantha und erkannte seinen Irrtum. Er hatte in der Suite Samanthas Glock an sich genommen. Nichts ahnend, dass diese nur von einer authorisierten Person abgefeuret werden kann. Samantha hebt langsam ihren Arm. Adolf erkennt ihre Absicht und lässt sich in die Luke fallen, als ein donnernder Schuss ertönt. Den Bruchteil einer Sekunde zu spät, erwischt Samantha Adolf nur noch an der rechten Schulter, als dieser schon in der Luke verschwunden ist. Die Einstiegsluke klappte zu und ein grugelndes Geräusch ist zu hören, als der Elektromotor des U-Boots gestartet wird.

Charles, Marc und Patrik feuern gleichzeitig aus ihren Pistolen auf die niedrige Silhouette des U-Boots oberhalb der Wasserlinie. Mit einem scheppernden Geräusch schlagen die Projektile auf den Bootskörper und prallen wirkungslos ab.

»Ich glaub's ja nicht! Das U-Boot-Ding hat nicht nur Stealth-Eigenschaften, sondern ist auch noch *gepanzert*!«,

schreit Marc frustriert auf und fuchtelte mit seiner Darpa in der Luft herum. Hilflos müssen sie beobachten, wie das Stealth-U-Boot innert Sekunden im dunklen Wasser versinkt und nur noch eine Spur aufsteigender Luftblasen die Fahrlinie aus dem

Gewölbe anzeigt.

»Verdammt! Das darf doch nicht wahr sein, dass Vandorp und Adolf wieder mit diesem Scheiss U-Boot die Flucht gelingt!«,

regte sich Charles auf, während er seine Darpa ins Halfter zurück schiebt. Er schaut in die enttäuschten Gesichter seiner Gruppe, die alle mit leichtem Kopfschütteln ihren Unmut kundtun. Patrik, der sich wieder zur Gruppe gesellt hatte, klopfte Samantha leicht auf die Schulter und deutet dann auf das Becken.

» Alle Achtung, Samantha! Deine Aktion war zwar gewagt, aber ziemlich eindrücklich! Und! Kann mir einer erklären, *wohin* Vandorp mit dem Ding eigentlich flüchten will! Der Lago Nahuel Huapi ist zwar ziemlich gross, aber ein Meer ist er darum noch lange nicht!«

Samantha, ebenso enttäuscht, kratzte sich unterbewusst am Kopf und sinniert.

»Wie du sagtest, Patrik! Der See ist kein Meer! Aber leider gibt es eine Unmenge Möglichkeiten irgendwo unbemerkt an Land zu gehen! Hinzu kommt noch, dass die „Axolotl2" - wenn sie voll mit Energie, Frischwasser und Verpflegung ausgerüstet ist - bis zu acht Tage unter Wasser bleiben kann! Erschwerend kommt noch hinzu - die „Axolotl2" hat ein auf Stealth-Technologie basierendes Design und ist praktisch nicht zu orten!«

Patrik, der die Geschichte der Flucht vor einem Jahr nicht in allen Details kannte, ist sichtlich beeindruckt. Er wiegte seine Kopf nachdenklich hin und her. Dann erhellte sich seine Miene auf Grund der plötzlichen Erkenntnis und erklärte dann seelenruhig.

»Also! Was du uns erklärt hast, ist wirklich beeindruckend, Sam! Ich meine, das mit dem U-Boot und so! Aber Vandorp hat die Rechnung ohne eine reizende Lady namens Samantha Wong gemacht!«

Sie schauen Patrik fragend an und Samantha ist irritiert.

»Wie meinst du das mit *mir* und der *Rechnung*, Patrik?«
Patrik zwinkerte ihr mit einem Auge zu und erklärt schmunzelnd.

»Du selber hast uns den Schlüssel zu Vandorps und Adolfs Untergang geliefert! Und das mit dem Untergang meine ich wortwörtlich! Nur sollten wir dazu schnellstens nach oben in die Suite! Ich erkläre es euch unterwegs, Ladies und Gentlemen!«

Charles hat so viel Vertrauen in Patriks Erkenntnis, dass er seine Idee nicht anzweifelte.

»Dann leg mal los, Patrik!«,
sagte Charles nur lapidar, während er schon auf den Tunneleingang zusteuerte. Die anderen folgen ihm und Patrik eröffnet seine Überlegungen.

Oben in der Suite angekommen, warten schon alle Mitglieder der Operation „Ghost". Patrik geht zielstrebig zu Adam, der immer noch vor Vandorps Computer sitzt und inzwischen eine rege Diskussion mit Abel Mankowski über den Sinn und Zweck irgend welcher Algorithmen führte.

»Dürfte ich die Herren „Informatik-Genies" einen Moment in ihrem - sicher sehr wichtigen Gespräch - unterbrechen?«

Adam blickte zu dem gross gewachsenen Engländer hoch und bemerkte, trotz der scherzhaften Ausdrucksweise, den Ernst der Lage.

»Danke, Adam! Wie uns Fred vorhin mitteilte, existiert ein Programm in Vandorps System, mit dem die „Hafnium-Stifte" gezündet oder deaktiviert werden können! Im Klartext! Vandorp und Adolf sind uns mit ihrem „Super-Hightech-Stealth-undsoweiter-U-Boot" durch die Lappen gegangen!«

Patrik sieht amüsiert in die teils enttäuschten, teils verärgerten Gesichter und ergänzt.

»Das ist die *schlechte* Nachricht! Und jetzt die *Gute*! Sam hat mich auf die Idee gebracht! Sie hat Vandorp einen dieser „Bombenstifte" untergejubelt! Und ich hoffe, beziehungsweise bin mir sicher, dass er den Stift noch immer in seiner Brusttasche trägt! Ohne zu ahnen, was er da mit sich rumschleppt! Jetzt muss Adam nur noch das richtige GPS-Signal für diesen Stift finden und dann - ein Druck aufs Knöpfchen!«

Patrik musste die Schlussfolgerung nicht vollenden, denn alle können sich denken, was das bedeutete. Urplötzlich breitet sich Stille in der Suite aus. Nur noch ab und zu ist das Klackern der Tastatur zu hören, auf der Adam mit flinken Fingern rum hämmert. Keine halbe Minute später ruft Adam.

»Leute! Ich hab's gefunden! Es ist nur noch ein Signal aktiv! Und das bewegt sich stetig! Laut GPS-Signal etwa fünf Kilometer von der Insel entfernt, Richtung Norden und genau in der Mitte des Sees! Wer löst den Stift nun aus?«

Die Frage Adams schwebte schwer im Raum, als sich Samantha meldet.

»Ich bin der Meinung und sofern sie das möchte! Sally sollte die Taste drücken! Nachdem was Vandorp und Adolf ihr angetan haben! Und das auch noch durch meine Schuld! Umso mehr wäre das ihr gutes Recht!«

Alle blicken auf Sally Bowles, die etwas verlegen neben Charles steht. Marc hakte nach.

»Samantha hat Recht! Sally gebührt die Ehre, die Welt von Leuten wie Vandorp und Adolf zu befreien! Nur sollten wir nicht länger warten!«

Alle nicken und zustimmendes Gemurmel ist zu vernehmen. Charles gibt Sally einen Schubs.

»Na los! Mach schon, Sally!«

Etwas zögerlich geht sie zu Adam und stellte sich neben ihn. Er zeigte ihr, welche Taste sie drücken muss. Sie hebt ihren Zeigefinger über der Taste und hält inne. Doch plötzlich kommt die Erinnerung an Vandorps Demütigung in ihr hoch. Mit einem grimmigen Lächeln lässt sie den Finger auf die Taste schnellen und zischt.

»Fahrt zur Hölle! Rick Vandorp und Adolf!«

Nach drei Sekunden erzittert die Insel, wie bei einem Erbeben und eine gewaltige Detonation ist aus nördlicher Richtung zu hören. Augenzeugen berichteten später - es waren Fischer, die ihre Netze im See ausbrachten - von einem hellgelben Blitzlicht tief unter der Wasseroberfläche. Und dass anschliessend eine trichterförmige Vertiefung im Wasser entstand und schlussendlich eine gewaltige Wasserfontäne phosphoreszierend fast fünfzig Meter in die Höhe schoss.

Charles geht zu Sally, nimmt ihre Hand und zieht sie sanft in Richtung Ausgang.

»Leute! Zeit zu gehen! In einer viertel Stunde wird die Rundhalle gesprengt! Wir haben die Mission „Ghost" mit Erfolg beendet und nebenbei auch noch die Welt gerettet! Adam! Du und Abel! Vergesst nicht Vandorps Server zu deaktivieren oder wie auch immer man das macht!«

Adam und Abel hatten schon zuvor einen Link zwischen Vandorps Servern und Abels „Golem" hergestellt und sämtliche Daten zur CISMA überspielt.

So schnell es die Sichtverhältnisse erlaubten, rannten die zwei Teams auf dem ausgebauten Weg zum Landesteg hinunter. Miguel Ruiz und Diego Diaz sind schon vor zehn Minuten voraus geeilt, um die EACs in Empfang zu nehmen. Dabei sind sie auf die Yacht Vandorps gestossen, die am Landesteg vertäut liegt. Der Bootsführer hatte sich sofort den beiden ergeben und ihnen versichert, dass er nichts von Vandorps Machenschaften gewusst habe. Natürlich ist das eine Schutzbehauptung und Miguel Ruiz übergibt den Mann Capitan Pelez, der ihn in Handschellen auf sein EAC verfrachtete.

Jetzt begrüssen sie mit grossem Hallo die Mitglieder der Teams. Bevor Charles den beiden argentinischen Agenten schildern kann, wie die Aktion in der Endphase verlaufen ist, erschütterte eine dumpfe Explosion den Boden unter ihren Füssen. Nach einer Sekunde erreichte die Frauen und Männer das Getöse und Gerumpel einstürzender Betonmassen. Charles deutet wie beiläufig hinter sich und sagt zu Ruiz und Diaz.

»Das war's dann wohl mit der Rundhalle! Und so, wie sich das anhörte, hat vermutlich auch der Kuppelbau arg gelitten! Ihr könnt euch ja bei Gelegenheit, die „Bescherung" bei Tageslicht anschauen!«

Charles streckte Miguel die Hand hin.

»Im Namen der CISMA, möchte ich dir und Diego und natürlich auch allen deinen anderen Agenten, für eure professionelle und unkomplizierte Unterstützung danken!«

Ruiz nimmt seine Hand und drückt einmal kräftig.

»Keine Ursache, Charles! Es war und ist uns eine Ehre, dass wir euch bei dieser Mission begleiten durften! Ich würde vorschlagen wir fahren jetzt nach Bariloche! Der Morgen dämmert schon und ich kann mir vorstellen - ein kräftiges Frühstück wird uns allen gut tun!«

Marc, der neben Miguel steht, klopft ihm kräftig auf die Schulter.

»Das ist doch die beste Idee, die ich seit langem gehört habe! Stellt euch vor! Schinken, Spiegeleier, Pancakes mit Ahhornsirup...!«

Marc wird in seiner Aufzählung leckerer Sachen von Patrik unterbrochen.

»Das ist Quatsch, Marc! Zu einem veritablen *Breakfeast* gehören - Bacon, Rührei, weisse Bohnen an Tomatentunke und frischer Toast mit Orangenmarmelade! Alles andere ist nur für Banausen!«

Sally und Samantha blicken sich kopfschüttelnd an, haken sich mit den Armen unter und gehen in Richtung Landesteg auf die „Axolotl3" zu.

»Komm, Sally! Lass die zwei ruhig weiter diskutieren, bis sie schwarz werden! Auf der Yacht gibt es eine super Espressomaschine! Feinster Kaffee garantiert!«,

flüsterte Samantha Sally ins Ohr, aber absichtlich so laut, dass Patrik und Marc es hören können. Dann fangen beide lauthals an zu lachen. Marc und Patrik verstummen, schauen den zwei

Frauen nach, die schon auf dem Landesteg angelangt sind und sich der Yacht nähern.

»Aber Hallo, Ladies! Der gute *alte* Patrik Fitzpatrik ist mit von der Partie! *Wer* soll denn dieses Ding steuern, wenn nicht ich! Schliesslich bin ich Mitglied im Royal Yachts Club von London und besitze verschiedene Kapitäns-Patente! Und dazu kommt, dass ich Samantha doch nicht ohne Geleitschutz ziehen lassen kann!«,

ruft Patrik den zwei Frauen nach und zwinkerte mit einem Auge Marc zu. Dem ist das auffällige Interesse Patriks an Samantha nicht entgangen. Er zieht mit einem Finger ein Augenlid nach unten und spöttelt grinsend.

»Ja, Patrik! Husch, husch! Geh schnell zu den zwei *schwachen* Geschöpfen! Aber Holzauge sei wachsam! Nicht dass die gute Sam unterwegs verloren geht!«

Charles hat sich entschlossen, dass alle von Team1 und Team2 auf der Yacht Vandorps nach Bariloche fahren sollten. Patrik nimmt das grummelnd zur Kenntnis - um seine Fahrt, alleine mit zwei attraktiven Frauen, gebracht.

Kurz darauf steuern die zwei EACs und die „Axolotl3" mit Kurs westwärts über den Lago Nahuel Huapi nach Bariloche.

74

EPILOG

Washington D.C.

Während ihres Rückflugs von Bariloche nach Washington, erstatte Charles Roberts General Vanderbilt Rapport. Der befand sich gerade beim Präsidenten, um ihn über den erfolgreichen Ausgang der Operation „Ghost“ zu unterrichten. Über eine direkte Verbindung spricht der Präsident zu den Mitgliedern in der Gulfstream der CISMA.

»Special Agent Roberts! Ich möchte ihnen und natürlich auch allen Beteiligten, den speziellen Dank von mir und der gesamten Bevölkerung der Vereinigten Staaten aussprechen! Sie haben eine weltweite Katastrophe verhindert! Dem gebührt die nötige Anerkennung! Sie werden alle von mir die »Medal of Honor«[1] erhalten!«

Charles blickt auf das markante Antlitz mit dem hellblonden Haarschopf und sagte.

»Besten Dank, Mr. President! Wir fühlen uns geehrt! Aber es ist für uns eine Selbstverständlichkeit und gehört zu unserer Pflicht, den Dienst zum Wohl der Nation zu verrichten!«

Der Präsident hatte seinen Blick schon wieder nach unten gesenkt und man merkte ihm an, dass er nur noch mit einem halben Ohr zuhörte, was Charles sagte. Er schaut noch einmal kurz in die Kamera und unterbricht die Verbindung.

Nach ihrer Rückkehr aus Argentinien treffen sich Charles Roberts und Abel Mankowski in der „Kommandobrücke“ und spüren mit der Unterstützung Samantha Wongs, die

1 »Ehrenmedaille« die höchste militärische Auszeichnung der USA

geheimnisvollen Investoren Vandorps auf. Innert kurzer Zeit konnten alle zur Rechenschaft gezogen werden. Was nicht zuletzt Samanthas Verdienst ist. Die Zusicherung von Straffreiheit für Samantha Wong wird erfüllt und Charles Roberts setzte sich bei General Vanderbilt dafür ein, sie in die Dienste der CISMA aufzunehmen. Der General ist anfänglich nicht sehr begeistert von dieser Idee. Doch mit dem Argument von Charles Roberts, man hätte sie dann besser unter Kontrolle, bis sie ihre Loyalität unter Beweis gestellt habe und auch dank der Fürsprache durch alle Mitglieder von Roberts Team1 und Bill Harmundsons Team2, als auch nach Rücksprache mit Commander Patrik Fitzpatrik, stimmte General Vanderbilt schlussendlich dem Anliegen zu.

Einen Monat nach den Ereignissen auf der Isla Huemul heiraten Charles und Sally in einer kleinen aber feinen Zeremonie. Alle an der Operation „Ghost" Beteiligten, der General und Hetty Thuring, Abel Mankowski und Daryl Smith waren mit von der Partie. Extra aus Argentinien sind Miguel Ruiz und Diego Diaz angereist. Miguel hatte Mercedes mitgebracht. Nach der offiziellen Hochzeits-Zeremonie, während der anschliessenden Party verkündete er, dass Mercedes und er ebenfalls bald den Stand der Ehe eingehen werden.

Patrik Fitzpatrik konnte seinen Vorgesetzten beim KI6 davon überzeugen, dass eine enge Zusammenarbeit zwischen seinem Dienst und der CISMA von Vorteil wäre.

Dazu sei es aber dringend geboten, einen Verbindungsmann in Washington D.C. zu haben. Und natürlich ist dieser Verbindungsmann niemand anderes, als ein Commander mit Namen Patrik Fitzpatrik. Der hatte auch einen ganz persönlichen Grund für diese Veränderung. Schon kurz nach den Erlebnissen in Argentinien, bemerkten alle in der CISMA, dass Patrik restlos in Samantha verliebt ist. Und dies auch bei Samantha auf Gegenseitigkeit beruhte.

Die Vorgeschichte zu diesem Buch!
AXOLOTL - Das GEN Projekt
Thriller Spannung pur!

1542 - ein Hohepriester der Mayas versucht, mit Hilfe eines uralten Papyrus, der seltsame Schriftzeichen enthält, das Geheimnis des »Ewigen Lebens« für sich zu beanspruchen.

1945 - ein Wissenschaftler der SS Organisation FEP plant durch Genmanipulation die Regeneration von Gliedmassen und Organen zu ermöglichen, die Kraft des Menschen zu steigern und das natürliche Altern zu stoppen.

2017 - ein schwerreicher Unternehmer will mittels einer neuen Gentechnik und durch Veränderung der menschlichen DNA den »Supermenschen« erschaffen und eine neue Weltordnung ins Leben rufen.
Charles Roberts, Agent der geheimen Organisation CISMA, soll das wahnwitzige Projekt stoppen und die Katastrophe verhindern.

Charles R. Leupin, Jahrgang 1953
Lebt mit seiner Frau
in der Nähe von Zürich in der Schweiz.